Danielle Steel

Américaine née à New York, Danielle Steel a passé son enfance et son adolescence en France, et parle couramment le français. Revenue à New York pour y poursuivre ses études, elle a ensuite travaillé dans la publicité et les relations publiques, avant de se tourner vers l'écriture.

Mère de famille nombreuse, Danielle Steel consacre beaucoup de temps à ses enfants, travaillant le soir et la nuit. Elle est présidente de l'Association américaine des bibliothèques, et porte-parole de plusieurs associations caritatives, dont le Comité de prévention de l'enfance maltraitée. Elle a créé en 1998 à la mémoire de son fils la Fondation Nick Traina, qui a pour vocation de venir en aide aux jeunes en difficulté.

Ses romans restituent avec réalisme des expériences humaines fortes, et sont le fruit d'un long travail de documentation ; son inspiration la conduit souvent à mener de front la rédaction de plusieurs livres. Avec près de cinquante titres publiés, best-sellers mondiaux traduits dans près de trente langues, elle est l'un des auteurs les plus lus au monde.

Cadeau de papa
Noël 2001

DOUBLE REFLET

DU MÊME AUTEUR
CHEZ POCKET

DANIELLE STEEL

DOUBLE REFLET

PRESSES DE LA CITÉ

Titre original :
MIRROR IMAGE

Traduit de l'américain par
Vassoula Galangau

© Danielle Steel, 1998
© Presses de la Cité, 2000, pour la traduction française
ISBN : 2-266-11122-1

1

Les lourds rideaux de brocart du Manoir Henderson étouffaient le gazouillis des oiseaux. Olivia Henderson repoussa de son front une mèche de cheveux noirs avant de poursuivre l'inventaire de la vaisselle de son père. C'était une chaude journée d'été ; comme toujours, sa sœur brillait par son absence. Son père, Edward Henderson, attendait la visite de ses avocats. Ceux-ci prenaient souvent le chemin de Croton-on-Hudson, situé à près de trois heures de New York en voiture. Du fond de sa campagne, Edward surveillait d'un œil scrupuleux ses placements, ainsi que l'aciérie qui portait toujours son nom. Il s'était retiré des affaires deux ans plus tôt, en 1911, mais il vouait une confiance absolue à ses hommes de loi et aux directeurs de son usine. N'ayant pas de fils, il avait vu sa passion du pouvoir s'émousser. Ses filles ne dirigeraient jamais l'aciérie. Il n'avait que soixante-cinq ans mais, depuis quelques années, sa santé déclinait. C'était la raison pour laquelle il s'était installé dans son paisible domaine de Croton-on-Hudson où il avait tout le loisir d'observer tranquillement le monde tout en offrant à ses deux filles une existence convenable... pas très excitante peut-être, mais saine. En tout cas, elles ne semblaient pas s'ennuyer et comptaient des amis parmi toutes les grandes familles qui avaient élu domicile le long de l'Hudson.

Le domaine des Henderson jouxtait d'un côté celui des Van Cortlandt et de l'autre celui des Shepard. Jay

Gould, le père de Helen Shepard, était mort vingt ans plus tôt, en laissant sa fabuleuse propriété à sa fille. Elle et son mari l'entretenaient merveilleusement. Ils organisaient souvent des fêtes pour les jeunes gens des environs. Cette année-là, les Rockefeller avaient terminé la construction de Kykuit à Tarrytown, au nord de Croton-on-Hudson : des jardins splendides ceints de forêts, une demeure qui rivalisait en magnificence avec celle d'Edward.

Les gens venaient de loin pour admirer le Manoir Henderson, qu'ils essayaient d'apercevoir à travers la grille et le magnifique parc. La maison, abritée derrière un rideau d'arbres, au bout d'une allée qui serpentait parmi bosquets et massifs, était à peine visible. Erigée sur une falaise, elle surplombait le fleuve et, assis dans son bureau, Edward, tout en admirant le panorama, se remémorait le passé, ses vieux amis, le tournant décisif de sa vie, dans les années 1870, lorsqu'il avait succédé à son père à la tête des fonderies Henderson, lors de la révolution industrielle. Sa vie était alors si remplie, si différente. Edward s'était marié très jeune. La diphtérie avait emporté son épouse et leur petit garçon. A la suite de ce deuil cruel, il était resté longtemps seul. Jusqu'à ce qu'Elizabeth apparaisse... Elle incarnait tout ce qu'un homme pouvait souhaiter, un rayon de lumière, une comète dans un ciel d'été, si éphémère, si étourdissante, si belle et... si vite partie, hélas ! Ils se marièrent l'année même de leur rencontre. Elle avait dix-neuf ans, il avait dépassé la quarantaine. Elle mourut en couches à vingt et un ans. Submergé de douleur, Edward s'était abruti de travail. Il avait confié ses petites filles à sa gouvernante, à des nourrices. Au bout d'un certain temps, il s'était dit qu'il devait quand même s'occuper davantage d'elles. C'est alors qu'il avait commencé à faire bâtir le manoir. La vie, pensait-il, était plus facile à la campagne. En 1903, New York ne représentait pas l'endroit idéal pour élever des enfants. Elles avaient dix ans quand ils avaient emménagé à Croton. Elles en avaient vingt aujourd'hui. Il avait conservé sa résidence en ville où il travaillait, mais il venait les voir aussi souvent qu'il le pouvait. Au début, ce fut les week-ends. Peu à peu, il se mit à passer plus de temps sur les rivages verdoyants de l'Hudson qu'à New York, Pittsburgh ou en Europe. Son cœur appartenait à ce village enchanteur et à ses filles, qu'il voyait grandir et s'épanouir, tandis que le rythme de sa propre vie ralentissait. Il adorait leur compagnie. Bientôt, il ne put plus s'en passer. Ces deux dernières années, il n'avait pas bougé. Il avait eu quelques problèmes de santé trois ou quatre ans plus tôt. Le cœur, avait décrété son médecin, qui lui avait prescrit du repos. Mais les malaises ne se manifestaient plus, à moins qu'il ne travaille trop, qu'il ne se fasse du souci ou qu'il ne se mette en colère, ce qui ne lui arrivait plus que très rarement, et il se sentait heureux à Croton, avec ses filles.

Voilà vingt ans que leur mère était morte, au printemps de 1893, par une radieuse journée, qu'il considérait désormais comme l'ultime trahison de Dieu. Edward attendait dehors. Il faisait les cent pas, plein d'espérance et d'exaltation. Il ne se doutait pas que le deuil le frapperait une fois de plus. Sa première femme et leur fils avaient succombé douze ans auparavant à l'épidémie de diphtérie. Il s'en était remis difficilement. Mais perdre Elizabeth avait failli lui coûter la vie. A quarante-cinq ans, il avait vacillé sous ce nouveau et terrible coup du sort. Comment continuerait-il à vivre sans elle ? Elle avait rendu son dernier soupir dans leur résidence new-yorkaise et, au début, il sentait souvent sa présence. Puis un vide terrifiant avait remplacé cette sensation. Il en était venu à détester ce lieu de malheur. Ses fréquents voyages constituaient le moyen d'éviter la maison. Mais cela voulait dire aussi éviter les deux petites filles qu'Elizabeth lui avait laissées. Il aurait dû vendre la demeure que son propre père avait fait construire et où il avait grandi, mais il n'arrivait pas à s'y résoudre. Respectueux des traditions, il se sentait l'obligation de la transmettre à ses propres enfants. Alors, il l'avait fermée et, depuis deux ans, il n'y avait plus mis les pieds. Maintenant il vivait à Croton. La maison, New York, sa vie mondaine d'autrefois ne lui manquaient pas.

Sans se laisser distraire par les bourdonnements de l'été, Olivia, juchée sur l'escabeau, poursuivait son laborieux inventaire. Elle utilisait de grandes feuilles de papier pour noter, d'une écriture méticuleuse, les pièces à remplacer. Parfois, elle envoyait un domestique en ville avec la mission de rapporter tel ou tel objet de leur résidence, qui était toujours fermée. Son père n'aimait pas y aller, elle le savait, et elle-même préférait leur existence tranquille à Croton. En fait, depuis son enfance, elle n'était plus retournée à New York, sauf pour une brève visite, deux ans plus tôt. Son père les avait emmenées, elle et sa sœur, afin de les présenter à ses amis et relations. Ç'avait été pour elle une expérience intéressante, mais particulièrement épuisante. Les réceptions succédaient aux spectacles, car ils avaient dû répondre à une avalanche d'invitations. Il avait semblé à Olivia qu'elle était constamment sur scène, impression qu'elle avait détestée, et que Victoria avait littéralement adorée au point de sombrer dans la mélancolie lorsqu'ils avaient regagné Croton à Noël. Olivia, elle, avait été enchantée de retrouver ses livres, ses chevaux, ses promenades paisibles jusqu'aux fermes voisines. Parfois, en chevauchant, elle entendait le chant du printemps dans la forêt, ou devinait l'approche de l'hiver, quand octobre habillait le paysage de couleurs fauves. Depuis qu'elle était petite fille, Olivia aimait à s'occuper de la maison, aidée par Alberta Peabody, la femme qui les avait élevées, Victoria et elle. Alberta, surnommée Bertie, était la seule figure maternelle que les deux petites filles avaient jamais connue. Bertie avait la vue basse mais l'esprit vif. Elle était capable de reconnaître chacune des deux jeunes femmes dans le noir, les yeux fermés.

La gouvernante entra dans la pièce, afin de demander à Olivia si tout allait bien. Elle lui était profondément reconnaissante d'effectuer à sa place cette tâche qui exigeait une bonne vue et de la patience. Bertie n'avait plus ni l'une ni l'autre. Olivia gardait l'œil sur tout : broderies, cristaux, linge de maison. Et elle y prenait plaisir, contrairement à Victoria, qui abhorrait les travaux domestiques. A tous points de vue, Victoria était différente de sa sœur.

— Avons-nous cassé tous nos plats ou nous reste-t-il encore de quoi organiser un dîner à Noël ? s'enquit Bertie avec un sourire, tout en tendant à Olivia une citronnade glacée et une assiette de cookies au gingembre tout juste sortis du four.

Alberta Peabody considérait Olivia et Victoria comme ses propres enfants. Le destin les lui avait confiées dès leur naissance. Elle ne les avait pas quittées un seul jour depuis la mort de leur mère. La première fois qu'elle avait regardé Olivia, elle avait été envahie par une immense tendresse.

C'était une femme ronde, aux jambes courtes, aux cheveux blancs ramassés en un petit chignon sur la nuque. Elle avait une poitrine généreuse sur laquelle Olivia avait très souvent posé la tête durant son enfance. Elle avait réconforté les deux petites chaque fois qu'elles en avaient eu besoin et que leur père était absent, ce qui arrivait fréquemment à l'époque. Des années durant, il avait porté le deuil de leur mère en gardant ses distances. Plus tard, il s'était rapproché de ses enfants. Et depuis que sa santé s'était détériorée, il s'était retiré au manoir. Il avait le cœur faible, état qu'il attribuait aux deuils successifs et aux soucis de la vie d'homme d'affaires. A présent, il dirigeait son empire d'ici, assisté de ses avocats.

— Il nous faut des assiettes creuses, Bertie, indiqua Olivia d'une voix solennelle, en rejetant ses longs cheveux en arrière, inconsciente de sa lumineuse beauté : une peau d'un blanc crémeux, de grands yeux bleu sombre, des cheveux épais, couleur aile de corbeau. Et aussi des assiettes à poisson. Je passerai commande chez Tiffany la semaine prochaine. Dis aux filles de cuisine de faire un peu plus attention, tout de même.

Bertie acquiesça sans se départir de son sourire. Olivia ferait une excellente maîtresse de maison. Elle aurait déjà dû être mariée, et c'est son propre inventaire qu'elle aurait dû effectuer au lieu de s'occuper de la maison de son père. Mais la jeune femme n'avait pas envie de partir. Elle était parfaitement satisfaite de son existence au manoir, contrairement à Victoria qui ne parlait que de voyages à l'autre bout de la planète, et dont les yeux étincelaient chaque fois qu'elle songeait à leur maison de New York et aux divertissements qu'elles pourraient avoir là-bas.

Olivia regarda Bertie avec un sourire de petite fille. Sa robe de soie bleu pâle, qui lui arrivait presque aux chevilles, la drapait comme un morceau de ciel clair. Elle l'avait vue dans un magazine et l'avait fait copier par une couturière. C'était un modèle de Poiret, qui lui seyait à ravir. Olivia choisissait et créait toujours leurs vêtements. Victoria s'en désintéressait. Elle laissait volontiers le choix de leur garde-robe à sa sœur, d'autant que celle-ci était « l'aînée », comme elle disait.

— Les cookies sont excellents aujourd'hui. Père va les adorer.

Olivia les avait commandés spécialement pour lui et pour John Watson, son principal avocat.

— Je suppose que je dois leur préparer un plateau, à moins que tu ne l'aies déjà fait ?

Les deux femmes échangèrent un regard. On y décelait une connivence de longue date, tissée durant de nombreuses années de devoirs et de responsabilités partagés. Olivia avait grandi lentement, au fil du temps. L'enfant était devenue jeune fille, jeune femme, maîtresse de maison. Elle maîtrisait parfaitement toutes les situations. Le respect s'était ajouté à l'affection que Bertie portait à sa protégée. Elle ne la surveillait plus, ne la grondait plus, même lorsqu'elle sortait sous la pluie battante ou faisait le genre de bêtises que l'on peut encore commettre à vingt ans. C'était rafraîchissant, après tout. Olivia était trop sérieuse, trop consciencieuse... Ce n'était pas plus mal qu'elle oublie de temps à autre ses responsabilités.

— J'ai sorti le plateau, répondit la gouvernante, mais j'ai dit au cuisinier que tu voudrais sûrement t'en occuper toi-même.

— Merci, Bertie.

Olivia descendit avec grâce de l'escabeau, noua ses bras autour du cou de sa nounou et posa un instant la tête sur son épaule, comme une petite fille. Ensuite, après l'avoir embrassée sur la joue, elle se précipita vers la cuisine.

Elle prépara pour son père et l'avocat une carafe de citronnade, une assiette de cookies, de petits sandwiches au cresson, avec des rondelles de concombre et de tomates du potager, aussi fines que du papier à cigarettes. Elle ajouta une bouteille de sherry et des alcools plus forts au cas où ils en auraient envie. Ayant grandi auprès de son père, Olivia ne se formalisait pas quand les hommes buvaient du whisky en fumant des cigares. Comme sa sœur, elle en appréciait l'odeur.

Après avoir jeté un coup d'œil aux serviettes de lin et aux couverts en argent que Bertie avait posés près du plateau, elle alla retrouver son père dans la bibliothèque. Les doubles rideaux de brocart rouge aux lourdes franges dorées avaient été tirés de manière à ménager une atmosphère fraîche à l'intérieur de la pièce.

— Comment vous sentez-vous aujourd'hui, père ? Il fait affreusement chaud, non ?

— J'aime cela, dit-il en adressant un sourire empreint de fierté à Olivia.

Il appréciait ses talents domestiques. Souvent, il disait que sans Olivia il n'aurait pu garder la maison. Parfois même, en riant, il ajoutait qu'il craignait de voir un Rockefeller la demander en mariage, pour qu'elle s'occupe de Kykuit. Il avait visité récemment la demeure spectaculaire de John D. Rockefeller et en était revenu plein d'admiration. Elle possédait tout le confort moderne, y compris plusieurs téléphones, le chauffage central, une chaudière dans l'étable. Le père d'Olivia avait déclaré en plaisantant qu'à côté leur propre maison avait l'air d'un cottage, ce qui était faux, naturellement. Mais Kykuit n'en demeurait pas moins le domaine le plus imposant du voisinage.

— La chaleur réchauffe mes vieux os, dit-il tout en allumant son cigare, tandis qu'il attendait son avocat. Où est donc ta sœur ?

S'il était toujours facile de trouver Olivia dans la maison, établissant des listes, griffonnant des notes à l'intention du personnel, s'occupant de ce qui devait être réparé ou disposant des fleurs dans un vase pour le bureau de son père, il était pratiquement impossible de découvrir la moindre trace de Victoria.

— Je crois qu'elle est allée jouer au tennis chez les Astor, répondit-elle, mue par une vague intuition plutôt que par une certitude.

— Cela m'étonnerait, déclara Edward avec un sourire espiègle. Les Astor sont partis dans le Maine, où ils resteront tout l'été.

Comme pratiquement tous leurs voisins... Les Henderson avaient passé également plusieurs étés dans le Maine, à Newport et à Rhode Island, mais Edward ne voulait plus bouger de Croton, même pendant les grosses chaleurs.

— Je suis désolée, père, murmura Olivia, toute rouge d'avoir menti à la place de sa sœur. Je pensais qu'ils étaient peut-être revenus de Bal Harbor.

— Je te crois, ma chère enfant... Dieu seul sait où se trouve ta sœur et ce qu'elle fabrique.

Tous deux savaient que les lubies de Victoria étaient inoffensives. C'était une forte personnalité, pleine d'esprit et de détermination, aussi indépendante que leur mère. Edward Henderson taxait d'excentricité sa fille cadette. Il tolérait ses fantaisies tant qu'il ne les jugeait pas trop excessives. Ici, il ne pouvait pas lui arriver grand-chose à part tomber d'un arbre, attraper une insolation en parcourant des kilomètres à pied pour se rendre chez des amis ou nager un peu trop loin dans la rivière. A Croton, on s'adonnait aux plaisirs simples. Victoria n'avait pas d'idylles, pas de soupirants, bien que plusieurs jeunes Rockefeller et Van Cortlandt lui eussent témoigné un intérêt particulier. Mais tous se montraient bien élevés et Edward classait Victoria plutôt dans la catégorie des femmes intellectuelles que dans celle des cœurs romantiques.

— J'irai la chercher tout à l'heure, promit tranquillement Olivia.

Un garçon de cuisine apporta le plateau ; elle lui indiqua où le poser.

— Il faudra un troisième verre, ma chérie, dit son père en rallumant son cigare et en remerciant le garçon dont il ne se rappelait jamais le nom.

Olivia, elle, connaissait les noms de tous leurs domestiques. Elle savait tout d'eux : leur histoire, leurs parents, leurs sœurs, leurs enfants. Leurs faiblesses, leurs qualités ne lui échappaient pas, ainsi que les erreurs qu'ils étaient capables de commettre. Elle était de fait la maîtresse du manoir, plus autoritaire que sa mère l'aurait sans doute été. Olivia était convaincue qu'elle devait ressembler davantage à sa sœur.

— Est-ce que John amène quelqu'un avec lui ? demanda la jeune fille, surprise.

D'habitude, l'avocat de son père venait seul, sauf lorsqu'un problème se présentait à l'aciérie, mais dans ce cas, Olivia le savait. Edward tenait ses filles au courant de ses affaires. Sa fortune leur reviendrait un jour. Evidemment, elles vendraient l'aciérie, à moins qu'elles n'épousent des hommes capables de la diriger.

Il poussa un soupir tout en exhalant la fumée de son cigare.

— Oui, John ne viendra pas seul aujourd'hui, hélas... Décidément, j'en ai trop vu ! J'ai survécu à deux épouses, à un fils, à mon médecin qui nous a quittés l'année dernière, à la plupart de mes vieux amis. Et maintenant John Watson m'annonce qu'il va prendre sa retraite. Il veut me présenter un juriste qui vient de rejoindre sa société et qu'il apprécie beaucoup.

— John n'a pas un âge canonique, lui répondit avec étonnement Olivia, que la nouvelle perturbait presque autant que son père. Et vous non plus. Cessez donc de parler comme un vieillard !

Pourtant, depuis que ses problèmes de santé l'avaient obligé à se retirer à la campagne, il se sentait vieux.

— On est vieux à partir du moment où les gens de votre entourage commencent à disparaître, dit-il avec une grimace en pensant au jeune avocat qu'il n'avait aucune envie de rencontrer.

— Personne ne disparaît. John a toujours bon pied, bon œil, que je sache, fit-elle d'une voix rassurante tout en lui présentant un petit verre de sherry et le plateau de cookies au gingembre.

Edward en goûta un sans dissimuler son contentement.

— Peut-être qu'il ne partira plus après avoir dégusté ces cookies. Félicitations, Olivia. Grâce à toi, le cuisinier et ses aides accomplissent des miracles.

— Merci, dit-elle en se penchant pour l'embrasser.

Elle prit un cookie, puis s'assit sous le regard attendri de son père. Olivia personnifiait la fraîcheur. Elle ne semblait pas souffrir de la chaleur tandis qu'elle grignotait son cookie en attendant John Watson.

— Qui est ce nouvel avocat ? demanda-t-elle avec curiosité.

Watson, qui était le cadet de son père d'un ou deux ans, paraissait trop jeune pour prendre sa retraite. De plus, il n'avait jamais fait son âge. Mais peut-être avait-il préféré embaucher quelqu'un dans son cabinet, justement, pendant qu'il était encore temps.

— Est-ce que vous l'avez déjà vu ?

— Pas encore, répondit Edward. Aujourd'hui ce sera la première fois. Au dire de John, il s'agit de quelqu'un d'extrêmement compétent, surtout en droit commercial, qui a conclu de fructueux contrats immobiliers pour le compte des Astor. Avant d'arriver chez John, il a travaillé dans un cabinet de grand renom, et il possède d'excellentes recommandations.

— Alors pourquoi a-t-il changé de société ?

Elle adorait se mettre au courant des affaires de son père. Victoria aussi, à ceci près qu'elle défendait avec acharnement ses opinions. Parfois, tous les trois se lançaient dans des discussions politiques enflammées. Edward, qui n'avait pas de fils, aimait bien parler de sujets intelligents avec ses filles.

— D'après John, Dawson, le nouvel avocat, a subi un terrible coup du sort l'an passé. Je le plains de tout cœur et c'est la raison pour laquelle j'ai permis à John de l'emmener... Je ne comprends que trop bien cette sorte de malheur...

Il sourit tristement à Olivia.

— Il a perdu sa femme l'année dernière dans le naufrage du *Titanic*. Fille de lord Arnsborough, elle était allée rendre visite à sa sœur en Angleterre. La fatalité a voulu qu'elle rentre à bord du *Titanic*. Le malheureux a failli perdre également son fils. Apparemment, le petit garçon est monté dans l'un des derniers canots de sauvetage. Celui-ci était déjà bondé, alors elle a mis un autre enfant à sa place, disant qu'elle prendrait le canot suivant... A ceci près qu'il n'y a pas eu de canot suivant. Je crois que Dawson a quitté sa société et qu'il a passé un an en Europe avec son fils. C'est arrivé il y a seize mois. Il est avec Watson seulement depuis mai ou juin. Le pauvre homme ! John m'a chanté ses louanges, bien que Dawson soit encore sous le choc. Mais il se ressaisira, comme tout le monde, ne serait-ce que pour le bien de son enfant.

Il pouvait parfaitement se mettre à la place de cet inconnu. Il se remémora le jour où il avait perdu Elizabeth, bien que sa mort fût due aux complications de l'enfantement et non à un désastre de l'ampleur du naufrage du *Titanic*. Mais qui peut mesurer la souffrance ? Edward Henderson s'abîma dans ses réflexions, tout comme Olivia. Peu après, en levant le regard, ils découvrirent, stupéfaits, John Watson sur le seuil de la porte.

— Tiens ! Comment avez-vous réussi à ne pas vous faire annoncer ? Etes-vous passé par la fenêtre ? s'exclama le maître de maison en riant.

Il bondit sur ses pieds, traversa la pièce d'un pas leste pour accueillir son vieil ami. Grâce aux soins constants d'Olivia, il avait l'air en pleine forme, malgré ses plaintes sur sa prétendue vieillesse.

— Personne ne fait plus attention à moi, répondit John Watson, riant lui aussi.

Il était grand, avec une abondante chevelure blanche, comme celle du père d'Olivia, qui était élancé, d'allure aristocratique, et qui jadis avait eu des cheveux aussi noirs que ceux de sa fille. Ses yeux étaient également du même bleu que ceux d'Olivia. Ils s'étaient mis à briller, alors qu'il discutait avec John. Les deux hommes se connaissaient depuis le lycée. En fait, Edward avait été le meilleur ami du frère aîné de John, décédé depuis de longues années. John et Edward s'étaient alors rapprochés. John Watson s'occupait de tous les litiges concernant les entreprises et les investissements d'Edward.

A présent, ils s'étaient engagés dans une conversation animée. En jetant un ultime regard sur le plateau, s'assurant que tout était en ordre, Olivia s'apprêta à quitter la pièce. Quelle ne fut pas sa surprise quand, en se retournant, elle se trouva nez à nez avec Charles Dawson. Cela faisait tout drôle de le voir là, alors qu'elle venait d'évoquer sa vie avec son père, et de savoir tant de choses sur lui sans même le connaître. Elle le trouva très séduisant, malgré son air austère. Il avait les yeux les plus tristes du monde, se dit-elle, semblables à de profonds lacs verts. Il parvint à ébaucher un petit sourire quand le père d'Olivia les présenta l'un à l'autre. Il n'était pas seulement triste, se rendit-elle compte. La gentillesse de son regard, sa douceur donnaient envie de le consoler.

— Enchanté, dit-il poliment en lui serrant la main.

Il la dévisagea un instant, frappé par sa beauté, mais sans aucune effronterie. Avec curiosité, plutôt. La timidité naturelle d'Olivia refit surface. Elle s'empressa de se retrancher derrière son rôle rassurant de maîtresse de maison.

— Puis-je vous offrir un verre de citronnade ou de sherry ? Père préfère le sherry, même par un jour aussi chaud qu'aujourd'hui.

— Je prendrai avec plaisir un verre de citronnade.

John Watson opta également pour une citronnade, puis tous les trois firent honneur aux cookies. Ayant jugé qu'elle avait rempli ses devoirs, Olivia se retira sans bruit en refermant la porte à double battant derrière elle. Mais, lorsqu'elle quitta la pièce, quelque chose dans le regard de Charles Dawson la bouleversa, peut-être parce qu'elle connaissait sa triste histoire. Elle se demanda quel âge avait son fils et comment il arrivait à l'élever tout seul... à moins qu'il ait quelqu'un dans sa vie. Olivia s'efforça de balayer ces pensées. Il était ridicule, voire inconvenant, de se faire du souci pour l'un des avocats de son père. Tandis qu'elle se dirigeait vers la cuisine, elle faillit se heurter à l'apprenti mécanicien de son père, un adolescent de seize ans du nom de Petrie, ancien garçon d'écurie qui semblait mieux connaître les voitures que les chevaux. Le père d'Olivia ayant un faible pour ces machines modernes, il avait acheté un des premiers modèles, alors qu'ils vivaient encore à New York. Aujourd'hui, il en possédait toute une collection, et Petrie avait été promu responsable de l'entretien.

— Que se passe-t-il ? Qu'est-ce qui ne va pas ? lui demanda Olivia.

Le pauvre garçon paraissait dans tous ses états.

— Il faut que je voie votre père tout de suite, mademoiselle, s'écria-t-il, au bord des larmes.

Elle dut le retenir avant qu'il fasse irruption dans la bibliothèque où Edward Henderson s'entretenait avec ses avocats.

— Vous ne pouvez pas le déranger, pour le

moment. Que puis-je faire pour vous aider ? demanda-t-elle d'un ton à la fois gentil et ferme.

Il hésita, jeta alentour un regard méfiant, redoutant une oreille indiscrète.

— C'est la Ford, murmura-t-il enfin, terrifié. On l'a volée.

Ses yeux étaient emplis de larmes. Il s'attendait au pire. Il allait perdre le meilleur emploi qu'il avait jamais eu, et même pas par sa faute. Il ne comprenait pas comment cela avait pu se produire.

— Volée ? dit-elle, sidérée. Comment est-ce possible ? Quelqu'un aurait traversé la propriété et pris la voiture sans se faire remarquer ?

— Je ne sais pas, mademoiselle. Elle était encore là ce matin. Je l'ai nettoyée. La carrosserie brillait autant que le jour où M. Henderson l'a achetée. J'ai juste laissé la porte du garage ouverte pour aérer, c'est une étuve quand le soleil tape sur le toit, et une demi-heure plus tard, il n'y avait plus de voiture ! Elle avait disparu.

De nouveau, les larmes lui montèrent aux yeux. Olivia posa une main légère sur son épaule. Un détail dans le récit l'avait frappée.

— Quelle heure était-il, Petrie ? Vous vous en souvenez ?

Sa voix, son attitude demeuraient parfaitement calmes pour une jeune fille de vingt ans. Elle avait affaire à ce genre de problèmes tous les jours, et elle avait appris à les résoudre. D'ailleurs elle avait son idée concernant ce nouveau mystère.

— Il était exactement onze heures et demie, mademoiselle. J'en suis sûr.

Olivia avait vu sa sœur pour la dernière fois à onze heures. La Ford dont la disparition mettait Petrie au désespoir servait à transporter des victuailles et autres emplettes de la ville. Son père se déplaçait dans une Cadillac Tourer.

— Ecoutez, Petrie, dit-elle tranquillement. Calmez-vous. Il est fort possible qu'un membre du personnel l'ait empruntée pour faire une course, sans songer à vous en avertir. Le jardinier, par exemple. Je lui ai demandé d'aller jeter un coup d'œil sur les rosiers que j'ai envoyés à Mme Shepard pour ses plantations.

Elle était sûre et certaine que la voiture n'avait pas été volée. Il fallait persuader Petrie d'attendre. S'il racontait à son père cette histoire de vol, ce dernier appellerait la police et l'affaire prendrait une tournure déplaisante.

— Kittering ne sait pas conduire, mademoiselle. Il n'aurait pas pris la Ford pour aller voir vos roses. Il aurait pris un cheval, la bicyclette à la rigueur, mais pas la Ford, mademoiselle, non, pas la Ford.

— Peut-être que quelqu'un d'autre l'a empruntée. Je crois qu'il est prématuré de l'annoncer à mon père. De plus, il est occupé. Attendons jusqu'au dîner, d'accord ? Si personne ne rapporte la voiture d'ici là, nous aviserons. Mais je suis sûre que ce soir la Ford sera de nouveau dans le garage. Maintenant, venez boire un verre de citronnade dans la cuisine.

Elle l'entraîna tout doucement dans cette direction. Petrie se laissa faire, légèrement apaisé, bien qu'encore très nerveux. Il était certain que si M. Henderson découvrait qu'on avait dérobé la Ford sous son nez il le mettrait à la porte. Olivia continua à le rassurer. Elle remplit un verre de citronnade et le lui tendit, ainsi qu'une assiette des irrésistibles cookies au gingembre, sous l'œil narquois du cuisinier.

Elle promit à Petrie d'aller voir plus tard dans l'après-midi si la voiture n'était pas revenue et lui fit promettre de ne rien dire à son père entre-temps. Avec un clin d'œil au cuisinier, elle se hâta de s'éclipser pour éviter Bertie qui, justement, se dirigeait vers elle. Mais Olivia était plus rapide que tous les domestiques réunis. Elle fila par une porte-fenêtre s'ouvrant sur le jardin. La moiteur étouffante de l'été l'enveloppa ; elle poussa un soupir. Voilà pourquoi leurs voisins se réfugiaient à Newport ou dans le Maine. Ici, la chaleur était insupportable. L'automne apportait une fraîcheur agréable qui redonnait toute sa luxuriante beauté au paysage. Et au printemps, après le long, l'interminable hiver, la campagne évoquait un tableau idyllique. Seuls les hivers et les étés surprenaient par leur brutalité. La plupart des habitants de Croton passaient l'hiver en ville et l'été au bord de la mer. Sauf son père. Les Henderson restaient toute l'année au manoir.

Olivia serait bien allée nager dans la rivière mais elle n'en avait plus le temps. Elle emprunta l'un de ses sentiers favoris à l'arrière de la propriété, qui menait vers un délicieux jardin caché aux regards. Ici, elle faisait de l'équitation, son sport de prédilection. Un portail étroit ouvrait sur la propriété des voisins et, souvent, elle galopait à travers les plaines de leur domaine sans qu'ils y voient d'inconvénient. Ils se partageaient les collines comme une grande famille unie dont les membres se seraient implantés peu à peu dans la région.

Malgré la chaleur, elle marcha longtemps. Elle ne songeait plus à la voiture volée. Bizarrement, ses pensées se tournaient vers Charles Dawson et l'histoire que son père lui avait racontée. Quel malheur que de perdre sa femme d'une manière aussi tragique ! Il avait dû être fou d'inquiétude lorsque la nouvelle du naufrage s'était répandue. Olivia s'assit sur un banc de bois. Le bruit lointain d'un moteur la tira peu à peu de ses réflexions. Elle demeura immobile, l'oreille tendue. Le bruit se rapprochait. Elle leva les yeux tandis que la Ford disparue passait dans un grand bruit l'étroit portail, éraflant du même coup la carrosserie. Stupéfaite, Olivia regarda la voiture avancer vers elle. De derrière le volant, sa sœur lui adressa un sourire... Entre les doigts de la main que Victoria agitait en signe de salutation, il y avait une cigarette.

Olivia n'avait pas bougé. Elle ne s'était même pas levée. Elle se contenta de regarder sa sœur en hochant la tête. Victoria freina et continua à lui sourire à travers le nuage de fumée de sa cigarette.

— Petrie voulait dire à père que la voiture avait été

volée, te rends-tu compte ? Il aurait appelé la police, si je l'avais laissé faire.

La voix d'Olivia n'exprimait aucune surprise. Elle était habituée aux exploits de sa sœur. Toutes les deux se regardèrent un moment, l'une calme mais mécontente, l'autre visiblement amusée. Chose étonnante : à part le fait que le vent avait ébouriffé la coiffure de Victoria, les deux jeunes filles étaient absolument semblables. On eût dit que chacune se regardait dans un miroir. Mêmes yeux, même bouche, mêmes pommettes, mêmes cheveux, mêmes gestes. Il y avait, certes, d'infimes différences — Victoria paraissait plus espiègle, plus insouciante —, mais il était difficile sinon impossible de les distinguer. Leur propre père les confondait parfois ; quant aux domestiques, ils les prenaient régulièrement l'une pour l'autre. Leurs camarades de classe n'avaient jamais pu faire la différence. A l'école, cela provoquait la consternation car elles attiraient l'attention et troquaient leurs places dès que c'était possible, à la grande confusion des professeurs. Du moins au dire d'Olivia, Victoria les tourmentait sans merci. A tel point que leur père avait fini par confier leur éducation à un précepteur. Malheureusement, prendre des leçons à la maison les avait isolées du monde. Elles n'avaient pas d'amies. L'école leur manquait, mais leur père se montra inflexible. Il ne supportait pas que ses filles soient observées comme des curiosités de foire. A l'école, les professeurs s'étaient avérés incapables de les diriger, alors que les précepteurs et Mme Peabody y parvenaient. En fait, Mme Peabody était la seule et unique personne au monde qui savait qui était qui. Elle savait les différencier l'une de l'autre de dos, de face, et avant même qu'elles ouvrent la bouche. Elle connaissait également le secret qui permettait de les distinguer. Olivia avait une petite tache sur la paume droite, tandis que Victoria portait exactement la même à la paume gauche. Leur père était au courant, bien sûr, mais il oubliait de vérifier ce détail. Il trouvait plus simple de leur poser la question en espérant qu'elles diraient la vérité, ce qui, maintenant qu'elles avaient grandi, ne posait plus de problème. En vraies jumelles, elles se ressemblaient comme deux gouttes d'eau, et cette ressemblance provoquait autour d'elles, depuis leur naissance jusqu'à aujourd'hui, une véritable folie.

Deux ans plus tôt, leur présentation à la haute société new-yorkaise avait fait beaucoup de bruit. C'était la raison pour laquelle leur père les avait ramenées à Croton avant Noël. Partout où ils allaient, elles attiraient tous les regards et il ne pouvait plus tolérer cela. Voir ses filles traitées comme des bêtes curieuses l'agaçait prodigieusement. Victoria avait été anéantie d'apprendre qu'ils allaient regagner Croton, alors qu'Olivia avait accueilli la nouvelle avec sérénité. Elle était prête à rentrer au manoir. Pas Victoria. A ses yeux, la vie à la campagne était synonyme d'ennui, et elle se demandait comment son père et sa sœur supportaient une existence aussi terne.

Un seul sujet passionnait Victoria : la cause des suffragettes. Le mouvement féministe l'enflammait, elle ne parlait plus que de cela, et Olivia en avait vraiment assez de l'écouter. Victoria ne jurait que par Alice Paul, organisatrice de la marche à Washington lors de laquelle des dizaines de femmes avaient été arrêtées. Il y avait eu quarante blessées et il avait fallu des troupes à cheval pour restaurer l'ordre. Victoria évoquait tout aussi souvent Emily Davison, tuée deux mois plus tôt en Angleterre, parce qu'elle s'était élancée devant le cheval du roi au derby. Elle portait également aux nues Emmeline Pankhurst et ses filles, qui se battaient vaillamment pour les droits des femmes en Angleterre. Discuter du féminisme allumait des flammes dans les yeux de Victoria, tandis qu'Olivia, excédée, levait les siens au plafond. Mais, pour l'heure, cette dernière, assise tranquillement sur son banc, attendait les excuses et les explications de sa sœur.

— Alors ? Ont-ils appelé la police ? s'enquit Victoria, amusée et pas du tout prête à s'excuser.

— Non, répondit Olivia d'une voix sévère. J'ai soudoyé Petrie avec un verre de citronnade et des cookies... Ah ! j'aurais dû le laisser prévenir père. Je savais que c'était toi.

Elle s'efforçait de paraître furieuse, mais quelque chose dans ses yeux démentait sa prétendue colère, et Victoria l'avait compris.

— Comment ? demanda-t-elle, réjouie, sans montrer la moindre contrition.

— J'ai du flair, sale bête ! Un de ces jours, lorsqu'ils voudront appeler les policiers, je ne les en empêcherai pas.

— Tu ne feras pas ça, répondit Victoria, confiante, avec une lueur malicieuse dans l'œil qui aurait rappelé leur mère à Edward.

Physiquement, Victoria était le portrait d'Olivia, jusque dans la tenue puisqu'elle portait la même robe de soie bleu pâle.

Tous les matins, Olivia choisissait les vêtements de sa sœur. Victoria les mettait sans discuter. Etre jumelles leur convenait parfaitement et avait d'ailleurs tiré Victoria de tous les mauvais pas de sa jeune existence. Olivia la défendait toujours, l'excusait, quand elles ne prenaient pas la place l'une de l'autre, soit pour sauver Victoria d'une situation embarrassante, soit, lorsqu'elles étaient petites, parce que c'était amusant. Leur père les avait sermonnées à maintes reprises sur ce point, les exhortant à ne pas profiter des circonstances exceptionnelles dont elles bénéficiaient... Mais comment ne pas succomber à une telle tentation ? Tout ce qui les concernait échappait aux normes. Elles étaient beaucoup plus proches que deux sœurs ordinaires. Parfois, elles avaient le sentiment d'être une seule et même personne. Pourtant, elles se savaient aussi très différentes. Victoria était plus espiègle. Son audace confinait à la témérité, elle aimait l'aventure. C'était toujours elle qui s'attirait des ennuis. Le vaste monde la fascinait davantage qu'Olivia... Olivia qui se contentait de rester à la maison dans les limites fixées une fois pour toutes par la famille, la société et la tradition. Victoria brûlait de se battre pour l'émancipation des femmes, de participer aux manifestations et aux discours... Elle considérait le mariage comme une coutume barbare faite pour opprimer la femme, tandis qu'Olivia voyait dans cette agitation une pure folie. D'autres mouvements avaient auparavant passionné Victoria, idéologies religieuses, concepts intellectuels dont elle avait pris connaissance dans ses lectures. Olivia, elle, s'efforçait de garder les pieds sur terre et ne se sentait pas le courage de se jeter dans la bataille pour des causes obscures. Son univers était moins téméraire que celui de sa jumelle. Et pourtant, à l'œil nu, elles paraissaient identiques, même pour les personnes qui les connaissaient bien.

— Quand as-tu appris à conduire ? s'enquit Olivia en tapant du pied, ce qui déclencha l'hilarité de Victoria.

Elle avait jeté son mégot par terre, près du banc où sa sœur était assise. Olivia jouait volontiers le rôle de la sœur aînée acariâtre. Elle était de onze minutes plus âgée que Victoria et ces onze minutes faisaient toute la différence. Lors de confidences à cœur ouvert, Victoria disait que c'était elle qui avait tué leur mère.

— Mais non ! avait fermement répondu Olivia, alors qu'elles n'étaient encore que toutes petites. Tu ne l'as pas tuée. C'est Dieu qui l'a voulu.

Choquée, Victoria avait pris la défense de Dieu.

— Il n'aurait pas voulu que maman meure !

Mme Peabody avait été bouleversée lorsqu'elle avait compris le sens de leur discussion. Plus tard, elle leur avait expliqué les périls de l'enfantement. Mettre des jumeaux au monde exigeait un effort surhumain, poursuivit-elle, que seules les âmes pures pouvaient tenter. Plus clairement, au dire de la brave nourrice, leur mère avait été un ange ; elle les avait déposées sur la terre en les confiant à leur père qui les adorait, puis elle était repartie au paradis. La question de la responsabilité ne se posait pas, affirma-t-elle. Et pourtant, Victoria se sentait secrètement coupable de la mort de leur mère, Olivia le savait. Rien, aucun argument, jusqu'à leur vingtième année, n'était parvenu à modifier cette certitude.

Mais aucune des deux n'y songeait à présent, alors qu'Olivia questionnait sa sœur à propos de ses leçons de conduite.

— J'ai appris à conduire toute seule l'hiver dernier, répondit Victoria en haussant les épaules avec désinvolture.

— Toute seule ? Comment ?

— C'est très simple. J'ai pris les clés et j'ai essayé. J'ai un peu cabossé la carrosserie les premières fois, mais Petrie n'y a vu que du feu. Il a cru que c'était arrivé lorsqu'il était allé en ville et avait garé la voiture devant l'épicerie.

Olivia la regarda de son air le plus sévère. En fait, elle se retenait de rire.

— Arrête de me fusiller du regard. C'est drôlement utile de savoir conduire. Quand tu voudras, je t'emmènerai faire un tour.

Olivia secoua la tête ; elle refusait de se laisser fléchir. Sa sœur aurait pu avoir un accident mortel en roulant sur les routes de campagne au volant de cet engin qu'elle ne maîtrisait pas.

— Pour qu'on s'écrase contre un arbre ? Non merci ! Et tu fumes, en plus !

Elle était au courant de ce vice depuis l'hiver passé, quand elle avait aperçu un paquet de Fatima dans leur coiffeuse. Elle avait été horrifiée mais lorsqu'elle en avait parlé à Victoria, celle-ci avait répondu par un rire insouciant, se refusant à tout commentaire.

— Ne sois pas si vieux jeu, disait-elle maintenant. Si nous vivions à Londres ou à Paris, tu fumerais aussi, rien que pour être à la page.

— Je ne suis pas d'accord, Victoria. C'est une habitude indigne d'une jeune fille et tu le sais. Eh bien, où étais-tu donc ?

Victoria hésita un long moment. Olivia attendait sa

réponse, car Victoria lui disait toujours la vérité. Elles n'avaient aucun secret l'une pour l'autre. Les rares fois où l'une avait voulu cacher la vérité, l'autre l'avait su intuitivement.

— Allez, avoue ! reprit Olivia, fidèle à son rôle de cerbère.

Victoria sembla soudain beaucoup plus jeune que ses vingt ans.

— Bon, d'accord. Voilà : je suis allée à Tarrytown, à un meeting de l'Association nationale pour le droit de vote des femmes. Alice Paul était là. Elle est venue spécialement diriger les débats. Elle se propose de créer un groupe de féministes ici même. Anna Howard Show, la présidente de l'association, était censée assister à la réunion mais elle n'a pas pu.

— Pour l'amour du ciel, Victoria, qu'est-ce qui te prend ? Père va appeler la police si jamais tu t'impliques dans une de ces manifestations... Ou alors tu te feras arrêter et père ira te chercher au commissariat.

Loin de décourager Victoria, cette éventualité parut, au contraire, lui plaire.

— Cela en vaut la peine, Ollie. Alice est une femme extraordinaire... Tu devrais venir avec moi la prochaine fois.

— La prochaine fois je t'attacherai à ton lit ! Et si tu t'avises de voler la voiture pour ces bêtises, je laisserai Petrie appeler la police. Mieux encore, je te dénoncerai.

— Mais non, tu n'en feras rien. Allez, monte ! Je te ramène au garage.

— Formidable. Comme ça, nous serons dans le pétrin toutes les deux. Non merci, petite sœur chérie.

— Ne sois pas si collet monté ! Personne ne saura laquelle de nous deux a pris la voiture.

Leur ressemblance servait davantage les projets de Victoria que ceux de sa sœur, qui n'avait pratiquement jamais besoin d'une couverture.

— Ils le sauront s'ils ont un peu de bon sens, grommela Olivia.

Elle grimpa précautionneusement dans la Ford et Victoria démarra en trombe, faisant cahoter son véhicule sur les ornières de la route, tandis qu'Olivia poussait un cri. Victoria lui offrit une cigarette, qu'elle refusa, naturellement. Elle s'apprêtait à lui donner une nouvelle leçon de morale mais, au lieu de cela, elle éclata de rire, amusée par l'extravagance de la situation. Il était vain d'essayer de raisonner Victoria, se dit-elle, tandis que la Ford pénétrait comme un bolide dans le garage, manquant de renverser Petrie, qui les regarda tour à tour, bouche bée, alors qu'elles mettaient pied à terre à l'unisson et que Victoria s'excusait pour les dégâts mineurs subis par la voiture.

— Mais je... je... je croyais... je... quand vous... je veux dire, oui, mademoiselle... merci, mademoiselle Olivia... mademoiselle Victoria... mademoiselle...

Evidemment, il ne savait pas le moins du monde laquelle des deux avait dérobé la Ford et n'avait nulle envie de le découvrir. Il n'aurait qu'à remplacer le caoutchouc du marchepied, à procéder à quelques retouches de peinture... et ni vu ni connu. Après tout, il n'y avait pas eu vol. Il allait garder son emploi. Il suivit du regard les deux jeunes femmes qui retournaient dignement vers la maison, bras dessus bras dessous, puis gravissaient la volée des marches en pouffant de rire.

— Tu es terrible, tu sais ? fit Olivia en feignant l'indignation. Le pauvre garçon était persuadé que papa l'étranglerait... Tu finiras en prison un jour, j'en suis sûre.

— Moi aussi, répliqua Victoria sans broncher, en serrant le bras de sa sœur. Peut-être accepteras-tu de prendre ma place dans ma cellule, afin que je puisse m'aérer un peu ou assister à des réunions politiques... Qu'en penses-tu ?

— J'en pense que c'est terminé. Je ne te couvrirai plus, déclara Olivia, en secouant sous le nez de sa sœur un index menaçant mais en l'aimant plus que jamais.

Sa jumelle était sa meilleure amie, la face cachée

de son âme. Chacune connaissait l'autre comme elle-même. Un immense bien-être envahissait Olivia quand elles étaient ensemble. C'était réciproque. A ceci près que Victoria, plus indépendante, n'hésitait pas à vaquer à ses propres occupations, et surtout à ses chers meetings.

Les deux jeunes femmes traversaient le hall en bavardant et en riant quand la porte de la bibliothèque s'ouvrit, livrant passage aux trois hommes, qui poursuivaient leur discussion. Olivia et Victoria se turent. Olivia revit Charles ; il les regardait, effaré. Ses yeux allaient de l'une à l'autre, comme pour se convaincre qu'il pouvait exister deux femmes aussi sublimement belles, absolument identiques. Pourtant, on eût dit qu'il avait senti une différence entre elles. Il scrutait maintenant Victoria, dont les cheveux étaient à peine plus ébouriffés que ceux d'Olivia. Elles portaient la même robe, bien que celle de Victoria semblât plus défraîchie. Il émanait d'elle une impertinence invisible à l'œil nu mais néanmoins perceptible.

— Oh ! mon Dieu ! s'exclama Edward Henderson, amusé par la réaction de Charles. Ai-je oublié de vous prévenir ?

— Oui, monsieur, j'en ai peur, répondit Charles Dawson, le visage empourpré, arrachant son regard de Victoria pour contempler de nouveau Olivia, dans la confusion la plus totale.

Confusion qui semblait divertir tout le monde, sauf lui.

— Ne vous inquiétez pas, le taquina le maître de maison. Simple illusion d'optique.

Il avait apprécié Charles. C'était un homme honnête, intelligent, plein d'idées brillantes concernant la façon d'améliorer le rendement de l'aciérie et des investissements d'Edward.

— Le sherry est parfois cause de certains troubles visuels, poursuivit celui-ci.

Il sourit à Charles Dawson, qui éclata soudain d'un rire juvénile. A trente-six ans, il arborait la plupart du temps une expression si sérieuse que ses amis trouvaient qu'il avait pris un coup de vieux. Mais là, il faisait de nouveau penser à un jeune homme, tandis qu'il admirait les deux beautés qui se tenaient devant lui et qui s'approchèrent d'un pas gracieux, sans se rendre compte que même leurs gestes étaient identiques. Elles lui serrèrent la main. Edward lui présenta Olivia pour la seconde fois, et Victoria pour la première. Toutes deux se mirent à rire, avant de faire remarquer à leur père qu'il s'était trompé, et Charles rit de nouveau.

— Est-ce qu'il se trompe souvent ? demanda-t-il, plus détendu et pourtant encore sous le choc.

— Tout le temps, mais on ne le lui dit pas toujours, rétorqua Victoria en le regardant droit dans les yeux.

Elle était fascinante, pensa Charles. Il décelait en elle quelque chose de subtil, d'inhabituel. Elle était plus sensuelle que sa sœur. Et malgré leurs vêtements, leur allure, leurs coiffures identiques, leurs esprits ne se ressemblaient pas.

— Lorsqu'elles étaient petites, expliqua Edward, nous leur mettions des rubans de couleur différente pour les reconnaître. Cela a fonctionné à merveille jusqu'au jour où nous avons découvert que les petits monstres les échangeaient. Ainsi l'une prenait la place de l'autre sans que personne s'en aperçoive. Cela aurait pu durer des années... Petites filles, elles étaient vraiment turbulentes, acheva-t-il, plein de fierté et d'affection.

En dépit de son hostilité vis-à-vis de l'émoi que l'apparition de ses filles causait en société, il était évident qu'il les adorait. Elles représentaient l'ultime présent de la femme qu'il avait aimée du plus profond de son âme. Il n'avait plus jamais aimé personne après la mort d'Elizabeth, à part leurs filles.

— Se comportent-elles mieux maintenant ? demanda Charles, riant encore de sa surprise.

John Watson avait oublié de le prévenir que leur client avait des jumelles.

— Oui, un peu, grommela Edward à contrecœur, ce qui déclencha une fois de plus l'hilarité générale.

Il se tourna alors vers ses filles, l'œil pétillant.

— Attention, toutes les deux, avertit-il, vous aurez intérêt à bien vous tenir. Ces messieurs m'ont convaincu d'aller à New York pendant un mois ou deux. Si vous me promettez de ne pas mettre toute la ville en émoi cette fois-ci, je vous y emmène aussi. Mais au moindre écart, ajouta-t-il, cherchant du regard Victoria et ne la reconnaissant pas, je vous renvoie aussitôt ici avec Bertie.

— Entendu, père, dit Olivia tranquillement, avec un sourire, sachant que l'avertissement s'adressait à sa sœur.

Elle se doutait que leur père n'était pas tout à fait sûr de savoir à laquelle il parlait.

Victoria, elle, ne fit aucune promesse. A la perspective d'un mois en ville, ses yeux se mirent à étinceler.

— C'est sérieux ? demanda-t-elle d'une voix enjouée.

— Que je vous renvoie ? grogna-t-il. Absolument.

— Non... que nous irons à New York.

Son regard dériva de son père aux avocats. Tous souriaient.

— Oui, dit Edward. Nous y resterons peut-être deux mois si ces messieurs ne travaillent pas correctement, s'ils traînent au lieu d'avancer.

Victoria frappa dans ses mains en exécutant une gracieuse pirouette sur un talon. Ensuite, elle saisit sa sœur par les épaules.

— Tu te rends compte ! New York, Ollie ! Nous allons à New York !

Sa joie, son excitation faisaient plaisir à voir. Pour une fois, Edward sentit une pointe de culpabilité lui serrer le cœur. Elles étaient si isolées à la campagne. Elles avaient l'âge de vivre en ville maintenant, de rencontrer des gens, de se trouver des maris. Mais il détestait l'idée de les voir partir pour toujours, surtout Olivia. Elle était si serviable. Si attentionnée. Que deviendrait-il sans elle ? Bah ! Il s'inquiétait prématurément. Leurs valises n'étaient pas encore bouclées qu'il imaginait ses filles mariées et lui-même seul et abandonné.

— J'espère vous voir plus souvent, Charles, quand nous serons en ville, dit Edward en serrant la main du jeune avocat, tandis qu'il raccompagnait ses deux visiteurs à la porte.

Victoria continuait de parler de New York, sans plus prêter la moindre attention aux trois hommes. Olivia observa Charles, qui disait au revoir à leur père. Il assura M. Henderson qu'il pouvait compter sur lui au bureau, tant que John Watson l'autoriserait à s'occuper de ses affaires. John acquiesça, et Edward invita Charles dans sa résidence new-yorkaise. Le jeune avocat le remercia poliment. Juste avant de sortir, il se retourna et regarda Victoria dans les yeux. Il ne savait plus comment elle s'appelait au juste, mais il éprouvait une drôle de sensation chaque fois que son regard se posait sur elle. Il n'aurait pas su l'expliquer. Une sorte de décharge électrique émanait d'elle... et pas de sa sœur. Il n'avait jamais rencontré personne comme elle.

Edward Henderson les raccompagna à leur voiture. Tandis qu'ils s'éloignaient, Olivia, postée à la fenêtre, les suivit du regard. Malgré son excitation à propos de New York, Victoria le remarqua.

Que se passe t il ?

Jamais auparavant Olivia n'avait regardé partir une voiture avec une telle intensité.

— Que veux-tu dire ? répondit-elle, sur le point d'aller vérifier dans la bibliothèque que les domestiques avaient bien emporté le plateau et les verres.

— Tu as l'air terriblement sérieuse, Ollie, lança Victoria.

Elles ne se connaissaient que trop bien, ce qui, parfois, comportait des risques ou était tout simplement ennuyeux.

— Sa femme a péri sur le *Titanic* l'année dernière. Père m'a dit qu'il a un petit garçon.

— J'en suis désolée, dit Victoria sans une once d'émotion... Il semble affreusement rasoir, non ?

Rien ne pouvait la détourner des innombrables, des merveilleux délices qui l'attendaient à New York, telles les réunions politiques des suffragettes.

— Je dirais même lugubre, ajouta-t-elle.

Olivia hocha la tête. Elle ne fit aucun commentaire mais fila vers la bibliothèque afin d'échapper à sa sœur. Lorsqu'elle ressortit dans le hall, satisfaite de ce que les domestiques avaient fait, Victoria était montée se changer pour le dîner. Elles porteraient toutes les deux une robe de soie blanche ornée d'une broche en aigue-marine — la paire ayant appartenu à leur mère.

Peu après, Olivia entra dans la cuisine. Bertie sut immédiatement à qui elle avait affaire.

— Tu vas bien, Olivia ? demanda-t-elle.

La journée avait été épuisante, la chaleur épouvantable et la jeune femme avait marché dans le jardin, Bertie le savait. De plus, elle était très pâle, tout à coup.

— Oui, très bien. Père vient de m'avertir que nous irons à New York, début septembre, pour un mois ou deux.

Les deux femmes échangèrent un sourire. Elles savaient ce que cela signifiait. Une somme incroyable de travail avant de rouvrir la résidence de New York.

— Nous en reparlerons demain matin, poursuivit Olivia tranquillement. Il faut commencer à tout organiser.

Cela ne serait pas de tout repos. Il y avait mille choses à prévoir, mille détails à mettre au point. Son père ne s'en rendait même pas compte.

— Tu es une bonne fille, murmura Bertie.

Du bout des doigts, elle effleura la joue pâle, puis elle sonda les grands yeux bleu sombre en se demandant si quelque chose l'avait incommodée. Olivia éprouvait un sentiment qu'elle n'avait jamais ressenti jusqu'alors ; une impression étrange et irritante. Elle avait peur que Victoria devine ses pensées...

— Tu travailles si dur pour ton père, continua Bertie.

La gouvernante connaissait bien les deux jeunes filles. Elle les aimait toutes les deux, avec leurs ressemblances et leurs différences.

— Alors, à demain matin, dit Olivia de sa voix calme.

Elle quitta la cuisine, puis monta dans sa chambre. Elle emprunta l'escalier de service tout en s'efforçant de s'éclaircir les idées, afin que Victoria ne lise pas en elle comme dans une eau pure. Il lui était impossible de garder le moindre secret avec sa jumelle. Du reste, elle n'avait jamais essayé.

Mais tandis qu'elle s'approchait de la vaste chambre où elles partageaient le même grand lit à baldaquin depuis leur plus tendre enfance, Olivia se surprit à repenser à lui. Elle revit les yeux verts de l'homme qui avait perdu sa femme lors du naufrage du *Titanic*. L'espace d'un instant, elle ferma les paupières, puis elle tourna la poignée de la porte en s'efforçant de penser à des choses terre à terre : les draps qu'il faudrait acheter pour la maison de New York, les taies d'oreiller préférées de son père. La tête emplie de préoccupations matérielles, elle franchit rapidement le seuil de la chambre où sa sœur l'attendait.

2

Le premier mercredi après-midi de septembre, Donovan, le chauffeur de leur père, conduisit Olivia et Victoria à New York, dans la Cadillac Tourer. Petrie suivait avec Mme Peabody au volant de la Ford. Ils transportaient une montagne de victuailles. La veille, deux autres voitures avaient fait la route, chargées de malles de vêtements, de nappes, d'articles ménagers, de tout ce qu'Olivia et Bertie avaient jugé indispensable à la bonne marche d'une maison. Victoria n'avait pas participé au déménagement. Elle avait rempli deux malles de livres et une caisse de brochures, laissant à Olivia le soin d'empaqueter leur garde-robe. En matière d'habillement, Victoria, qui ne se souciait guère des apparences, faisait entièrement confiance au goût d'Olivia... Celle-ci dévorait toutes les revues de mode de Paris. Victoria préférait les journaux politiques et les imprimés des féministes, vendus sous le manteau.

Pendant le trajet, Olivia se demandait dans quel état elle trouverait la maison, inoccupée depuis deux ans maintenant, et qui n'avait été habitée qu'en de rares occasions ces dernières années. Située sur la Cinquième Avenue, elle avait été confortable autrefois... il y avait vingt ans de cela. Olivia n'était pas sûre de parvenir à lui redonner sa chaleureuse atmosphère. C'était là, après tout, que leur mère avait rendu son dernier soupir et elle savait quels pénibles souvenirs assaillaient son père chaque fois qu'il y venait. Pourtant, c'était également entre ces murs qu'elle et Victoria avaient vu le jour et que, jadis, Edward Henderson et sa jeune épouse avaient été immensément heureux.

Arrivée à destination, Olivia prit les choses en main. Après avoir vu tout ce qu'il fallait faire, elle envoya Donovan dans toutes les salles de bains vérifier et changer les joints, et demanda à Petrie de l'accompagner au marché aux fleurs à l'angle de la Sixième Avenue et de la 28ᵉ Rue. Elle revint deux heures plus tard. La Ford débordait de brassées de magnifiques reines-marguerites et de lis parfumés dont elle remplit la maison pour accueillir son père, qui devait les rejoindre deux jours plus tard.

Ensuite, à la tête d'une armée de domestiques, elle s'attaqua aux corvées. Les housses poussiéreuses furent retirées, les chambres aérées, les matelas retournés, les tapis battus. Et, le lendemain après-midi, Olivia et Bertie, assises devant deux tasses de thé dans la cuisine, échangèrent le sourire satisfait du devoir accompli. Les candélabres rutilaient, les meubles avaient été déplacés au point que certaines pièces étaient à peine reconnaissables, les doubles rideaux nettoyés et retenus par des embrasses laissaient passer la lumière.

— Ton père sera enchanté, la félicita Bertie en lui resservant du thé.

Olivia se dit qu'elle devait s'occuper des places de théâtre. De nouveaux spectacles ouvraient la saison, et Victoria et elle s'étaient promis de les voir avant leur retour à Croton... A ce propos, elle se demanda où était passée sa sœur. Elle ne l'avait pas vue de la journée. Victoria avait disparu comme d'habitude, après avoir déclaré qu'elle allait à la bibliothèque de Columbia et au Metropolitan Museum... autant dire à l'autre bout de la ville. Olivia avait proposé à Victoria de se faire conduire par Petrie mais cette dernière, préférant comme toujours l'aventure, avait répliqué qu'elle prendrait le tramway. Olivia l'avait totalement oubliée jusqu'à maintenant. Une étrange sensation de malaise lui contracta alors l'estomac.

— Crois-tu que père sera fâché quand il verra tous ces meubles qui ont changé de place ? demanda-t-elle distraitement, espérant que Bertie ne décèlerait pas son inquiétude.

Son dos lui faisait mal après les gros travaux de ménage. Mais, tandis que son inquiétude grandissait, elle ne ressentait plus aucune douleur. Elle avait toujours eu d'infaillibles pressentiments concernant sa jumelle. Et elle savait, sans le moindre doute, qu'en ce moment même Victoria avait des ennuis. C'était un don qu'elles partageaient et qu'elles évoquaient d'ailleurs de temps à autre. Une sorte de signal d'alarme qui avertissait l'une que l'autre était malade, par exemple, ou avait des problèmes. Cette fois-ci, la nature du problème échappait à Olivia, mais son sixième sens lui indiquait qu'il y en avait un.

— Oh non ! la maison est superbe. Ton père sera ravi, la rassura Bertie, inconsciente de ses affres. Tu es épuisée, ma chérie.

— Oui, en effet, admit la jeune femme sans protester, juste pour pouvoir monter dans sa chambre et réfléchir.

Il était quatre heures de l'après-midi. Victoria était sortie peu après neuf heures. L'angoisse d'Olivia se muait en panique. Elle s'en voulut de ne pas avoir insisté pour que Petrie escorte Victoria. New York n'était pas Croton-on-Hudson. Sa sœur était jeune, bien habillée, visiblement peu habituée à circuler dans les grandes villes. Et si elle avait été attaquée ? Kidnappée ? Une boule de peur serra la gorge d'Olivia. Cette seule pensée lui était intolérable. La sonnerie du téléphone retentit, tandis qu'elle arpentait sa chambre. D'instinct, elle sut que c'était sa sœur. Elle s'élança vers l'unique poste de téléphone de l'étage, avant que Bertie puisse décrocher d'en bas.

— Allô ? fit-elle essoufflée, certaine que Victoria était à l'autre bout de la ligne.

Déçue, elle entendit une voix masculine. Une voix inconnue. Un faux numéro, probablement.

— La maison Henderson ? s'enquit son correspondant avec un accent irlandais à couper au couteau.

Olivia fronça les sourcils. Elles ne connaissaient personne à New York.

— Oui, répondit-elle, qui est à l'appareil ?

Elle tenait l'écouteur d'une main tremblante et l'émetteur de l'autre.

— Mademoiselle Henderson ? demanda son interlocuteur d'une voix tonitruante.

— Oui, c'est elle-même. Qui êtes-vous ? insista-t-elle.

— Ici le sergent O'Shaunessy, cinquième circonscription.

Olivia retint son souffle, les yeux clos. Bizarrement, elle avait deviné la réponse avant qu'il ne la prononce.

— Est-ce... qu'elle va bien ? articula-t-elle dans un murmure à peine audible.

Son esprit en ébullition lui envoyait des images effrayantes. Victoria blessée... Piétinée par les sabots d'un cheval emballé... Poignardée par un criminel... Renversée par un attelage... ou par une automobile... Oh ! c'était affreux...

— Ça oui, pour aller bien, elle va bien, dit l'autre d'un ton qui trahissait davantage d'exaspération que de sympathie. Elle est ici avec une bande de jeunes personnes et, compte tenu de son allure, de ses habits, etc., nous... euh... le lieutenant a jugé qu'elle n'appartenait pas vraiment au groupe. Les autres resteront au poste cette nuit. Pour être franc, mademoiselle Henderson, ajouta-t-il platement, elles ont été arrêtées parce qu'elles manifestaient sans autorisation. Si vous voulez venir chercher votre sœur, nous la relâcherons et nous fermerons les yeux. Ce sera la meilleure solution... Ne venez pas seule dans ce quartier, faites-vous accompagner.

Olivia ne répondit pas tout de suite. Son cerveau ne fonctionnait plus. Elle détestait l'idée que Donovan ou

Petrie soient au courant des démêlés de Victoria avec la police, d'autant qu'ils ne manqueraient pas de le répéter à son père.

— Qu'est-ce qu'elle a fait exactement ? demanda-t-elle, pleine de gratitude qu'ils veuillent bien libérer Victoria.

— Elle a manifesté, comme les autres. Mais elle est trop jeune. Et pas très futée. A ce qu'elle dit, elle est arrivée à New York hier. Je suggère que vous retourniez toutes les deux d'où vous venez, avant qu'elle ne s'implique davantage dans ces manifestations idiotes pour le droit de vote des femmes. Elle n'est pas commode, vous savez. Figurez-vous qu'elle insistait pour être arrêtée comme tout le monde. Et elle ne voulait pas que je vous appelle.

— Oh ! mon Dieu, ne l'écoutez pas, dit Olivia, horrifiée. J'arrive.

— Faites-vous accompagner, répéta-t-il sombrement.

— Je vous en supplie, ne l'arrêtez pas, souffla Olivia.

Il n'en avait nullement l'intention, redoutant un scandale. Il était facile de déduire d'après la robe, les chaussures, le chapeau de la jeune femme — qui se croyait par ailleurs très simplement vêtue — qu'elle n'appartenait pas à la même classe sociale que ses compagnes. Le lieutenant n'avait aucune envie de se faire taper sur les doigts parce qu'il avait arrêté la fille d'un aristocrate, et le sergent était d'accord... Ils n'avaient qu'une hâte : la renvoyer chez elle, le plus vite possible.

Olivia resta un instant figée, ne sachant par où commencer ni vers qui se tourner. Contrairement à sa sœur, elle ne savait pas conduire, et elle ne voulait pas prévenir les domestiques. Le tramway était trop lent, et elle ne voyait pas qui pourrait l'accompagner. Pas même Bertie. La brave femme n'en croirait pas ses oreilles... Victoria souhaitait être arrêtée ! Quelle folie ! Olivia se promit de la réprimander dès qu'elle l'aurait fait sortir du commissariat. Mais, avant tout, elle devait trouver comment y aller. Elle envisagea plusieurs possibilités. Toutes se heurtaient au même obstacle : traverser une ville qu'elle connaissait à peine, se rendre à un endroit dont elle n'avait jamais entendu parler, sûrement dans un quartier malfamé. Le sergent avait raison, conclut-elle après réflexion : elle devait demander à quelqu'un de l'accompagner. Elle n'avait pas le choix. Elle se rassit dans la petite pièce qu'ils utilisaient pour téléphoner, prit lentement le récepteur. Dès que l'opératrice répondit, elle donna le numéro familier... Pour rien au monde elle n'aurait voulu avoir à prendre cette initiative, mais il n'y avait tout simplement personne d'autre susceptible de l'aider. Pas même John Watson, qu'elle connaissait depuis toujours... et qui aurait très certainement tout raconté à son père.

La réceptionniste décrocha immédiatement, la pria d'attendre jusqu'à ce qu'elle aille le chercher. Dès qu'Olivia avait donné son nom, l'employée l'avait traitée avec déférence. Il était quatre heures et demie et Olivia craignait qu'il ne soit déjà parti. Heureusement, il était là... Un instant après, elle entendit la voix profonde de Charles Dawson.

— Mademoiselle Henderson ? dit-il, surpris.

Olivia se força à ne pas chuchoter.

— Je suis navrée de vous déranger, commença-t-elle d'un ton d'excuse.

— Mais pas du tout. Je suis ravi de vous entendre.

Au son de sa voix, il sut que quelque chose était arrivé. Pourvu que son père ne soit pas malade, pensa-t-il.

— Qu'est-ce qui ne va pas ? demanda-t-il gentiment.

Il était bien placé pour savoir que la tragédie peut frapper avec la soudaineté de la foudre. Il avait posé la question d'une voix douce, et pourtant elle hésita à répondre. Elle refoula ses larmes. Cette fois-ci, Victoria avait vraiment exagéré. Olivia n'osait penser aux rumeurs qui ne manqueraient pas d'éclabousser leur père si sa sœur était arrêtée. Elle retenait un cri de honte et de frayeur chaque fois qu'elle imaginait sa sœur derrière les barreaux.

— Monsieur Dawson... j'ai besoin de votre aide... et de votre absolue discrétion.

Elle paraissait si affolée qu'il s'abstint de tout commentaire.

— Je... Pourriez-vous venir me voir ?

— Maintenant ? C'est urgent ?

Il sortait d'une réunion de travail.

— Oui. Très ! répondit-elle, désespérée.

Il jeta un coup d'œil à sa montre.

— Dois-je venir tout de suite ?

Des larmes ruisselèrent sur les joues d'Olivia. Lorsqu'elle reprit la parole, il l'entendit pleurer.

— Je suis désolée... J'ai besoin de votre aide... Victoria a fait quelque chose de très stupide...

Elle s'est enfuie, se dit-il aussitôt. Si elle avait été blessée ou malade, sa sœur aurait appelé un médecin, pas un avocat. Il avait peine à comprendre pourquoi elle s'adressait à lui. Toutefois il prit un taxi et se rendit directement chez les Henderson. Moins d'un quart d'heure plus tard, il frappait à la porte. Petrie lui ouvrit. Olivia l'attendait dans le salon du rez-de-chaussée. Par chance, Bertie, occupée dans une autre partie de la demeure, ne l'avait pas entendu sonner.

Elle faisait les cent pas lorsqu'il entra. Elle revit les yeux profonds et graves qui l'avaient impressionnée lors de leur première rencontre.

— Merci d'être venu si vite, murmura-t-elle, tremblante.

Elle mit son chapeau rapidement, attrapa son sac. Elle semblait bouleversée.

— Venez. Nous devons partir immédiatement.

— Mais que s'est-il passé ? Où est votre sœur ? A-t-elle pris la fuite ?

Olivia le dévisagea, les yeux remplis de honte et de terreur... Elle, si déterminée d'habitude, se sentait complètement dépassée par les événements. Pourvu que cela ne se sache pas ! pria-t-elle. Certes, les gens finiraient par comprendre que Victoria avait de bonnes intentions, que ses escapades étaient innocentes. Mais dans ce cas précis, prendre sa place ne servirait à rien... Pour la première fois de sa vie, Olivia se sentait désemparée.

— Elle se trouve au poste de police de la cinquième circonscription, monsieur Dawson... Ils viennent de m'appeler. Ils l'ont emmenée là-bas, mais ils ne l'arrêteront pas si nous allons rapidement la chercher.

A moins que Victoria ne les persuade de la garder avant que Charles et elle volent à son secours.

— Bonté divine ! s'écria-t-il, vraiment surpris cette fois.

Il la suivit dehors, descendit la volée de marches, héla un taxi. Il aida Olivia à s'asseoir sur la banquette arrière. Sa robe terne et grise, qu'elle mettait toujours pour travailler et qu'elle portait depuis ce matin, détonnait avec son chapeau noir, très élégant, assorti à son sac. Elle réalisa que Victoria avait mis un chapeau identique... Sans même s'en rendre compte, il leur arrivait souvent de s'habiller de la même façon. Mais Olivia ne pensait plus aux chapeaux lorsqu'elle s'efforça d'expliquer à Charles Dawson ce qui, à son avis, avait dû se passer.

— Elle est une fervente admiratrice de ce stupide mouvement de l'Association nationale pour le droit de vote des femmes.

Elle cita des noms, la grande manifestation à Washington cinq mois plus tôt, les arrestations des féministes en Angleterre.

— Les dirigeantes du mouvement considèrent les arrestations comme des récompenses, des médailles d'honneur gagnées au cours de la bataille contre le pouvoir masculin. Je suppose que Victoria se trouvait à proximité quand la manifestation est passée. Elle s'est mêlée aux féministes et elle s'est fait prendre avec elles. D'après le sergent qui m'a parlé au téléphone, elle voulait à tout prix qu'il l'arrête.

Charles Dawson réprima un sourire en la regardant. Olivia se surprit à lui sourire elle aussi. Tout cela était ridicule !

— C'est une drôle de fille, votre sœur. Est-ce qu'elle se jette toujours dans des aventures insensées pendant que vous gardez sagement la maison de votre père ?

Elle lui avait raconté qu'étant occupée toute la matinée et une partie de l'après-midi elle n'avait pas remarqué l'absence de Victoria. Elle prenait son rôle d'aînée très au sérieux, bien que dix minutes seulement séparassent leurs naissances.

— Le jour où vous êtes venu à Croton, elle avait volé une des voitures de papa pour se rendre à un meeting.

Malgré son inquiétude, elle éclata de rire en même temps que lui.

— Quelle témérité ! Si ses enfants lui ressemblent... Rien que d'y penser, on a les cheveux qui se dressent sur la tête ! plaisanta-t-il et, de nouveau, ils rirent.

Lorsqu'ils atteignirent la cinquième circonscription, ils ne riaient plus. En descendant du taxi, Olivia découvrit un univers à part. Un quartier sinistre, des mendiants assis au milieu de tas d'ordures. Un rat traversa la chaussée jonchée de détritus pour disparaître dans une bouche d'égout, et la jeune femme se rapprocha instinctivement de Charles. Le poste de police offrait le même spectacle affligeant : ivrognes, pickpockets menottés, prostituées enfermées dans une cellule, criant des insultes au sergent de garde. Charles jeta discrètement un coup d'œil à Olivia afin de s'assurer qu'elle ne s'était pas évanouie. Elle tenait bon. Elle affichait son expression la plus hautaine, feignant d'ignorer les commentaires désobligeants des ivrognes et des prostituées.

— Ça va ? demanda-t-il à mi-voix tout en lui serrant la main sous son bras.

Il ne pouvait s'empêcher d'admirer son aplomb, la dignité avec laquelle elle subissait les invectives envieuses des filles de joie.

— Oui, murmura-t-elle sans lever le regard. Mais quand nous sortirons d'ici, je vais la tuer !

Il refoula un sourire avant de s'adresser au sergent. Celui-ci les guida vers une pièce verrouillée où Victoria, assise sur l'unique chaise, buvait du thé à petites gorgées, sous l'œil vigilant d'une surveillante. Lorsque Charles et Olivia entrèrent, elle posa sa tasse d'un geste irrité. Elle ne semblait pas contente de les voir.

— C'est ta faute ! lança-t-elle à Olivia d'un ton accusateur, la fusillant du regard, sans même avoir reconnu Charles Dawson.

En les regardant, il éprouva cette étrange fascination qui l'avait envahi la première fois. Elles se faisaient face, totalement, absolument identiques. Même visage, mêmes yeux, même chapeau, que Victoria portait un peu de travers, ce qui lui donnait un air bravache.

— Qu'est-ce qui est ma faute ? demanda Olivia, furieuse.

— C'est toi qui les as empêchés de m'arrêter ! lui rétorqua sa jumelle tout aussi en colère.

— Tu es folle à lier, Victoria ! Tu mérites d'être enfermée, mais pas ici... A l'hôpital psychiatrique de Bedlam. Te rends-tu seulement compte du scandale qui éclaterait si tu étais arrêtée ? As-tu seulement idée de l'embarras que tu causerais à notre père ? T'arrive-t-il, parfois, de penser à quelqu'un d'autre qu'à toi-même ? Ou est-ce que cela ne fait pas partie de tes préoccupations ?

Le sergent et la surveillante échangèrent un sourire complice. Il n'y avait pas grand-chose à ajouter à cette sévère semonce. Charles se mit à discuter tranquillement avec eux. Ils tombèrent d'accord pour libérer Victoria sur-le-champ. Aucun mal n'avait été commis. Elle s'était simplement trouvée au mauvais endroit au mauvais moment. Le sergent suggéra néanmoins à

Charles de garder un œil sur elle, puis il lui demanda si les deux jeunes femmes étaient ses petites sœurs.

L'avocat trouva cette remarque pour le moins surprenante. Et, en y repensant, il fut flatté qu'Olivia l'ait choisi. Elle avait eu raison, au demeurant. Venir seule ici l'aurait exposée à mille dangers. Elle aurait été terrifiée... Comme le taxi les attendait dehors, Charles interrompit les deux sœurs, qui se disputaient toujours, pour leur proposer de poursuivre leur discussion dans la voiture. Olivia fulminait... L'espace d'un instant, il se dit que Victoria refuserait de partir mais cela ne pouvait pas se produire. La police ne voulait pas d'elle, c'était clair. L'agitation s'était apaisée mais Olivia continuait à la réprimander tandis qu'elles sortaient et atteignaient le taxi. Très calme, Charles les aida à monter en voiture et s'installa entre elles.

— Mesdemoiselles, je vous propose de passer l'éponge sur ce malheureux incident. Il n'y a pas eu de malheur et il importe peu d'avoir raison ou tort.

Il se tourna vers Olivia, la priant de pardonner à sa sœur, après quoi il conseilla à Victoria d'éviter les manifestations jusqu'à la fin de leur séjour, faute de quoi elle risquait de se retrouver pour de bon sous les verrous.

— Cela aurait été un peu plus honnête que de profiter des privilèges de classe et de rentrer chez papa, vous ne croyez pas ?

Le fait d'avoir été « sauvée » par sa sœur et par l'avocat de leur père l'agaçait prodigieusement. Elle classa d'emblée Charles dans la catégorie méprisable des béni-oui-oui, et se retint pour ne pas lui intimer de ne plus s'occuper de ce qui ne le regardait pas.

— Père serait dans tous ses états s'il savait, reprit Olivia, implacable. Pourquoi ne penses-tu pas à lui, pour changer ? Mais non ! C'est tellement plus drôle, tout ce remue-ménage idiot pour le droit de vote des femmes ! Tu aurais pu essayer de te conduire correctement pour une fois, au lieu de compter sur moi pour te sortir d'affaire.

Ses mains tremblaient tandis qu'elle enfilait soigneusement ses gants. Assis entre elles, Charles était fasciné. Si ressemblantes. Et si différentes. L'une sage et réservée, l'autre ardente, sans l'ombre d'un remords. Par certains aspects de son caractère, Victoria lui rappelait sa défunte femme. Susan aussi avait des idées extravagantes et s'engageait dans des causes perdues. Mais Susan avait également un côté tendre et sage, et elle manquait énormément à Charles, surtout la nuit quand, seul dans son lit, son ombre venait le hanter. Il devait uniquement penser à son fils Geoffrey, maintenant, pas à Susan. Pourtant, il ne pouvait l'oublier, même s'il l'avait voulu. Et, tout au fond de son cœur, il savait qu'il ne voulait pas l'oublier. Mais cette remuante jeune fille au chapeau de paille noir l'intriguait davantage que sa sœur plus docile.

— Je tiens tout de même à vous faire remarquer que je n'ai fait appel à aucun de vous deux, dit froidement Victoria alors que le taxi s'immobilisait devant leur résidence. Je n'ai demandé aucune aide.

Charles se retint de sourire. Elle se comportait comme une petite fille gâtée. S'il n'avait tenu qu'à lui, il l'aurait envoyée dans sa chambre ou l'aurait réprimandée jusqu'à ce qu'elle entende raison. Ils étaient tout de même venus à son secours sans recevoir la moindre marque de contrition ou de reconnaissance...

— Nous pouvons donc vous renvoyer au poste, dit-il.

En sortant du taxi, Victoria se retourna. Elle lui lança un regard furibond avant d'entrer dans la maison la première, tournant le dos à sa sœur et à Charles, et jeta son chapeau de paille sur une table.

— Merci, dit Olivia dans un murmure embarrassé. Je ne sais pas ce que j'aurais fait sans vous.

— Je me tiens toujours à votre disposition.

Olivia leva les yeux au plafond.

— Pourvu que je n'aie plus besoin de vous.

— Tâchez de la tenir en laisse jusqu'à l'arrivée de votre père, murmura-t-il.

A l'évidence, il s'agissait d'une rebelle impénitente, qui ne manquait pas de charme si on observait ses aventures d'une certaine distance.

— Heureusement, père sera là demain soir, répondit Olivia.

Elle fixa sur Charles ses yeux inquiets, espérant qu'il ne trahirait pas sa confiance.

— S'il vous plaît, ne lui en parlez pas. Il en ferait une maladie.

— Non, pas un mot, je vous le promets... Un jour vous en rirez. Quand vous serez toutes les deux grand-mères et que vous raconterez à vos petits-enfants comment « mamie » Victoria faillit se faire arrêter.

Olivia eut un sourire. Victoria marmonna un « merci » sec avant de disparaître à l'étage, afin de se changer pour le dîner. Elles n'auraient que Mme Peabody à table ce soir. Olivia invita Charles à se joindre à elles. C'était la moindre des choses après le service qu'il leur avait rendu. Il avait passé plus de deux heures à venir en aide à Victoria malgré elle.

— Je vous remercie, mais je ne peux pas. J'essaie de dîner avec mon fils tous les soirs ou du moins le plus souvent possible.

— Quel âge a-t-il ? s'enquit Olivia, intéressée.

— Neuf ans.

Il n'en avait que huit quand sa mère était morte... quand il l'avait vue pour la dernière fois, à bord du *Titanic*... Olivia frissonna.

— J'espère que nous ferons sa connaissance un jour, dit-elle avec sincérité.

Charles hocha la tête, hésitant et plein de gratitude.

— C'est un gentil petit garçon.

Il y avait chez Olivia quelque chose qui attirait les confidences, contrairement à sa sœur qui vous donnait envie de lui administrer une bonne fessée.

— Nous avons passé des moments difficiles, lui et moi, sans sa mère, dit-il calmement.

— Je l'imagine sans peine. Je n'ai jamais connu la

mienne, ajouta-t-elle doucement. Mais Victoria et moi étions ensemble.

Il regarda ses grands yeux bleus, le cœur serré.

— C'est extraordinaire, dit-il, songeur. Je n'arrive pas à me figurer un être plus proche qu'un jumeau ou une jumelle. Sauf peut-être un mari ou une femme. Et encore... Vous semblez former les deux moitiés d'une seule et même personne.

— Oui, parfois nous avons ce sentiment.

Elle leva les yeux vers l'étage avec une expression furieuse.

— En revanche, parfois j'ai l'impression que nous sommes étrangères. Disons que nous nous ressemblons et qu'en même temps nous sommes différentes.

En effet, malgré leurs personnalités presque opposées, il ne parvenait pas à les distinguer l'une de l'autre.

— Cela ne vous ennuie pas que les gens vous confondent tout le temps ? Ce doit être agaçant, non ?

Il était fasciné par elles et était content de pouvoir poser ce genre de questions à Olivia.

— On s'y habitue. Nous trouvions même cela drôle, au début.

Elle se sentait à l'aise avec lui et il paraissait éprouver le même bien-être. Olivia appartenait à cette catégorie de femmes que l'on a envie d'avoir comme amies. Cependant, c'était Victoria qui le captivait jusqu'à l'envoûtement. Comme c'est bizarre ! pensa-t-il. Il n'arrivait pas à les différencier mais une partie secrète de son être savait quand il était en présence de Victoria. Victoria lui faisait tourner la tête. Olivia le rassurait. Il la considérait un peu comme une amie chère, comme une petite sœur affectueuse.

Il prit congé peu après. Ayant refermé la porte, Olivia monta lentement à l'étage. Victoria, assise dans sa chambre, regardait par la fenêtre. Elle repensait à cet après-midi et à la culpabilité qu'elle avait ressentie quand le sergent l'avait séparée des autres femmes.

— Comment oserai-je me montrer de nouveau devant elles ? demanda-t-elle tristement.

Avec un soupir, Olivia s'assit sur le bord du lit, face à sa sœur.

— D'abord, tu n'aurais pas dû aller manifester avec elles. Cela ne peut plus durer, Victoria. Tu n'as pas le droit de te conduire ainsi sans tenir compte des conséquences. Tu pourrais faire du mal aux autres, te faire du mal à toi-même. Je ne le supporterais pas.

Victoria leva lentement les yeux sur sa sœur. La flamme que Charles avait déjà remarquée se mit à danser dans ses prunelles.

— Et si cela permettait de faire avancer les choses ? S'il fallait mourir pour une idée, pour une cause, afin de faire apparaître des idées justes ? Oh ! je sais... tu dois trouver ce discours utopique, mais je crois que je n'hésiterais pas à me porter volontaire.

Le pire, c'était que Victoria disait la vérité, Olivia le savait. Elle brûlait du feu qui pousse à mourir, à se sacrifier, à suivre un idéal jusqu'au bout.

— Tu me fais peur quand tu dis des choses comme ça, murmura-t-elle.

Victoria lui prit la main.

— Telle n'est pas mon intention, mais il faut m'accepter comme je suis. Je ne suis pas toi, Ollie. Même si on se ressemble comme deux gouttes d'eau.

— Différentes et identiques, dit Olivia, réfléchissant au mystère qui les entourait depuis leur naissance.

Oui, tellement semblables et à la fois si différentes.

— Je suis désolée pour cet après-midi. Je ne voulais pas te faire peur.

Regrettant non ses actes mais d'avoir bouleversé sa sœur, Victoria lui sourit. Elle aimait trop Olivia pour lui faire de la peine.

— J'ai su que quelque chose ne tournait pas rond. Je l'ai senti... ici, dit Olivia en portant la main à son estomac.

Victoria hocha la tête. Cette sensation lui était familière.

— A quelle heure ? demanda-t-elle, intéressée.

La télépathie qui les reliait comme un fil invisible l'avait toujours intriguée.

— A deux heures de l'après-midi, répondit Olivia.

De nouveau, Victoria acquiesça. Elles étaient toutes deux habituées à ce phénomène qui avertissait l'une qu'un danger menaçait l'autre.

— Exact. C'est l'heure à laquelle ils nous ont ramassées et jetées dans le panier à salade.

— Oh ! charmant ! s'exclama Olivia d'un ton désapprobateur qui arracha un rire à Victoria.

— Oui, c'était très amusant... Les policiers semblaient décidés à embarquer tout le monde. D'habitude, les manifestants fuient mais, cette fois-ci, cela leur a été facile puisque nous voulions toutes nous faire arrêter.

Victoria redoubla d'hilarité et, au souvenir du coup de fil du sergent O'Shaunessy, un soupir échappa à Olivia.

— Eh bien, ils ne t'ont pas arrêtée et tu m'en vois ravie, déclara-t-elle fermement.

— Pourquoi l'as-tu appelé, lui ? demanda Victoria.

Ses yeux sondaient ceux de sa sœur en quête de réponse. Il existait ainsi des milliers de non-dits entre elles qu'elles comprenaient néanmoins sans avoir besoin de les formuler.

— Je ne savais pas vers qui me tourner. Je ne voulais pas me faire escorter par Donovan ou Petrie. Et j'avais peur de venir toute seule. Du reste, le sergent me l'avait déconseillé.

— Mais tu aurais pu quand même. Tu n'avais pas besoin de lui. Il est tellement... insignifiant.

Victoria balaya Charles Dawson d'un geste de la main. A ses yeux, c'était un individu sans importance. Elle n'avait pas vu ses qualités et ne lui témoignait pas la moindre attention.

— Il n'est pas insignifiant, le défendit Olivia.

C'était un homme terrassé par le malheur, accablé après le terrible coup que le destin lui avait porté. Olivia éprouvait une sorte de tendresse à son égard. Ce n'était pas de la pitié, non, juste un élan de sympathie. Elle entrevoyait ses qualités, la force qui l'avait animé autrefois et qu'il retrouverait sûrement, avec un peu de bonne volonté, s'il rencontrait la bonne personne.

— Il est blessé, acheva-t-elle.

— Epargne-moi sa douloureuse histoire.

Victoria souriait, insensible aux malheurs des autres, à leur infortune.

— Ce n'est pas juste ! s'indigna Olivia. En dix minutes, il était ici, prêt à se porter à ton secours.

— Père est sans doute son plus gros client.

— Ne sois pas désagréable ! Il aurait pu me répondre qu'il était occupé.

— Peut-être que tu lui plais, déclara Victoria malicieusement.

— Ou toi, lui repartit Olivia.

— Bah, il ne voit pas la différence.

— Et alors ? Il n'est pas mauvais pour autant. Père n'arrive pas toujours à nous distinguer. Seule Bertie ne se trompe jamais.

— Elle est sans doute la seule qui s'intéresse vraiment à nous, répondit cruellement Victoria.

— Ce que tu peux être méchante, parfois ! s'exclama Olivia d'une voix malheureuse.

Elle n'aimait pas cette facette de sa sœur. Son indifférence, son manque de chaleur humaine.

— Je suis comme je suis, dit Victoria sans regrets. Dure avec les autres, et dure avec moi-même. Très exigeante. J'attends autre chose de la vie que des mondanités : bals, réceptions et spectacles.

Tout à coup, elle semblait très adulte. Olivia la regarda, étonnée.

— Je croyais que tu rêvais de venir à New York... Tu dis toujours que tu t'ennuies à mourir à Croton.

— C'est vrai. J'adore New York, mais pas seulement pour ses divertissements. Je voudrais que quelque chose d'important m'arrive. Je voudrais changer le monde... Devenir quelqu'un par moi-même au lieu de me contenter d'être la fille d'Edward Henderson.

Son visage, son expression s'étaient transformés. Elle avait parlé d'une voix intense, passionnée.

— Quel noble projet !

Olivia sourit à sa jumelle. Victoria avait parfois des idées tellement grandioses ! Pourtant, elle n'était encore qu'une enfant. Une enfant gâtée. Elle voulait tout. S'amuser, sortir, danser, et en même temps participer à tous les combats, vaincre les injustices, refaire le monde. Bref, elle ne savait pas encore exactement ce qu'elle voulait, se disait Olivia. Une chose était sûre : Victoria exécrait la morne routine de Croton-on-Hudson.

— Et que penses-tu du mariage ? s'enquit Olivia.

— Je ne veux pas de cela non plus, décréta Victoria avec fermeté. Je refuse d'appartenir à un homme comme une table, une chaise ou une voiture. « C'est ma femme », disent-ils, comme ils diraient : « C'est mon chapeau, mon pardessus ou mon chien. » Je ne veux pas appartenir à quelqu'un comme un objet.

— Eh bien, tu as passé trop de temps avec ces maudites suffragettes ! la gronda Olivia.

Elle était opposée à la plupart de leurs idées, sauf peut-être au droit de vote. Le reste, leur soif de liberté, d'indépendance, allait à l'encontre de valeurs qu'Olivia vénérait par-dessus tout : fonder une famille, avoir des enfants, respecter son père ou son mari. Elle ne croyait pas dans l'espèce d'anarchie qu'elles prônaient, même si cela semblait le cas de Victoria, bien qu'Olivia en doutât parfois. Victoria avait beau fumer, emprunter la voiture, circuler seule, se faire arrêter dans des manifestations, elle n'en chérissait pas moins leur père. Olivia était persuadée que, lorsqu'elle rencontrerait l'homme de sa vie, elle l'aimerait aussi profondément que toutes les autres femmes, peut-être même plus fort. Elle était tout feu tout flamme au point d'être prête à mourir pour ses idées. Une sorte de passion débridée l'habitait. Mais comment pouvait-elle prétendre qu'elle ne voulait appartenir à personne ? Comment pouvait-elle refuser d'être la femme de l'homme qu'elle aimerait ?

— Je parle sérieusement, dit Victoria calmement. J'ai pris cette décision il y a longtemps. Je ne désire pas me marier.

Elle était si belle, ce disant, qu'Olivia réprima un sourire. Elle n'en croyait pas un mot.

— Vraiment, il y a si longtemps que cela ? la taquina-t-elle. Quand as-tu pris cette fameuse décision ? Au meeting des suffragettes d'aujourd'hui ? A celui de la semaine dernière ? Tu ne sais plus ce que tu dis, ma pauvre !

— Je le sais très bien. Je ne me marierai jamais, dit Victoria avec un calme froid et une conviction absolue. En fait, je suis sûre que le mariage ne me convient pas.

— Et alors ? Resteras-tu à la maison pour t'occuper de papa ?

C'était ridicule. Olivia le pourrait à la rigueur. Pas Victoria.

— Je n'ai pas dit ça. Peut-être irai-je vivre en Europe un jour, quand je serai plus âgée. J'aimerais bien m'établir à Londres.

Là-bas, la cause des femmes avait pris de l'ampleur, même si elle n'était pas mieux accueillie qu'aux Etats-Unis. Rien que les derniers mois, une demi-douzaine de féministes avaient été arrêtées en Angleterre et envoyées en prison.

Olivia n'en revenait pas... Ne jamais se marier... Vivre à Londres... C'était si étranger à ses propres idées, si bizarre. Cette discussion avait creusé davantage le fossé qui séparait les deux jumelles. Malgré leur ressemblance physique, les intuitions et les sentiments qu'elles partageaient, malgré leurs similitudes apparentes, il existait d'énormes différences entre elles.

— Toi, tu devrais épouser Charles Dawson, la taquina Victoria, alors qu'elles se changeaient pour le dîner, puisque tu le trouves si mignon !

En riant, Victoria agrafait la robe de sa sœur.

— Mais oui, marie-toi avec lui.

Ce disant, elle se tourna, afin qu'Olivia lui rende le même service.

— Ne sois pas idiote ! Je ne l'ai rencontré que deux fois.

— Mais il te plaît. Ne me mens pas, Ollie. Je le vois bien !

— Oui, d'accord, il me plaît. Et alors ? Il est intelligent, bien élevé, et très précieux quand ma sœur est en garde à vue... Il va sûrement falloir que je l'épouse si tu deviens un gibier de potence. Ou alors que j'entreprenne des études de droit.

— Voilà qui serait mieux, approuva Victoria.

Les deux sœurs s'étaient réconciliées. Olivia avait pardonné à Victoria son escapade. Mais elle lui fit promettre qu'elle resterait tranquille pendant le reste de leur séjour. Victoria s'exécuta à contrecœur. Pendant qu'Olivia se coiffait dans leur salle de bains, elle alluma une cigarette. Sa sœur aînée décréta, naturellement, que c'était laid une femme qui fume. Victoria éclata de rire et lui riposta qu'elle lui faisait penser à Bertie.

— Parlons-en ! Si elle savait que tu fumes, elle te tuerait ! s'exclama Olivia.

Elle secoua sa brosse à cheveux sous le nez de sa sœur, histoire de donner plus d'emphase à ses paroles, tandis que Victoria riait. Elle avait une allure folle, très racée, assise sur le bord de la large baignoire, ses longues jambes croisées, vêtue d'une des robes qu'Olivia venait d'acheter. C'était un modèle rouge vif, un peu plus court que leurs autres vêtements, qui leur seyait à la perfection.

Alors qu'elles descendaient l'escalier, enlacées, Victoria lui fit compliment de son choix.

— Tu as du goût, tu sais. J'aime énormément les robes que tu choisis... Peut-être devrais-je passer le restant de mes jours avec toi et oublier l'Europe.

— Enfin une bonne nouvelle, dit doucement Olivia.

La pensée qu'un jour elles pourraient être séparées

l'attristait. Elle n'avait jamais songé au mariage car il lui répugnait de quitter son père et sa sœur jumelle. Ce serait comme si on l'amputait d'une partie d'elle-même. Sans eux, elle aurait l'impression de ne plus exister.

— Je n'arrive pas à imaginer qu'on pourrait se quitter, dit Olivia en regardant le visage familier, aussi semblable au sien que son propre reflet dans un miroir. Non, jamais je ne pourrais te quitter.

Avec un sourire, Victoria l'embrassa tendrement sur la joue.

— Tu n'auras jamais à le faire, Ollie. Je n'irai nulle part sans toi, tu sais. Je parle, je parle trop ! ajouta-t-elle, sachant que son évocation de l'Europe avait bouleversé Olivia. Non, je vais rester avec toi à la maison... en me faisant arrêter quand j'aurai besoin de respirer un peu.

— Ose seulement !

De nouveau, Olivia agita l'index, l'air menaçant, alors que Bertie venait les rejoindre dans la salle à manger. La gouvernante portait un tailleur de soie noire qu'Olivia avait trouvé dans un magazine parisien et fait copier pour elle. C'était un modèle d'une rare élégance que Bertie mettait chaque fois qu'elle était conviée à la table de la famille Henderson, événement qu'elle considérait comme un grand honneur.

— Au fait, où étais-tu cet après-midi, Victoria ? demanda-t-elle.

Les deux jeunes femmes déplièrent leurs serviettes en évitant de se regarder.

— Au musée. Il y avait une fabuleuse exposition de Turner, des toiles venues de Londres.

Bertie écarquilla ses yeux pleins de sagesse, feignant de la croire.

— Vraiment ? J'aimerais bien la voir.

— Cela va beaucoup te plaire ! répondit Victoria avec un sourire épanoui tandis qu'Olivia s'absorbait dans l'examen du plafond de la maison où ses parents avaient vécu.

Comment était-ce quand leur mère était encore en vie ? A qui ressemblait-elle le plus, du point de vue du caractère ? A elle ou à Victoria ? Elles s'étaient souvent posé la question mais leur père ne leur avait jamais répondu. Visiblement, il préférait éviter ce sujet. Le temps n'avait pas atténué sa peine.

— Etes-vous contentes de voir votre père demain, jeunes filles ? s'enquit aimablement Bertie.

Le repas touchait à sa fin, on venait de leur servir le café.

— Oh ! oui ! dit Olivia en pensant au bouquet de fleurs dont elle décorerait sa chambre.

Victoria, elle, se demandait si sa sœur l'étranglerait, au cas où elle participerait à une nouvelle manifestation. Juste une. Elle en avait entendu parler dans le fourgon de police et avait promis à ses compagnes d'y aller.

Mais tandis qu'elle pesait le pour et le contre, Olivia lui lança un regard sévère en secouant la tête, comme si elle avait lu dans ses pensées... Cela leur arrivait parfois de s'entendre penser mutuellement.

— Il n'en est pas question ! murmura Olivia derrière le dos de Bertie, en se levant de table.

— Je ne sais pas de quoi tu parles, dit Victoria platement.

— La prochaine fois, je te laisserai là-bas. Tu t'expliqueras avec père.

— J'en doute ! chuchota Victoria en riant et en rejetant en arrière ses longs cheveux noirs.

Rien ne lui faisait peur. Pas même la cellule où elle avait passé l'après-midi. Elle avait trouvé l'endroit « intéressant ». Pas du tout sinistre ou effrayant.

— Tu es incorrigible ! fit Olivia à mi-voix.

Elles embrassèrent Bertie, montèrent dans leur chambre. Olivia se mit à feuilleter une revue de mode tandis que Victoria s'absorbait dans la lecture d'un article sur la grève de la faim dans les prisons, signé par Emmeline Pankhurst. Elle vouait une admiration profonde à Emmeline, qu'elle tenait pour la plus grande féministe d'Angleterre. Tout en lisant, Victoria alluma une cigarette — elle savait que Bertie était couchée — et en offrit une à Olivia, qui refusa. Assise devant la fenêtre, cette dernière contemplait la nuit tiède de septembre. Son esprit voguait vers Charles Dawson.

— Arrête ! lui dit Victoria, allongée sur le lit.

— Que j'arrête quoi ? demanda Olivia en se retournant.

— De penser à lui, dit sa sœur en exhalant une bouffée de fumée.

— Qu'est-ce que tu veux dire ?

C'était vraiment bizarre, cette faculté de divination.

— Je veux dire : « Arrête de penser à Charles Dawson. » Tu as le même air que tout à l'heure, quand tu lui parlais. Ce type est trop ennuyeux, alors qu'il y a tant d'hommes merveilleux à New York...

Olivia la dévisagea avec étonnement.

— Comment sais-tu à quoi je pense ?

Pourtant cela leur arrivait si souvent...

— Tu sais bien... Je t'entends dans ma tête, comme s'il s'agissait de ma propre voix, de mes propres réflexions. Ou alors, je comprends rien qu'en te regardant.

— Parfois, cela m'effraie, avoua Olivia. Nous sommes si proches. Je ne sais plus où je finis et où tu commences. On dirait que nous ne faisons qu'un.

— Oui, quelquefois, sourit Victoria. Pas toujours. J'aime savoir à quoi tu penses... Comme j'aime surprendre les gens, leur jouer des tours en me faisant passer pour toi. Nos jeux me manquent. Nous pourrions recommencer ici. Personne ne s'en apercevrait. Oh ! Ollie, ce serait tellement drôle !

— Ce n'est plus pareil. Nous avons grandi, Victoria. Je ne veux plus tricher.

— Tout de suite les grands mots ! Ne sois pas si moraliste. C'est juste un jeu. Je suis sûre que tous les jumeaux le font.

Mais elles n'avaient rencontré que très rarement des

jumeaux, et jamais du même âge ou du même sexe qu'elles. Ni même aussi ressemblants. Elles manquaient de points de comparaison.

— Allez... implora Victoria, toujours téméraire, toujours prête à transgresser les limites, comme lorsqu'elles étaient petites.

Mais Olivia se contenta de sourire, et elle comprit qu'elles ne changeraient plus de place comme autrefois. Elles étaient adultes maintenant. Olivia pensait que les jeux étaient pour les enfants.

— Attention, la prévint Victoria, tu vas devenir une vieille mégère si tu continues comme ça.

— Alors, dans ce cas, tu devras apprendre à bien te tenir, répondit Olivia en riant.

Les deux sœurs échangèrent un regard chaleureux, et Victoria partit d'un petit rire.

— Ne compte pas là-dessus, ma grande. Jamais je ne me tiendrai comme il faut.

— C'est bien ce que je crains ! murmura Olivia.

Elle passa dans la salle de bains. Alors que sa sœur se préparait pour la nuit, Victoria jeta un regard nostalgique par la fenêtre.

3

Leur père arriva comme prévu le vendredi, tard dans l'après-midi. Donovan était allé le chercher à Croton, avec la Cadillac. Grâce à Olivia, un ordre parfait régnait dans la maison : tout avait été épousseté, astiqué, nettoyé. Sa chambre était exactement comme il le souhaitait. Olivia avait fleuri chaque pièce et la maison embaumait. Le jardin avait également été nettoyé, même si la pelouse paraissait bien petite, comparée à celle de Croton. En arrivant, il fut enchanté du travail accompli et félicita chaudement Bertie et ses filles tout en sachant que c'était Olivia qui avait tout remis en ordre. Il les enveloppa d'un regard tendre, embrassa Victoria en lui disant « merci Olivia », ce qui déclencha immédiatement l'hilarité des deux jeunes femmes. Edward rit de bon cœur de son erreur.

— Je vais dire à Bertie de vous remettre des rubans de couleurs différentes dans les cheveux, feignit-il de menacer... A condition que vous ne les échangiez pas.

— Nous ne nous sommes pas fait passer l'une pour l'autre depuis des lustres, père, dit Victoria d'une voix plaintive sous le regard pénétrant de sa sœur.

— Ah oui ? Et qui essayait de m'y entraîner pas plus tard qu'hier soir ? demanda Olivia.

Victoria ne broncha pas.

— L'entendez-vous, père ? Elle ne joue plus... Décidément, votre fille aînée est de moins en moins drôle, constata Victoria, ce qui fit rire Edward.

— Oh ! je ne m'inquiète pas. A vous deux, vous allez créer suffisamment de confusion sans cela.

Un frisson le parcourut au souvenir de leur premier séjour à New York, deux ans plus tôt. L'étourdissante beauté de ses filles avait mis la ville sens dessus dessous. Ils ne pouvaient se rendre quelque part sans que les gens ne se retournassent sur leur passage. Il avait trouvé la réaction des New-Yorkais excessive et espérait qu'ils se montreraient moins curieux cette fois-ci, mais cela restait à vérifier. Ils le sauraient le lendemain soir, en allant au théâtre.

Pour accueillir son père, Olivia avait préparé un dîner composé des plats préférés d'Edward : asperges, chevreuil garni de riz sauvage aux champignons, clams qu'elle s'était fait livrer le matin même de Long Island, enfin, gâteau au chocolat que son père dévora tout en se plaignant que c'était « trop riche pour ses pauvres artères ». Ensuite, ils prirent tous les trois le café au salon, et Edward parla à ses filles des sorties qu'il avait programmées, à commencer par le théâtre. Il avait envie de leur présenter certaines connaissances, de les emmener dans deux nouveaux restaurants. Il souhaitait également donner une réception, confia-t-il à Olivia. Il y avait des années qu'il n'avait invité personne. C'était la rentrée et les membres de la haute société étaient revenus de leurs vacances d'été en Nouvelle-Angleterre et à Long Island. Il sourit avec bonne humeur à ses filles. Il n'avait pas paru aussi en forme depuis des années.

— En fait, nous sommes déjà invités au bal des Astor et à une fête chez les Whitney... Il va falloir que vous fassiez des achats, jeunes demoiselles.

Le séjour s'annonçait des plus divertissants, et Olivia était particulièrement excitée par la réception. Son père avait parlé d'une cinquantaine d'invités. Le nombre idéal pour que la soirée soit animée et que l'on puisse s'entretenir avec tous pendant le dîner. Edward promit de lui remettre la liste le lendemain... Il avait déjà commencé à écrire les noms sur une feuille. Olivia et Bertie ne sauraient plus où donner de la tête... En revanche, Victoria ne lèverait pas le petit doigt.

Le lendemain matin, Olivia était à son bureau, rédigeant les invitations. La réception aurait lieu quinze jours plus tard, la même semaine que le bal des Astor. En parcourant la liste des invités, la jeune femme s'aperçut avec plaisir qu'elle connaissait la plupart des noms sans pour autant pouvoir les associer à des visages. Son père l'avait présentée, ainsi que Victoria, à toutes ces personnes deux ans plus tôt. Ce serait amusant de les revoir, surtout ici, à la maison. Et puis elle adorait l'idée d'organiser un grand dîner pour son père. Elle avait pensé à plusieurs menus et, de bon matin, avait passé en revue nappes et serviettes. Elle en ferait venir d'autres de Croton si nécessaire. Verres en cristal, couverts et porcelaine étaient en quantité suffisante. Elle savait exactement quelle décoration florale choisir et espérait seulement que les fleurs auxquelles elle pensait seraient encore de saison fin septembre.

Et tandis qu'Olivia restait travailler dans son bureau tout l'après-midi, Victoria se promenait en voiture avec leur père. La Cadillac les emmena dans le centre-ville, puis ils firent un tour à pied le long de la Cinquième Avenue où Edward rencontra quelques-unes de ses relations auxquelles il présenta sa fille. Ils affichaient une excellente humeur tous les deux, de retour à la maison, tout comme Olivia d'ailleurs, qui avait terminé l'organisation de la réception.

Le soir, ils allèrent au théâtre voir *The Seven Keys to Baldpate*, avec Wallace Eddinger. Edward semblait connaître tous les spectateurs dans la salle. Et comme d'habitude, dès qu'il présenta ses filles, elles firent sensation. Elles rayonnaient dans leurs toilettes de velours noir à col d'hermine, agrémentées d'étoles également en hermine. Chacune portait une longue plume noire dans les cheveux. On eût dit qu'elles sortaient tout droit d'une revue de mode parisienne. Le lendemain matin, leur nom s'étalait dans tous les journaux. Cette fois-ci, Edward accueillit la chose plus calmement. Les deux jeunes femmes aussi, d'ailleurs. Elles avaient deux ans de plus que la première fois et paraissaient habituées à leur succès.

— C'était merveilleux, soupira Victoria, se référant au spectacle.

Elle avait été si absorbée par la pièce qu'elle avait à peine remarqué qu'elle et sa sœur attiraient tous les regards.

— Eh oui, c'est mieux que de se faire arrêter, chuchota Olivia, souriante, tandis qu'elle resservait du café à leur père.

Ils allèrent peu après à l'église Saint-Thomas, où ils furent chaleureusement accueillis. Donovan les ramena ensuite à la maison où ils passèrent un dimanche tranquille. Le lendemain matin, chacun vaqua à ses occupations. Olivia avait mille choses à faire, avec les ordres à donner aux domestiques et les commandes à passer pour la réception. Leur père se rendit chez ses avocats, puisqu'il était venu à New York pour les consulter. En fin d'après-midi, il rentra, accompagné de John Watson et de Charles Dawson. Olivia eut un moment de panique en les voyant. Elle craignait que Charles ne commette une gaffe ou ne fasse une plaisanterie sur leur expédition à la cinquième circonscription. Heureusement, ce ne fut pas le cas. Il la salua d'un signe de tête poli en arrivant, lui dit au revoir en partant, sans le moindre signe de connivence. Soulagée, Olivia regarda s'éloigner le jeune avocat. Plus tard, elle raconta la scène à Victoria, qui haussa les épaules en disant qu'elle se fichait éperdument que le dénommé Charles garde ou non le secret de son arrestation.

— Voyons, Victoria ! s'écria Olivia. Père se mettrait dans tous ses états. En ce moment même, tu serais dans le train pour Croton.

Sa sœur lui adressa un large sourire.

— Tu as sans doute raison.

Elle s'amusait trop à New York pour risquer de se retrouver à la campagne, qu'elle détestait. Elle mourait d'envie d'assister à une réunion de l'Association nationale pour le droit de vote des femmes, même si elle avait promis de ne plus participer aux manifestations des féministes.

Ils allèrent de nouveau au théâtre, ce soir-là, puis Edward emmena ses filles dîner chez des amis. Olivia prêta une oreille amusée à la conversation qui semblait se focaliser sur un certain Tobias Whitticomb. Celui-ci avait amassé une fortune colossale grâce à d'habiles spéculations boursières et à une union non moins habile avec une héritière Astor. Il s'agissait d'un jeune homme très séduisant, coureur de jupons impénitent. Son nom était sur toutes les lèvres à la suite d'une liaison scandaleuse sur laquelle personne ne voulut donner de détails à Victoria ni à sa sœur. Leur père choqua tout le monde en déclarant qu'il avait récemment fait affaire avec M. Whitticomb, qui lui avait donné l'impression d'un homme à la fois civilisé et plaisant. Tout s'était parfaitement passé et il l'avait trouvé correct et scrupuleusement honnête. Les autres convives poussèrent les hauts cris, après quoi chacun y alla de sa petite histoire concernant Whitticomb. Ils durent pourtant admettre qu'en dépit de sa mauvaise réputation il était invité dans les meilleures maisons... Parce qu'il était marié à Evangeline Astor, ajoutèrent les moins indulgents. Enfin, tout le monde tomba d'accord sur les mérites de l'adorable Evangeline, un ange de patience qui supportait sans mot dire les frasques de Toby. Cela faisait longtemps qu'elle tolérait son infortune car ils étaient mariés depuis cinq ans et avaient trois enfants.

Sur le chemin du retour, Olivia se rappela soudain que les Whitticomb faisaient partie des invités de son père.

— Est-il vraiment aussi odieux qu'on le prétend ? demanda-t-elle tandis que la Cadillac roulait en direction de la maison.

Victoria ne faisait pas attention à la conversation. Elle avait eu une discussion politique passionnante avec l'une des convives, qui lui avait semblé maîtriser particulièrement bien le sujet.

Edward Henderson sourit à sa fille aînée avec un haussement d'épaules.

— Il est vrai qu'on doit se méfier d'un homme comme Tobias Whitticomb, ma chérie. Il est beau, jeune, et certainement très attirant aux yeux des femmes. Mais rendons-lui justice. Ses conquêtes sont toujours des femmes mariées..., c'est-à-dire des personnes averties. Alors, tant pis pour elles. Je ne crois pas qu'il s'attaque aux jeunes filles, sinon je ne l'aurais pas invité.

— Qui ça ? s'enquit Victoria, qui n'avait pas suivi le début de la conversation.

Ils étaient presque arrivés.

— Il semble que père ait invité un affreux libertin à notre réception. Notre hôtesse de ce soir nous a mis en garde.

— Pour quelle raison ? Il assassine des femmes et des enfants ? demanda Victoria sans beaucoup d'intérêt.

— Non, au contraire, lui expliqua Olivia. Il semble qu'il soit si séduisant que toutes les femmes tombent à ses pieds, comme des petits chiens en manque d'affection.

— Quelle horreur ! s'écria Victoria avec une véhémence qui fit rire aux éclats sa sœur et son père. Pourquoi l'invitons-nous alors ?

— Il viendra avec son épouse, qui est charmante.

— Est-ce que les hommes tombent à ses pieds aussi ? La soirée va être gâchée, si tout le monde tombe par terre autour d'eux.

La Cadillac s'immobilisa. Ils gravirent les marches, fatigués mais contents de leur soirée, et Tobias Whitticomb fut vite oublié.

Les jours suivants furent consacrés aux préparatifs. Presque tous les invités, y compris le couple controversé, avaient répondu qu'ils viendraient. Ils seraient quarante-six personnes réparties autour de quatre tables rondes dans la salle à manger. On pourrait ensuite danser dans le salon ou bavarder dans le jardin, sous un très joli dais.

Le grand jour arriva à une vitesse vertigineuse. La veille, Olivia fut partout, vérifiant les fleurs, les nappes, la porcelaine. Elle goûta chaque plat, surveilla les ouvriers qui montèrent le dais. Des décorations en glace sculptée furent disposées dans la salle à manger. Les musiciens arrivèrent et elle les installa dans le salon.

Mme Peabody faisait tout ce qu'elle pouvait... hélas, dépassée par les événements, elle pouvait peu... Et il ne fallait pas compter sur Victoria. Durant les dernières semaines, elle avait commencé à fréquenter un cercle d'intellectuels, écrivains, artistes, bohèmes habitant dans des endroits bizarres. Elle leur avait rendu visite dans leurs ateliers et s'était rendu compte qu'ils partageaient les mêmes opinions politiques. Victoria possédait l'art de se faire très vite des amis, contrairement à Olivia, qui donnait l'impression de préférer s'occuper de la maison ou de leur père.

Victoria avait essayé en vain de faire sortir Olivia, mais cette dernière avait promis de l'accompagner après la réception. Elle se sentirait alors plus libre. Le lendemain, elles devaient se rendre au bal, chez les Astor, et Olivia attendait cette soirée avec impatience. Mais, ce soir, il fallait qu'elle joue à la perfection son rôle d'hôtesse. C'était la première réception qu'elle donnait à New York. Elle tremblait d'excitation lorsqu'elle descendit l'escalier avec Victoria, toutes deux portant les mêmes robes longues en satin vert sombre, confectionnées par leur couturière de Croton. C'étaient des robes à traîne et à tournures, au corsage incrusté de perles de jais. Leurs cheveux étaient relevés en chignon, leurs pieds chaussés d'escarpins à talons de velours noir. Un long collier de perles, cadeau de leur père pour leur dix-huitième anniversaire, et des pendants d'oreilles en diamant parachevaient leur mise. Elles incarnaient l'absolue symétrie, une double harmonie, tandis qu'elles avançaient à l'unisson. Olivia jeta un dernier coup d'œil aux tables. Tout était parfait. L'orchestre s'était mis à jouer ; la maison, presque exclusivement éclairée aux chandelles, avait une allure féerique. Les domestiques avaient allumé les chandeliers, les fleurs embaumaient et les jumelles évoquaient deux créatures irréelles, là dans le salon, debout aux côtés de leur père, très élégant dans son smoking. Il recula d'un pas afin de les admirer. Il était impossible de ne pas être frappé par leur beauté, leur grâce, leur distinction. Une seule aurait déjà suffi à étourdir les invités, mais les deux ensemble formaient un duo fascinant qui suscitait une admiration sans borne. Ce fut ce qui se produisit quand les premiers arrivants franchirent le seuil. A la vue des deux sœurs jumelles qui encadraient leur père, tout le monde eut le souffle coupé. Personne ne parvenait à détacher le regard des jeunes filles, incapable de se rappeler qui était qui. Mais, d'une certaine manière, on les considérait comme une entité. Aucune ne semblait entière sans l'autre à son côté.

Edward les présenta à tout le monde. La grande majorité des invités n'arrivait pas à distinguer Olivia de Victoria. Quant à Charles Dawson, il ne s'y essaya même pas. Il les salua simplement d'un sourire chaleureux. Ce ne fut qu'en leur parlant qu'il commença à sentir laquelle était la plus sauvage, la plus indisciplinée, et se risqua à une plaisanterie à voix basse.

— Elle est loin, la cinquième circonscription, n'est-ce pas ?

Il avait les yeux brillants et Victoria le regarda avec défiance. Un sourire s'épanouit sur ses lèvres. Elle répondit sans se soucier qu'on puisse les entendre.

— J'ai déjà dit à Olivia que vous auriez dû les laisser m'arrêter. Je le voulais. J'étais même très déçue quand vous m'avez libérée.

— Vous peut-être, mais pas votre sœur, dit-il calmement sans cesser de l'admirer. (C'était la plus jolie femme qu'il avait jamais rencontrée, tout comme sa sœur, du reste.) Je crois qu'elle a été vraiment soulagée de vous tirer de là aussi vite. Franchement, je ne pensais pas que ce serait aussi facile.

— Nous pouvons toujours réessayer. Je vous téléphonerai moi-même la prochaine fois, déclara-t-elle de sa voix insolente et sensuelle, signe qu'elle n'avait pas renoncé à faire des bêtises.

Charles opina de la tête. A la place d'Edward Henderson, il aurait déjà perdu la raison avec deux filles comme celles-ci à surveiller. Olivia était mieux élevée et bien plus douce que sa sœur. M. Henderson le lui avait avoué. A son dire, Olivia était un cadeau du ciel.

— Entendu. Appelez-moi si vous avez besoin de moi et je volerai à votre secours, rétorqua-t-il.

Il s'éloigna pour saluer des relations et, bien sûr, John Watson, son associé. Ils finirent par sortir dans le jardin, allèrent sous le dais et admirèrent les décorations en glace. Olivia passait d'un groupe à l'autre, saluant, souriant ou se mêlant librement aux conversations. C'est Victoria qui se tenait près de la porte lorsque les Whitticomb arrivèrent. Elle ignorait qui ils étaient et avait totalement oublié ce qu'on lui avait dit d'eux. Elle remarqua seulement une très jolie femme en toilette argentée sous un manteau de la même couleur. Un turban assorti laissait échapper des boucles blond pâle. A son cou étincelait une rivière de diamants. L'homme qui l'accompagnait était encore plus beau. Victoria le regarda en retenant son souffle. Sa femme alla vers des amis, qui l'entraînèrent dans le jardin. Son mari, qui ne paraissait pas remarquer l'étonnante beauté de son épouse, ne se rendit même pas compte qu'elle le quittait. Il regardait fixement Victoria. Victoria, qui rayonnait dans sa robe de satin vert sombre, d'un goût exquis, réalisée grâce aux doigts habiles de la couturière de Croton, et au talent de sa sœur jumelle.

— Bonsoir, je suis Tobias Whitticomb, dit-il, acceptant une coupe de champagne sur le plateau d'argent d'un serveur, sans quitter la jeune fille des yeux.

Il la sonda du regard, comme s'il s'attendait à ce qu'elle sache tout sur sa réputation.

— Et vous ? demanda-t-il en la dévorant du regard.

L'avait-il déjà vue, cette beauté rare ? Il s'en serait souvenu.

— Victoria Henderson, dit-elle modestement, un peu gênée par ses manières à la fois directes et sophistiquées.

— Mon Dieu, c'est affreux ! soupira-t-il d'un air déçu. Vous êtes mariée à notre hôte. Quelle chance il a !

Il lui sourit tristement. C'était sa femme qui avait répondu à l'invitation. Il avait accepté de la suivre. Victoria éclata de rire. Elle ne se rappelait plus du tout la discussion entre son père et sa sœur sur Toby Whitticomb. Les ragots ne retenaient jamais son attention. Maintenant, tout ce qu'elle voyait, c'était ses cheveux noirs et brillants, ses yeux bruns qui souriaient, sa silhouette élégante. Il avait un visage d'acteur. Tout en lui trahissait un être plein de charme et d'esprit.

— Je ne suis pas mariée au maître de maison, rectifia-t-elle, riant de ce malentendu et se demandant s'il ne l'avait pas fait exprès. Je suis sa fille.

— Dieu merci, la soirée est sauvée. J'aurais été trop malheureux si vous aviez été l'épouse de mon hôte... Avec lequel, soit dit en passant, j'ai fait de bonnes affaires.

Il s'exprimait avec aisance tout en entraînant Victoria vers le salon. Et là, sans lui demander la permission, il la prit dans ses bras et ils se mirent à danser. Ils étaient inéluctablement attirés l'un vers l'autre et il n'y avait pas moyen de résister. Il lui dit qu'il avait fait des études en Europe, pendant plusieurs années — à Oxford plus précisément —, où il excellait au polo, et que deux ans plus tard il s'était rendu en Argentine pour pratiquer ce sport... Il parla énormément de lui, tandis que Victoria l'écoutait, sous le charme. C'était un homme séduisant, un danseur parfait. Et quel humour ! Tandis qu'ils tournoyaient sur la piste, il la fit rire en se moquant des personnes présentes. Et lorsqu'ils quittèrent la piste de danse, il lui raconta des histoires drôles, se moquant de toutes et de tous sauf d'Evangeline et de leurs enfants dont il ne parla pas une seule fois. Il alluma une cigarette. Comme personne ne les regardait, Victoria en profita pour s'accorder une longue bouffée. Il la scruta, amusé.

— Dites donc, ma chère, vous m'épatez. A quels autres excès vous adonnez-vous ? Fumez-vous le cigare ? Vous couchez-vous à des heures indues ? Avez-vous des vices cachés ? L'absinthe, peut-être ? De mystérieuses drogues venues d'Orient ?

Il badinait. Il était beau, sophistiqué, et il se tenait si près de Victoria qu'elle en eut le vertige. Elle n'avait jamais rencontré personne comme lui. Après leur dernière danse, elle s'excusa. Elle devait, dit-elle, aller voir où en était le dîner. Et elle promit de revenir tout de suite... Puis elle fit quelque chose qui rendrait sûrement Olivia furieuse, mais tant pis ! D'ailleurs, quand sa sœur découvrirait sa petite supercherie, elle ne serait pas franchement mécontente...

Lorsque Victoria retraversa le salon en direction de Toby, celui-ci semblait plutôt confus. Olivia lui parlait et un voile incarnat colorait le visage du jeune homme. Il venait de lui susurrer au creux de l'oreille qu'ils pourraient « aller griller une petite cigarette dans le jardin ». Il la tenait par la taille comme tout à l'heure Victoria, quand ils dansaient. Olivia arborait une moue mécontente ; elle avait aussitôt deviné ce qui s'était passé. Là-dessus Victoria arriva et Toby Whitticomb ouvrit de grands yeux étonnés.

— Mon Dieu, je vois double ! J'ai bu trop de champagne. Que se passe-t-il ?

Il les regarda de nouveau, incrédule. Il ne s'était pas rendu compte qu'il avait affaire aux fameuses jumelles Henderson et, pour la première fois de sa vie, il conserva un silence stupéfait.

— Je sens que vous vous êtes mal comporté avec ma grande sœur, lui dit malicieusement Victoria.

— Très mal, j'en ai peur, répondit-il en s'efforçant de se ressaisir.

Il avait attrapé Olivia par la taille alors qu'il ne la connaissait pas. Non qu'il connût mieux Victoria, mais celle-ci paraissait moins farouche, moins choquée par ses avances, plus indulgente.

— Je lui ai offert une cigarette, reprit-il. J'espère qu'elle apprécie le tabac, elle aussi. Dites, nous pourrions aller fumer tous les trois dans le jardin, mais j'aurais besoin d'un autre verre.

Il saisit allègrement une coupe de champagne sur un plateau, en but une gorgée tout en observant les deux femmes.

— Vous êtes absolument extraordinaires, vous savez. Je n'ai jamais rien vu de pareil.

— Il est vrai qu'au début les gens sont surpris, dit Olivia avec gentillesse, même si elle détestait ses manières et la familiarité qu'il témoignait à sa sœur. Ensuite, ils s'habituent.

— Pardonnez mon impolitesse, dit-il en pensant qu'elle était moins accommodante que Victoria. Vous devez être vous aussi mademoiselle Henderson. Ce soir, je me suis rendu ridicule. J'ai commencé par prendre votre sœur pour l'épouse d'Edward.

Il éclata d'un rire communicatif, puis tendit la main à Olivia.

— Toby Whitticomb, se présenta-t-il.

Le rire d'Olivia s'éteignit. Elle serra froidement la main de leur invité, sous le regard interrogateur de Victoria.

— J'ai beaucoup entendu parler de vous, dit-elle, dans l'espoir d'émousser son intérêt pour sa sœur.

— En mal, je présume, répondit-il sans ciller.

Les majordomes annoncèrent que le dîner allait être servi. Le soulagement envahit Olivia. Elle avait placé sa jumelle entre deux jeunes gens de bonne famille, loin, très loin de Tobias Whitticomb. Le devoir lui avait dicté le choix de sa propre place, entre un vieil ami de son père, terriblement sourd, et un jeune homme affligé d'une timidité maladive. Son père prendrait place entre leurs deux invités d'honneur. Elle souhaitait qu'il passe une délicieuse soirée. C'était sa première réception depuis des années et Olivia tenait à ce qu'elle fût parfaitement réussie.

Jusqu'alors, tout se déroulait selon ses plans. Musique douce, nourriture succulente, excellent champagne choisi par son père. Elle s'avança vers la salle à manger, l'œil aux aguets. Quatre tables dressées dans toutes les règles de l'art attendaient les invités. Satisfaite, Olivia remarqua qu'ils trouvaient facilement leurs places, grâce aux cartes où leur nom était inscrit, posées contre leurs assiettes. Ils étaient confortablement installés, visiblement contents de leur voisinage. Le cristal et l'argent brillaient à la lumière des chandelles, presque autant que les bijoux des dames. Lorsque son regard se posa sur Victoria, Olivia faillit s'évanouir. Sa chère jumelle avait pris place à côté de Toby. Elle déglutit péniblement, n'osant imaginer le désordre qui s'ensuivrait. Mais rien ne se passa. En fait, la rusée Victoria avait simplement troqué sa carte contre celle d'une invitée, afin de pouvoir s'asseoir près de l'homme de son choix.

Olivia lui fit les gros yeux. En vain. Victoria l'ignora royalement. Furieuse, la jeune fille jeta un coup d'œil alentour. Les invités bavardaient dans un joyeux brouhaha, inconscients du drame que vivait la fille aînée de leur hôte. Chacun était à la place qui lui avait été destinée, à l'exception d'une dame laide et âgée, qui semblait enchantée de se retrouver entre deux garçons séduisants.

Résignée pour l'instant mais déterminée à ne pas laisser passer cette faille au protocole, Olivia se mit à la recherche de sa propre place, ruminant sa colère. Victoria avait perdu la tête. Tout de même ! Se laisser courtiser par un homme marié ! Et d'une réputation aussi désastreuse... Son pas ralentit car quelqu'un d'autre s'était emparé de son propre siège. Olivia comprit alors que sa magnanime sœur avait aussi troqué sa place contre une autre, située à côté de Charles Daw-son. Le visage empourpré, la jeune femme n'eut pas d'autre choix que de s'asseoir.

— Quel honneur ! dit Charles poliment en la fixant comme s'il cherchait à savoir de quelle jumelle il s'agissait. Etes-vous le gibier de potence ou son sau-veur ? A ma grande honte, j'admets que je n'arrive pas encore à vous distinguer.

Son optimisme fit rire Olivia. Il ne pourrait jamais les distinguer, pensa-t-elle, même s'il se croyait plus malin que les autres. Ce rire adoucit la mauvaise humeur provoquée par le comportement inadmissible de Victoria.

— Pensez-vous vraiment pouvoir un jour faire la différence, monsieur Dawson ? le taquina-t-elle.

L'espace d'un instant, l'idée de le mettre à l'épreuve lui traversa l'esprit. Elle ne lui fournirait aucune indi-cation et le laisserait deviner. Oh ! pas longtemps. Juste un peu, pour voir. Il la regarda longuement, attentive-ment, incapable encore de dire qui elle était. C'était un jeu cruel qu'Olivia décida, toutefois, de prolonger quelques minutes.

— Vos gestes sont identiques. Mais votre regard n'est pas toujours le même. Pourtant je ne sais qui vous êtes. L'une de vous est plus rebelle, plus sauvage, poursuivit-il en se remémorant ses réflexions à Croton, puis à la cinquième circonscription... Oui, quelque chose dans le regard, marmonna-t-il, une volonté de dépasser les limites que vous pourriez regretter... Mais, quelle que soit la rebelle, la plus sage l'apprivoisera. L'une de vous a une âme tranquille, paisible, l'autre est turbulente...

Il la regardait toujours fixement. Il commençait à sentir à qui il avait affaire. Bizarrement, il fut soulagé d'être assis près d'Olivia. Victoria le troublait trop. C'était un être trop passionné pour qu'il soit à l'aise en sa présence.

La jeune femme inclina la tête... Il les avait fort bien observées.

— Vous nous avez très bien comprises, monsieur, répondit-elle avec un doux sourire qui le conforta dans son opinion qu'elle était Olivia. Vous avez un sens aigu de l'observation.

— J'essaie. Cela fait partie de ma profession, dit-il en toute simplicité.

— Et de vous-même également, murmura-t-elle.

Elle aussi l'avait longuement observé.

— Maintenant, me direz-vous qui vous êtes ou allez-vous vous entourer de mystère toute la nuit ?

C'était lui maintenant qui voulait jouer. Victoria se serait amusée à le plonger dans la plus totale confusion. Pas Olivia.

— Cela ne serait pas juste. Je suis Olivia.

Ce disant, elle lui sourit. Elle n'avait pas pardonné à Victoria son inversion des places, ni à Tobias Whitticomb son attitude, et pourtant, elle n'était pas mécontente de bavarder avec Charles.

— Vous êtes le sauveur... l'âme tranquille...

On eût dit que cette description la désavantageait, se dit-elle. Pourtant, elle était aussi belle que sa sœur.

— Etes-vous vraiment très différentes ? C'est difficile à déceler au début. J'ai remarqué une sorte d'insatisfaction chez Victoria. La quête de quelque chose d'inaccessible. Vous semblez plus heureuse qu'elle, plus sereine.

— Je ne sais pas... Peut-être Victoria se sent-elle coupable parce qu'elle est persuadée qu'elle a tué notre mère.

C'était une confession singulière. Olivia ne se serait pas ouverte ainsi à n'importe qui. Mais elle vouait une confiance illimitée à Charles. Il lui avait déjà donné la preuve de sa discrétion après l'avoir aidée à ramener Victoria du poste de police. Il n'avait pas divulgué leur secret.

— Notre mère est morte en couches. Victoria est venue au monde juste après moi. Il semble que ce soit sa naissance qui ait provoqué le désastre. Je me demande si onze minutes peuvent être fatales... Je crains que nous ne l'ayons tuée ensemble.

Elle aussi s'était sentie coupable, mais pas avec la même force que Victoria.

— On peut, en effet, voir les choses sous cet angle. On ne saura jamais la vérité. Vous étiez un don du ciel pour elle. Dommage qu'elle n'ait pas vécu pour vous voir grandir. Votre père a eu cette chance... Ce doit être merveilleux d'avoir des jumeaux. Vous avez tous beaucoup de chance.

Elle sut qu'elle avait touché un point sensible. Il devait lui aussi se poser des questions sur la mort de sa femme, depuis un an et demi. Des questions sans réponses.

— Parlez-moi de votre fils, dit-elle gentiment.

Il sourit.

— Geoffrey ? Il a neuf ans et il est la lumière de ma vie. Je l'aime de tout mon cœur. Nous sommes seuls, ajouta-t-il, ne sachant pas qu'elle était au courant. Nous avons perdu sa mère il y a un peu plus d'un an dans le naufrage du *Titanic*.

Le dernier mot eut du mal à franchir ses lèvres, comme s'il étouffait. Machinalement, elle lui effleura la main. Il hocha la tête, puis reprit :

— Pendant plusieurs mois, cela a été terriblement difficile. Je suis retourné en Europe avec Geoff, dans la famille de ma femme. Nous étions tous en état de choc, surtout Geoff. Il se trouvait avec elle à bord.

— Quel horrible souvenir pour lui ! murmura-t-elle avec compassion, profondément remuée par l'expression pleine de tristesse de son interlocuteur.

— Oui, on comprend que ce soit terrible pour un enfant de perdre ainsi sa mère. Enfin ! Il va mieux maintenant.

Un sourire brilla soudain sur ses lèvres. En l'espace d'un quart d'heure, ils étaient devenus bons amis. Elle faisait preuve d'une chaleur qui poussait aux confidences.

— Mieux que moi, en tout cas, continua-t-il. Je

décline toutes les invitations à des soirées comme celle-ci. Mais votre père et John ont tellement insisté...

— Vous ne pouvez pas rester enfermé pour toujours.

— Je suppose que non, murmura-t-il.

Il lui lança un regard, l'admirant secrètement. Il lui avait confié ses pensées les plus intimes beaucoup plus facilement qu'à n'importe qui depuis un an et demi.

— Vous devriez amener votre fils à Croton. Les enfants adorent cet endroit. Je l'aimais aussi, quand j'étais petite. J'avais son âge quand nous avons emménagé au manoir.

— Et maintenant ?

Elle avait éveillé sa curiosité. Olivia possédait une qualité de compréhension hors du commun.

— Aimez-vous toujours vivre à Croton ? demanda-t-il.

— Oui. Mais pas ma sœur. Elle préfère New York. La fièvre des grandes villes. Elle voudrait voyager, participer à des manifestations, au combat des suffragettes en Angleterre, faire la grève de la faim en prison...

Charles eut un sourire.

— J'avais raison de dire qu'elle est turbulente.

— En fait, fit Olivia avec un sourire, je lui dois une fière chandelle ce soir... Je ne suis pas directement responsable de nos places à table.

— Et moi qui croyais que vous dirigiez la maison de votre père d'une poigne de fer dans un gant de velours.

Edward avait souvent chanté ses louanges, ses aptitudes de femme d'intérieur, ses talents d'organisatrice de réceptions.

— C'est exact. Mais Victoria a échangé sa place ce soir... Et la mienne. Elle n'était pas d'accord avec mon plan de table.

— Eh bien, je lui suis profondément reconnaissant, sourit-il. Vous devriez lui confier cette tâche plus souvent.

Il l'invita à danser et ils se dirigèrent vers le salon. La main de Charles touchait à peine l'épaule d'Olivia. Sitôt la danse terminée, il la raccompagna à table. Leur danse n'avait rien eu de sensuel. Mais ils avaient pris plaisir à parler. Il était intelligent, spirituel, sérieux. Olivia comprenait pourquoi il gardait ses distances. A l'évidence, il avait été très amoureux de sa femme. En la perdant, il avait tout perdu. Il ne se sentait pas l'envie de se lier à une autre femme. C'était parfaitement compréhensible... mais cela ne l'empêchait pas de se sentir attirée par lui. Si leurs existences avaient été différentes, si le sort en avait décidé autrement, Charles aurait représenté le mari idéal. Mais il était inutile d'y songer. Olivia ne se sentait pas le droit de quitter son père et, quant à lui, il était résolu à ne plus aimer, même pour offrir un foyer à son petit garçon.

Après le repas, les dames montèrent à l'étage se repoudrer. Olivia en profita pour adresser une sévère semonce à sa sœur, qu'elle avertit des risques qui pèseraient sur elle si elle continuait à courir après Toby.

— Je ne cours pas après lui ! se défendit Victoria, irritée par les remontrances de sa sœur.

Elle trouvait cet homme plein de charme et d'humour. Il dansait merveilleusement et était plus provocateur que Victoria elle-même ne le serait jamais. Quel mal y avait-il à flirter ? Cela ne prêtait pas à conséquence... Elle ignorait qu'il y avait toujours des conséquences avec Toby. Et qu'il obtenait toujours ce qu'il voulait.

— Je t'interdis de passer le reste de la soirée avec lui, chuchota Olivia alors que Mme Whitticomb passait près d'elles.

Mais Victoria n'avait pas l'intention de céder.

— Je ne te permets pas de m'interdire quoi que ce soit, Olivia, rétorqua-t-elle sèchement. Tu n'es pas ma mère et il n'est pas l'homme que tu décris. Il est gentil, très correct, et je l'apprécie. Cela ne va pas plus loin ! Une réception, un soir, une conversation. Je ne m'enfuirai pas avec lui. Il n'a pas l'intention d'avoir une liaison avec moi. Nous dansons et nous bavardons. Nous ne faisons rien de mal. C'est triste que tu ne puisses pas comprendre une chose aussi simple.

— Je comprends beaucoup plus que tu ne crois. Beaucoup plus que tu n'as compris toi-même, répondit Olivia dans un murmure furibond. Il est dangereux, Victoria. Tu joues avec le feu.

Victoria lui rit franchement au nez. Elle ne manqua pas de répéter à Toby les mises en garde de sa sœur dès l'instant où elle le retrouva au rez-de-chaussée. Personne ne semblait se rendre compte de leur attirance mutuelle. Ils disparurent dans le jardin, dépassèrent le dais. Il lui entoura les épaules de son bras, dans l'air tiède de septembre, et ils partagèrent une cigarette. Il déclara alors qu'il l'aimait... Il n'avait jamais prononcé ces mots auparavant, en dehors de son mariage. Mais, aussi insensé que cela puisse paraître, au cours de cette soirée ensorcelante, il s'était rendu compte qu'il était profondément épris de Victoria. Son union avec Evangeline, poursuivit-il, n'était qu'une façade. Un mariage arrangé par leurs familles, une relation superficielle, dépourvue de sens et d'affection. Il se sentait seul, il s'ennuyait à mourir. Combien de fois n'avait-il pas rêvé du véritable amour avant de voir Victoria ! Leur rencontre, ce soir, avait fait basculer sa vie... Si Olivia l'avait entendu, elle l'aurait tué.

Victoria l'écoutait, subjuguée. Malgré ses aspirations intellectuelles, elle était d'une grande naïveté. Elle but chaque mot qu'il prononçait en le regardant avec adoration et innocence. Il l'embrassa. Il voulait savoir quand ils se reverraient. Il doutait de pouvoir vivre une seconde de plus loin d'elle. Certes, il connaissait ses principes. Au cours de leur longue discussion, elle lui avait confié sa foi ardente dans la cause du féminisme. Il partageait entièrement ce point de vue, dit-il, et ne chercherait jamais à profiter de la situation. Il souhaitait juste la revoir, afin de mieux la connaître.

La tête de Victoria lui tournait. Chacune des paroles

de Toby s'était gravée dans sa mémoire. Elle le croyait. Elle voulait le croire. A la fin de la soirée, elle était convaincue qu'elle faisait partie de la vie du jeune homme. Ils seraient de nouveau réunis, dès le lendemain, au bal des Astor. Après, il leur fallait trouver le moyen de se rencontrer, insista-t-il. Une lueur étrange dans le regard, il demanda à Victoria si elle ne se sentirait pas plus à l'aise en emmenant sa sœur avec elle. La jeune femme secoua la tête, horrifiée. Non seulement Olivia le détestait, mais elle tenterait tout pour annuler leur rendez-vous. Elle répondit que non, qu'elle viendrait sans sa sœur. L'idée lui avait paru excitante, et il s'y était accroché un instant, mais il n'insista pas. Ils convinrent de se revoir le lendemain du bal. Toby raccompagna Victoria dans le salon où Evangeline se plaignait d'un affreux mal de tête, exigeant de rentrer tout de suite à la maison. Mais le mal était fait, le marché conclu, le rendez-vous pris, et Victoria aimait Toby à la folie.

Occupée ailleurs, Olivia n'assista pas au départ des Whitticomb. Seul Charles était là. Il demeura à l'autre bout de la pièce, étudiant attentivement Victoria. Quelque chose dans sa façon de bouger la tête, de regarder les hommes, son charme, son mystère atténuaient sa ressemblance avec sa sœur. Olivia était plus sincère, plus ouverte, plus généreuse. Paisible. Et pourtant, c'était la jeune femme tourmentée qui l'attirait davantage, celle qui ne savait pas ce qu'elle voulait, ou plutôt qui désirait sa propre perte. Sa hâte à se brûler les ailes ne la rendait que plus fascinante. C'en était presque pervers, songea-t-il, ennuyé, mais il mourait d'envie de traverser la pièce, d'attraper Victoria et de la secouer. Naturellement, il n'en fit rien.

Une partie de lui-même se battait pour l'oublier, pour se concentrer sur la raisonnable, l'infiniment plus décente Olivia et cependant, son manque de complexité, son aptitude à donner et à recevoir tout simplement l'effrayaient. Il était trop torturé lui-même, trop écorché, trop triste après la mort de Susan pour accepter ce qu'Olivia avait à lui offrir. Il était habitué à la souffrance, à la frustration, à l'incrédulité, à la colère. Il était beaucoup plus facile de fréquenter quelqu'un qui n'attendait rien de lui, qui n'espérait rien, plutôt qu'Olivia et sa bonté. La côtoyer constituait une trahison vis-à-vis de Susan. Victoria, c'était complètement différent. De nouveau, il la regarda. Elle semblait avoir quelque chose en tête, ou quelqu'un, sans doute l'infâme Tobias Whitticomb. Qu'allait-elle faire ? Recevrait-il de nouveaux appels à l'aide ? Olivia parviendrait-elle à l'arrêter ? A condition qu'elle s'aperçoive de la situation. Mais Victoria était suffisamment rusée pour lui cacher ses projets.

Sur ces réflexions, Charles alla trouver son hôte, le remercia de cette splendide soirée, la première à laquelle il assistait depuis plus d'un an. Sortir, voir du monde, avait éveillé en lui des sensations qu'il croyait enfouies à jamais. La tendresse qu'il éprouvait pour Olivia, la souffrance, la terrible solitude dont Victoria était la cause. Deux sortes d'émotions aussi difficiles à affronter l'une que l'autre. Il s'apprêtait à quitter la résidence des Henderson avec un étrange sentiment de vide que rien ne pouvait combler : ni l'alcool qu'il avait bu, ni son fils qui dormait paisiblement dans sa petite chambre. Il ne voulait qu'une chose, une vie, une personne, qui était partie désormais. Et aucune des sœurs Henderson, si belles fussent-elles, ne pourrait se substituer à elle.

Il remercia les jumelles, leur souhaita une bonne nuit. Victoria lui adressa à peine la parole. Elle semblait ailleurs. Visiblement, elle avait trop bu. Ce n'était pas le cas d'Olivia, qui n'avait pris qu'une coupe de champagne... Elle le remercia d'être venu, il lui dit au revoir en s'efforçant de ne pas sonder son cœur où l'on pouvait lire comme dans un livre ouvert. Il aurait voulu la prévenir que la vie était cruelle avec les cœurs tendres, qu'elle avait intérêt à dissimuler sa bonté naturelle. Or, en vérité, c'est Victoria que le danger menaçait. Olivia le savait. Elle avait vu Toby l'entraîner dans le jardin. Lorsque le dernier invité prit congé, et qu'elles se retrouvèrent seules, dans le secret de leur chambre, Olivia regarda longuement sa sœur.

— Tu as accepté de le revoir, n'est-ce pas ?

La soirée qu'elle avait attendue, préparée avec tant de minutie, avait été gâchée par l'inquiétude.

— Bien sûr que non ! répondit Victoria.

Olivia devina que sa sœur lui mentait. Il était impossible de ne pas s'en rendre compte. Victoria était transparente. Nul besoin d'être extralucide pour savoir ce qu'elle avait en tête.

— Et d'ailleurs, cela ne te regarde pas, acheva-t-elle.

— C'est un homme dangereux ! s'écria Olivia. Tout New York est au courant.

— Il sait quelle est sa réputation. Il me l'a avoué lui-même.

— Très intelligent ! Mais cela ne lui donne pas l'absolution. Victoria, tu ne peux pas, tu ne dois pas le revoir.

— Je fais ce que je veux. Tu ne m'arrêteras pas !

Rien ne pouvait l'arrêter. L'attirance qu'elle éprouvait pour Toby était plus forte que l'influence de sa sœur. Il était le diable, le serpent dans le jardin d'Eden.

— Je t'en supplie, murmura Olivia, les yeux brillants de larmes. Tu te briseras les ailes. Tu n'es pas assez maligne pour te mesurer à un prédateur comme lui... Victoria, écoute-moi. Crois-moi. J'ai entendu des choses horribles à son sujet.

— Toby affirme que ce sont des mensonges, dit Victoria avec ferveur. Les gens sont jaloux de lui.

En une soirée, elle avait été manipulée, retournée, persuadée. Toby avait du génie quand il s'agissait de convaincre les autres. Surtout les femmes.

— Et pourquoi ? demanda Olivia, dans l'espoir de la raisonner mais en vain. Pourquoi le jalouserait-on ?

— Pour son allure, sa position sociale, son argent.

Elle reprenait les arguments de Toby à son compte.

— Son allure ne durera pas longtemps, il doit sa

position sociale à sa femme et il a eu la chance de gagner de l'argent. Il n'y a pas de quoi l'envier, déclara froidement Olivia.

— On dirait que tu le veux pour toi-même, ricana Victoria.

Elle n'y croyait qu'à moitié, mais elle était déterminée à ne pas se laisser dominer par sa sœur. La colère qui flambait en elle lui dictait ces suppositions malveillantes.

— Oui, peut-être que finalement tu le préfères à ce crétin d'avocat.

— Victoria ! Ne sois pas grossière. Charles est un homme décent.

— Et assommant !

Le champagne qu'elle avait bu la rendait méchante.

— Charles Dawson ne te blessera pas. Toby Whitticomb te détruira. Il t'utilisera, puis il te quittera. Et quand votre belle idylle sera terminée, il retournera chez sa femme et lui fera un autre enfant.

— Tu m'agaces ! cria Victoria.

Olivia sentit son estomac se contracter comme chaque fois qu'elle se disputait avec sa sœur. Elle détestait s'opposer à Victoria. Autrefois, une affectueuse réconciliation suivait toujours leurs querelles innocentes. Souvent, elles s'étaient disputées à propos des penchants aventureux de Victoria. Pour des idées. Pour des convictions différentes. Ce soir, c'était autre chose. C'était une danse macabre qui glaçait Olivia jusqu'aux os.

— Je ne t'en reparlerai plus, murmura-t-elle. Sache cependant que tu peux compter sur moi en cas de besoin et que je t'aime. Pour la dernière fois, je t'implore de ne pas le revoir... Je sais bien que tu feras ce que tu veux, mais il est dangereux, Victoria. Père serait furieux s'il savait que tu n'as pratiquement parlé qu'avec lui toute la soirée. Il l'a invité juste par politesse. Tu as eu tort de t'asseoir près de lui. Heureusement, père, qui présidait une autre table, te tournait le dos. Il n'a rien remarqué... Tu es en train d'affronter

un lion, Victoria. Tu n'es pas assez forte pour gagner...
Le lion finira par te dévorer.

— Je ne me fais aucun souci. Nous sommes seulement amis. C'est tout. De toute façon, il est marié.

Elle s'efforçait maintenant d'apaiser les soupçons d'Olivia. Elle se garda bien de lui répéter combien Toby se sentait malheureux, combien son mariage était vide. Il avait laissé entendre qu'Evangeline et lui envisageaient le divorce. Naturellement, ils craignaient le scandale qui suivrait, mais Toby ne pouvait plus supporter cette union sans amour. Victoria le plaignait du fond du cœur... Pas Olivia. Olivia le haïssait. Une seule motivation l'animait : sauver sa sœur des griffes de ce démon.

Cette nuit-là, lorsque les deux sœurs se couchèrent, il était plus de trois heures du matin. Olivia songeait au piège qui bientôt se refermerait sur sa sœur... Les pensées de Victoria, elles, s'envolaient vers le bal chez les Astor, où elle savait qu'elle reverrait Toby.

4

Des bruits étouffés en provenance du rez-de-chaussée réveillèrent Olivia le lendemain matin. A peine eut-elle ouvert les yeux que le souvenir de la pénible dispute avec sa sœur lui revint en mémoire. Elle se tourna vers Victoria. Sa place était vide. Olivia se leva tranquillement, se brossa les cheveux, enfila sa robe de chambre et descendit l'escalier.

En bas, la maison évoquait une ruche. On remettait les meubles en place, on repliait le dais dans le jardin, on recevait des bouquets de fleurs envoyés par les invités de la veille. Et, au milieu du chaos, Bertie et le majordome donnaient des instructions.

— As-tu bien dormi ?

Bertie sourit à Olivia, qui acquiesça de la tête, puis s'excusa de n'avoir pas été sur pied de bonne heure.

— Tu t'es donné suffisamment de peine hier soir, ma chérie. Tu méritais un peu de repos. Encore heureux que tu aies pu dormir avec ce vacarme.

Les montants du dais s'effondrèrent au même instant dans un fracas épouvantable.

— La réception a été un succès, poursuivit la gouvernante. Je suis sûre que tout New York en parle. Vos invités ont été ravis, si j'en juge par la montagne de fleurs que nous avons reçue aujourd'hui. Pour le moment, je les ai mises dans la salle à manger.

Olivia s'y rendit, tout en se demandant où était Victoria. La première gerbe qu'elle aperçut se composait de deux douzaines de roses rouges à longues tiges, dans un énorme vase. Il y avait une petite enveloppe attachée à l'une d'elles. Olivia en sortit une carte sur laquelle elle lut : « Merci pour le plus beau soir de ma vie. » Aucune signature ne suivait ces mots. L'enveloppe était destinée à sa sœur. Dès lors, il était facile de deviner l'identité de l'expéditeur. Les autres bouquets portaient des cartes signées, avec des remerciements moins enflammés et des fleurs moins impressionnantes. Elle remarqua néanmoins une composition d'un goût raffiné envoyée par Charles, et adressée à tous les trois. Le jeune avocat y avait joint sa carte de visite ; il avait passé une charmante soirée, écrivait-il. Sachant qu'il s'agissait de sa première sortie depuis le décès de sa femme, Olivia en fut heureuse pour lui.

Elle déambula ensuite dans la cuisine où régnait une activité fébrile, puis elle découvrit enfin Victoria dans la salle à manger, devant une tasse de café noir. Olivia la contempla un instant avant d'aller s'asseoir à côté d'elle.

— Bonjour, as-tu bien dormi ? demanda-t-elle, mal à l'aise après leur affrontement nocturne.

Cette fois-ci, c'était sérieux, bien plus grave que leurs bagarres enfantines. Et Olivia n'avait pas changé d'avis : elle pensait toujours que sa sœur était en danger.

— Très bien, je te remercie, répondit Victoria sans lever le regard. Je m'étonne que tu aies pu dormir aussi tard avec tout ce bruit.

Olivia se dit qu'elle était très belle ce matin. Bizarrement, elle ne se qualifiait jamais elle-même de belle. Mais, aujourd'hui, il y avait un changement chez Victoria. Une lueur qu'Olivia n'avait encore jamais vue dans ses yeux.

— J'étais épuisée, dit-elle sans mentionner leur querelle.

Cependant, après qu'une fille de cuisine lui eut servi du café, elle ne put s'empêcher de demander à Victoria si elle avait vu les fleurs.

— Oui, répondit cette dernière après une brève hésitation.

— Je n'ai pas eu de mal à me figurer qui les a envoyées. J'imagine que tu l'as compris également.

Un long silence suivit.

— J'espère que tu tiendras compte de ce que je t'ai dit hier soir, Victoria, reprit-elle. Ne te mets pas dans une situation dangereuse.

— Ce ne sont que des roses, Olivia. Inutile d'affûter tes couteaux ou de ruminer ce qui s'est passé hier soir. C'est un homme intéressant, point final. Je t'en prie, n'en fais pas tout un plat.

Victoria avait adopté un ton léger, dans l'espoir que les ombres de la nuit se dissiperaient sous le soleil matinal. Olivia demeura sceptique. Elle voyait dans les yeux de sa jumelle une force qui l'effrayait. Intuitivement, elle savait que Victoria n'allait pas renoncer à Toby.

— J'espère que tu ne recommenceras pas le même manège ce soir. Le bal a lieu chez le cousin de sa femme, les gens vont jaser. Tu devras faire attention...

— Merci, Olivia.

Victoria se redressa. A ce moment même, elles paraissaient si différentes qu'un spectateur de la scène aurait eu peine à croire qu'elles étaient sœurs, encore moins jumelles. En une nuit, un fossé s'était creusé entre elles et, devant cet abîme, un frisson de peur parcourut Olivia.

— Que vas-tu faire aujourd'hui ? demanda-t-elle naïvement.

— Je vais à une conférence. Le puis-je ou dois-je te demander la permission, ma chère Olivia ?

— J'ai juste posé une question. Ne sois pas si susceptible, murmura Olivia, épuisée par la tension et l'inimitié que Victoria lui témoignait. Quand as-tu eu besoin de ma permission ? Tu ne me demandes que de te couvrir, quand tu ne me mets pas devant le fait accompli.

— Tu n'auras pas à me couvrir aujourd'hui. Merci beaucoup.

Dans ce genre de moments, elles auraient souhaité avoir d'autres amies. L'exclusivité de leur relation, leur proximité hors du commun, le fait que leur père les avait retirées de l'école, l'isolement dans lequel elles avaient grandi, tout cela les avait privées d'amitiés extérieures.

— Et toi, qu'est-ce que tu vas faire ? dit Victoria. Le ménage, comme d'habitude, je présume.

Elle sous-entendait qu'Olivia n'était qu'une sombre idiote, et celle-ci en éprouva un curieux pincement au cœur. Personne ne lui avait envoyé vingt-quatre roses accompagnées d'une carte anonyme. Le seul homme qu'elle admirait leur avait adressé un mot de remerciements impersonnel. L'espace d'une seconde, le doute s'empara d'Olivia. Peut-être Victoria avait-elle raison. Peut-être était-elle jalouse.

— Oui, je vais aider Bertie à remettre de l'ordre. Père deviendrait fou si la maison restait dans cet état... Je crois que nous arriverons à tout ranger aujourd'hui avant le bal chez les Astor.

— Comme c'est amusant !

Victoria pivota sur ses talons et monta à l'étage. Une heure plus tard, elle sortit, vêtue d'un ensemble bleu sombre et coiffée d'un chapeau à la mode. Petrie la conduisit au meeting, qui avait lieu dans un quartier des plus ordinaires. Il revint peu après.

Le reste de la journée passa comme un éclair. Victoria rentra en début d'après-midi et Bertie la mit à contribution. Les domestiques rapportaient le mobilier qu'ils avaient stocké dans le garage. La gouvernante avait investi Victoria de la mission de leur indiquer l'emplacement de chaque meuble. Olivia travaillait dans le jardin pour réparer les dommages causés par le dais et, vers cinq heures de l'après-midi, la demeure retrouva son aspect habituel, comme si jamais personne n'y était venu. Bertie félicita chaudement les deux jeunes femmes et là-dessus leur père entra, s'émerveillant de ce que tout fût parfaitement rangé.

— On ne devinerait jamais que nous avons eu cinquante invités, qui ont dansé et se sont promenés partout. Sans oublier que l'échafaudage du dais a failli détruire les parterres, ajouta-t-il. Y a-t-il eu beaucoup de dégâts dans le jardin ?

Olivia le rassura.

— Tout le monde se répand en éloges sur mes deux délicieuses hôtesses, dit leur père en souriant, mais Victoria ne parut guère émue par son compliment.

Une minute après, elle quitta la pièce pour monter à l'étage. Olivia avait déjà disposé leurs robes sur le lit. Elle les avait fait copier sur un modèle de Poiret en gaze rose pâle, élégant et convenable. Elle avait eu un moment d'hésitation en les sortant de la penderie puis avait décidé qu'il était inutile d'allécher le dénommé Toby avec une tenue provocante.

— Cette réception a été une vraie merveille, Olivia, la complimenta son père.

Il s'assit dans son fauteuil favori, dans la vaste et confortable pièce qui lui servait de bureau. Olivia lui tendit un verre de porto. Il la regarda avec un sourire chaleureux. Chaque jour, il appréciait un peu plus sa compagnie.

— Tu me gâtes beaucoup trop, ma chérie. Je ne suis pas sûr que ta mère aurait été aussi gentille si elle avait vécu... Elle ressemblait davantage à ta sœur. C'était une personnalité ardente, éprise de son indépendance...

Tout ici lui rappelait Elizabeth. Parfois, des souvenirs douloureux l'assaillaient. D'un autre côté, pour la première fois, il y trouvait des agréments. Il était heureux d'habiter cette superbe résidence avec ses filles et de se rendre chez ses avocats où il discutait à longueur de journée de nouvelles perspectives, de nouveaux investissements. Comme au bon vieux temps, avant qu'il ne prenne sa retraite, à l'époque où il était à la tête d'un empire, et pas seulement d'un portefeuille et de valeurs boursières. Il songeait à présent à vendre l'aciérie de Pittsburgh. Chargé de la vente, Charles avait découvert un acheteur sérieux. Les négociations les retiendraient à New York plus longtemps qu'il ne l'avait escompté, probablement jusqu'à la fin octobre et même plus.

— Alors, Olivia, aimes-tu la vie ici ?

— Oui, père, elle me plaît, répondit-elle avec un calme sourire. La campagne me manquerait si nous nous installions ici en permanence mais oui, j'adore les musées, les gens, les réceptions. Il se passe toujours quelque chose d'intéressant à New York. On s'amuse beaucoup plus qu'à Croton.

Elle avait conservé son sourire de petite fille mais elle était devenue une femme, se dit Edward. Souvent, il se traitait de père possessif et alors la culpabilité l'envahissait. Ses filles avaient l'âge de sortir dans le monde, de se marier. Pourtant, quand ce jour arriverait et qu'elles le quitteraient, il en aurait le cœur brisé.

— Je devrais faire plus d'efforts pour te présenter à de jeunes célibataires, dit-il à contrecœur, en sirotant son porto avant d'échanger un sourire avec elle. Bientôt, Victoria et toi devrez vous trouver des maris. Je déteste cette idée, je l'avoue. Je ne sais pas ce que je deviendrai sans vous... sans toi plus particulièrement, Olivia. Essaie de t'occuper moins bien de moi, ma chérie, de manière que le choc soit moins rude quand tu partiras. Si tu savais combien je redoute cet instant !

Ses yeux exprimaient une immense affection paternelle quand il lui prit la main et l'embrassa.

— Je ne vous quitterai jamais. Vous le savez. Je ne le pourrais pas.

Elle avait fait ce serment quand elle avait cinq ans. Puis à dix. Elle le répétait aujourd'hui avec une absolue sincérité. Au fil des ans, la santé de son père avait décliné. Il avait le cœur faible. Le quitter était au-dessus de ses forces. Qui le soignerait ? Qui dirigerait sa maison ? Qui surveillerait les domestiques ? Qui saurait qu'il ne se sentait pas bien, malgré ses dénégations, et appellerait le médecin ? Sûrement pas Victoria, qui ne remarquait jamais qu'il était malade.

— Non, je ne pourrais pas vous quitter, père, répéta-t-elle fermement.

— Vous n'allez pas rester vieilles filles, jolies comme vous l'êtes, la contra-t-il. Ce serait injuste.

Etait-il injuste ? se demanda-t-il en même temps. Une partie de lui-même désirait ardemment qu'Olivia reste avec lui. Qu'elle se sacrifie pour lui. Il avait trop besoin d'elle, de sa tendresse et de sa capacité à gérer les problèmes domestiques. Olivia s'était consacrée à son père. Elle s'occupait de tout dans les moindres détails. Il serait perdu sans elle, mais il savait que ne pas la pousser hors du nid constituait une attitude égoïste. Refusant d'y penser davantage, Edward changea négligemment de sujet.

— Est-ce que Victoria a rencontré un homme intéressant ? Je n'ai pas remarqué d'éventuels soupirants.

Il avait noté que Charles Dawson semblait envoûté par elle. A moins qu'il le fût par toutes les deux, il n'en était pas sûr. Peu d'hommes résistaient à cette double version de la beauté parfaite.

— Je ne crois pas, père.

Olivia mentit une fois de plus, malgré son inquiétude au sujet de l'abominable Toby Whitticomb.

— Nous n'avons encore rencontré personne. Je veux dire... pas vraiment.

Bien sûr, elles avaient rencontré toute la haute société new-yorkaise au théâtre, à des dîners, aux concerts. Mais personne ne les avait présentées à des époux potentiels. D'une certaine manière, et Olivia ne pensait pas se tromper, les gens étaient intimidés par elles, les considéraient comme des phénomènes, ou encore se disaient qu'elles n'accepteraient jamais de se séparer. On ne se doutait pas qu'elles étaient différentes. Que leurs goûts, leurs intérêts n'étaient pas les mêmes. On les voyait comme une très jolie fille en double.

— Victoria se comporte bien, n'est-ce pas ? s'enquit son père d'un air amusé.

Il avait fini par avoir vent de l'histoire de la Ford volée, avait su que sa fille cadette, ayant appris à conduire, avait dérobé une de ses voitures. Heureusement, il n'était pas au courant de son arrestation. L'escapade avec la Ford ne l'avait pas choqué outre mesure. Sa mère aurait été capable de faire la même bêtise à son âge, en écrasant au passage ses parterres favoris. Une fois, à la suite d'un pari stupide avec un ami, Elizabeth avait fait entrer son cheval dans leur salon. Tout le monde avait été horrifié, sauf Edward, qui avait éclaté de rire. Aujourd'hui encore, il se montrait très tolérant pour un homme de son âge. Les extravagances de Victoria ne lui causaient aucun souci. Il était très indulgent avec elle parce qu'en fait elle lui rappelait Elizabeth.

— Vous n'avez besoin de rien, père ? demanda Olivia, qui devait aller s'habiller pour le bal.

Après lui avoir offert un autre verre de porto, elle le laissa assis près de la cheminée, plongé dans la lecture de son journal du soir. Il dit qu'il monterait se préparer un peu plus tard.

En gravissant les marches de l'escalier, Olivia se remémora leur discussion, les questions qu'il lui avait posées au sujet de Victoria, son souhait de les voir se marier. Elle se souvint de ses réponses. Elle n'arrivait pas à s'imaginer mariée. Cela voudrait dire laisser son père seul. Et s'il tombait malade, qui prendrait soin de lui ? Si sa mère avait vécu, la situation aurait été différente. Tous auraient alors la chance de mener des existences normales. Olivia savait que l'une des deux sœurs devait rester auprès de leur père malade. Et que cela ne pouvait être qu'elle. Son esprit se tourna alors vers Charles. Tout à coup elle se demanda ce qui arriverait si un homme comme lui la demandait en mariage. Son cœur se mit à battre plus fort. Mais non ! Elle ne voyait pas quelqu'un comme l'avocat de son père la courtiser... mais si jamais... si jamais... elle chassa cette idée. Elle ne devait pas penser à ces choses-là. Elle ne pouvait pas se le permettre. Ses obligations le lui interdisaient. D'ailleurs, Charles ne lui témoignait aucune attention particulière. Il se montrait simplement gentil chaque fois qu'il venait rendre visite à son père.

La chambre des jumelles disposait de sa propre salle de bains, vaste pièce tapissée de placards et de miroirs. Elle entendait Victoria qui s'habillait mais, lorsqu'elle entra pour se faire couler un bain, elle buta contre une bonne douzaine de robes étalées par terre, dont la rose qu'elle avait choisie pour le bal.

Surprise, elle regarda Victoria.

— Qu'est-ce que tu fais ?

Mais elle avait déjà compris.

— Je ne porterai pas ce machin ridicule que tu as sorti pour ce soir, déclara Victoria d'une voix venimeuse en jetant un autre ensemble qu'elle avait jugé impropre sur une chaise. Nous aurions l'air de deux paysannes ! Ce qui était d'ailleurs ton intention, si je ne m'abuse.

— Pas du tout, se défendit Olivia, peu désireuse d'admettre ces suppositions, au demeurant exactes. La robe rose est très jolie. Laquelle voudrais-tu ?

Victoria avait déjà vidé la moitié de la penderie. Elle tenait à présent une toilette qu'Olivia n'avait jamais aimée. Elle avait essayé de copier une création de Beer en velours cramoisi orné de minuscules perles de jais et d'une longue traîne. Le décolleté était trop profond pour le goût d'Olivia et, à part un soir de Noël à Croton, elles ne l'avaient jamais portée.

— Tu sais bien que j'ai horreur de cette robe, dit Olivia en jetant un coup d'œil désespéré au modèle qui comprenait une cape de satin noir galonnée du même velours cramoisi. Elle est trop échancrée, trop voyante... presque vulgaire.

— C'est un bal, pas un thé dansant à la campagne, dit Victoria froidement.

— Si tu essaies de te donner en spectacle pour lui,

92

je ne t'aiderai pas. Dans cette robe nous aurons l'air de gourgandines... Je ne la mettrai pas.

Victoria exécuta une pirouette sur un talon, et Olivia ne voulut pas admettre que sa sœur avait une allure sensationnelle. La robe, bien que trop provocante, semblait plus chic que dans son souvenir.

— Très bien ! Je porte celle-ci et tu portes la rose, ma chère petite Ollie.

A la surprise d'Olivia, elle ne semblait pas plaisanter.

— Ne sois pas stupide.

Elles n'étaient jamais sorties dans des tenues différentes. Depuis leur plus tendre enfance, tout ce qu'elles portaient était assorti, jusqu'aux sous-vêtements, aux bas et aux épingles à cheveux. Sortir habillée d'une autre manière que sa jumelle donnerait à Olivia l'impression d'être toute nue.

— Pourquoi pas ? Nous sommes adultes. Nous n'avons plus besoin de nous habiller pareil. Bertie disait que c'était mignon quand nous étions petites... Je n'en peux plus d'être mignonne, Olivia. Et cette fanfreluche rose est si mignonne que c'en est écœurant. En ce qui me concerne, je mettrai la robe rouge. Libre à toi de porter autre chose.

— Oh ! Victoria, ne sois pas méchante ! Je sais très bien ce que tu as en tête... Permets-moi de te dire qu'hier n'était pas la plus belle soirée de sa vie mais que cela pourrait devenir la soirée la plus fatale de ta vie, si tu persistes à fréquenter Tobias Whitticomb...

Ce disant, Olivia sortit de la penderie la même robe de velours rouge foncé.

— Je déteste ce modèle. Si j'avais su que je le porterais chez les Astor à cause de toi, j'aurais réfléchi à deux fois avant de le faire... Seigneur, nous serons ridicules.

Victoria avait posé sa robe sur la chaise et se brossait les cheveux devant le miroir.

— Je te l'ai déjà dit, répondit-elle. Tu n'es pas obligée de t'habiller comme moi.

Cette fois, Olivia ne répondit pas.

Elles ne s'adressèrent plus la parole. Chacune se baigna, se coiffa, se poudra et se parfuma. Au grand étonnement d'Olivia, Victoria se mit du rouge à lèvres. Jusqu'alors, ni l'une ni l'autre n'avait eu recours à cet artifice... Olivia se dit que tout à coup sa sœur avait changé. Elle était plus belle, plus provocante.

— Je ne mettrai pas de rouge à lèvres, déclara Olivia.

— Personne ne te force.

— Tu t'aventures en eaux profondes, Victoria.

— Je nage peut-être mieux que toi.

— Il va te noyer, dit sombrement Olivia, alors que sa sœur sortait de la pièce en traînant derrière elle sa cape de satin et de velours.

Leur père les regarda descendre l'escalier en silence. On eût dit qu'elles avaient subi une métamorphose. A l'évidence, elles n'étaient plus des petites filles. Elles étaient des femmes... des femmes étourdissantes. Victoria descendit la première. Ses gestes, sa démarche trahissaient, à son insu, un profond changement intérieur. Olivia, qui lui emboîtait le pas, semblait mal à l'aise dans sa tenue tape-à-l'œil. Le velours cramoisi épousait étroitement leurs corps minces, accentuait la finesse de leur taille. La couleur mettait en valeur leur peau crémeuse, le décolleté laissait apercevoir la naissance de leurs seins haut placés.

— Bonté divine, où avez-vous trouvé ces robes ? s'exclama Edward.

— C'est Olivia qui les a faites, expliqua Victoria avec douceur. Je crois qu'elle les a même dessinées.

— En fait, je les ai copiées, rectifia Olivia d'un air malheureux alors que le majordome les aidait à s'envelopper dans leurs capes.

— Je serai l'homme le plus envié de la réception, dit gentiment leur père, alors qu'il les escortait vers la limousine garée devant le perron.

L'air avait fraîchi. Il les regarda s'installer dans la voiture. Non, elles n'étaient plus des enfants, se dit-il de nouveau. Ce serait un miracle si tous les célibataires, ce soir, ne lui demandaient pas leur main. Elles étaient trop belles, trop sensuelles, trop attirantes habillées ainsi, pensa-t-il, non sans regrets. Mais sa morosité passagère n'égalait pas celle d'Olivia, qui, tassée dans son coin, ne soufflait mot. Elle détestait sa robe et en voulait terriblement à sa sœur.

La somptueuse demeure des Astor sur la Cinquième Avenue, brillamment éclairée, ressemblait à un palais. Quatre cents invités s'y pressaient, des noms prestigieux que les deux sœurs avaient seulement entendus ou lus dans les journaux. Les Goelet, les Gibson, le prince de Monaco, un comte français, un duc anglais, des membres de la petite noblesse européenne... Toute l'aristocratie new-yorkaise ou presque était présente, même les Ellsworth, qui sortaient pour la première fois après deux ans de réclusion depuis la mort de leur fille aînée. Une poignée de survivants du *Titanic* assistaient à la réception, et Olivia pensa à Charles Dawson. Elle salua d'un signe de tête la très jolie Madeleine Astor qui avait perdu son mari John dans le naufrage. Son bébé, né après la mort de son père, avait presque un an maintenant. C'était triste de penser qu'il ne connaîtrait jamais son père.

— Vous êtes ravissante, ce soir, dit une voix familière.

Elle se retourna. C'était Charles Dawson... Il émit un rire.

— Je sais que vous êtes mademoiselle Henderson, mais j'ai bien peur que vous deviez m'aider pour le prénom.

— Olivia, dit-elle en souriant, sans céder à la tentation de se faire passer pour sa sœur, histoire de voir s'il changerait d'attitude. Que faites-vous ici, monsieur Dawson ?

La veille, il lui avait confié qu'il déclinait les invitations.

— J'espère que vous m'avez dit la vérité, répondit-il, comme s'il avait deviné que l'espace d'une seconde elle avait songé à le duper. Mais je n'ai pas d'autre choix que de vous croire... Eh bien, je suis apparenté aux Astor par alliance. Ma femme était la nièce de notre hôtesse, qui a très gentiment insisté pour que je vienne. Je n'aurais pas accepté si je n'étais pas allé chez vous hier soir. Vous avez brisé la glace... A vrai dire, je ne m'attendais pas à cette cohue.

Il avait imaginé une élégante petite réception de cinquante personnes. Or, les Astor avaient l'habitude des foules scintillantes.

Charles et Olivia bavardèrent un moment. Ils parlèrent du fils de Charles, des rares invités qu'Olivia connaissait, puis il dit que Madeleine Astor se trouvait sur le *Titanic* avec sa femme... Chaque fois qu'il évoquait sa défunte épouse, il prenait un air si affligé, si désespéré que le cœur d'Olivia se serrait. Que pouvait-elle dire ? Il n'existe pas de mots aptes à consoler quelqu'un qui a perdu un être cher. Charles semblait pourtant calme, posé, mais, si l'on se donnait la peine de regarder de plus près, il y avait en lui une blessure béante qui jamais ne cicatriserait.

— Je suppose que votre sœur est ici ce soir, dit-il plaisamment. Je ne l'ai pas encore vue.

— Moi non plus. Elle a disparu dès que nous sommes arrivées... Elle porte la même horrible robe que moi, dit Olivia d'une voix contrite.

Heureusement qu'au milieu de cette foule on ne l'avait pas remarquée. Charles hocha la tête avec un rire.

— J'étais sûr que vous ne l'aimiez pas. Pourtant, c'est une belle robe. Très, appuya-t-il, légèrement embarrassé. Elle fait « adulte », si je puis me permettre cette expression extravagante.

— « Inappropriée » conviendrait mieux. J'ai déjà dit à Victoria que nous aurions l'air de... courtisanes. Elle n'a rien voulu savoir. C'est elle qui a choisi notre tenue pour ce soir. Malheureusement, c'est moi qui l'ai fait faire et je n'avais plus qu'à me taire. Le pire est que père est persuadé qu'il s'agit de mon choix.

— Et l'a-t-il désapprouvé ?

La foule les poussait l'un vers l'autre. Elle le regarda dans les yeux et les trouva plus verts, plus profonds, plus mystérieux que jamais.

— Même pas, dit Olivia avec une grimace.

— Les hommes aiment toujours les femmes en rouge. Cela leur donne une illusion de perversité.

Olivia acquiesça, espérant que sa chère sœur en resterait à l'illusion.

Charles l'accompagna au buffet où il la laissa bientôt en compagnie d'un groupe de jeunes filles, après l'avoir présentée. Il partit ensuite à la recherche des cousins de sa femme. Son petit garçon était malade, avait-il expliqué, et il ne voulait pas rester trop tard. Olivia regretta de le voir partir, d'autant qu'on entendait les premières notes de musique. Une minute après, sa sœur était la première sur la piste de danse, dans les bras de Toby. Ce n'était que trop prévisible. Désemparée, Olivia les regarda tournoyer au rythme d'une valse lente. Peu après, ils se lançaient dans un fox-trot, la nouvelle danse qui faisait fureur aux Etats-Unis et en Europe.

— Oh ! mon Dieu, j'ai l'impression de voir votre sosie, s'exclama l'une des jeunes filles... Je n'ai jamais vu une telle ressemblance. Etes-vous absolument pareilles ? demanda-t-elle, consumée de curiosité.

Olivia sourit. Les gens voulaient toujours savoir ce que cela faisait d'être de vraies jumelles.

— Oui, tout à fait. Nous sommes des jumelles en miroir. Tout ce que j'ai à droite, elle l'a à gauche. Par exemple, mon sourcil gauche monte un peu, elle, c'est son sourcil droit. J'ai le pied gauche plus grand que le droit, elle a le pied droit plus grand que le gauche...

— Ce que ça doit être drôle d'avoir une sœur jumelle ! s'exclama une cousine des Astor.

Deux filles Rockefeller avaient rejoint le groupe. Olivia avait rencontré l'une d'elles au domaine des Gould. Elle avait vu l'autre à Kykuit, lors d'un thé dans la salle de musique, agrémenté par un somptueux petit concert. Les Rockefeller, ne dansant pas et ne buvant pas, préféraient organiser des soirées musicales ou des lunches à Kykuit, contrairement aux Astor et aux Vanderbilt, qui se lançaient toujours dans des réceptions grandioses.

— Vous faisiez-vous souvent passer l'une pour l'autre, quand vous étiez petites ? demanda l'une des jeunes filles.

— Oh ! non ! répondit Olivia en riant. Seulement quand nous voulions jouer un vilain tour. J'ai parfois passé des examens à la place de Victoria. Ou alors, quand nous étions toutes petites, elle me faisait prendre ses médicaments. Une fois je suis tombée très malade en prenant une double dose d'huile de foie de morue. Notre gouvernante s'est alors aperçue de notre petit subterfuge. Mais nous arrivions toujours à tromper les domestiques.

— Pourquoi faisiez-vous cela pour elle ? s'enquit une autre jeune fille, à qui la seule idée de la double dose d'huile de foie de morue avait arraché une grimace comique.

— Parce que je l'aime, dit simplement Olivia.

Le lien qui les attachait dépassait l'entendement. Olivia était incapable de le décrire.

— J'ai fait un tas de bêtises pour elle, et elle pour moi. A la fin, notre père nous a retirées de l'école parce que nous étions une source constante d'ennuis. Mais nous nous sommes bien amusées.

Olivia sourit à son petit auditoire qui semblait suspendu à ses lèvres. Raconter ses souvenirs l'avait divertie. Aussi, quelle ne fut pas sa surprise quand, une heure plus tard, elle s'aperçut que Victoria dansait toujours avec Toby ! Ils n'avaient pas quitté la piste de danse. Victoria semblait fondre dans les bras de son cavalier. Ils tournaient, tournaient, les yeux dans les yeux, seuls au monde, comme s'ils avaient oublié la foule qui les entourait.

S'excusant auprès de ses nouvelles amies, Olivia

partit à la recherche de Charles. Soulagée, elle l'aperçut près de la porte d'entrée. Il avait mis son manteau.

— S'il vous plaît, pouvez-vous me rendre un service ?

Il eut du mal à résister à ses yeux implorants. Les inflexions de sa voix lui rappelèrent le fameux jour où il l'avait accompagnée au poste de police de la cinquième circonscription.

— Qu'est-ce qui ne va pas ? demanda-t-il, alarmé.

Il se sentait à l'aise avec elle. Comme si elle était sa petite sœur. Rien à voir avec le trouble qu'il éprouvait à l'égard de sa sœur jumelle : quand il se trouvait au côté de Victoria, un frisson le parcourait jusqu'au tréfonds de l'âme. Il se plaisait à penser qu'il les reconnaîtrait instantanément s'il les avait mieux connues.

— Est-ce que notre amie a encore commis une bêtise ?

C'était toujours la même chose. Victoria s'attirait des ennuis et Olivia volait à son secours. Il avait tout de suite compris quel étrange rapport elles entretenaient.

— Oui, j'en ai peur. Monsieur Dawson, voulez-vous danser avec moi ?

— Je vous en prie, appelez-moi Charles. Au point où nous en sommes, nous pouvons nous passer de l'étiquette.

Il ôta son manteau, le tendit au majordome. Il avait attendu une demi-heure pour le récupérer et avait hâte de retrouver son fils mais il suivit docilement Olivia à travers la succession des pièces d'apparat, jusqu'à la piste de danse. Il saisit tout de suite où était le problème. Victoria dansait avec Toby, qui la serrait de près.

Il conduisit Olivia sur la piste et ils se mirent à tournoyer en essayant de s'approcher du couple. Ni les regards furibonds de sa sœur, ni ses signes, ni ses grimaces de désapprobation ne parurent attirer l'attention de Victoria. Au bout d'un moment, elle murmura quelque chose à l'oreille de Toby, après quoi ils quittèrent la piste. La foule des danseurs se referma sur eux. Olivia eut beau tendre le cou, ils avaient disparu.

— Merci, dit-elle tristement.

Charles lui sourit.

— Décidément, vous n'avez pas choisi un rôle facile. Votre sœur est têtue comme une mule.

Il se souvenait parfaitement de la mauvaise humeur et de l'ingratitude de Victoria quand Olivia l'avait empêchée de se faire arrêter.

— C'était bien Tobias Whitticomb, n'est-ce pas ? demanda-t-il.

Il en avait entendu parler, lui aussi. Ses innombrables liaisons, le parfum de scandale qu'il dégageait, il les connaissait aussi bien que tout le monde à New York. Et maintenant Toby avait jeté son dévolu sur Victoria, qui deviendrait à coup sûr sa prochaine victime. Charles pinça les lèvres. Il espérait que le séducteur n'arriverait pas à ses fins. Qu'il se lasserait de Victoria avant qu'un nouveau scandale éclate. Ou que les Henderson interviendraient pendant qu'il était encore temps. Olivia semblait prête à agir. Elle remercia Charles de l'avoir aidée à chasser sa sœur de la piste de danse.

— Cela fait une heure qu'elle se donne en spectacle, dit-elle, en proie à une rage froide.

— Ne vous faites pas de souci. Elle est jeune, jolie, il y aura sûrement d'autres débauchés qui lui courront après jusqu'à ce qu'elle se trouve un mari.

Il essayait de la rassurer. Cependant, la réputation de Whitticomb laissait prévoir un désastre, et Olivia avait raison de s'inquiéter.

— Victoria ne veut pas se marier. Elle projette de vivre en Europe et de se battre aux côtés des suffragettes.

— Oh ! je vois. Bah, elle changera d'avis, j'en suis sûr. Quand l'homme qu'il lui faut se présentera, elle oubliera toutes ces histoires. Seulement ne dites pas à son futur époux qu'elle veut se faire arrêter, la taquina-t-il, et cessez de vous morfondre. Vous méritez de vous amuser un peu, vous aussi.

Il la salua aimablement et s'en alla.

Olivia se réfugia dans les toilettes des dames, où elle lissa ses cheveux en se regardant dans le miroir. Une affreuse migraine lui vrillait les tempes. Sa dispute avec Victoria lui avait déjà gâché la soirée. Voir sa sœur flirter aussi ouvertement avec Toby avait achevé de l'accabler. Olivia poussa un soupir. Dans le miroir, elle aperçut soudain Evangeline Whitticomb qui se tenait juste derrière elle. Lentement, Olivia se retourna pour lui faire face.

— Je vous suggère, mademoiselle Henderson, de jouer avec des garçons de votre âge, ou du moins de vous contenter de célibataires plutôt que d'hommes mariés avec trois enfants.

Un voile brûlant empourpra le visage d'Olivia. L'autre femme la fixait droit dans les yeux. Evidemment, elle l'avait prise pour sa jumelle. Evangeline était livide et, franchement, on ne pouvait pas le lui reprocher.

— Je suis désolée, murmura Olivia, endossant tacitement le rôle de sa sœur, dans l'espoir de calmer la tempête.

C'était l'occasion rêvée d'essayer de persuader Mme Whitticomb qu'entre son mari et Victoria il n'y avait rien eu de plus qu'une conversation amicale.

— Votre mari et mon père ont travaillé ensemble, madame. Nous sommes de bons amis. En dansant, il n'a fait que me parler de vous et des enfants.

— J'en doute ! répliqua la femme de Toby, furieuse. Ainsi, il se souviendrait qu'il a une famille ? Cela m'étonne... Vous, en revanche, souvenez-vous-en. (Elle ajouta d'une voix basse mais venimeuse :) Sinon vous le regretterez. Vous n'êtes rien pour lui, rien du tout. Il jouera avec vous comme avec un jouet et il vous jettera. Vous en serez brisée, ma chère... Il me reviendra. Il n'a pas d'autre choix.

Elle tourna les talons et sortit. Olivia suffoquait.

Heureusement, personne n'avait assisté à la scène. Elle se laissa tomber sur une banquette. La tête lui tournait. Evangeline Whitticomb avait raison. Elle connaissait bien son mari. Il lui revenait toujours, à cause de sa fortune, de ce qu'elle représentait, et aussi parce qu'il était moins naïf que les femmes qu'il séduisait.

Son père pensait qu'il ne s'attaquait qu'aux femmes mariées. Il avait tort. Il n'avait certainement aucun scrupule à séduire des jeunes filles inexpérimentées, des vierges même. Il les attrapait dans ses filets, les étourdissait de belles paroles. Il profitait de leurs illusions, de leurs aspirations. Mais, quoi qu'il advînt, il les quittait. Exactement comme Olivia l'avait prévu. En tout cas, sa plaidoirie auprès d'Evangeline Whitticomb était plutôt ratée... Et, lorsqu'elle retourna à la salle de bal, Victoria et Toby, enlacés, avaient recommencé à danser sur la piste. Ils se serraient l'un contre l'autre. Leurs lèvres se touchaient presque. Ils paraissaient beaucoup plus intimes que tout à l'heure. Olivia retint un cri de colère. Il ne lui restait plus qu'à utiliser les grands moyens. Elle alla trouver son père, déclarant qu'elle souffrait d'un mal de tête atroce. Alarmé, Edward envoya une domestique chercher le manteau de sa fille. Lui-même partit à la recherche de Victoria. Il la trouva dans les bras de Whitticomb sur la piste de danse, ce qui ne lui plut guère. Il savait qu'ils s'étaient rencontrés chez lui mais ne les avait pas vus ensemble depuis. Sur le chemin du retour, il déclara cependant qu'il s'étonnait qu'Olivia ait placé sa sœur à côté de Toby lors de leur réception. Il ajouta avec pertinence qu'il espérait que cela en resterait là. Victoria fut assez futée pour ne souffler mot. Son père n'avait pas vu Toby les suivre du regard lorsqu'ils avaient quitté la demeure des Astor. Il n'avait pas surpris le regard qu'ils avaient échangé, un regard lourd de sens. Quand ils avaient quitté la piste de danse, Toby et Victoria s'étaient réfugiés dans un exquis petit pavillon. Il l'avait embrassée pour la première fois et, chaque fois qu'ils y étaient retournés, entre deux danses, ils étaient tombés dans les bras l'un de l'autre.

— Je suis navré, ma chérie, s'excusa Edward à l'adresse d'Olivia. Tu t'es donné trop de mal pour la réception d'hier. Je n'aurais pas dû accepter l'invitation au bal aujourd'hui. Je ne sais pas où j'avais la tête... J'ai pensé que cela vous amuserait... Tu as l'air épuisée.

Victoria se contenta de décocher un regard noir à sa sœur, tandis que leur père se tournait vers la fenêtre. Elle ne croyait pas qu'Olivia souffrait de quoi que ce soit. Et elle ignorait qu'elle était pour beaucoup dans cette migraine.

— C'est très intelligent de ta part, dit-elle d'une voix glaciale lorsqu'elles furent seules dans leur chambre.

— Je ne sais pas de quoi tu parles. J'ai vraiment mal à la tête.

Olivia retira la robe abhorrée. Elle aurait voulu la brûler. Elle avait honte de la façon dont Victoria s'était comportée.

— Tu sais très bien de quoi je parle. Mais ta petite ruse ne changera rien, ma belle.

A ses yeux, Toby était sincère. Il était tombé amoureux fou d'elle au point de vouloir divorcer de sa femme. A vrai dire, Victoria ne tenait pas énormément à ce divorce. Elle avait des idées modernes, l'esprit large. Ils seraient amants pour toujours. Toby avait même évoqué la possibilité de quitter le pays, de vivre en Europe. Il était tout ce à quoi elle avait rêvé. Audacieux jusqu'à la témérité, courageux, prêt à payer le prix de ses convictions. Elle voyait en lui le chevalier en armure étincelante qui la sauverait de leur petite existence médiocre à Croton. Lui avait déjà vécu à Paris, à Londres, en Argentine. Il représentait la liberté. Chaque fois qu'elle pensait à lui, elle tremblait de tout son corps.

— Sa femme m'a prise à partie dans les toilettes

des dames, murmura Olivia en enfilant sa chemise de nuit. Elle m'a prise pour toi.

— Ça tombait bien. Tu as dû lui dire que tu étais désolée et que tout cela n'était qu'un affreux malentendu.

— Plus ou moins...

Victoria éclata de rire mais Olivia poursuivit solennellement :

— Elle m'a dit que Toby a l'habitude, et tout le monde le sait, de laisser tomber ses conquêtes comme des poupées brisées. Je ne veux pas que tu sois l'une d'elles.

Olivia parlait d'une voix rauque. C'était leur première querelle sérieuse. Elle en était malade. En effet, rien ne changerait tant que Victoria serait sous la coupe de cet homme. Il fallait coûte que coûte qu'elles regagnent Croton-on-Hudson.

— Victoria, je t'en supplie, sois raisonnable. Promets-moi que tu ne le reverras plus.

— Je te le promets, dit Victoria sans aucune sincérité, d'une voix inexpressive.

— Je parle sérieusement.

Des larmes brûlaient les yeux d'Olivia. Elle exécrait l'homme qui était à l'origine de sa querelle avec sa sœur. Rien, personne n'avait le droit de les séparer, de rompre le lien sacré qui les attachait l'une à l'autre.

— Tu es jalouse, dit Victoria froidement.

— Mais non ! répliqua Olivia, cherchant désespérément à la convaincre.

— Mais si ! Il m'aime et cela t'effraie. Tu as peur qu'il m'éloigne de toi.

Victoria n'avait pas entièrement tort, même si elle ne voyait qu'une partie de la vérité.

— C'est déjà fait. Tu ne comprends donc pas les risques que tu encours en tombant amoureuse de cet homme ? Je ne te le dirai jamais assez, Victoria : il est dangereux. Rends-t'en compte, il le faut.

— Je serai prudente, je te le jure, dit Victoria, radoucie.

Elle détestait se disputer avec Olivia. Elle l'aimait trop pour continuer cet absurde affrontement. Mais elle aimait aussi Toby. Elle était éperdument éprise de lui et il était trop tard pour s'arrêter. Ce soir-là, quand il l'avait embrassée, elle avait cru que son corps se liquéfiait. Et quand il avait glissé la main dans son corsage, elle s'était sentie partir à la dérive. Elle aurait alors fait n'importe quoi s'il le lui avait demandé. Elle n'avait jamais autant désiré quelqu'un. Comment l'expliquer à sa sœur ?

— Promets-moi de ne plus le voir, l'implorait celle-ci.

— Ne me demande pas cela. Je t'ai promis de ne pas faire de bêtise.

— Le revoir est une bêtise. Sa propre femme le sait.

— Elle est furieuse parce qu'il veut la quitter. Tu réagirais de la même manière à sa place.

— Pense au scandale. Evangeline est une Astor. Attends au moins qu'il soit divorcé, que la rumeur s'atténue afin que vous puissiez vous voir librement et expliquer la situation à papa.

Victoria secoua la tête. Elle savait qu'actuellement elle ne pourrait le rencontrer que dans le secret de leur amour, quitte à subir les foudres de Mme Whitticomb et l'opprobre d'une société qui avait déjà jugé et condamné Toby pour ses folies passées.

— Ollie, ça va durer un siècle.

— Et quand nous rentrerons à Croton, alors ? Viendra-t-il te voir là-bas ? Que diront les gens, Victoria ? Et père ? As-tu pensé à lui ?

— Je ne sais pas. Toby dit que nous pouvons conquérir la terre entière si je l'aime. Et... oh ! Ollie, je l'aime tant !

Elle ferma les paupières. Son cœur bondissait vers lui. Victoria rouvrit les yeux et regarda sa sœur.

— Comment t'expliquer ce que je ressens... Je mourrais pour lui s'il me le demandait.

Elle était honnête pour une fois.

— C'est ce qui me fait peur, dit tristement Olivia. Je ne voudrais pas que l'on te fasse du mal.

— Il n'a pas cette intention. Je te le jure. Viens prendre le thé avec nous, un jour. Je voudrais tant que tu le connaisses mieux, que tu l'apprécies... Ollie, je ne peux rien faire sans toi.

Olivia ne répondit pas. C'était trop lui demander. Garder le silence était déjà pénible. Devenir complice lui répugnait.

— Non, Victoria, je ne peux pas t'aider cette fois, dit-elle calmement. Je continue à penser que tu es dans l'erreur, que tu es en danger. J'ai peur que tu sortes blessée de cette histoire. Je ne peux sans doute pas t'arrêter, mais ne me demande pas de t'aider.

— Alors jure-moi que tu ne diras rien, jure-le-moi...

C'était Victoria qui la suppliait maintenant, agenouillée, les yeux emplis de larmes. Olivia, en pleurs elle aussi, l'entoura de ses bras.

— Comment peux-tu exiger une chose pareille ? Comment veux-tu que je le laisse te détruire ?

— Il ne me détruira pas. Crois-moi. Fais-moi confiance...

— Ce n'est pas de toi que je me méfie, soupira Olivia en essuyant ses larmes... Ecoute... Je ne dirai rien pour le moment. Mais si jamais... si jamais il te fait du mal...

— Non, non, il est gentil. Je le connais bien... presque aussi bien que toi.

Comme une enfant, Victoria se roula sur le lit, où elle resta étendue, souriant à travers ses larmes.

— En deux jours, Victoria ? Permets-moi d'en douter. Tu rêves ! Pour quelqu'un qui prétend adhérer aux idées des féministes, tu n'es, finalement, qu'une romantique impénitente. Comment peux-tu accorder aussi vite ta confiance à cet homme ?

— Je sais qui il est. Je le comprends. Nous sommes tous les deux indépendants. Nous avons les mêmes idéaux... Le destin a voulu que nous nous rencontrions. Nous avons eu cette chance. C'est un miracle, Ollie.

Un miracle ! Il m'a attendue toute sa vie et maintenant qu'il m'a trouvée il n'arrive pas à croire à son bonheur, il me l'a dit.

— Et sa femme ? Ses enfants ? De quelle façon s'intègrent-ils dans ce tableau idyllique ?

Le scepticisme de sa sœur fit perdre à Victoria sa belle assurance. Après une hésitation, elle répondit :

— D'après Toby, c'est elle qui voulait des enfants. Lui n'aurait jamais mis des innocents au monde dans une union sans amour. Tout est de sa faute à elle. Et si son mari s'en va, elle l'aura cherché.

— Voilà une attitude hautement magnanime, dit Olivia dont l'ironie passa inaperçue.

Victoria continuait à faire l'éloge de Toby.

Elles éteignirent la lumière peu après. Olivia entoura sa jumelle de ses bras.

— Sois prudente, petite sœur... sois sage... méfie-toi...

Victoria hocha la tête, à moitié endormie, se blottissant contre sa sœur. Son esprit voguait vers son bien-aimé. Ils avaient rendez-vous le lendemain. A la bibliothèque, à dix heures du matin.

5

Olivia élaborait le menu de la journée avec le cuisinier, le lendemain matin, quand Victoria se glissa hors de la maison. Elle avait dit à Bertie qu'elle avait rendez-vous à la bibliothèque avec l'une des demoiselles Rockefeller et qu'elle rentrerait à cinq heures de l'après-midi. Bertie pria Donovan de déposer Victoria avant de retourner à ses occupations. Personne n'avait remarqué que la jeune femme portait son nouveau tailleur blanc et son chapeau assorti, copie d'un modèle de Dœuillet qu'Olivia n'avait encore jamais mis. Elle ressemblait à une gravure de mode lorsqu'elle gravit les marches de la bibliothèque en tenant, sous le bras, des livres qu'elle devait rendre. Donovan reprit le chemin de la maison pour conduire M. Henderson au bureau de John Watson.

Victoria rendit les livres à la bibliothécaire, une vieille fille à lunettes, après quoi elle l'aperçut, derrière le bureau. Leurs regards se croisèrent. Victoria lui adressa un sourire rayonnant. Peu après, ils s'en allèrent bras dessus bras dessous. Il était trop tôt pour craindre de rencontrer une de leurs connaissances. Victoria n'avait aucune idée de l'endroit où ils allaient et à vrai dire cela lui importait peu, puisqu'ils étaient ensemble.

Toby avait garé à proximité sa voiture, une Stutz qu'il venait d'acheter. Il rit lorsque Victoria déclara qu'elle adorerait conduire.

— Ne me dites pas que vous savez aussi conduire !

s'exclama-t-il, enchanté. Vous êtes une femme vraiment moderne... La plupart des gens prétendent qu'ils le sont, alors qu'ils ont peur de tout ce qui est nouveau.

Il lui offrit une Milo. Elle l'accepta, bien qu'il fût trop tôt pour fumer. La voiture démarra. Ils roulèrent lentement dans l'East Side, puis Toby se gara et regarda Victoria comme pour boire son visage, ses yeux, son âme. Comme pour graver ses traits dans son cœur.

— Je t'adore, Victoria, chuchota-t-il dans ses cheveux. Je n'ai jamais connu une femme comme toi.

Ces mots lui firent l'effet d'un aphrodisiaque. Et lorsqu'il chercha ses lèvres, son âme se fondit dans celle de Toby. Elle aurait traversé les océans à la nage pour lui. Il l'embrassa longtemps, hors d'haleine. Enfin, il s'adossa à son siège, d'un air effaré.

— Tu me rends fou. Je meurs d'envie de t'enlever, de t'emmener au Canada, au Mexique... ou alors en Argentine, aux Açores... Oui, ta beauté s'accorde à un décor exotique. Une plage brûlante, de la musique, des caresses et des baisers...

Il l'embrassa de nouveau, la serrant à lui couper le souffle. Ce fut elle qui s'écarta cette fois, l'esprit brouillé, voulant se noyer dans les yeux sombres de Toby. S'il lui avait demandé de partir tout de suite avec lui, elle n'aurait pas hésité. Le quitter ne serait-ce que pour un jour lui était insupportable.

Il sourit comme s'il se rappelait soudain quelque chose.

— J'ai une idée, dit-il en redémarrant. Je sais où nous irons aujourd'hui. Un endroit que je n'ai pas visité depuis des lustres.

Il tourna au coin de la rue, se dirigeant vers le nord.

— Où est-ce ?

Il lui tendit une flasque d'argent, et elle prit une petite gorgée pour ne pas le décevoir. L'alcool lui brûla la gorge mais peu après elle en ressentit les effets bénéfiques.

— Un lieu secret, répondit-il, mystérieux.

De temps à autre, il lui lançait un regard plein d'adoration. Ils étaient destinés à se rencontrer, tous les deux le savaient. Ils se dirigeaient toujours vers le nord. Victoria lui demanda encore une fois quelle était leur destination. Il refusa de répondre, feignant de l'avoir enlevée, et elle éclata de rire. Elle se sentait merveilleusement détendue, pas le moins du monde inquiète. Il s'arrêta de nouveau pour l'embrasser. Il lui tendit une deuxième fois la flasque d'argent. La troisième fois, elle déclina l'offre.

— Vous buvez toujours du cognac avant le déjeuner ? demanda-t-elle.

Cela ne la surprenait pas. Les amis de son père avaient l'habitude de boire et même John Watson transportait une flasque en hiver. Mais aujourd'hui il ne faisait pas froid, et l'alcool ajoutait une qualité troublante à leur excitation.

— J'étais très nerveux ce matin, avoua-t-il. Je me suis dit que j'en aurais besoin. Mes genoux tremblaient quand je me suis rendu à notre rendez-vous.

Il affichait une expression presque vulnérable, un air si amoureux que Victoria se sentit soudain adulte. Etre aimée par un homme de trente-deux ans la flattait. Même si sortir avec lui était interdit. Même si on lui prêtait une réputation de don juan. Au contraire, cela ajoutait du piment à leur escapade... De toute façon, ces rumeurs n'avaient strictement aucun intérêt... Victoria refusait de considérer que Toby était marié. Cela n'avait pas d'importance à partir du moment où il avait décidé de demander le divorce. Il lui avait dit que leur mariage était une grave erreur, qu'il avait perdu cinq ans de sa vie. Victoria l'avait cru. La pensée que le divorce d'une Astor aurait été le scandale du siècle ne l'avait pas effleurée, en dépit des mises en garde de sa sœur.

Ils étaient maintenant au nord de la ville. De petits pavillons simples, carrés, presque des habitations rurales, s'éparpillaient dans les prés. Vingt minutes après avoir quitté la bibliothèque, la Stutz s'immobilisa devant un cottage blanc recouvert de lierre et entouré d'un enclos en bois à moitié peint.

— Qu'est-ce que c'est ? s'enquit Victoria, amusée, se demandant à qui ils allaient rendre visite.

— La maison de mes rêves.

Tout sourire, il contourna la voiture pour lui ouvrir la portière. Elle mit pied à terre, hésitante, alors qu'il saisissait un panier de pique-nique, qu'il avait rempli de précieuses denrées : caviar, champagne et un petit cake qu'il avait subtilisé dans sa cuisine. Victoria le vit sortir une clé de sa poche.

— A qui est cette maison ?

Elle n'éprouvait aucune crainte. Seulement de la curiosité. Elle trouvait étrange de ne pas savoir où ils se trouvaient. Elle suivit précautionneusement Toby jusqu'à l'entrée. Il ouvrit la porte avec la clé. Le battant s'ouvrit sur un petit vestibule conduisant à un salon de dimensions modestes, meublé simplement mais avec goût. Sans être luxueuse, la maison offrait la possibilité de passer un agréable après-midi. Toby ne lui laissa pas le temps d'entrer. Il l'enlaça, l'embrassa en écartant les longues mèches noires de ses joues, sentit son corps contre le sien, si proche, si fragile qu'il n'osait respirer, de crainte qu'elle ne disparaisse. Il baissa les yeux sur ce visage ravissant, lui sourit, puis la souleva dans ses bras pour franchir le seuil.

— Un jour, tu seras ma femme, Victoria Henderson, dit-il tranquillement. Tu me connais à peine, mais tu verras. Ce sera toi la prochaine Mme Whitticomb... si tu le veux bien...

Il la transporta humblement jusqu'au salon, comme un jeune époux. Ses larges épaules semblaient remplir l'espace, comme les mots qu'il venait de prononcer, des mots simples mais chargés d'un sens que Victoria se surprit à redouter. Elle qui s'était déclarée ennemie du joug conjugal, elle pour qui le mariage constituait une institution désuète et dépassée, qui s'était juré d'aller vivre en Europe, libre de toute entrave, se retrouvait seule à présent avec cet homme dont elle aspirait à devenir l'esclave. Elle savait qu'elle avait tort d'être venue dans cette maison inconnue. Pourtant, elle refusait de l'admettre. Cela ne pouvait pas être mal, puisqu'elle l'aimait de toutes ses forces et lui vouait une confiance absolue.

— Je t'aime tant, murmura-t-elle.

Leurs lèvres s'unirent. Un instant après, ils étaient allongés sur le canapé, se dévorant de baisers. Le corps de Toby palpitait contre le sien. Elle ignorait ce qu'il voulait d'elle, mais elle était sûre qu'il ne lui ferait aucun mal. Déjà, elle imaginait le bonheur d'être avec lui jusqu'à la fin des temps.

Ce fut Toby qui mit fin à leurs baisers. Il caressa doucement ses longs cheveux noirs, tandis qu'elle demeurait étendue, son chemisier ouvert. Il se leva, prit le panier de pique-nique qu'il avait posé dans la cuisine, déboucha la bouteille de champagne et remplit deux coupes. Ils burent quelques gorgées. Victoria avait reboutonné son chemisier. Enfin, ils sortirent dans le jardin. Il n'y avait pas de voisins, personne en vue. Tout en se promenant, il lui expliqua qu'il avait loué le cottage pour échapper de temps à autre à ses obligations familiales. C'est là, dans cette paisible retraite, dit-il, qu'il avait pris la décision de divorcer.

— Tes enfants ne te manqueront pas ? demanda-t-elle alors qu'ils revenaient vers la maison en se tenant par la main.

— Si, bien sûr. J'espère qu'Evangeline me laissera les voir. Ce sera un choc pour elle, naturellement, mais je pense qu'elle sera soulagée. La réaction de nos familles est à craindre, bien sûr...

Victoria hocha la tête. Elle commençait à mesurer l'ampleur du scandale qui ne manquerait pas d'éclater. Indéniablement, son père serait furieux. Peut-être, avec le temps, pourrait-elle lui parler. De toute façon, elle n'était pas attachée aux valeurs traditionnelles comme le mariage. Il lui suffisait de voir Toby, d'être avec lui. A Croton, cela poserait des problèmes, réalisa-t-elle alors. Même si des visites à la campagne passeraient peut-être inaperçues. Etrange, comme une vie peut changer en quelques jours, en un instant. Soudain, le cours de son existence avait pris une nouvelle direction.

Toby voulait savoir comment c'était d'avoir une sœur jumelle, et elle le fit rire aux éclats en lui racontant des anecdotes piquantes. Il l'attira de nouveau vers la maison. Sur le pas de la porte, il se remit à l'embrasser. Victoria avait perdu la notion du temps. Elle ignorait quelle heure il était et, du reste, elle s'en moquait.

Ils regagnèrent le petit salon en bavardant. Toby lui resservit du champagne. Ils s'embrassèrent de nouveau, encore et encore, et cette fois, sans rien demander, il lui retira son chemisier. Elle commença par protester mais il la fit taire par des baisers savants, des caresses habiles. La force de son propre désir affola Victoria. Elle renversa la tête en arrière et lentement, les lèvres de Toby glissèrent de sa bouche à son cou. Il lui baisa la gorge, puis la pointe des seins. Un doux gémissement échappa à la jeune femme. Il la serrait, tout tremblant de passion, leurs regards se croisèrent et tous deux surent dans l'instant qu'ils étaient à un tournant fatidique de leur vie. Ils avaient basculé dans un autre monde. Cet instant et l'avenir leur appartenaient à jamais, tout comme les joies et les peines que Victoria voulait partager avec l'homme qu'elle aimait. Ses vêtements disparurent entre les mains de Toby, qui la souleva doucement et la transporta dans la chambre.

Des doubles rideaux tamisaient la lumière. Un halo magique les enveloppa lorsqu'il la prit avec la plus grande délicatesse. Emerveillée, Victoria écouta la mélopée qui s'élevait au creux de son corps ; elle s'abandonna, l'esprit embrumé, le cœur battant. Longtemps après, elle demeura allongée dans ses bras, éblouie, confiante, sans peur, sans appréhension. Elle s'était donnée à lui et maintenant, elle savait qu'elle lui appartenait pour toujours.

Il était cinq heures de l'après-midi quand il la réveilla. La lumière du jour déclinait. Il l'aurait bien laissée dormir mais il craignait de lui attirer des ennuis. Elle eut toutes les peines du monde à s'arracher à lui. Toby la regarda se rhabiller, admirant ses longues jambes, son corps parfait, ses mouvements gracieux. Il remercia sa bonne étoile.

— Je ne te laisserai jamais regretter de m'aimer, lui dit-il avant qu'ils repartent.

Tous deux s'étonnaient d'avoir franchi ce pas aussi simplement, aussi naturellement. Victoria n'éprouvait aucun regret. Aujourd'hui, son destin s'était mêlé inextricablement à celui de Toby. Ils étaient liés l'un à l'autre à tout jamais.

Au retour, il la laissa conduire. Une ou deux fois, il se cramponna au tableau de bord, terrorisé et exalté en même temps. Ils rirent, entonnèrent des chansons, heureux comme deux enfants qui se seraient embarqués dans un frêle esquif sur une mer déchaînée et que la fatalité aurait conduits à bon port.

— Je t'aime, Toby, dit-elle d'une voix haute et claire en descendant de voiture à trois pâtés de maisons de chez elle.

— Je t'aime aussi. Tu verras, un jour tu seras à moi, dit-il avec fierté. Même si je ne te mérite pas.

Il répugnait à la laisser là, mais il le fallait.

— Je suis déjà à toi, murmura-t-elle.

Elle l'embrassa sur la joue avant de s'éloigner par la contre-allée, encore étourdie par la profondeur de leurs sentiments, de leur engagement.

Elle agita la main, tandis que la Stutz démarrait, puis disparaissait... Ils s'étaient promis de se retrouver le lendemain à la bibliothèque. Et ils retourneraient au cottage blanc, leur nid d'amour.

6

Les Henderson eurent un mois d'octobre bien rempli. Edward venait de conclure un fructueux contrat. Ses nouvelles activités l'avaient rajeuni. Il se rendait au bureau de John Watson tous les jours, passait des heures entières dans des salles de réunion, entouré d'avocats et de banquiers.

Olivia s'était fait des amies ; invitée partout, elle courait à des déjeuners, à des lunches, à des thés. Victoria l'accompagnait très rarement. Elle prétendait qu'elle assistait assidûment aux réunions de l'Association nationale pour le droit de vote des femmes. Olivia subodorait qu'il y avait autre chose. Son intuition l'avertissait que sa sœur rencontrait secrètement Toby Whitticomb. Olivia n'avait plus abordé ce sujet ; cependant l'inquiétude la rongeait. Ces derniers jours, un silence pesant s'était installé entre les deux sœurs. Une sorte de mur impénétrable isolait Victoria. Les rares fois où Olivia tentait de la questionner, elle récoltait des réponses vagues. Selon Victoria, il ne se passait rien du tout.

Olivia comptait les jours qui les séparaient de leur retour à Croton. Là-bas, elle aurait davantage de prise sur sa sœur. Elle saurait la guérir de son engouement pour Toby. Leur maison à la campagne lui manquait. Malheureusement, à la fin d'octobre, Edward annonça à ses filles que ses affaires le retiendraient à New York jusqu'à Thanksgiving. Il était en train de négocier avec l'aide de ses avocats la vente de l'aciérie. Il pensait que les deux jeunes femmes se plaisaient en ville où elles avaient maintenant de nombreux amis. New York leur offrait une chance de trouver des maris. En tout cas, elles s'amusaient plus ici qu'à Croton. Olivia était désormais une maîtresse de maison accomplie. Quant à Victoria, elle resplendissait comme une rose épanouie. Une aura de pure félicité émanait d'elle, elle semblait plus sophistiquée, plus raffinée que jamais. Personne n'en parlait à la maison mais tous l'avaient remarqué. Olivia avait conclu que sa jumelle se donnait un style pour mieux séduire Toby... Elle ignorait qu'ils se retrouvaient tous les matins dans le petit cottage. Pourtant, elle sentait que la relation de Victoria avec Toby s'était modifiée... approfondie. Victoria évitait soigneusement sa sœur sous différents prétextes, tous plus suspects les uns que les autres aux yeux d'Olivia.

— Vous n'êtes pas encore lassée de notre ville ? lui demanda un jour Charles.

Le jeune avocat se concertait avec Edward, et Olivia était entrée dans le bureau de son père afin de garder l'œil sur la domestique qui servait le thé. Les deux hommes ayant terminé leur discussion, son père lui avait demandé de rester.

— Si, un peu, avoua-t-elle avec un sourire. J'aime énormément la ville, mais l'automne à la campagne est magnifique...

— Nous y retournerons bientôt, dit son père en souriant.

Il débordait de gratitude. Depuis deux mois, Olivia dirigeait leur résidence new-yorkaise à la perfection.

— Il faut que vous emmeniez Geoffrey à Croton, dit-elle chaleureusement à Charles, navrée de ne pas connaître encore le petit garçon.

— Oui, il sera ravi.

— Est-ce qu'il monte à cheval ? (Et, comme Charles secouait la tête :) Je lui apprendrai.

— Il sera fou de joie.

— Où est ta sœur cet après-midi, au fait ? les interrompit Edward, étonné des absences répétées de Victoria.

— Avec des amis. Comme d'habitude. Ou à la bibliothèque. Je n'en suis pas sûre. Elle ne devrait pas tarder...

— Elle sort beaucoup ces temps-ci, fit remarquer leur père.

Tout allait pour le mieux, se dit-il en même temps. Ses filles adoraient New York, et New York les adulait.

Charles partit peu après. Victoria montait la volée de marches au moment où il sortait. Une voiture redémarra rapidement sans que personne la remarque. Charles bavarda un peu avec l'arrivante. Elle avait les yeux rêveurs, le regard lointain. Une fois de plus, il fut frappé par sa ressemblance avec sa sœur. Toutefois, quelque chose de mystérieux, de profond et de secret atténuait cette ressemblance. Aujourd'hui, du moins, car la plupart du temps, il ne parvenait pas à les identifier. Il se fit la réflexion alors qu'il rentrait en voiture chez lui où son fils l'attendait. Thanksgiving approchait, Noël n'était pas loin. Charles redoutait les fêtes. Celles de l'an passé, sans Susan, avaient été un vrai cauchemar.

Ce soir-là, les Henderson se rendirent au concert à Carnegie Hall. Ils y rencontrèrent des relations, parmi lesquelles Tobias Whitticomb. Celui-ci partageait une loge avec des amis. Sa femme n'était pas parmi eux. Quelqu'un dit qu'elle était malade ; un autre, en riant, fit allusion au fait qu'elle attendait un heureux événement. Victoria réprima un sourire. Elle croyait connaître mieux que quiconque la raison de l'absence de Mme Whitticomb. Son mari la quitterait bientôt. Peut-être avaient-ils décidé qu'il valait mieux qu'il sorte seul... Victoria et Toby passèrent la soirée à se chercher des yeux.

Edward Henderson remarqua leur manège. Il ne souffla mot. Il espérait que le jeune Whitticomb n'avait pas choisi sa fille pour cible.

— Père a vu ce qui s'est passé ce soir, l'avertit Olivia alors qu'elles se déshabillaient dans leur chambre.

Victoria l'ignora royalement. C'était devenu une habitude qui peinait profondément Olivia. Le fossé entre elles n'avait fait que se creuser et elle en éprouvait une souffrance terrible, une douleur viscérale.

— Père ne sait rien, affirma Victoria avec assurance.

— Qu'y a-t-il à savoir exactement ? demanda doucement Olivia.

Les griffes de la peur égratignèrent son cœur. Elle se demanda, soudain terrifiée, jusqu'où était allé ce flirt prétendument innocent. Cette nuit-là, les deux sœurs firent des cauchemars.

Et, le matin, le cauchemar devint réalité.

De bonne heure, John Watson appela, demandant s'il pouvait passer avant de se rendre au bureau. De telles visites n'étaient pas inhabituelles. Edward avait toujours plaisir à revoir son vieil ami.

Bertie leur servit le café dans la bibliothèque. Une longue pause suivit ; John scrutait Edward en pensant à sa santé fragile, à son cœur faible... Hélas, il n'avait pas le choix. Il fallait le lui dire. Il le lui devait.

— Je crains d'avoir de mauvaises nouvelles pour vous, commença-t-il.

Les deux hommes échangèrent un regard. C'était comme si une porte s'entrouvrait sur une révélation que tous deux auraient voulu éviter.

— La vente de l'aciérie est tombée à l'eau ?

Edward semblait déçu mais pas bouleversé. John secoua la tête.

— Non. Malheureusement c'est personnel. Il s'agit de quelque chose qui m'a attristé et qui va vous faire beaucoup de peine. J'en ai longuement parlé avec Martha hier soir. Nous sommes d'accord : il faut que vous sachiez. C'est Victoria, Edward... Il paraît...

L'avocat s'interrompit. Il n'arrivait pas à terminer sa phrase.

— Il paraît qu'elle a une liaison avec Whitticomb...
C'est sérieux... Je suis désolé.

De nouveau leurs regards se croisèrent, dans une communion muette.

— Apparemment, reprit John, ils se rencontrent dans une petite maison au nord de la ville... La gouvernante d'un de mes amis les a vus là-bas tous les jours au cours du mois dernier... Je crois qu'ils... enfin... vous pouvez imaginer le reste. Oh ! mon Dieu, Edward, j'en suis navré, acheva-t-il en regardant son vieil ami dont les yeux s'étaient emplis de larmes.

Pendant un long moment, Edward Henderson garda le silence.

— En êtes-vous sûr ? Qui est cette femme ? Je veux lui parler. Est-ce qu'il ne s'agit pas d'un chantage ?

— C'est peu vraisemblable. Compte tenu de la réputation de notre homme, je n'ai aucun mal à la croire. Je ne serais pas ici si je n'en étais pas certain... Voulez-vous que je parle à Toby ? Ou que nous lui parlions tous les deux ?

— Si c'est vrai, je le tuerai, dit Edward sombrement. Je n'arrive pas à croire une chose pareille. Victoria est impulsive, elle s'amuse à conduire mes voitures ou à dérober mon cheval favori pour une course à travers champs... ou pour saccager le jardin, mais pas ça, John   Non, pas ça... Je ne peux pas le croire.

— Moi non plus. Mais elle est très jeune, Edward. Très naïve. Et lui très expérimenté, très habile. D'après la femme qui les a vus, il a loué ce cottage uniquement pour ses rendez-vous galants.

— Je vais envoyer ce type en prison.

— Edward, si c'est vrai, que deviendra votre fille ? Il ne peut pas l'épouser. Il est déjà marié à une femme de la haute société, il est père de trois enfants et, d'après Martha, sa femme en attend un quatrième. C'est une sale affaire.

— Quelqu'un d'autre est-il au courant ?

Les yeux d'Edward sondèrent son ami. Pour Watson, le pire restait à venir.

— Il s'en est vanté auprès de Lionel Matheson à son club, l'autre jour. Un de mes employés m'a rapporté la rumeur. Je n'ai pas voulu le croire. Toby est vraiment un voyou s'il nuit ainsi à la réputation d'une jeune fille. Il a dit à Matheson qu'il avait une liaison avec une délicieuse oie blanche, et que lorsqu'il en aurait fini avec elle il y avait une sœur jumelle tout aussi ravissante... Il n'a pas mentionné de noms mais c'est tout comme.

Le visage d'Edward Henderson devint d'une pâleur cireuse.

Watson dit alors à voix haute ce que tous deux pensaient tout bas.

— Il faut que vous fassiez quelque chose. Si cet énergumène continue à bavarder, très vite la nouvelle fera le tour de la ville. Envoyez-la en Europe pour l'éloigner de lui, par exemple. Après quoi réfléchissez sérieusement à son avenir. Si sa réputation est compromise, elle ne trouvera jamais de mari, en tout cas pas un homme de votre milieu...

— Je sais, murmura Edward, accablé.

Il était reconnaissant à son vieil ami de sa franchise. Et en même temps il souffrait atrocement.

— Je vais réfléchir. Dès demain je la renverrai à Croton. Après... je ne sais pas. Je ne suis pas sûr que l'Europe soit la meilleure solution. Je l'aurais obligé à l'épouser s'il n'était pas déjà marié et père de famille. Bon sang ! Je ne sais pas quoi faire.

— L'abattre ? suggéra John Watson, s'efforçant de dérider son hôte, qui lui adressa un pâle sourire.

— Je voudrais bien... Je crois qu'il faut que je lui parle. Que je le force à m'expliquer ce qui s'est passé.

— Ne faites pas ça, Edward. Ce qui s'est passé est évident. Vous vous mettrez en colère pour rien. Supposons que Toby soit sincère, ce dont je doute... Cela ne change rien pour Victoria. Il ne peut pas l'épouser... Il ne peut pas quitter Evangeline, surtout si elle attend un quatrième enfant. Le scandale n'en serait que plus

120

retentissant... Non ! A mon avis, il faut d'abord que Victoria l'oublie.

— Ce qui ne sera pas facile si elle est vraiment éprise de lui. Je les ai vus danser et même flirter, mais de là à penser... Oh ! mon Dieu, je n'ai jamais imaginé que cela irait aussi loin. J'aurais pourtant dû me douter de quelque chose. Mais où avais-je la tête ? Je comprends maintenant pourquoi elle est sans cesse sortie...

Edward, envahi par la culpabilité, se tordait les mains. Lorsque John Watson s'en alla, il était en proie à une agitation singulière. Hier tout allait bien, aujourd'hui il vivait un cauchemar. Les deux hommes avaient mis au point le plan suivant : Watson irait voir Toby Whitticomb. Cette démarche semblait plus discrète, sans compter que si Edward essayait lui-même de s'expliquer avec l'amant de sa fille, la discussion risquait de se terminer par un drame.

En fait, en quittant la résidence Henderson, l'avocat se rendit directement au bureau de Toby. Celui-ci s'y trouvait rarement, mais la chance voulut qu'il soit là. Victoria avait rendez-vous chez le dentiste. Ils se rencontreraient plus tard, dès qu'elle se serait débarrassée de son chaperon de sœur.

John Watson n'y alla pas par quatre chemins. Il entra dans le vif du sujet sans préambule. La réponse de Toby le laissa sans voix. Très digne, très gentleman, il accepta de renoncer à la jeune femme. Puisque l'affaire avait éclaté au grand jour, il n'avait nulle intention de porter préjudice à sa réputation. Ils s'étaient un peu amusés, rien de plus. Il ajouta qu'elle était spéciale. Selon Toby, elle lui avait affirmé qu'elle n'avait aucune réticence à fréquenter des hommes mariés. Toby ne lui avait jamais fait aucune promesse et s'était bien gardé de prendre le moindre engagement, puisque Evangeline et lui s'aimaient tendrement — la preuve en était qu'ils auraient un autre bébé en avril. Il n'avait jamais eu l'intention de quitter son épouse. C'était tout simplement hors de question. Tout cela n'était que le fruit des affabulations d'une jeune fille, amoureuse peut-être, mais beaucoup trop imaginative. Toby n'hésita pas à se présenter comme la victime de l'histoire, affirmant que Victoria s'était littéralement jetée à son cou et avait tout tenté pour le séduire.

John Watson n'en crut pas un mot. Il était convaincu au contraire que la vérité résidait dans la première version qu'il avait entendue. C'était Victoria la victime. Toby lui avait certainement fait des promesses tout en sachant qu'il ne les tiendrait pas. Bref, il l'avait séduite. Elle avait succombé à son esprit brillant, à son charme irrésistible. Elle était jeune, innocente, naïve. Elle n'avait pas su faire la différence entre le désir et l'amour. John hocha la tête, écœuré. L'avenir de Victoria le préoccupait.

Il retourna à la résidence Henderson à midi pour rapporter son entrevue à Edward. Il passa sous silence les détails les plus scabreux mais les faits restaient inchangés : Victoria avait bel et bien eu une liaison avec Whitticomb, lequel ne demandait pas mieux que de rompre, ne voulant pas d'ennuis. Il demeurait que, socialement, Victoria posait un sérieux problème. Si son amant continuait à la compromettre, aucun homme convenable ne voudrait plus l'approcher.

Edward remercia John une fois de plus avant que celui-ci reparte. Lorsque Olivia et Victoria revinrent de chez le dentiste, il était effondré. La matinée avait été particulièrement pénible. Un profond désespoir l'habitait. Debout sur le seuil de la bibliothèque, il attendit que ses filles approchent.

— Nous rentrons demain matin, Olivia, vociféra-t-il en dardant sur elles un regard sombre.

Il ne pouvait s'empêcher de se demander si Olivia n'était pas au courant du secret de sa sœur.

— Boucle les valises et ferme cette maison tout de suite. Tout ce qui ne sera pas empaqueté aujourd'hui, Petrie et les autres domestiques le feront plus tard.

Il paraissait si sévère qu'Olivia se mit à trembler.

— Nous repartons... maintenant ?... déjà... mais... je croyais..., bredouilla-t-elle.

— J'ai dit que nous partions, hurla-t-il, assommé par la peine et la colère.

Il se tourna vers Victoria. Sans un mot, il lui fit signe d'approcher. Les jambes de Victoria flageolèrent et elle lança un coup d'œil apeuré à sa sœur. Visiblement, quelque chose de terrible était arrivé.

— Que se passe-t-il ? s'enquit doucement Olivia.

Il n'y eut pas de réponse. Leur père, debout devant la bibliothèque, attendait Victoria. Elle avança à pas hésitants. Lorsqu'elle entra dans la pièce, il la suivit en claquant rageusement la porte. Olivia fixa un instant le battant clos. Que s'était-il passé ? se demanda-t-elle. Avait-il découvert que Victoria rencontrait Toby en ville ? Qui le lui avait dit ? Et même si c'était vrai, elle n'était quand même pas une criminelle... Pourtant, il l'avait regardée comme si elle avait commis un crime épouvantable. Olivia n'avait jamais vu son père aussi furieux.

Elle se rendit en hâte à la cuisine afin d'avertir Bertie qu'ils allaient regagner Croton immédiatement. La gouvernante ouvrit de grands yeux étonnés. Un instant après, les deux femmes s'affairaient dans la maison, sortant les malles, les boîtes et les valises et donnant ordres et instructions. Il serait impossible de tout emporter en une seule fois, mais le père d'Olivia avait été on ne peut plus clair. Ils partiraient le lendemain matin. Les domestiques finiraient le travail.

Tandis que les deux femmes allaient et venaient frénétiquement, des tabliers passés par-dessus leurs robes, un drame se jouait dans la bibliothèque. Victoria versait de chaudes larmes sous le regard de son père.

— Tu as fait ton propre malheur, Victoria. C'est la fin de tout. Tu n'as plus aucun avenir. Absolument aucun. Aucun homme convenable ne voudra de toi.

Il avait le cœur serré de devoir lui parler aussi durement. Il n'avait rien demandé à John, n'avait pas voulu entrer dans les détails. Il avait encore peine à croire qu'elle s'était comportée comme une femme facile, une femme légère. Son séducteur avait dû lui promettre le mariage.

A présent, elle sanglotait pitoyablement et, en levant les yeux, elle posa sur son père un regard inexpressif.

— De toute façon, je ne veux pas me marier, dit-elle avec une sorte d'entêtement enfantin.

Refuser le mariage était une chose, se mettre au ban de la société en était une autre.

— Est-ce la raison de ton attitude inqualifiable ? Mais si tu n'as que faire de ton avenir, as-tu pensé à celui de ta sœur ? A l'honneur de notre famille ?

Pour toute réponse, elle secoua la tête et continua à pleurer.

— T'a-t-il promis de t'épouser, Victoria ?

Elle acquiesça, les yeux baissés, gonflés de larmes, ses mains crispées l'une sur l'autre.

— Comment a-t-il pu ? Quelle canaille ! Je n'aurais jamais dû l'inviter dans cette maison. Tout est ma faute.

Il rapporta ensuite à sa fille que Toby criait sur tous les toits qu'il avait couché avec elle. Et qu'il prétendait que c'était elle qui l'avait séduit.

Des larmes lui montèrent aux yeux pendant qu'il parlait. Victoria rassembla tout son courage pour faire à son père son propre récit des événements.

— Il disait m'aimer comme il n'avait jamais aimé une femme, murmura-t-elle en pleurant. Il affirmait qu'ils allaient divorcer. Qu'il en avait assez d'une union sans amour. Qu'il quitterait Evangeline pour m'épouser.

Ainsi, elle qui prônait la liberté, l'indépendance, avait fini par consentir à se marier. Malgré ses idées d'avant-garde, ce n'était qu'une enfant. Une jeune fille romantique.

— Et tu l'as cru ? s'écria-t-il, horrifié. (Puis, alors qu'elle acquiesçait :) Pourquoi es-tu sortie seule avec lui ?

Il s'en voulait de n'avoir pas été plus vigilant avec

ses filles, encore qu'Olivia n'eût nul besoin de surveillance.

— Je pensais que nous allions juste faire un tour en voiture... Je n'avais pas... je n'ai jamais eu l'intention... j'aurais dû... oh ! père...

Elle laissa échapper une longue plainte, non seulement parce qu'elle avait déçu son père, mais surtout parce que Toby l'avait trahie. Toutes les horreurs qu'il avait dites à John Watson et que son père lui avait répétées fulgurèrent dans sa mémoire. Toby avait prétendu que leur bel amour n'était qu'une passade, que ç'était elle qui l'avait poursuivi de ses assiduités. Il avait passé sous silence ses déclarations, ses promesses de mariage. Oh ! comme elle avait été stupide ! Toby correspondait parfaitement à l'image que les gens avaient de lui. Il ne lui avait débité que des mensonges, du début jusqu'à la fin. Et elle l'avait cru.

D'une voix dans laquelle vibrait un profond désespoir, son père lui posa une dernière question.

— Je suppose que tu ne me diras pas la vérité mais je te le demande quand même. Est-ce que ta sœur était au courant de ta liaison, Victoria ? Savait-elle où tu allais ?

Elle était pratiquement incapable de parler mais elle rassembla toutes ses forces et le regarda droit dans les yeux.

— Non, murmura-t-elle. Elle ne savait rien. Elle nous a vus danser chez les Astor... Nous avons eu une terrible dispute. Elle a essayé de m'ouvrir les yeux, m'a prévenue de tout ce qui est arrivé par la suite. Je n'ai pas voulu la croire... Je ne lui ai plus jamais fait de confidences. Elle a dû penser que j'avais revu Toby une ou deux fois mais pas... pas le reste...

Les larmes, la honte l'aveuglaient. Elle n'osa plus le regarder en face. Bientôt, toute la ville serait au courant de sa mésaventure, puisque Toby ne se gênait pas pour en parler ouvertement. Soudain, Croton lui parut la seule issue. Le refuge idéal. Elle ne reviendrait plus ici. Plus jamais. La rumeur qu'une des jumelles était

125

tombée dans les filets du goujat le plus notoire de la ville, précipitant le retour de la famille Henderson à la campagne, ne tarderait pas à se répandre comme une épidémie de grippe. Comme sa fille, Edward n'envisageait pas de revenir de sitôt à New York. Décidément, cette ville ne lui portait pas chance. Son épouse y était morte ; leur premier séjour, lors de la présentation de ses filles à la société new-yorkaise, avait provoqué une curiosité malsaine. Les gens couraient les admirer comme d'autres vont au cirque. Et leur deuxième séjour avait tourné au désastre. Il doutait fort de pouvoir sortir un jour de Croton. Mais, en scrutant Victoria, il crut déceler en elle quelque chose de caché, comme une preuve qu'elle n'avait pas renoncé complètement à sa passion. Il se crut obligé de mettre les choses au point.

— Je t'interdis de le revoir, Victoria, est-ce clair ? Cet homme se fiche éperdument de toi. Il t'a reniée, ridiculisée, rejetée. S'il avait dit à John que tu étais l'amour de sa vie et qu'il ne savait pas quoi faire, ç'aurait été différent. Tu aurais pu quitter ce bas monde dans cinquante ans, convaincue qu'il t'avait aimée. Tu te serais accrochée à cette certitude pendant les moments les plus difficiles de ton existence. Mais là, tu ne peux t'accrocher qu'à ton malheur, aux lambeaux de ta réputation ruinée, au fait que ce sale type t'a utilisée sans le moindre scrupule. Je veux que tu t'en souviennes. Peut-être, un jour, te rachèteras-tu. Entretemps, n'aie aucune illusion à propos de cet homme. N'oublie pas, acheva-t-il d'une voix forte, qui fit tressaillir Victoria. Je t'interdis de le revoir. M'as-tu compris ?

— Oui, père.

Elle se moucha, s'efforçant de contenir les nouveaux sanglots qui la secouaient. Puis, de nouveau, elle fondit en larmes. Les paroles de son père n'étaient que trop claires. Dorénavant, il n'y aurait plus moyen de se cacher de lui. Sa vie avait soudain basculé dans le cauchemar.

126

— Maintenant, monte dans ta chambre et restes-y jusqu'à ce que nous partions, demain matin.

Victoria se glissa hors de la bibliothèque et gravit rapidement l'escalier. Par chance, il n'y avait personne dans le vestibule. Bertie et Olivia arpentaient le grenier, ouvrant des malles et rassemblant des valises. Peu après, Victoria redescendit les marches sans bruit et courut jusqu'à la porte. Elle était vêtue d'une robe noire. Un bibi à voilette, noir également, masquait ses traits. Les paroles de son père résonnaient encore à ses oreilles, mais elle voulait les entendre de la bouche de Toby. C'était impossible à croire. John Watson avait peut-être menti.

Elle héla un taxi, donna l'adresse de son bureau... Elle entra presque en collision avec lui sur les marches, comme il sortait de l'immeuble. Il était plus séduisant que jamais... et ne semblait pas particulièrement heureux de la voir.

— Il faut que je te parle, souffla-t-elle en refoulant ses larmes.

Toby lui jeta un regard irrité.

— Pourquoi n'as-tu pas envoyé un autre avocat ? Mais qu'est-ce que tu essaies de faire ? Exercer sur moi suffisamment de pression pour que je quitte ma femme dans la semaine ? Il n'y a pas le feu, non ?

— Cela n'a rien à voir. Quelqu'un a rapporté à John Watson que tu aurais fait une remarque déplaisante à mon sujet. Il s'est dépêché de le répéter à mon père. De plus, il semble que quelqu'un nous ait aperçus dans le cottage.

— Et alors ? Bon sang, tu es une grande fille, mademoiselle Moderne-qui-ne-voulait-pas-se-marier ! Tu savais pertinemment ce qui allait se passer, mais il fallait que cela soit enrobé dans de belles phrases.

Elle le regarda, les sourcils froncés, choquée par sa brutalité. Elle aurait préféré discuter à l'intérieur plutôt que dans la rue, mais il ne l'invita pas à entrer. Il demeurait immobile sur les marches.

— Toby, que se passe-t-il ? Je ne sais plus quoi penser.

Elle le regardait, effrayée. La voilette dissimulait les larmes qui jaillissaient de ses yeux et roulaient silencieusement sur ses joues.

— Il ne se passe rien. On s'est donné du bon temps et c'est tout. Ah ! on s'est bien amusés tous les deux. Si c'était à refaire, je n'hésiterais pas une seconde. Mais les meilleures histoires sont les plus courtes. Vous êtes toutes les mêmes ! Vous rêvez toutes de la bague au doigt. Alors ne me raconte pas que tu es une femme libérée, parce que tu es comme les autres... Tu n'aurais jamais couché avec un homme si tu n'avais pas espéré qu'il t'épouserait : voilà la vérité ! Pensais-tu vraiment que j'allais quitter Evangeline et trois enfants... quatre maintenant ? Qu'elle me laisserait m'en aller ? Que tu étais mon grand amour ? Comment diable aurais-je pu le savoir au bout de deux jours ? Comment, toi, l'as-tu su ? Tu n'en savais rien, en fait, à part que nous voulions tous les deux une bonne partie de jambes en l'air. Ne me raconte donc pas d'histoires, chérie, et ne fais pas semblant de tomber des nues. Nous nous sommes amusés et, maintenant, c'est fini. Ne me dis pas que tu as cru un seul instant que je divorcerais. Les Astor m'auraient tué. Nous avons joué. Toi autant que moi. Les « je t'aime », les « toujours », cela fait partie du jeu. Et si tu parles, je parlerai aussi. Tout le monde saura que tu es une affaire au lit... Une affaire en or, bébé !

Il donna une pichenette au bord de son chapeau et, d'un geste moqueur, ébaucha une révérence. Il se redressa, un sourire sardonique aux lèvres. Victoria le gifla à toute volée. Une passante se retourna.

— Tu es une ordure, Toby Whitticomb, dit-elle sans plus s'efforcer de refréner le flot de ses larmes.

Elle n'avait jamais rien entendu d'aussi grossier. Il l'avait utilisée et il n'avait même pas l'honnêteté de l'admettre. Au contraire, il l'avilissait. Il mettait en doute les sentiments qu'elle avait eus pour lui. Le plus triste, c'était justement qu'elle l'avait aimé éperdument. Trop. Une fois de plus, elle se traita d'idiote.

— D'autres m'ont déjà appelé ainsi, sourit-il. Des personnes averties. Pas des gamines.

Elle avait été d'une innocence absolue. La proie idéale. Il avait profité de sa naïveté et maintenant peu lui importait ce qu'il adviendrait de sa victime.

— Nous repartons demain, murmura-t-elle d'une voix fêlée, comme si elle s'attendait encore à ce qu'il essaie de la retenir.

— Bon retour. Vais-je recevoir aussi la visite de ton père ou se contentera-t-il de m'envoyer ses sbires ?

— Tu ne mérites pas mieux.

Elle ne parvenait pas à le détester tout à fait. Il lui avait brisé le cœur et pourtant une partie d'elle-même l'aimait encore.

— Allez, sans rancune, dit-il en la raccompagnant lentement vers un taxi. Nous avons eu du bon temps, Victoria. Restons-en là. Ne demande pas plus que ce que l'on peut te donner.

Ce n'était donc qu'un jeu pour lui, comme il l'avait si bien dit. Depuis le début.

— Tu as dit que tu m'aimais, s'écria-t-elle, les joues mouillées de larmes. Tu as dit que tu n'aimerais jamais personne comme moi. Tu as dit...

Il avait dit qu'il quitterait sa femme, qu'il l'épouserait, qu'ils passeraient toute leur vie ensemble, qu'ils auraient des enfants. Il avait dit qu'ils s'enfuiraient ensemble, qu'ils vivraient à Paris. Victoria éclata en sanglots.

— Oui, je sais. J'ai menti, répondit-il en l'installant dans le taxi. Cela n'a plus d'importance.

Il la regarda. Pour la première fois, il eut un peu de peine. Oh ! pas beaucoup. C'était une enfant. Elle s'en remettrait. Les dés étaient pipés mais tant pis, c'était terminé.

— Rentre chez toi, oublie-moi. Tu épouseras quelqu'un de gentil, un jour. Je parie que tu n'oublieras jamais nos folles étreintes.

Il lui sourit, ironique, et elle eut de nouveau envie de le gifler. Mais à quoi bon ? Cela n'avait plus de sens. C'était fini. Jamais il ne saurait ce qu'elle avait éprouvé pour lui. Il était si superficiel, si vide qu'il était incapable de reconnaître l'amour. Le cœur de Victoria se serra tandis qu'elle le fixait et commençait, lentement mais sûrement, à le détester.

— Je sais, chuchota-t-il en la regardant lui aussi comme pour mémoriser son visage.

Même en pleurs, elle était jolie. Dommage qu'elle ne soit pas un peu plus âgée, pensa-t-il, tenté un instant. Et puis non ! Assez joué. Il était grand temps d'aller voir ailleurs.

— Je suis méchant, reprit-il. C'est comme ça.

Il donna au chauffeur son adresse, se glissa hors de la voiture, ferma la portière. Ensuite il longea la rue sans un regard en arrière. Victoria Henderson avait représenté un instant agréable dans sa vie. Elle était venue, elle était repartie, et maintenant il allait se jeter dans de nouvelles aventures.

Victoria pleura pendant tout le trajet. Elle serrait les dents pour les empêcher de claquer. Arrivée à destination, elle regagna sa chambre par l'escalier de service en priant pour qu'on ne se soit pas aperçu de son absence. En fait, Olivia était passée avec une tasse de thé. La chambre vide lui fit comprendre que Victoria s'était précipitée chez Toby. Elle ressentait, au fond de son cœur, l'angoisse de sa jumelle. Sans un mot, elle avait refermé la porte et était retournée au grenier avec Bertie.

Les deux sœurs ne se revirent pas avant la fin de l'après-midi. Olivia entrebâilla la porte. Cette fois-ci, Victoria était là. Assise sur un fauteuil, un mouchoir entre les doigts, elle regardait par la fenêtre. Elle ne se retourna pas lorsque sa sœur entra. Sa posture accablée mit Olivia au supplice. Elle s'approcha, posa la main sur son épaule.

— Comment vas-tu ?

Leur brouille avait pris fin. Elles s'étaient retrouvées. Victoria allait avoir besoin de réconfort, Olivia le savait. Elle attendit la réponse, qui tardait à venir. Puis des larmes jaillirent des yeux de Victoria, ruisselèrent sur ses joues, tombèrent sur son corsage, sur ses doigts.

— Je suis une idiote. Comment ai-je pu être aussi bête ? fit-elle enfin dans un murmure rauque.

— Tu voulais y croire et il était très séduisant. Et il voulait que tu le croies. Il ment bien.

Au lieu de l'apaiser, ces mots arrachèrent de nouvelles larmes à Victoria. Olivia l'entoura de ses bras.

— Tout va s'arranger. Nous rentrerons à la maison, tu ne le reverras plus... tu oublieras... tout le monde oubliera les rumeurs... Ces choses-là ne durent pas toujours.

— Comment le sais-tu ?

Victoria sanglotait et tremblait dans les bras de sa sœur. Olivia lui sourit. Elle la chérissait si tendrement qu'elle aurait voulu effacer son chagrin, sa détresse, sa déception d'un coup de baguette magique. Sa colère contre Toby Whitticomb était tempérée par une sensation de soulagement. Victoria était débarrassée de lui. A nouveau, les deux jumelles ne formaient plus qu'un seul être. Toby avait réussi à les séparer, mais pas longtemps.

— Je suis plus âgée que toi, dit Olivia en souriant, d'une voix rassurante. Fais-moi confiance. Tu ne souffriras pas toute ta vie.

— Je n'aurais jamais imaginé qu'il existait des gens comme lui... si décevants... si méchants... Je hais les hommes.

— Mais non, dit Olivia avec sagesse en l'embrassant sur le front. Contente-toi de le détester, lui.

Victoria leva alors les yeux et, l'espace d'une seconde, elles échangèrent un regard complice. Elles se connaissaient si bien. Elles avaient partagé jusqu'alors chaque joie, chaque peine, chaque instant de tristesse. C'était presque effrayant de réaliser que pendant un mois elles s'étaient perdues. Mais Olivia savait que cela ne durerait pas. Le lien entre elles était trop puissant, trop dense. Il prenait racine au plus profond de leur être. Comme si elles avaient un cœur commun. Aucune des deux ne pourrait jamais briser ce lien.

Le lendemain, elles se tenaient la main à l'arrière de la voiture qui les emmenait loin de la ville. Olivia devinait facilement les sentiments de sa sœur : chagrin, regret, angoisse, crainte de ne plus jamais revoir Toby. Et tandis que Victoria pleurait silencieusement, en serrant la main d'Olivia entre les siennes, leur père, assis sur le siège du passager, ne desserrait pas les dents.

7

Le retour à Croton-on-Hudson fut un soulagement pour tous. Les deux mois à New York s'étaient écoulés dans un tourbillon d'activités, une frénésie d'invitations et de sorties. Le choc émotionnel que Victoria avait subi l'avait littéralement brisée. Se retrouver, se reparler, se promener ensemble comme autrefois avaient rétabli les rapports chaleureux entre les deux sœurs. Victoria semblait ne se souvenir de rien concernant New York, excepté Toby... Toby qui avait tout détruit : ses aspirations, ses rêves, les ferventes convictions qui avaient tant compté pour elle. Elle lui avait tout sacrifié, même sa réputation. En vivant ces cinq brèves semaines d'idylle, elle avait tout détruit autour d'elle, notamment son père. Celui-ci n'évoquait plus les fâcheux incidents qui avaient précipité leur départ, mais il avait sombré dans la morosité. Seule Olivia semblait prendre les événements avec philosophie, faisant tout son possible pour remonter le moral aux deux autres.

Elle dorlotait son père, lui apportait ses thés favoris, commandait ses plats préférés, inventait des menus, ramassait dans le jardin les fleurs qui lui plaisaient. Pendant la première semaine, Edward s'était cantonné dans un silence hostile. C'est à peine s'il adressait la parole à ses filles. La vente de l'aciérie était presque conclue mais, visiblement, il était préoccupé par autre chose en ce début novembre.

Les feuilles des arbres arboraient d'éclatantes nuances fauves. C'était la saison préférée d'Olivia à Croton. Souvent, elle priait Victoria de faire avec elle une promenade à cheval. Et, la plupart du temps, Victoria répondait qu'elle appréciait davantage les voitures que les chevaux.

— Allons, ne sois pas si snob, la taquina Olivia un après-midi, à la fin de leur première semaine à la maison.

Les choses étaient presque revenues à la normale. La résidence new-yorkaise avait été fermée, Bertie et les autres domestiques étaient revenus avec le reste de leurs bagages.

— Tu ne veux pas aller à cheval avec moi jusqu'à Kykuit ? demanda Olivia.

Victoria ne manifesta aucun enthousiasme.

— Non. Les Rockefeller ont probablement entendu que je ne suis qu'une catin. Ils vont nous jeter des pierres si jamais je souille leur propriété par ma présence.

— Victoria, voyons ! Arrête de t'apitoyer sur ton sort. J'en ai assez ! Entre père et toi, j'ai l'impression d'assister à un concours de marasme. J'ai envie de monter à cheval et je t'emmène avec moi.

Victoria finit par accepter. Elles n'allèrent pas aussi loin que Kykuit mais longèrent le fleuve au galop. Sur le chemin du retour, aux environs du manoir, un écureuil bondit devant elles avant de grimper dans un arbre comme une flèche. La jument de Victoria se cabra. Avant même qu'Olivia puisse saisir la bride, la bête s'emballa et Victoria tomba à terre avec un bruit mat, alors que sa monture galopait en direction des écuries.

— Et voilà ! Tu vois ce que je voulais dire ? fit Victoria en se redressant et en époussetant ses habits. Cela ne m'arrive jamais quand je conduis une voiture.

Elle souriait.

— Tu es incorrigible. Allez, monte derrière moi.

Olivia se pencha, offrant une main ferme à sa sœur. Celle-ci la saisit et prit appui sur l'étrier. Une seconde après, elle était installée derrière Olivia. Elles regagnèrent l'écurie au trot.

C'était une froide journée de novembre et, frigorifiées, elles pénétrèrent dans le manoir. Elles coururent dans la bibliothèque, se dirigèrent vers la cheminée et tendirent les mains au-dessus du feu en riant et en racontant à leur père leur aventure... Il répondit par un sourire — le premier depuis leur retour de New York, se dit Victoria. C'était la première fois, également, qu'il adressait la parole à Victoria, presque de bonne grâce. Elle en fit la remarque peu après à sa sœur.

— Ne dis pas cela, dit Olivia. Tout est rentré dans l'ordre, maintenant.

— Pas quand je suis seule avec lui. Je crois qu'il ne me pardonnera jamais.

Olivia sortit de la penderie leurs tenues pour le dîner.

— Tu te fais des idées.

Mais elle avait remarqué elle aussi que leur père était plus calme qu'il ne l'avait jamais été et que Victoria, de son côté, faisait preuve d'une docilité singulière. Elle parlait peu, ne sortait plus. La cause des suffragettes ne la passionnait plus — elle avait cessé de se rendre aux réunions. On eût dit qu'elle sortait adoucie de sa mésaventure avec Tobias Whitticomb. Elle avait perdu son assurance, son goût du risque. Comme si, pendant deux mois, elle avait accompli un long voyage dont elle rentrait brisée. Olivia n'avait plus qu'un seul souhait : que tout redevienne comme avant. Que son père et sa sœur se réconcilient pour de bon. Oh ! cela finirait bien par arriver, se disait-elle. Entre-temps, il était difficile de supporter leurs états d'âme, leurs silences. Mais les déboires de Victoria avaient au moins un aspect positif. Jamais les deux sœurs n'avaient été plus proches. Elles ne se quittaient plus, comme si elles étaient revenues au temps de leur enfance. Olivia entourait sa sœur d'affection. Par chance, les échos du scandale n'avaient pas atteint Croton.

Ce soir-là, elles dînèrent avec leur père. Comme toujours, la soirée se termina tôt. Les jumelles allèrent au lit, chacune avec un livre. Olivia s'endormit à minuit, son livre entre les mains. Victoria lui avait tourné le dos et avait sombré dans le sommeil à dix heures et demie. Tard dans la nuit, Olivia ouvrit un œil et éteignit la lampe. Des braises luisaient encore dans la cheminée, une douce chaleur se répandait dans la chambre. En se rendormant, elle crut entendre un faible gémissement. Le son plaintif la berça un instant et, peu après, une douleur fulgurante, comme un coup de couteau dans le noir, la transperça. L'air déserta ses poumons. En suffoquant, elle se redressa, cherchant instinctivement sa sœur. Elle agrippa sa main puis, soudain, elle comprit qu'elle avait ressenti la douleur de sa jumelle. Tout à fait réveillée à présent, Olivia se leva. Sa douleur s'était évanouie. Lorsqu'elle se pencha sur sa sœur, elle retint un cri. La souffrance convulsait les traits de Victoria. Elle s'accrochait à la colonnette du lit, les genoux remontés vers sa poitrine, haletante.

— Victoria, qu'y a-t-il ? Qu'est-ce que tu as ?

Ce n'était pas la première fois qu'il leur arrivait d'éprouver la même douleur au même moment, à ceci près que celle-ci dépassait tout ce qu'Olivia pouvait imaginer. Ç'avait été comme un coup de sabre dans ses entrailles et à présent Victoria semblait à l'agonie. Olivia repoussa les couvertures. Les draps étaient couverts de sang !

— Oh ! mon Dieu, Victoria, parle-moi, dis quelque chose.

D'où jaillissait cette source sanglante ? Le liquide rouge et visqueux imprégnait jusqu'à la chemise de nuit d'Olivia, et pourtant ce n'était pas elle qui saignait.

Le visage de Victoria était d'une pâleur mortelle. Elle se tourna péniblement vers Olivia, se cramponnant à sa main. Parler semblait lui causer une souffrance atroce. Pourtant elle se força à articuler :

— N'appelle pas... le médecin...

— Mais pourquoi ?

— Ne l'appelle pas, répéta Victoria, les yeux chavirés, tandis qu'Olivia la regardait, impuissante. Aide-moi à aller à la salle de bains.

Olivia la porta littéralement. Le sang ruisselait, formant une traînée rouge sombre sur leur passage. Victoria saignait abondamment et Olivia ne savait pas quoi faire pour arrêter l'hémorragie. Elle allongea sa sœur sur le carrelage et là, comme sous l'effet d'une horrible contraction, le corps de Victoria s'arc-bouta. Elle se mit à pleurer. Olivia fondit en larmes elle aussi. La peur que sa jumelle soit sur le point de mourir l'assaillit.

— Dis-moi ce que tu as. (Victoria le savait, elle le sentait, mais ne voulait pas en parler.) Sinon j'appelle Bertie et le docteur.

— Tais-toi... Je suis enceinte...

De nouveau, les traits de Victoria se crispèrent. Les contractions lui déchiraient le ventre.

— Oh ! Seigneur ! Pourquoi ne m'as-tu rien dit ?

— Je ne voulais pas y penser, répondit Victoria entre deux sanglots.

— Que dois-je faire ?

Olivia, agenouillée dans la salle de bains, priait pour que sa sœur ne perde pas tout son sang. La chute de cheval avait sans doute provoqué la fausse couche. Peut-être cela avait-il à voir avec ce qui était arrivé à leur mère, mais ce n'était pas le moment d'émettre des hypothèses. La terreur étreignait le cœur d'Olivia. Si elle n'agissait pas, Victoria mourrait là, sur le carrelage.

— Victoria, il faut que j'appelle quelqu'un. Laisse-moi le faire.

— Non... non... reste avec moi... ne me quitte pas...

Des pleurs se mêlaient à ses gémissements. Le sang formait maintenant une mare luisante autour d'elle. Olivia sentit la panique monter en elle et ce fut alors que Victoria se tordit sous l'effet d'une atroce crispation et que la cause de son supplice se glissa lentement hors de son corps. La douleur refluait lentement... Les deux sœurs, muettes de stupeur, regardèrent l'embryon entre les jambes de Victoria. Des sanglots hystériques secouèrent alors la jeune fille. Olivia entreprit de s'occuper d'elle. L'hémorragie avait diminué peu à peu. Olivia enveloppa Victoria dans une couverture. Elle utilisa de vieilles serviettes de bain pour éponger le sang. Des sanglots secouaient toujours Victoria, allongée par terre. Malgré la couverture, elle grelottait et claquait des dents. Il était six heures du matin lorsque Olivia vint à bout de sa tâche. Elle avait tout lavé, avait changé les draps et leurs chemises de nuit. Ensuite, très doucement, avec une force dont elle se serait crue incapable, elle souleva sa sœur dans ses bras, la remit au lit et la borda comme une enfant.

— Ça va aller, Victoria. Je suis là. Rien ne peut t'arriver maintenant. Tu es saine et sauve et je t'aime.

Elles ne reparlèrent pas de ce qui venait de se passer, de l'horreur qu'elles venaient de vivre, de l'opprobre dont leur famille aurait été frappée si elle n'avait pas perdu son bébé. Mettre au monde le fruit de ses amours illégitimes avec Toby Whittcomb l'aurait reléguée à jamais au ban de la société. Cela aurait sans doute tué leur père. Il n'y avait plus de risque maintenant. Le bébé, à peine formé, n'était plus.

Olivia jeta une bûche sur les braises et ajouta une couverture sur sa sœur. Assise à son chevet, elle contempla longtemps son petit visage blême, alors qu'un sommeil de plomb l'engloutissait. Qu'était-ce ? se demanda-t-elle en repensant à leur mère. Une fatalité ? Une malédiction ? Auraient-elles un jour des enfants sans mourir en couches ? Qui pouvait le dire ?

A présent, Victoria dormait à poings fermés. Olivia passa un manteau par-dessus sa chemise de nuit. Elle prit le gros baluchon de linge ensanglanté et descendit au rez-de-chaussée. Elle avait décidé de le brûler. Malheureusement, à huit heures du matin, la cuisine fourmillait d'activité. En entrant, elle tomba sur Bertie.

— Qu'est-ce que tu portes ? s'enquit la gouvernante.

Olivia détourna la tête.

— Rien. Je... je m'en occuperai, dit-elle fermement.

La note tremblante dans sa voix n'échappa pas à la vieille femme.

— Olivia ? Qu'est-ce que c'est ?

— Ce n'est rien, Bertie.

Leurs yeux se rencontrèrent. Olivia serra davantage le baluchon.

— De vieux tissus à brûler.

Un interminable silence suivit, durant lequel Bertie la sonda du regard, avant d'incliner la tête.

— Je dirai à Petrie d'allumer un feu dehors... Et nous allons enterrer le reste.

Olivia acquiesça. Elle avait fait un ballot plus petit à l'aide d'une étoffe nouée aux quatre coins, contenant la minuscule créature qui ne verrait jamais le jour. Son intention était, en effet, de l'enterrer.

La mine lugubre, Olivia et Bertie attendirent que Petrie allume le feu. Elles jetèrent le linge sur le bûcher, puis enfouirent le petit ballot dans un trou creusé dans la terre molle du jardin. Debout côte à côte, frissonnantes et glacées, les deux femmes attendirent que le feu dévore tout. Après cette brève et triste cérémonie qui n'aurait jamais dû avoir lieu, Bertie posa une main affectueuse sur l'épaule de sa jeune compagne.

— Tu es une bonne fille, Olivia, dit-elle tranquillement... Comment va-t-elle ?

Elle avait tout compris, dès l'instant où Olivia avait franchi le seuil de la cuisine.

— Elle a une mine de papier mâché. Mais je t'en prie, ne lui montre pas que tu sais. Je lui ai juré de ne rien dire.

— Entendu. Mais il faut appeler le médecin. Elle pourrait mourir d'une infection.

Le cœur d'Olivia trembla.

— Oui, je le ferai venir. Je m'expliquerai avec Victoria.

Ses grands yeux anxieux se fixèrent sur le visage de Bertie.

— Que dirons-nous à père ?

— Je ne sais pas... La grippe ? proposa la nourrice avec un soupir.

Elle avait redouté cet instant. Comme les autres domestiques, elle avait entendu les rumeurs.

— Ce serait injuste de lui faire peur, cependant. Tu devrais lui dire la vérité.

— Oh ! Bertie, je ne peux pas ! murmura Olivia, horrifiée. Comment puis-je lui annoncer que Victoria était enceinte ? Je n'ose même pas y songer.

D'un autre côté, l'évocation de la grippe, qui faisait des ravages, causerait une vive inquiétude à Edward.

— Tu trouveras bien une solution, ma chérie.

Plus tard, Olivia remonta voir sa sœur. Victoria était dans un triste état. L'hémorragie avait repris, elle était à peine consciente. Le médecin, appelé en urgence, fit venir une ambulance qui transporta Victoria à l'hôpital de Tarrytown où on lui fit trois transfusions. Naturellement, il n'y eut pas moyen de cacher la situation à leur père. Et, tandis que le goutte-à-goutte ramenait la vie dans les veines exsangues de Victoria, qui pleurait sans retenue, Olivia, assise près du lit, essayait de la calmer. Mais en vain. La honte, le malheur, la culpabilité la consumaient. Et la déception. Car bien qu'elle le niât farouchement, Olivia savait que sa sœur était encore amoureuse de Toby.

Leur père resta assis dans une salle d'attente des heures durant. En voyant Olivia sur le pas de la porte, il leva sur elle un regard indéchiffrable. Le docteur leur avait assuré que la patiente ne risquait plus rien. Elle ne subirait pas de curetage. Et elle ne souffrirait pas de stérilité. Le bébé qu'elle avait porté était apparemment trop gros à ce stade de son évolution. Ou alors, à l'origine, elle avait conçu des jumeaux dont un seul s'était développé. Mais elle avait perdu beaucoup de sang.

Une quantité incroyable... Dès lors, il était impossible de faire croire à quiconque, à l'hôpital ou au manoir, que Victoria avait attrapé la grippe. Le médecin avait promis à Edward Henderson la plus grande discrétion. Mais ce dernier n'avait pas confiance. Ce genre d'histoire finissait toujours par transpirer. Il suffirait qu'une des infirmières parle pour que le scandale éclate de nouveau comme un ouragan. La nouvelle que Victoria avait perdu le bébé de Toby Whitticomb ne tarderait pas à se répandre jusqu'à New York, confirmant ainsi les rumeurs précédentes et enfonçant le dernier clou dans le cercueil de l'honneur perdu de Victoria.

— Il aurait aussi bien pu lui tirer une balle dans la tête, dit-il tristement, assis dans la salle d'attente étriquée avec Olivia.

Il se leva pour s'en aller. Olivia avait décidé de dormir sur un lit pliant dans la chambre de sa sœur, aussi longtemps que ce serait nécessaire.

— Ne dites pas cela, père, répondit-elle doucement.

Mais elle décelait dans son regard un profond chagrin. Et la peur indicible de voir son nom traîné dans la boue.

— Je ne dis que la vérité. Il l'a détruite. Elle s'est détruite elle-même plutôt, soyons honnêtes ! Elle a été d'une naïveté impardonnable. Je regrette que personne n'ait pu l'arrêter.

Olivia se raidit. Ce reproche s'adressait indirectement à elle.

— J'ai essayé, père.

— J'en suis convaincu, dit-il, les dents serrées.

Ses lèvres pincées ne formaient plus qu'une mince ligne droite, comme chaque fois qu'il était furieux. Aujourd'hui, il était plus que furieux. Il s'inquiétait pour sa propre réputation et pour celle de Victoria. Il lui en voulait de s'être laissé entraîner dans cette liaison stupide. Il jeta un coup d'œil pensif à son autre fille.

— Il faut la marier. Seul un mariage mettra fin aux

commérages. Les mauvaises langues se calmeront si l'histoire se termine proprement.

— Il ne peut pas l'épouser, riposta Olivia.

Son père était aussi naïf que sa sœur s'il pensait que Toby conduirait Victoria à l'autel. Il était marié à une Astor.

— Pas lui, bien sûr, acquiesça son père. Mais un autre... Si toutefois quelqu'un accepte de se trouver dans l'œil du cyclone. Oui, ce serait la meilleure solution pour elle.

— Victoria ne veut pas se marier, père. Elle m'a dit et répété qu'elle ne voulait épouser personne. Et que les hommes lui font maintenant horreur. Cette fois-ci, elle est sincère, j'en suis sûre.

— Je la comprends, après toutes les épreuves qu'elle a subies...

Surtout celle d'hier soir, songea-t-il. Il avait cru comprendre, sans en connaître les détails, que sa fille avait souffert le martyre. Ce qui, d'une certaine manière, lui servirait de leçon.

— Mais, plus tard, elle changera d'avis, ajouta-t-il.

D'ailleurs, peu lui importait que Victoria soit ou non consentante. Elle l'avait blessé. Elle les avait humiliés, lui et sa famille. Elle se devait de racheter sa faute.

— Ne t'inquiète pas pour ça, ma chérie.

Il posa sur le front d'Olivia un baiser distrait et, les sourcils froncés, elle le regarda s'éloigner.

Le médecin fit une quatrième transfusion à Victoria, tard dans la nuit. Il finissait par se demander si elle allait échapper au curetage. Le lendemain matin, elle était toujours très faible, mais son état s'était amélioré. Il fallut deux jours de plus avant qu'elle puisse s'asseoir dans son lit, deux jours encore avant qu'elle parvienne à marcher. A la fin de la semaine, elle était au manoir, dans son propre lit, entourée d'Olivia et de Bertie qui s'affairaient autour d'elle comme des abeilles. Nourrie, soignée, dorlotée, elle se sentit mieux. Leur père avait dû repartir à New York pour signer la vente de l'aciérie. John Watson et Charles Dawson l'emmenèrent déjeuner à l'University Club. Ils y croisèrent Toby Whitticomb, entouré d'une cour de jeunes snobs. Edward dut faire un effort surhumain pour conserver son sang-froid. John, qui le surveillait du coin de l'œil, lui demanda si tout allait bien, et Edward acquiesça, les dents serrées. Heureusement, Toby et ses amis quittèrent bientôt le club. Naturellement, le jeune homme s'était bien gardé de saluer le père de Victoria et avait soigneusement évité le regard de John.

Deux jours plus tard, Edward regagna Croton, satisfait de son séjour à New York. Cette fois-ci, il avait réservé une chambre au Waldorf-Astoria. Pour rien au monde il n'aurait passé une minute dans sa propre résidence. Trop de choses s'étaient passées là-bas, trop de malheurs y étaient survenus. A part Donovan, qui conduisait la voiture, aucun domestique ne l'accompagnait.

Il revint donc au manoir dix jours avant Thanksgiving, un dimanche après-midi. Victoria se promenait lentement dans le jardin au bras de sa sœur quand la voiture pénétra dans l'allée. Elle paraissait avoir retrouvé ses forces. Dans un jour ou deux, elle serait capable d'écouter les nouvelles qu'il allait lui annoncer, pensa-t-il.

Il les convoqua toutes les deux dans la bibliothèque. Il n'avait pas de secret pour Olivia, qui, par ailleurs, le soutiendrait, du moins l'espérait-il. En entrant dans la pièce, Olivia sentit son père tendu. Il semblait avoir pris une décision. Sans doute voulait-il les envoyer en Europe, afin que Victoria oublie Toby... Elle ne parlait jamais de lui. Même à l'hôpital, elle n'avait pas prononcé son nom une seule fois. Et pourtant Olivia était convaincue qu'elle ne l'avait pas complètement chassé de ses pensées.

— Voilà, attaqua leur père sans préambule, j'ai quelque chose à vous dire.

Il s'interrompit et leur lança un de ses regards féroces. Olivia acquiesça de la tête, tandis que Victoria, ayant deviné que cela la concernait, attendit courageusement la suite.

En effet, Edward la fixa avant de poursuivre.

— A New York, on jase, Victoria. On ne peut qu'ignorer les ragots ou les démentir. Jusqu'ici, je pensais que le silence était la meilleure réponse à la rumeur. Or, à la suite de ton hospitalisation, les cancans vont bon train. Et les deux incidents mis bout à bout font une histoire plus vilaine encore. Le scandale, alimenté par M. Whitticomb, qui persiste dans sa version selon laquelle tu lui as sauté au cou, bat son plein. On te décrit comme une dévergondée. Il y en a bien qui n'accordent aucun crédit aux racontars de Whitticomb, les plus nombreux j'espère, mais là n'est pas la question. Quoi qu'il dise, quoi que les gens croient ou pas, ce qui s'est réellement passé n'est pas joli.

— J'ai été trop naïve, père, admit Victoria, ployant de nouveau sous le poids de la culpabilité. J'ai eu tort... je me suis mal comportée... mais j'étais persuadée qu'il m'aimait.

— Oui, tu es plus idiote que dévergondée, convint-il durement.

Il ne s'était jamais montré aussi irascible. Mais il n'avait pas décoléré. A son ressentiment s'ajoutait la frustration de se savoir impuissant devant les faits. Et maintenant qu'il tenait la solution, il n'allait pas reculer.

— Nous ne pouvons pas arrêter le scandale, ni imposer le silence à M. Whitticomb. Mais il est possible de te rendre respectable et par la même occasion de sauver notre honneur. Tu nous dois au moins cela.

— Comment, père ? Je ferai ce que vous voudrez.

Elle était prête à tout pour se racheter à ses yeux, pour expier sa faute. La désapprobation constante, la déception, la tristesse de son père constituaient pour elle un fardeau trop lourd à porter.

— Ravi de l'apprendre. Eh bien, Victoria, tu vas te marier. C'est la seule façon de faire cesser la rumeur. Les mauvaises langues chercheront un autre bouc émissaire. Tu as été naïve et de surcroît victime d'une canaille, mais tu as aujourd'hui l'occasion de devenir une femme mariée, donc respectable.

Il la scrutait, l'œil sévère sous ses sourcils froncés.

— Sans cette respectabilité, il n'y a aucun espoir que les gens oublient. Tu seras exclue de la société, classée une fois pour toutes dans la catégorie des femmes faciles et traitée en conséquence.

Il avait parlé crûment. Ses filles le regardaient, stupéfaites.

— Il ne m'épousera pas, père, répondit Victoria. Vous le savez. Il m'a menti. Il n'a jamais eu l'intention de faire de moi sa femme. Je n'ai été qu'un jeu pour lui.

Elle leur rapporta brièvement sa dernière rencontre avec Toby.

— Evangeline aura un quatrième enfant au printemps. Il ne la quittera pas.

— Et tant mieux ! dit son père, imperturbable. Non, bien sûr, Tobias Whitticomb ne t'épousera pas, Victoria. Il n'y a aucun doute là-dessus. En revanche, Charles Dawson est d'accord pour te donner son nom. Nous en avons longuement parlé. C'est un homme intelligent. Raisonnable. Un cœur noble, d'une moralité exemplaire. Il comprend la situation. Il n'a aucune illusion sur tes sentiments à son égard. Sans connaître les détails, il sait plus ou moins pour quelle raison nous sommes partis de New York. Lui-même est veuf. Il a perdu son épouse qu'il aimait profondément. Personne ne la remplacera jamais dans son cœur, mais il a besoin d'une mère pour son fils.

Victoria regarda son père, sidérée.

— Je suis donc censée jouer un rôle, n'est-ce pas ? Mère pour son fils, mais pas épouse dans son cœur. Oh ! père, comment avez-vous pu me faire ça ?

— Comment ai-je pu ? tonna-t-il d'une voix autoritaire, une voix terrifiante que les deux jeunes filles n'avaient jamais entendue. Et toi, comment oses-tu me poser cette question après avoir traîné mon nom dans la boue en devenant la maîtresse d'un homme marié sous les yeux de tout New York, puis en rentrant ici enceinte de son bâtard ? Comment oses-tu, Victoria ? Tu obéiras sans mot dire. C'est ça ou le couvent. Ou la rue. Je te mettrai dehors, sans un sou.

— Allez-y ! hurla-t-elle, le menton haut. Vous ne me forcerez pas à épouser un homme que je connais à peine, que je n'aime pas et qui ne m'aime pas. Je refuse d'être réduite en esclavage, vendue comme un meuble, comme un objet ! Vous n'avez pas le droit de disposer de moi de cette manière, de vous arranger derrière mon dos avec votre avocat, de lui intimer l'ordre de m'épouser. Combien paierez-vous ce service ?

Le regard d'Olivia allait de l'un à l'autre. Horrifiée, incrédule, la jeune fille se demandait ce qui était arrivé à sa famille.

— Je ne paie personne, Victoria. Charles est un homme compréhensif. Il a saisi la situation sans doute mieux que toi-même. Tu n'es plus en mesure d'attendre le prince charmant sur son beau cheval blanc, ni d'habiter sous le même toit que ta sœur et moi. Aucun de nous n'osera plus mettre le pied à New York jusqu'à ce que ta situation soit régularisée. Tu as une dette envers nous, Victoria. Il est de ton devoir de nous restituer ce que tu nous as ôté par ton écart de conduite.

— Enfermez-moi, rasez-moi les cheveux, coupez-moi la tête ! Je refuse de me vendre pour rembourser quoi que ce soit.

Contracter ce mariage constituait aux yeux de Victoria l'ultime outrage. La suprême insulte à ses idées progressistes.

— Nous sommes en 1913, père, pas au Moyen Age, reprit-elle. Vous ne pouvez pas faire une chose pareille.

— Je ne me gênerai pas, et tu te plieras à ma volonté, Victoria. Sinon je te renierai à partir de ce jour. Je te déshériterai. Je ne te permettrai pas de te détruire, de détruire la vie d'Olivia sous prétexte que tu es une forte tête. Charles est un homme bon. Tu as de la chance. S'il n'y avait pas son petit garçon, il n'aurait sans doute pas voulu de toi. Tu peux remercier le Seigneur, ma fille.

Victoria le regardait, incapable d'en croire ses oreilles. Assise à son côté, Olivia semblait tout aussi épouvantée, pour des raisons différentes.

— Parlez-vous sérieusement ? Allez-vous me déshériter si je ne l'épouse pas ?

— Absolument. Je n'ai jamais été plus sérieux, Victoria. Et tu m'obéiras. C'est le prix de ta faute. Ce n'est pas si terrible. Tu vivras confortablement à New York avec ton mari. Un homme honnête, qui a une carrière brillante, un avenir assuré. Et un jour, tu partageras avec Olivia mon héritage qui t'offrira une grande aisance. Sans cela, tu passeras le reste de ton existence à récurer les sols dans des pensions de famille, et je ne plaisante pas. Tu t'exécuteras pour notre bien à tous. Au moins pour celui d'Olivia. Comment veux-tu qu'elle se montre à New York si là-bas on continue à considérer sa sœur comme une moins-que-rien ? Tu épouseras Charles Dawson, Victoria, il le faut. Oh ! pas tout de suite, pas la semaine prochaine. Tu peux attendre jusqu'au printemps, afin qu'on n'aille pas raconter que... des raisons évidentes nous ont obligés à agir vite. Mais nous annoncerons vos fiançailles juste après Thanksgiving.

Très pâle, Victoria se redressa et alla se poster devant la fenêtre, le dos tourné à son père.

— Est-ce clair ? insista-t-il.

— Oui, père. Parfaitement clair.

En ce moment, elle le détestait autant que Toby. Autant que Charles. Les hommes étaient tous les mêmes. Des dominateurs, des esclavagistes, des marchands de chair féminine. Une femme ne valait pas plus qu'un meuble, dans leur esprit. En s'écartant de la fenêtre, elle vit Olivia pleurer. Probablement parce qu'elles allaient dorénavant vivre séparées. New York n'était pas loin mais elle doutait que leur père autorise

Olivia à rendre visite à sa sœur maudite. Edward tapota l'épaule de l'aînée des jumelles, quelque peu radouci.

— Je suis désolé de t'avoir imposé cette scène pénible. Je me suis dit que ta présence pourrait m'aider à convaincre ta sœur d'entendre raison. Je souhaitais m'assurer que Victoria comprendrait qu'elle n'a pas le choix.

— Oui, père, répondit Olivia d'une voix calme. Vous voulez notre bien...

Etrangement, le coup cruel qu'il avait asséné à Victoria avait touché Olivia plus durement encore. C'était elle qui était éprise de Charles Dawson et Victoria qui le traitait de raseur. Elle qui l'appréciait et Victoria qui ne daignait même pas le regarder... L'ironie du sort avait voulu que leur père les blesse mortellement toutes les deux sans le savoir. Mais la déesse de la Justice n'a-t-elle pas les yeux bandés ?

— Maintenant montez dans votre chambre, si vous voulez vous reposer, suggéra Edward.

Pour le moment, il en avait assez dit. Et il avait été on ne peut plus clair. Il avait dompté Victoria. Elle devait le haïr mais il savait qu'elle se soumettrait à sa volonté.

Les deux jeunes femmes quittèrent la pièce, abasourdies, et gravirent les marches en silence. Ce ne fut que lorsque la porte de leur chambre se referma que Victoria donna libre cours à sa rage.

— Comment a-t-il pu me faire ça ? Comment a-t-il pu aller à New York pour me vendre à ce minable ? Comment a-t-il osé ?

Olivia lui sourit à travers ses propres larmes.

— Ce n'est pas un minable. Charles est un homme gentil et intelligent. Il te plaira.

— Oh ! la barbe ! hurla Victoria. On croirait entendre père.

— Peut-être a-t-il raison. Peut-être n'as-tu pas le choix. En épousant Charles Dawson tu redeviendras respectable et...

— Je me fiche pas mal d'être respectable. Je ne sais

pas ce qui me retient de prendre le premier bateau en partance pour l'Angleterre. Je trouverais du travail et je rejoindrais les Pankhurst.

— Ne sont-elles pas en prison pour trois ans ? L'une d'elles au moins a été condamnée, si je me rappelle bien ce que tu disais l'été dernier. Et puis comment paierais-tu ton billet ? Ma chérie, je crois que père a raison. Tu n'as pas le choix.

— Mais qui voudrait d'une femme obtenue de cette manière ? Quelle sorte d'homme est ce Dawson ?

— Tu as entendu les explications de père. Il cherche une mère pour son fils.

Elle se garda bien d'ajouter qu'elle aussi trouvait son attitude bizarre. Olivia connaissait mieux Charles que Victoria, puisqu'ils avaient discuté plus d'une fois ensemble. Sans doute ne parvenait-il pas à élever son enfant tout seul. Mais ce n'était pas ce qu'elle avait cru comprendre. Oui, toute réflexion faite, sa décision était étrange, mais c'était la meilleure solution pour Victoria. Cependant Olivia, elle, se retrouvait sans rien.

— Victoria, murmura-t-elle, tâche au moins de l'apprécier.

Elle n'avait jamais avoué à personne, pas même à sa sœur, qu'elle aimait Charles. Et elle avait bien agi. Victoria ignorait les affres dans lesquelles se débattait sa sœur, et c'était très bien ainsi. D'ailleurs, elle était trop occupée à s'apitoyer sur son sort pour remarquer la tristesse d'Olivia. Ce soir-là, elle refusa de descendre dîner avec leur père.

— Comment va-t-elle ? s'enquit celui-ci dès qu'Olivia franchit seule le seuil de la salle à manger.

— Elle est choquée... bouleversée... Cette semaine n'a pas été facile pour elle. Elle s'habituera. Donnez-lui le temps.

Il hocha la tête. Vers la fin du repas, il tapota la main d'Olivia.

— Nous resterons ici tous les deux. Ne te sentiras-tu pas trop seule ?

— Elle me manquera terriblement, dit-elle, les yeux brillants de larmes.

Perdre Charles pour toujours mettait un terme à ses espoirs de jeune fille, mais ne plus vivre avec sa jumelle était plus qu'elle ne pouvait supporter.

— Je ne vous abandonnerai pas, père. Je vous le promets.

— Tu partiras bien un jour. Quand le scandale sera retombé, quand elle sera mariée, nous retournerons à New York où tu rencontreras peut-être ton prince charmant.

Il lui sourit gentiment sans se douter un instant du chagrin qu'il lui avait infligé.

— Je ne veux pas de prince charmant, père. J'appartiens à cette maison. Je n'ai pas envie de me marier, déclara-t-elle avec une conviction absolue.

Edward émit un soupir. Il trouvait injuste de condamner Olivia à rester vieille fille. Cependant, la partie égoïste de lui-même souhaitait la garder. Elle dirigeait remarquablement la maison. Elle veillait à son confort mieux que Victoria ne l'aurait jamais fait.

— Je prendrai toujours soin de toi. C'est promis. Un jour, le domaine te reviendra. Je te laisserai le Manoir Henderson, Olivia. Tu pourras vivre tranquillement à la campagne que tu aimes tant. Je léguerai à Victoria la résidence de New York où elle emménagera avec Charles, quand je ne serai plus. Toi, tu n'en auras pas besoin...

Il avait décidé à la place de ses filles. Tout était arrangé. Elle servirait son père jusqu'à la fin de ses jours et Victoria aurait Charles. Olivia se demanda en quoi elle avait offensé le ciel pour mériter un tel destin. Elle n'avait pas vraiment rêvé d'épouser Charles mais n'avait jamais imaginé qu'il serait servi sur un plateau d'argent à sa sœur en guise de punition pour ses écarts de conduite.

— Me laisseras-tu lui rendre visite à New York ? demanda-t-elle en retenant son souffle.

Perdre en même temps deux êtres chers, celui auquel

on a rêvé, celle qu'on aimait tendrement, était une épreuve trop cruelle.

— Bien sûr, ma chérie. Je n'ai pas l'intention de vous séparer. Je voulais juste aider Victoria à se sortir de cette terrible situation.

En écoutant son père, Olivia se reprocha amèrement de ne pas avoir su éloigner elle-même sa sœur de Toby. Toby, qui avait ruiné deux existences en un instant.

— Oui, tu pourras aller la voir autant que tu le désireras, à condition de ne pas m'abandonner complètement.

Elle lui sourit en l'entourant de ses bras. Des larmes roulèrent silencieusement sur ses joues. Il ne lui restait plus aucun rêve, aucun espoir. Elle serait la dame de compagnie de son père pour toujours. Olivia eut l'impression que sa vie s'arrêtait là.

8

Charles et Geoffrey Dawson arrivèrent à Croton-on-Hudson par une belle journée automnale, fin novembre. Il faisait un froid sec, un feu brûlait quelque part, dont l'odeur annonçait l'approche de l'hiver. Au manoir, le cuisinier découpait la dinde... C'était la veille de Thanksgiving.

Edward faisait des emplettes à Tarrytown ; Victoria parcourait la plaine à cheval, comme cela lui arrivait de plus en plus fréquemment. Le manoir paraissait vide lorsque la voiture de Charles remonta l'allée. Olivia l'aperçut de la fenêtre de la cuisine. Elle essuya ses mains sur son tablier et courut vite ouvrir la porte sans manteau, heureuse de revoir Charles. Elle faillit lui passer les bras autour du cou et l'embrasser. Quand ils seraient frère et sœur, elle aurait le droit de poser un baiser sur sa joue. Pour l'heure, elle se contenta de lui tendre la main, souriante, avant de baisser les yeux sur Geoffrey. Son cœur se serra. Le petit garçon éveillait en elle une impression de déjà-vu. Comme s'ils se connaissaient déjà. Ou comme s'ils étaient destinés à se rencontrer. En se baissant, elle lui serra solennellement la main.

— Bonjour, Geoffrey. Je suis Olivia. La sœur de Victoria.

Elle comprit à l'expression de Charles que le petit garçon n'était au courant de rien. Sans doute désirait-il d'abord parler avec Victoria avant de faire part à son fils de son mariage prochain.

— Victoria et moi sommes jumelles, expliqua-t-elle, captivant aussitôt l'attention de l'enfant. Je parie que tu ne pourras pas nous différencier lorsqu'elle sera là, tout à l'heure.

— Pari tenu, dit-il bravement, cheveux blonds au vent, yeux verts pétillants de malice.

Il ressemblait à Charles. Et à Susan, devina-t-elle, envahie d'une présence qui ne pouvait être que celle de la mère de Geoffrey. Un esprit bénéfique, un ange gardien... Une sensation inexplicable.

— Un jour, je te dirai le secret grâce auquel tu sauras qui est qui, murmura-t-elle à Geoffrey, d'un ton conspirateur, alors qu'elle les conduisait par la porte de service à la cuisine où elle leur offrit des cookies tout juste sortis du four.

— Y a-t-il vraiment un secret ? sourit Charles. Pourquoi ne m'avez-vous rien dit ?

— Parce que je ne l'ai jamais confié à personne. Mais je ferai une exception pour Geoffrey.

Sa main se posa avec douceur sur l'épaule du petit garçon. Elle ignorait pourquoi elle éprouvait à son égard cet élan de tendresse. Elle n'avait aucune raison de se sentir aussi proche de lui. Un enfant aurait illuminé ses jours — l'enfant qu'elle n'aurait jamais. Lorsque son père mourrait, elle serait trop âgée pour fonder une famille. En une seule semaine, elle avait perdu à la fois sa sœur et son avenir. Jusqu'alors, elle n'avait pas mesuré la portée de ses promesses à son père.

— C'est vrai ? Personne d'autre ne le sait ? demanda le petit garçon, intrigué et flatté à la fois.

— Non. A part Bertie.

Justement, la gouvernante apparut à ce moment-là. Olivia fit les présentations. Mme Peabody parut enchantée de connaître Charles. Elle conduisit les deux invités à l'étage, afin de les installer dans leurs chambres. Une demi-heure plus tard, Charles redescendit seul. Geoffrey aidait Bertie à défaire les bagages.

— Votre fils est merveilleux, dit Olivia, un chaleureux sourire aux lèvres.

Charles contempla tristement le paysage par la fenêtre.

— Il ressemble beaucoup à sa mère, dit-il avant de se tourner vers Olivia. Quoi de neuf, depuis que vous avez quitté New York ?

Au lieu de réconforter Olivia, sa sollicitude ne fit qu'accroître la souffrance cachée qui l'habitait. Elle priait le ciel que les autres viennent les rejoindre.

— Je vais bien. J'ai été très occupée.

Elle ne mentionna pas l'hospitalisation de Victoria et se demanda s'il était au courant.

— Occupée à éviter la prison à votre sœur ?

Tous deux éclatèrent de rire, au moment même où Victoria entrait dans le salon en jodhpurs, jaquette d'écuyère, bottes crottées, cheveux relâchés qui formaient comme une sombre auréole autour de son visage.

— Très drôle ! maugréa-t-elle en leur jetant un regard réprobateur.

— Charles est là, dit Olivia nerveusement.

Victoria afficha une expression de dégoût.

— Je le vois bien. Et à vrai dire cette histoire de manifestation à New York ne m'amuse plus du tout.

Charles et Olivia échangèrent un regard d'écoliers pris en faute.

— Désolé, Victoria, dit-il gentiment tout en lui serrant la main. Avez-vous fait une belle promenade ?

Il faisait un effort sincère pour l'approcher, pour mieux la connaître. Sa réponse fut courte et froide, après quoi elle s'éclipsa sous prétexte de se changer.

— Elle n'a pas l'air très heureuse, remarqua Charles.

C'était un doux euphémisme qui faillit arracher un rire à Olivia.

— Oui, on peut le dire, répondit-elle. Elle a eu des moments difficiles depuis notre retour précipité de New York.

Elle s'interrompit, hésitante. Elle ignorait dans

quelle mesure son père avait mis Charles dans la confidence.

— Et puis elle a été malade, ajouta-t-elle prudemment.

Toujours indulgente, Olivia cherchait des excuses à sa sœur.

— Je suppose qu'elle a du mal à s'habituer à l'idée du mariage, déclara-t-il ouvertement. C'est un choc pour moi aussi. Mais je crois que ce sera une bonne solution pour Geoffrey.

— Est-ce la raison pour laquelle vous avez accepté ?

« La seule raison ? » aurait-elle voulu demander, mais elle censura sa question. Après tout, elle le connaissait à peine.

— Vous savez, je ne peux pas élever correctement un enfant tout seul, répondit-il en jetant des regards anxieux autour de lui.

— Mon père nous a bien élevées tout seul, dit-elle tranquillement.

Charles émit un rire.

— Etes-vous en train de me suggérer de ne pas épouser votre sœur ?

Elle aurait bien voulu avoir ce courage-là.

— Non. Je voulais seulement suggérer qu'il y avait peut-être d'autres raisons.

— Il y en aura certainement quand nous nous connaîtrons mieux.

Des voix leur parvinrent en provenance de l'escalier.

— Vous êtes exactement comme Olivia, disait Geoffrey, fasciné par la jeune femme aux cheveux noirs qui descendait les marches derrière lui.

— Je sais. Comment t'appelles-tu ?

— Geoffrey, lança-t-il sans une ombre de timidité.

— Quel âge as-tu ?

Elle posait toutes ces questions sans véritable intérêt, et le petit garçon le sentit immédiatement. Son intuition ne le trompait jamais et soudain, il se demanda si elle et Olivia n'étaient pas, en fait, très différentes.

— Neuf ans.

Ils étaient arrivés au rez-de-chaussée. Victoria ne lui avait pas serré la main, ne l'avait pas touché.

— Es-tu petit pour ton âge ? s'enquit-elle, surprise qu'il ne fût pas plus jeune.

— Non, plutôt grand, expliqua-t-il avec patience.

— Je ne connais rien aux enfants.

— Olivia si. Je l'aime bien.

— Et moi aussi, ajouta Victoria en souriant.

Elle entra dans la bibliothèque et s'installa à côté d'Olivia. Leur extraordinaire ressemblance laissa Geoffrey bouche bée. Elles étaient deux véritables sosies. Cheveux, yeux, bouches, robes, chaussures, mains, sourires, tout était pareil. Les yeux plissés, Geoffrey les étudia un long moment, puis secoua la tête, au grand étonnement des adultes.

— Elles ne sont pas du tout les mêmes, décréta-t-il du haut de ses neuf ans, déclenchant l'hilarité.

— Dès lundi, je cours lui acheter des lunettes, dit Charles, alors que les jumelles riaient.

Geoffrey insista.

— Je vous assure, papa. Regardez-les.

— Mais je les ai souvent regardées, tu sais. Et à chaque fois je me suis rendu ridicule. Si tu peux les distinguer, bravo ! Moi je n'y arrive pas.

Il avait omis une partie de la vérité. S'il les voyait simplement côte à côte, il lui était impossible de faire la différence. Mais parfois, il savait à qui il avait affaire car les deux femmes lui inspiraient des sentiments différents. C'est à cela que Geoffrey faisait allusion. Si pour Charles il s'agissait de quelque chose d'obscur, de viscéral, voire de sexuel, pour Geoffrey, ce petit exercice de divination obéissait à des règles beaucoup plus simples. Il savait, voilà tout !

— Elle, c'est Olivia, dit-il, le doigt pointé sur la bonne personne, sans la moindre hésitation, et elle, c'est Victoria.

Ensuite, elles échangèrent leurs places et, de nouveau, il vit juste. Elles se mirent alors à tournoyer en

156

se tenant par les mains et là, il se trompa. Mais, peu après, il reconnut chacune avec une sagacité qui surprit tout le monde, y compris Victoria qui prétendait avoir toujours détesté les enfants. Olivia, d'ailleurs, lui avait conseillé de ne pas mentionner ce détail.

— Pourquoi ? Peut-être qu'il ne m'épousera pas, puisque je n'ai pas la fibre maternelle, avait répondu Victoria méchamment.

— C'est ça. Et puis père t'enverra dans un couvent en Sibérie, à moins qu'il ne te marie à un pêcheur de l'Alaska. Je t'en supplie, Victoria, ne les blesse pas.

— Bon, bon, d'accord.

Elle tint parole. Elle ne risquait pas de blesser qui que ce soit, car, dès que leur père rentra, elle ne desserra plus les dents. Au dîner, elle ne prononça pas un mot. C'est Olivia qui fit les frais de la conversation.

— Pourquoi ne l'épouses-tu pas, toi ? dit Victoria plus tard, dans leur chambre. Tu n'as aucune difficulté à lui parler.

— Je n'ai pas une réputation à défendre, moi. D'ailleurs père a besoin de moi pour diriger la maison, répliqua platement Olivia.

Edward Henderson avait parfaitement exposé sa position. Il leur avait très clairement expliqué ce qu'il attendait de chacune d'elles. Le mariage d'Olivia avec Charles ne faisait pas partie des projets d'Edward, même s'ils avaient un tas de choses à se dire.

— Geoffrey est adorable, tu ne trouves pas ? dit-elle, changeant de sujet.

Elles étaient couchées côte à côte, dans des chemises de nuit identiques.

— Je ne sais pas. Je n'ai pas remarqué. Les enfants ne m'intéressent pas, tu le sais.

— Il est fasciné par notre ressemblance.

Olivia sourit à l'image de Geoffrey s'efforçant de les identifier et y parvenant presque à chaque fois. On eût dit qu'un lien invisible l'attachait à ce petit garçon qu'elle voyait pour la première fois. Elle avait de l'affection pour lui, et il le lui rendait bien. Il semblait apprécier Victoria aussi, bien qu'elle ne lui accordât aucune attention. Il avait dîné avec Bertie, qui était ravie. Un enfant dans la maison lui rappelait le bon vieux temps.

Le lendemain, Edward emmena Geoffrey faire un tour. Olivia leur emboîta le pas. Elle avait vu Victoria sortir dans le jardin avec Charles et s'était hâtée de s'éclipser, dans l'espoir que sa sœur se montrerait plus avenante. Si elle le froissait, s'il refusait de l'épouser, leur père serait furieux.

— Quelle situation inhabituelle, dit Charles alors qu'ils se promenaient. Je ne sais quoi vous dire. J'ai été un peu surpris quand votre père m'a proposé d'être votre époux. En fait, l'idée ne me déplaît pas, surtout à cause de Geoffrey.

— Vous voulez vous marier uniquement pour votre fils ? demanda sèchement Victoria.

Pourquoi un homme épouserait-il une femme qui ne l'aimait pas ?

— C'est la raison principale, répondit-il avec honnêteté. Le pauvre petit a besoin de deux parents, pas seulement d'un père solitaire. Votre sœur me l'a déjà fait remarquer à New York... Sa mère était l'amour de ma vie, enchaîna-t-il d'une voix triste. Nous nous sommes rencontrés tout jeunes. Elle était passionnée, très gaie. Elle riait tout le temps... C'était une forte tête aussi. Un peu comme vous, ajouta-t-il en souriant. Et elle adorait les enfants.

— Père nous a dit qu'elle a péri dans le naufrage du *Titanic*, dit platement Victoria.

Elle montrait de l'intérêt, mais beaucoup moins de compassion que sa sœur. Or, étrangement, il était plus facile de se confier à elle. Parler de Susan à Olivia mettait Charles au bord des larmes. Elle était si sensible, si douce...

— Oui. Elle s'apprêtait à embarquer sur un canot de sauvetage avec Geoff mais elle a préféré céder sa place à l'un des enfants qui attendaient sur le pont. Je crois que même s'il y avait eu de la place elle ne serait pas montée. Elle est restée pour aider un groupe d'enfants à s'installer dans la dernière chaloupe et sur deux radeaux. Elle a même donné son gilet de sauvetage à l'un d'eux. La dernière personne qui l'a vue m'a dit qu'elle tenait un enfant dans ses bras. Dieu merci, ce n'était pas Geoffrey.

Il acheva, après un long silence :

— C'était une femme extraordinaire.

— Je suis désolée, murmura Victoria.

Elle était sincère cette fois.

— Je vous imagine parfaitement faire la même chose, dit-il généreusement.

Elle secoua la tête.

— Olivia a le goût du sacrifice. Pas moi. Je suis trop égoïste. Et puis je ne suis pas très douée avec les enfants.

— Vous apprendrez, dit-il gentiment. Mais parlez-moi un peu de vous. De ces fiançailles rompues. Je crois qu'elles n'étaient pas encore officielles, n'est-ce pas ?

C'était une charmante manière de décrire son aventure avec un homme marié.

— Non, pas encore, en effet. Est-ce père qui vous l'a dit ?

— Pas vraiment, sourit-il, soucieux de ne pas heurter ses sentiments. (Edward avait été aussi honnête avec lui que possible.) Je suppose que vous avez eu votre lot de souffrances. Ecoutez, Victoria, je n'ai pas la prétention de croire qu'il y a entre nous des sentiments amoureux. Je pense néanmoins que nous pourrions devenir bons amis. Je cherche une mère pour Geoff. Vous avez besoin d'un abri, d'un havre de paix après la tourmente que vous avez traversée.

Il avait entendu les rumeurs au sujet de son idylle avec Toby mais n'avait pas prêté l'oreille aux colporteurs de ragots. Il savait qu'il y avait eu un flirt avec un homme marié, des promesses non tenues, une rupture brutale. Il ignorait les détails de son incartade tout comme la fausse couche qui avait failli la tuer.

— Nous avons plus de chance que d'autres, reprit-il, parce que nous n'avons pas d'illusions. Pas de rêves déçus, pas de promesses de bonheur et pas de cœurs brisés. Je ne sollicite pour le moment que votre amitié. La mienne vous est acquise.

Il doutait de pouvoir retomber amoureux. L'attirance même qu'il éprouvait pour Victoria le mettait mal à l'aise.

— Pourquoi ne faites-vous pas appel à une gouvernante ? s'enquit-elle franchement. Quelqu'un comme Bertie.

Il laissa échapper un rire amusé.

— Vous devez trouver bizarre que je veuille épouser une femme qui ne m'aime pas, et je vous comprends. Mais justement, je ne veux plus aimer. Ni perdre quelqu'un que j'aime. Je ne le supporterais pas.

— Et si nous tombons amoureux l'un de l'autre ? dit-elle, juste pour le contrarier.

— Vous sentez-vous le moindre penchant pour moi ? demanda-t-il, parfaitement conscient de son indifférence. Me trouvez-vous irrésistible ? Pensez-vous que vous serez très vite éprise de moi ?

— Oh ! non ! Vous ne risquez rien, répondit Victoria en riant.

Finalement, il n'était pas déplaisant. Ni ennuyeux. Il ne l'attirait pas, mais elle se surprit à lui trouver un certain charme.

— Tant mieux. Si j'engage une gouvernante, vous n'aurez pas de mari. Vous serez obligée de chercher quelqu'un d'autre et cela vous attirera sûrement beaucoup d'ennuis. Epousez-moi, c'est tellement plus simple. Mais à une condition.

— Laquelle ? fit-elle, soupçonneuse.

Une lueur espiègle passa dans le regard vert de Charles.

— Tâchez de ne pas vous faire emmener au poste de police tous les quatre matins. Vous risquez de porter préjudice à ma carrière d'avocat.

— Je ferai de mon mieux.

160

Elle se demanda comment serait sa vie à New York et si elle y rencontrerait Toby par hasard. Comme elle le détestait ! Elle lui arracherait volontiers les yeux si jamais elle le revoyait. Elle avait bien failli mourir à cause de lui. Elle regarda alors Charles et déclara avec simplicité :

— Je ne cesserai pas d'aller aux meetings. Je suis une féministe, je milite pour l'émancipation des femmes. Si cela vous dérange...

— Pas du tout. Je ne m'opposerai pas à vos opinions politiques. Je respecte vos idées.

— Je ne sais pas pourquoi vous faites cela, murmura-t-elle, décontenancée.

Parce qu'il la trouvait belle. Parce qu'il était idiot, pensa-t-il. La sachant si sauvage, il rêvait secrètement de la dompter. D'une certaine manière, Victoria représentait un défi, d'autant plus qu'elle ne l'aimait pas. Leur union serait tout sauf paisible.

— Je n'en sais rien moi-même, répondit-il. Certainement pour des raisons qui m'échappent.

Lorsqu'ils reprirent le chemin de la maison, il posa la question finale.

— Quand voulez-vous que ce mariage ait lieu ?

Le plus tard possible, aurait-elle voulu crier. Mais elle dit :

— Pas tout de suite. Ne nous précipitons pas. (Ainsi personne n'irait raconter qu'elle se mariait parce qu'elle était enceinte.) Que dites-vous de juin ?

Parfait. Geoff aura terminé son année scolaire. Ce sera pour lui le moment idéal pour mieux vous connaître. Que diriez-vous d'une lune de miel ? demanda-t-il. (Aucun d'eux n'avait jamais eu de conversation aussi étrange.) Un voyage vous conviendrait-il ?

— Oui, en effet, répondit-elle nonchalamment.

— La Californie ? proposa-t-il d'un ton aussi neutre que s'il discutait les termes d'un contrat.

— L'Europe ! dit-elle, déclinant l'offre.

— Je ne veux pas prendre le bateau, déclara-t-il pour des raisons évidentes.

C'était sans compter avec l'obstination de sa future épouse.

— Et moi je ne veux pas aller en Californie.

— Nous en reparlerons.

— D'accord.

Ils se regardèrent. Il n'y avait pas d'émotion, pas de romantisme, pas de sentiments, pas d'amour, seulement une attirance sensuelle du côté de Charles. Ils n'avaient rien à faire ensemble, encore moins se marier. Ils allaient bâtir toute une vie sur rien. Sur le besoin qu'il avait d'une mère pour son fils, sur la nécessité de rétablir la réputation de Victoria. C'était tout ce qu'ils avaient à s'offrir l'un à l'autre. Ils entrèrent dans le manoir, silencieux, songeurs.

Contre toute attente, le week-end de Thanksgiving se déroula agréablement. Edward lui-même fut étonné de la bonne volonté de Victoria. Celle-ci ne fit rien pour blesser leur hôte. Elle daigna même discuter un peu avec lui — le moins possible —, sans jamais adresser la parole à Geoffrey. Le petit garçon semblait, lui, totalement subjugué par Olivia, tandis que Charles apprit à mieux connaître son futur beau-père et apprécia de l'écouter parler longuement de ses affaires.

La peine qu'Olivia ressentait en se trouvant sans cesse près de Charles était compensée par son affection pour Geoffrey. Le samedi, elle fit monter au petit garçon son cheval favori, Sunny, et ils chevauchèrent longtemps tous les deux à travers les plaines et les collines. Et, le dimanche matin, assise sur un rocher près de Geoffrey, elle lui montra la tache. Elle ornait sa paume droite, nichée entre deux doigts, si minuscule que l'on devait plisser les yeux pour l'apercevoir. Elle lui fit promettre qu'il n'en soufflerait mot à personne, pas même à son père. Elle lui intima de lever la main droite et de jurer solennellement, tandis qu'elle entonnait un chant indien qu'elle chantait autrefois avec Victoria.

— Quand nous avions ton âge, nous jouions des tours aux gens. Nous nous faisions passer l'une pour l'autre. Je prétendais être Victoria et elle prétendait être moi. C'était drôle. Personne ne s'en est jamais aperçu à part Bertie.

— Est-ce que vous allez faire ça à mon papa ? voulut-il savoir, intéressé.

Olivia éclata de rire.

— Voilà qui serait vilain ! Bien sûr que non, Geoffrey. Nous nous faisions passer l'une pour l'autre il y a longtemps, quand nous étions petites.

— Et vous ne l'avez plus jamais fait ?

Il était très intelligent pour son âge. Et littéralement fou amoureux de sa nouvelle tante par alliance. Son père lui avait annoncé la veille qu'il épouserait Victoria. Geoffrey avait montré de l'étonnement mais aucune inquiétude.

— Très rarement, admit Olivia. D'habitude nous jouons ce genre de comédie avec des gens qui nous déplaisent. Ou lorsque l'une de nous doit se rendre quelque part où elle n'a pas envie d'aller.

— Chez le dentiste ?

— Non, pas chez le dentiste. Mais par exemple si l'une de nous a accepté un dîner qui, finalement, l'ennuie, l'autre peut y aller à sa place... Encore que, le plus souvent, nous soyons invitées toutes les deux en même temps.

— Est-ce que Victoria va vous manquer, quand elle viendra vivre chez nous ?

— Oh oui ! répliqua Olivia. Elle me manquera terriblement. Il faudra que vous me rendiez visite souvent.

Elle lui sourit.

— Je suis contente que tu aies fêté Thanksgiving avec nous.

— Moi aussi, dit-il en glissant sa petite main dans la sienne. Je ne parlerai à personne de la tache.

— Tu as intérêt !

Elle le serra dans ses bras. Quel bonheur que d'être la mère de cet enfant ! Victoria avait doublement de la chance.

Ils revinrent lentement vers le manoir. En fin

d'après-midi, Charles et son fils repartirent en voiture pour New York. Ils reviendraient à Noël. Geoffrey en parlait déjà, tout excité à cette idée. Olivia leur avait promis un somptueux dîner. Ce serait leur première réception après l'annonce des fiançailles. Olivia allait inviter tous leurs amis, toutes leurs relations des environs.

Leur père ne cachait pas sa satisfaction lorsque Charles s'en alla. Victoria ne tenait plus sur ses jambes. Elle avait été sous tension durant tout le week-end. Ce soir-là, elle monta se coucher tôt, épuisée. Olivia demeura assise devant le feu des heures durant. Son esprit voguait vers Geoffrey et son père.

Victoria, Charles et Geoffrey. Etrange association d'idées. Ils étaient liés désormais. Tout à coup, ils formaient une famille. Et elle, aussi soudainement, était devenue une vieille fille.

9

Les fiançailles de Victoria Elizabeth Henderson et de Charles Westerbrook Dawson furent annoncées dans le *New York Times* le mercredi qui suivit Thanksgiving. Le mariage aurait lieu en juin, stipulait le faire-part, sans toutefois préciser la date. Edward Henderson plia le journal et le rangea dans son bureau, satisfait.

Voilà une bonne chose de faite ! pensa-t-il.

L'inévitable cortège d'appels téléphoniques et de lettres de félicitations suivit. En ville, la rumeur s'apaisait. On parlait d'un flirt entre la jeune femme et Toby Whitticomb. Selon certains, on les aurait vus ensemble dans des endroits peu recommandables. Mais toutes ces affirmations manquaient de conviction. En fait, personne ne connaissait la vérité. A part Toby, naturellement, qui avait finalement compris qu'il valait mieux se taire. Victoria était sauvée. Enfin, presque. Pour son père, elle ne serait à l'abri que lorsqu'elle deviendrait Mme Dawson.

Elle lut l'annonce, le jour de sa parution, avec un sentiment d'injustice. Comment en était-elle arrivée là ? Pourquoi les autres décidaient-ils à sa place ? Sous prétexte qu'elle avait passionnément aimé Toby et qu'elle l'avait cru, son père l'avait punie. Car ce mariage dont elle ne voulait pas ressemblait fort à un châtiment. Elle allait devoir accorder à son mari ce qu'elle avait donné à son amant, à ceci près que maintenant cette perspective l'emplissait de dégoût. Oh ! elle ne pourrait pas... Charles avait dit qu'ils seraient bons amis. Qu'il ne s'attendait pas à ce qu'elle l'aime. Il voulait une compagne et une mère pour Geoffrey. Même cela révoltait Victoria. Elle n'avait nulle envie d'être la mère d'un petit inconnu. Son bébé, elle l'avait perdu, et cette horrible expérience s'était imprimée à jamais dans sa chair. Elle n'en voulait pas d'autres. Une fois mariée avec Charles, elle avait l'intention de prendre les précautions nécessaires pour ne plus avoir d'enfant. Elle ne savait pas exactement en quoi cela consistait mais elle se renseignerait. Elle espérait, au fond, qu'elle n'aurait pas à se soumettre au devoir conjugal. Que Charles se contenterait, comme il l'avait dit, d'être son « ami ». Et qu'en conséquence il ne réclamerait pas de rapports physiques. Oui, elle l'espérait ardemment. A la seule pensée que Charles la toucherait comme Toby, un froid mortel l'enveloppait.

— Pourquoi as-tu l'air si sombre ? demanda Olivia.

Elle venait de pénétrer dans la pièce, les bras chargés d'une pile de serviettes de toilette lavées et repassées. En voyant sa sœur penchée sur le journal, elle lui sourit gentiment.

— Tu seras heureuse avec lui, Victoria. C'est un homme bon... Et tu seras plus libre à New York...

C'était déjà quelque chose. Mais Victoria hocha la tête en levant sur elle un regard morne. Son propre désespoir la submergeait à tel point qu'elle n'avait pas remarqué la tristesse d'Olivia.

Elle avait pris l'habitude de faire de longues promenades l'après-midi. Olivia ne disait rien quand sa sœur disparaissait. Victoria se rendait à Croton, à Dobbs Ferry ou à Ossining, partout où les féministes se réunissaient. Elle en revenait chaque fois un peu plus dure. Une profonde colère contre les hommes l'habitait, qui confinait à la haine. Elle arrivait à se contrôler mais, dès que l'occasion se présentait, elle ne se gênait pas pour affirmer ses opinions — opinions qu'elle présentait comme politiques mais qui ne dupaient pas Olivia. Celle-ci savait quel ressentiment sa sœur nourrissait contre les hommes. Victoria considérait les femmes comme les victimes des gouvernements et de la domination masculine. Ses idées avaient été avivées par Toby Whitticomb et même par Charles Dawson. En ce dernier elle voyait une sorte de ravisseur, qui s'était allié à son père pour la punir d'avoir aimé Toby.

La réception organisée par Olivia en son honneur laissait Victoria de marbre. Ce fut à peine si elle prêta l'oreille lorsque sa sœur lui lut la liste des invités. Elle se fichait pas mal, dit-elle, de qui venait et qui ne venait pas. Le fait que les Rockefeller et les Clark aient accepté l'invitation ne la réjouissait pas. A ses yeux, il n'y avait rien à célébrer. Après tout, ce mariage n'était qu'un marché.

— Ne dis pas cela, murmura tristement Olivia, la veille de l'arrivée des Dawson à Croton pour les fêtes de Noël. Charles est bien intentionné. Chacun de vous offrira à l'autre quelque chose d'important. Il a sauvé ta réputation. Et songe au petit Geoffrey, à sa joie d'avoir une maman.

— Je ne veux pas être sa mère ! s'emporta Victoria. Je ne saurai pas m'occuper de lui. Et puis il ne m'aime pas.

Depuis Thanksgiving elle n'avait fait que ruminer sa rancœur.

— Bien sûr qu'il t'aime. Ne sois pas bête.

— C'est toi qu'il aime, répondit Victoria avec fermeté. Et il a raison. Il sait que nous sommes différentes et il sent que je n'aime pas les enfants.

Elle avait raison sur ce point, bien qu'Olivia ne voulût pas l'admettre. Geoffrey Dawson parvenait à les reconnaître avec une facilité étonnante, sans même voir la tache qu'Olivia lui avait montrée.

— Il nous aime bien toutes les deux. Je suis sûr qu'en très peu de temps tu l'adoreras.

Victoria savait que non. On ne la forcerait à adorer personne. Elle détestait les obligations. Elle désirait simplement un arrangement à l'amiable avec Charles, entre gens civilisés, ainsi que la possibilité d'avoir quelques amis à New York et d'assister à des réunions.

Elle rêvait de faire un jour de la politique. Elle se voyait comme une sorte de Jeanne d'Arc, une âme pure qui sacrifierait sa vie à ses idéaux.

Sentant que sa jumelle était tentée par des expériences risquées, Olivia s'inquiétait.

— Pense plutôt à des choses pratiques, Victoria. A ton fiancé, par exemple, à ton futur foyer, à ton mariage.

Cela lui semblait encore étrange d'appeler Charles « le fiancé de Victoria ». Elle en éprouvait un choc, comme si une lame de couteau lui frôlait le cœur. La honte lui embrasa les joues. C'était mal de convoiter le futur époux de sa sœur uniquement parce qu'il était gentil et qu'elle appréciait sa conversation. Elle n'avait plus le droit de penser à lui de cette manière. Elle ne l'avait jamais eu, au demeurant, mais à New York elle s'était laissé entraîner par ses rêveries de jeune fille. A présent, cette époque était révolue. Sa sœur et elle n'étaient plus des jeunes filles. Elles fêteraient bientôt leurs vingt et un ans. Pour des raisons différentes, elles étaient devenues des femmes. Victoria avait connu l'amour charnel et allait bientôt se marier. Et Olivia appartenait à son père. Elle passerait dix, vingt, trente ans peut-être à son service, si Dieu lui prêtait vie. Victoria mènerait une existence fondée sur le compromis. Celle d'Olivia serait vouée au sacrifice, au renoncement.

Elle évoqua de nouveau la réception et, cette fois-ci, Victoria fut bien obligée de l'écouter. Olivia avait commandé deux nouvelles robes en velours noir, agrémentées de courtes traînes. Deux modèles en vogue qu'elle avait copiés sur les créations des sœurs Callot, de Paris.

Victoria lui sourit avec affection. Elle appréciait ses efforts, même si elle n'exprimait pas toujours sa gratitude.

— Quand j'irai à Paris, je t'achèterai un « vrai » modèle, conçu par l'un des couturiers que tu admires tant... Beer... Worth... Poiret... tu établiras une liste et je ferai des achats pour toi.

Leur séparation prochaine les mettait au supplice. Olivia refusait d'envisager que, bientôt, elle ne verrait plus sa sœur. C'était une chose de l'imaginer mariée, autre chose de le vivre. De ressentir la peine atroce qui la tourmenterait lorsque sa sœur s'en irait. Depuis toujours elles avaient vécu ensemble, jour et nuit. Elles ne s'étaient jamais séparées plus de quelques heures. Perdre Victoria serait comme perdre une partie de son âme. Dès qu'elle y pensait, l'air quittait ses poumons, elle suffoquait, une sourde douleur la tenaillait.

Elle se leva, entoura Victoria de ses bras, lui dit combien elle allait lui manquer... Plus qu'elle ne pourrait le supporter.

— Viens vivre avec nous, supplia Victoria.

Elle avait réfléchi : elle voulait sa sœur auprès d'elle.

— Oh ! mais bien sûr ! Charles sera ravi ! s'exclama Olivia avec un rire sans joie.

Elle subirait un tourment de tous les instants si elle vivait sous le même toit que Charles...

— Il en aura deux pour le prix d'une, répondit Victoria d'un ton léger. Et tu prendras soin de Geoff. La solution parfaite.

Elle alluma une cigarette dans leur chambre, et Olivia courut ouvrir une fenêtre.

— Bertie te tuera si elle te surprend en train de fumer, avertit-elle, avant de fermer la porte à clé. Mais... Victoria... si je viens, père viendra aussi, non ?

Elles avaient beau plaisanter, un jour viendrait où elles allaient devoir faire face à la réalité. Après le mariage, leurs chemins se sépareraient à jamais.

— Il m'a promis que je pourrais te rendre visite à chaque fois que je voudrais.

— Ce n'est pas la même chose, Ollie, et tu le sais.

— Tu as raison, soupira Olivia. Ce n'est pas la même chose.

Après un silence, une nouvelle pensée lui traversa l'esprit, comme une consolation.

— Et Geoff ? Allez-vous l'emmener avec vous en voyage de noces ?

— Mon Dieu, j'espère que non !

Victoria souffla avec une grimace. Olivia agita la main pour éloigner les volutes de fumée.

— Quelle horreur ! Je regrette que tu aies pris cette mauvaise habitude.

Victoria émit un rire.

— Toutes les femmes fument en Europe. C'est à la mode.

— Elles traient aussi les vaches. Je ne le ferais pas pour tout l'or du monde et pourtant ça ne sent pas aussi mauvais... Mais, pour revenir à Geoff, l'emmènerez-vous ?

— Nous n'en avons pas parlé avec Charles, mais je ne crois pas qu'il voudra. Je lui ai dit que je souhaitais aller en Europe.

Le cœur d'Olivia se serra. Encore un signe annonçant que bientôt elle ne ferait plus partie de la vie de Victoria.

— Dans ce cas, Geoff pourrait rester ici, avec moi. Je serais heureuse de l'accueillir.

— Excellente idée !

Un sourire s'épanouit sur les lèvres de Victoria. L'idée de laisser le petit garçon à Croton lui plaisait. Rien ne l'agaçait davantage que la perspective de devoir s'occuper de lui à bord du bateau ou, pire encore, en Europe... Si toutefois Charles acceptait qu'ils y passent leur lune de miel. Il continuait à évoquer la Californie, mais Victoria campait sur ses positions. Elle parviendrait à le convaincre. D'après ce que l'on disait, la Californie était une région affreuse, dépourvue de tout confort.

— Je le proposerai à Charles. A moins que tu ne préfères t'en charger ? demanda Olivia.

Elle referma la fenêtre. Il avait déjà neigé deux fois depuis Thanksgiving, et il faisait un froid glacial.

— Demande-le-lui. Je dois pour ma part le convaincre de m'emmener en Europe.

Lorsque les deux sœurs descendirent au rez-de-chaussée, bras dessus bras dessous, elles avaient meilleur moral. Victoria pensait à son voyage, aux femmes qu'elle allait voir à Londres. Elle leur avait déjà écrit. Sans le dire à Olivia, elle avait envoyé une lettre à Emmeline Pankhurst, en prison. De son côté, Olivia songeait avec émotion au petit Geoffrey... Passer l'été avec lui la consolerait un peu de l'absence de sa sœur.

Les Dawson arrivèrent le lendemain dans leur nouvelle Packard. A peine la voiture s'immobilisa-t-elle que Geoffrey s'élança vers le manoir. Il fit une brève halte devant Victoria qui les attendait sur le perron.

— Où est Ollie ?

— Dans la cuisine.

Geoffrey repartit comme une flèche, contourna la maison et se dirigea vers la porte de service sous le regard de son père. Charles adressa un sourire penaud à la jeune femme : il aurait voulu posséder la perspicacité de son fils.

— A-t-il raison ? Etes-vous Victoria ?

Il ne pouvait même pas distinguer sa fiancée ! Son dernier séjour au manoir n'avait fait qu'aggraver sa confusion. Parfois, Victoria faisait, comme sa sœur, preuve de retenue, tandis qu'Olivia paraissait plus détendue. Plus audacieuse, même, depuis qu'elle considérait Charles comme un membre de la famille. Dans l'esprit de celui-ci, les différences entre elles s'estompaient. Il leur découvrait le même sens de l'humour. Tout était pareil chez elles, le rire, le sourire, les manières et jusqu'à leur façon d'éternuer. Bref, il les trouvait plus semblables que jamais.

Victoria hocha la tête, lui confirmant qu'elle était bien sa future épouse. Charles lui frôla alors la joue d'un baiser chaste en disant qu'il était heureux de la revoir.

— Je vous offrirai une jolie broche de diamants à

chacune, gravée à vos initiales, ajouta-t-il. Cela m'évitera de me rendre ridicule.

Ils éclatèrent de rire. Charles passa son bras sous celui de Victoria. Ensemble, ils pénétrèrent dans le vaste vestibule du Manoir Henderson.

— Très bonne idée, approuva-t-elle.

Puis elle leva sur lui un regard pétillant, poussée par l'irrésistible tentation de lui jouer un tour et d'observer sa réaction.

— Comment savez-vous que je ne suis pas Ollie ? s'enquit-elle innocemment, se délectant de son désarroi.

— Vous l'êtes ?

Il se recula rapidement, honteux de lui avoir témoigné une telle familiarité. Au moment où Victoria inclinait la tête, prête à endosser la personnalité de sa sœur, Geoffrey fit irruption, les joues roses, les cheveux ébouriffés, entraînant Olivia par la main.

— Bonjour, Victoria !

Exaspéré par sa propre incapacité à reconnaître les jumelles, Charles les regarda tour à tour. Et si son fils s'était trompé... Mais non ! Geoffrey avait vu juste : Olivia agitait un index menaçant à l'adresse de Victoria.

— Toi, tu es en train de torturer ce pauvre Charles ! gronda-t-elle.

L'initiative d'échanger les rôles revenait toujours à Victoria.

— Eh oui ! dit-il, le visage empourpré, avec un regard plein de gratitude pour sa future belle-sœur qui avait mis fin à la plaisanterie. Elle s'est fait passer pour vous. Et, je l'avoue, pendant un instant, elle m'a convaincu.

Geoffrey émit un rire amusé. Décidément, son père ne voyait pas les différences, pourtant flagrantes, entre les deux femmes.

— Et toi, comment fais-tu pour les reconnaître avec une telle assurance ? lui demanda Charles, frustré.

Il s'étonnait qu'un enfant si jeune puisse désigner

chacune des sœurs sans se tromper alors que lui les confondait. Peut-être se laissait-il submerger par ses émotions, se dit-il.

Geoffrey haussa les épaules.

— Je ne sais pas. Elles ne se ressemblent pas tant que ça.

— A part Bertie, il est le seul à nous reconnaître, avoua Olivia.

Charles lui serra la main avant de se tourner vers sa fiancée. Victoria se retenait de rire, enchantée de l'avoir dupé. Il sentit chez elle une sorte de volonté de le désarçonner.

— Je ne vous ferai plus jamais confiance, Victoria Henderson, déclara-t-il solennellement.

— Voilà une sage décision, Charles, dit Olivia avec un rire approbateur. Souvenez-vous-en.

— Que se passe-t-il ?

Edward Henderson, qui venait d'entrer dans le vestibule, jeta un regard circulaire sur la petite assemblée. Il paraissait content de la tournure que prenaient les événements. L'aciérie avait été vendue et, lors des tractations, Edward avait admiré l'habileté de Charles. Sous son aspect calme et posé, son futur gendre cachait un redoutable négociateur.

Le dîner, ce soir-là, fut animé. Les deux hommes parlèrent affaires tout au long du repas. Après les digestifs, Olivia et Edward laissèrent les deux fiancés seuls. La jeune femme voulait s'assurer que Geoffrey était confortablement installé. Quant à Edward, il prétexta la fatigue pour se retirer. Ils gravirent les marches ensemble. Son père se déclara soulagé. L'entente entre Victoria et Charles dépassait ses espérances, dit-il. Olivia acquiesça sans un mot, envahie d'émotions contradictoires.

Elle oublia tout en voyant Geoff. Bertie l'avait couché, mais il ne dormait pas. Allongé dans un lit immense, il serrait dans ses bras un singe en peluche élimée.

— Qui est-ce ? s'enquit Olivia avec intérêt, en s'asseyant au bord du lit.

— Il s'appelle Henry. Il est très vieux, il a mon âge. Je l'emmène partout sauf à l'école, répondit Geoff avec un sourire.

Il avait l'air tout petit au milieu de ce grand lit. Olivia se retint de l'embrasser. Ils ne se connaissaient pas encore suffisamment pour qu'elle se le permette.

— Il est très beau, affirma-t-elle d'un air sérieux. Est-ce qu'il mord ? Les singes sont méchants parfois, tu sais.

— Non, il ne mord pas, dit-il en la regardant et en la trouvant aussi belle que drôle... J'aimerais avoir un jumeau, moi aussi. Ah ! j'aurais joué des tours aux gens comme Victoria l'a fait à papa cet après-midi. Il en était tout confus...

— Comment arrives-tu à nous distinguer ? interrogea-t-elle, curieuse.

Son innocence d'enfant était-elle à l'origine de cette extraordinaire clairvoyance ?

— Vous pensez différemment, répondit-il simplement. Cela se sent.

— Tu sens comment nous pensons ? s'écria-t-elle, surprise.

Malgré son jeune âge, il possédait une sagesse étonnante. Souvent, les enfants que le malheur a frappés mûrissent plus vite que les autres. Cette maturité d'esprit lui était sans doute venue après la mort de sa mère.

— Oui, quelquefois, murmura-t-il. Et puis, Victoria ne m'aime pas.

— Mais si, voyons ! s'empressa de répondre Olivia, déconcertée. Seulement, elle n'est pas habituée aux enfants.

— Elle n'aime pas les enfants, insista-t-il. Vous non plus vous n'êtes pas habituée... Victoria ne me parle pas comme vous... Est-ce qu'elle aime bien papa, au moins ?

Il posait des questions trop directes, trop pertinentes

pour un petit garçon de son âge. Pendant une seconde, Olivia hésita.

— Oui, je crois qu'elle aime beaucoup ton père, Geoff. Ils ne se connaissent pas encore très bien. Cela viendra avec le temps.

— Alors pourquoi ils se marient sans se connaître ? C'est bête.

Il n'avait pas tort, mais la vie n'était pas aussi simple. Olivia ne pouvait pas lui expliquer toute la complexité de la situation.

— Parfois, les gens se marient parce qu'ils sont sûrs qu'ils vont bien s'entendre... qu'ils apprendront à s'aimer. Et souvent, ces unions fondées sur l'estime et l'amitié se révèlent les plus durables...

Geoffrey ne parut pas convaincu.

— Maman nous aimait plus que tout au monde... Elle disait qu'elle aimait papa par-dessus tout quand ils se sont mariés, plus encore que ses propres parents. Et quand elle m'a eu, elle a dit qu'elle m'aimait autant que lui. (Il baissa la voix d'un air conspirateur.) En fait, elle m'aimait plus mais c'était un secret. Elle ne voulait pas lui faire de peine.

— Je la comprends, dit Olivia, sentant son cœur s'envoler vers le petit garçon, vers la mère qu'il avait perdue, vers son enfance dévastée. Elle devait t'adorer.

— Oui, répondit-il tristement.

Un silence suivit, pendant lequel il se remémora sa mère. Il rêvait souvent d'elle et, dans ses songes, elle venait, souriante, vêtue d'une robe blanche. Mais il se réveillait toujours juste avant qu'elle soit près de lui.

— Je l'aimais aussi, chuchota-t-il en serrant la main d'Olivia. Elle était si belle... et elle riait beaucoup... un peu comme vous...

Elle se pencha alors, le serra dans ses bras et l'embrassa sur la joue. Il était le petit garçon qu'elle n'aurait jamais, un don du ciel, l'enfant qui allait remplacer sa sœur.

— Je t'aime, Geoffy, dit-elle doucement en lui caressant les cheveux.

Il lui adressa un sourire ravi.

— Maman m'appelait comme ça... mais vous pouvez le faire aussi. Je crois qu'elle serait d'accord.

— Merci.

Elle lui raconta alors une histoire. Victoria et elle avaient été invitées à un thé organisé par l'école. Elles s'étaient fait passer l'une pour l'autre et tout le monde, professeurs et élèves, avait marché dans le jeu... La fête s'était achevée dans une confusion totale lorsqu'on avait découvert que chacune ignorait des choses qu'elle aurait dû savoir. Geoffrey écouta le récit en riant. Olivia resta près de lui plus d'une heure jusqu'à ce qu'il s'endorme, sa petite main agrippée à la sienne, le singe en peluche sur l'oreiller. De nouveau elle l'embrassa, avant de quitter la pièce sur la pointe des pieds. Elle ressentait une affinité singulière avec la mère de cet enfant. Comme si elles s'étaient connues.

Victoria se prélassait dans leur chambre. Elle fumait une cigarette sans s'être donné la peine d'ouvrir la fenêtre.

— J'ai hâte que tu t'en ailles ! fit semblant de s'indigner Olivia.

Elle roula des yeux vers le plafond, feignant d'étouffer, et arracha un rire à Victoria. Le rire que, bientôt, elle n'entendrait plus. Elles étaient si heureuses ensemble ! Olivia souffrait toujours autant à l'idée de leur séparation.

— Où étais-tu ?

— Avec Geoff. Pauvre petit... Sa maman lui manque.

Victoria acquiesça sans commentaire.

— J'ai convaincu Charles : nous allons passer notre lune de miel en Europe.

Olivia eut un sourire.

— Le malheureux ! Tu es un monstre ! Sait-il que tu fumes ?

Victoria fit non de la tête, et elles éclatèrent d'un même rire.

— Tu ferais bien de le lui dire ou alors d'arrêter, ce qui est de loin une meilleure idée.

— Peut-être devrait-il plutôt se mettre à fumer, lui aussi.

— Ah ! Charmant !

Olivia commença à se dévêtir en s'efforçant de penser à Charles comme à un frère.

— Je lui ai parlé de Geoffrey. L'idée de te le confier cet été lui a plu. Il ne veut pas l'emmener en Europe. Il pense que le fait de se retrouver sur un bateau le terroriserait.

— Oui, c'est sûr, approuva Olivia.

A l'évidence, la mort tragique de sa mère s'était gravée au fer rouge dans la mémoire de l'enfant. Il l'avait perdue un an et demi plus tôt... cela ferait deux ans lorsque son père se remarierait.

— Avez-vous fixé la date du mariage ?

Victoria hocha la tête d'un air mécontent. Ils en avaient discuté, justement, ce soir.

— Le 20 juin... L'*Aquatania* appareillera de New York le 21. Ce sera le retour de son voyage inaugural.

Victoria souriait à la perspective de la traversée. Pas à celle de son mariage.

— Mais tu ne crois pas que se trouver à bord d'un navire constituera une expérience traumatisante pour Charles ? demanda Olivia, inquiète des états d'âme de son futur beau-frère.

Après une hésitation, Victoria haussa les épaules.

— Non, pourquoi ? Il n'était pas sur le *Titanic*. Elle rentrait d'Angleterre en compagnie de Geoff.

— Oui, mais il a dû être terriblement blessé ! Sois très gentille avec lui pendant le voyage, dit-elle pensivement.

Victoria prit un air ennuyé.

— Tu devrais y aller à ma place. Il ne verrait pas la différence.

— Peut-être pas... murmura Olivia.

Mais Geoff, lui, la verrait.

Le lendemain, Charles remédia à la situation. Il

emmena Victoria se promener sur les berges de l'Hudson après le déjeuner. Ils s'assirent sur un banc pour contempler le fleuve.

— Quel beau paysage ! dit-il. J'ai du mal à comprendre que vous ayez envie de partir.

Victoria refréna son envie de hurler que c'était son père qui la forçait à s'en aller. Elle dit, à la place :

— J'ai toujours voulu vivre à New York. On s'ennuie à mourir ici. C'est Olivia qui aime la campagne. Moi je préfère l'excitation des grandes villes.

— Ah oui ? la taquina-t-il. Vraiment ?

Il la connaissait mieux qu'elle ne l'imaginait, même s'il ne parvenait pas toujours à la distinguer de sa sœur.

Un rire échappa à Victoria. Elle appréciait l'humour de Charles. Et, apparemment, il ne se faisait aucune illusion sur leur union.

— J'ai longtemps réfléchi à la manière de vous différencier d'Olivia. J'ai trouvé une solution. J'espère qu'elle vous plaira.

Elle ouvrit la bouche pour protester, imaginant un stupide arrangement de rubans de couleurs différentes, quand il lui prit la main et glissa une bague à son annulaire. Un joyau délicat orné d'un diamant pas très gros mais de la plus belle eau, qui avait appartenu à sa mère. Celle-ci était décédée quelques années plus tôt, et lui avait légué tous ses bijoux. Il en avait offert la plupart à Susan, mais pas cette bague, car sa mère était encore en vie lors de son premier mariage.

Victoria baissa le regard sur le diamant. La surprise l'avait rendue muette. L'anneau s'ajustait à la perfection à son doigt, sa main tremblait. Charles l'observait. Il la dominait de toute sa haute stature. Une lueur d'espoir dansait dans ses prunelles. Mais, contrairement à Toby, il ne l'attira pas dans ses bras et ne lui fit pas de grandes déclarations.

— Elle appartenait à ma mère, fut tout ce qu'il dit.

Il s'en voulut de ne pas avoir le courage de l'embrasser.

— Elle est très belle... merci...

178

Victoria se tourna vers lui. Pendant un instant, elle souhaita que les choses soient différentes.

— J'espère que nous serons heureux un jour, murmura-t-il en lui prenant la main. Il n'est pas interdit de penser qu'un mariage entre bons amis puisse conduire au bonheur.

— Vraiment ? demanda-t-elle d'une voix triste.

Les brefs moments exquis qu'elle avait partagés avec Toby, l'amour spontané, la passion qu'elle avait éprouvés pour lui rejaillirent dans sa mémoire.

— Oui, si on a de la chance, répondit Charles perdu dans ses propres souvenirs, dans ses propres regrets.

Sa vie avait pris un tournant inattendu. Peut-être que, s'il parvenait à la conquérir, Victoria deviendrait elle aussi une bonne épouse. Il s'était promis d'essayer, pour Geoff.

— Quelle chose étrange que l'amour, n'est-ce pas ? dit-il, entourant les épaules de la jeune femme de son bras. Souvent, on le rencontre alors qu'on ne s'y attendait plus. Je ne vous ferai pas de mal, Victoria, poursuivit-il gentiment. Je serai votre ami. Et je vous protégerai, si vous le voulez bien.

Tous deux savaient que le moment n'était pas venu. Qu'elle le tenait à distance. Il ignorait combien de temps cela durerait mais elle lui faisait l'effet d'une jument sauvage. Il lui faudrait une infinie patience pour l'apprivoiser.

— Je ne vous ferai pas peur, dit-il.

Elle hocha la tête.

— Je suis désolée, Charles.

Le chagrin qu'il lisait dans ses yeux était réel. Quand oublierait-elle la souffrance que Toby lui avait causée ? Elle n'aurait pas su le dire. Jamais, sans doute.

— Il ne faut pas, répondit-il tranquillement.

Les conditions qui avaient dicté leur mariage ne laissaient place à aucune illusion.

— Vous ne me devez encore rien, ajouta-t-il.

Oui, mais plus tard ? se demanda-t-elle. N'aurait-il pas des exigences ? Et elle ? Le désirerait-elle comme elle avait désiré Toby, sous prétexte qu'elle aurait porté une robe blanche et qu'un prêtre aurait béni leur union ?

— Je suppose que c'est officiel, dit-elle prudemment, le regard posé sur la bague miroitant à son doigt. Nous sommes fiancés.

Elle s'était exprimée avec une sorte d'incrédulité qui arracha un rire à Charles.

— Fiancés, oui. En juin, vous deviendrez Mme Charles Dawson. Cela vous donne six mois pour vous habituer à cette idée.

Il s'approcha d'elle avec précaution et posa doucement les mains sur ses épaules.

— Puis-je embrasser la mariée... un peu plus tôt que prévu ?

Ne sachant quoi répondre, elle fit oui de la tête.

Il la prit dans ses bras. Très lentement, très doucement, il l'embrassa. La sentant contre lui, il fut submergé d'une foule de souvenirs. Le désir, la tendresse l'envahirent, tandis que dans son esprit Victoria et Susan se confondaient. Il dut fournir un effort surhumain pour contrôler ses émotions. Elle était la première femme qu'il touchait depuis presque deux ans et ce simple geste avait rallumé en lui un feu qu'il croyait éteint. Victoria ne comprit pas son tourment. Elle sentait contre ses lèvres celles d'un homme qu'elle n'aimait pas et qu'elle était forcée d'épouser. Rien de plus. Il la tint étroitement enlacée pendant longtemps, sachant qu'elle n'éprouvait rien pour lui mais convaincu que cela viendrait. Dès lors, le voyage en Europe lui parut de bon augure.

— Si nous rentrions ? proposa-t-il plaisamment.

Il lui prit la main et sentit le diamant contre sa paume.

Victoria ne souffla mot de la bague. Pendant le déjeuner, Olivia la remarqua. D'un seul coup, la réalité la frappa. C'était donc vrai, les fiançailles, le mariage, le départ prochain de Victoria, qui la laisserait seule avec leur père. Ses yeux s'emplirent de larmes. Embarrassée, elle détourna la tête. Victoria, qui avait tout de suite ressenti la détresse de sa jumelle, regarda la bague d'un air empreint de remords. Sitôt que le déjeuner fut terminé, elle courut enlacer sa sœur. Charles, qui ne comprenait pas ce qui se passait, les regarda s'étreindre en silence.

— Tu me manqueras terriblement, murmura Olivia lorsqu'elles quittèrent la salle à manger.

— Il faut que tu viennes avec moi, répondit Victoria avec ardeur.

— Tu sais bien que c'est impossible, dit Olivia, versant de nouvelles larmes, tandis que Charles les regardait de loin en se demandant de quoi elles parlaient.

— Je n'aimerai jamais que toi, déclara Victoria.

Les mots qu'elle avait prononcés étaient sincères, mais Olivia secoua la tête.

— Non, il faut que tu aimes Charles. Tu le lui dois. Tu dois apprendre à l'aimer.

Ce disant, elle s'approcha du fiancé de sa sœur et le complimenta sur la bague. Il lui sourit et tous les trois allèrent se promener, bras dessus, bras dessous, dans le parc où le soleil d'hiver répandait ses pâles rayons.

10

Malgré les réticences de Victoria, Noël fut plus gai que d'habitude, grâce à la présence des Dawson. Olivia fut heureuse de voir la frimousse de Geoffrey s'illuminer à mesure qu'il ouvrait ses cadeaux. Le matin de Noël, ils firent une promenade en traîneau. Il avait beaucoup neigé la veille et, après la messe, un épais manteau de velours blanc habillait les collines qui surplombaient l'Hudson.

Olivia laissa Geoffrey conduire le traîneau. Ils firent une bataille de boules de neige, bombardant Victoria et Charles jusqu'à les obliger à battre en retraite dans le manoir. Ensuite, Olivia aida son petit compagnon à faire un bonhomme de neige. Ils ne revinrent pas à la maison avant la tombée de la nuit... Seul point noir dans l'idyllique tableau des fêtes : Edward attrapa un rhume qui l'obligea à s'aliter jusqu'au réveillon du Nouvel An. Il réussit à se lever pour la soirée organisée par Olivia en l'honneur des fiancés : une réception en tous points délicieuse. Le champagne coulait à flots, les invités appréciaient la bonne chère, bavardaient, riaient. Un orchestre jouait des airs entraînants et d'élégants couples de danseurs emplirent rapidement le vaste hall transformé en salle de bal.

Geoff, présenté à tout le monde, monta se coucher après le dîner. Les invités félicitèrent chaleureusement Victoria. Il ne subsistait pas la plus infime rumeur. Le scandale s'était éteint, la réputation de Victoria était sauvée, son avenir assuré. Tout était bien qui finissait bien... Le jour du Nouvel An, Victoria et Charles semblaient parfaitement à l'aise ensemble. Peut-être pas amoureux mais bons amis... Seule ombre au tableau : Victoria se sentait mal à l'aise en présence du petit Geoffrey. Olivia l'avait fort bien compris. Chaque fois que possible, elle éloignait le petit garçon, de manière que Charles ne remarque pas l'indifférence de sa future épouse envers son fils. Elle exhortait constamment Victoria à faire des efforts.

— Ce n'est qu'un enfant, pour l'amour du ciel. Un petit garçon de neuf ans. Qu'est-ce qu'il t'a fait ? Voyons, ne sois pas si dure !

— Il me déteste, répondit simplement Victoria.

— Mais non, il ne te déteste pas. Il t'aime bien, même. Il est plus habitué à moi, voilà tout. Si nous inversions nos rôles en faisant attention, il ne s'en apercevrait pas.

C'était un pieux mensonge, toutes deux le savaient.

Le jour du Nouvel An, Olivia emmena comme d'habitude Geoffrey avec elle, afin de le tenir à l'écart de sa sœur.

Malgré le givre qui couvrait le sol par endroits, elle avait opté pour une promenade à cheval.

— Soyez prudente, mademoiselle, l'avertit le palefrenier. Ce temps est traître.

Une nouvelle tempête de neige couvait, là-haut, derrière les nuages.

— Nous n'irons pas loin, Robert. Je vous remercie.

Elle donna à Geoffrey leur cheval le plus doux. Elle-même monta sa jument préférée, une bête altière et vive. Toute la semaine, le mauvais temps l'avait empêchée de monter. Elle se lança au trot, surveillant Geoff du coin de l'œil, et lui montra chaque endroit qu'elle avait aimé quand elle était petite fille, la cabane de planches dans la fourche du grand chêne, la clairière secrète où elle se cachait avec sa sœur, alors que Bertie les cherchait.

Une fois, quand elles avaient douze ans, lui raconta-t-elle, elles étaient restées dehors toute la nuit. Elles avaient fait tant de bêtises à l'école qu'elles craignaient la colère de leur père. Celui-ci, alarmé, avait appelé le shérif, qui était venu à la rescousse avec ses chiens. Il les avait retrouvées, bien sûr. Elles avaient fondu en larmes mais leur père ne les avait même pas grondées. Il avait toujours été d'une profonde gentillesse, d'une grande indulgence. Jusqu'à la dernière incartade de Victoria à New York. La rumeur, le scandale qui avaient éclaboussé son nom l'avaient rendu furieux. Il se refusait à devenir l'otage des égarements de sa fille. Il l'avait donc obligée à épouser Charles Dawson... Bien entendu, Olivia se garda bien d'expliquer tout cela à Geoffrey.

— Est-ce que vous avez déjà reçu une fessée ? s'enquit le petit garçon.

Elle fit non de la tête. Leur père n'avait jamais levé la main sur elles.

— Moi non plus, dit-il à la grande satisfaction d'Olivia.

Ils jouèrent aux cow-boys et aux Indiens. Il était difficile de penser qu'elle avait vingt ans et pas dix, alors qu'ils se pourchassaient à cheval, poussant des cris sauvages et sautant par-dessus des ravins et des ruisseaux glacés. Olivia fit enjamber un tronc d'arbre à sa jument, mais elle faisait attention à ne pas mettre Geoffrey en danger. La nuit tombait lorsqu'ils reprirent le chemin du manoir. Olivia poursuivit quelques lapins, qui détalèrent dans la neige, ce qui fit beaucoup rire le petit garçon. Ils étaient à quelques pas de l'écurie quand le premier coup de tonnerre retentit. Le zigzag d'un éclair balafra le ciel sombre, suivi d'un second grondement, et, avant qu'Olivia puisse réagir, le cheval de Geoffrey fit un écart. Elle eut juste le temps de voir les yeux terrifiés de l'enfant, dont la monture se lança au galop à travers la plaine glacée.

— Geoff, accroche-toi, cria-t-elle dans le vent, priant pour qu'il l'entende. Tiens bien les rênes ! J'arrive !

La vieille jument, qui, pendant des années, avait somnolé dans son box, s'était métamorphosée en flèche vivante. Olivia éperonna sa monture, qui bondit en avant. Elle parvint au niveau de Geoffrey et se pencha, s'agrippant d'une main à sa selle, saisissant de l'autre la bride du cheval emballé. D'un mouvement ferme, audacieux, elle l'obligea à passer du galop au trot. Un nouveau coup de tonnerre fit sursauter sa jument, qui se dressa sur ses jambes arrière, dansant sous les éclairs, tandis qu'Olivia luttait pour la calmer. Le cheval de Geoff s'était figé, épuisé. Le fracas de la foudre emplit soudain le ciel. La jument décolla de terre, sauta par-dessus les haies. Désarçonnée, sa cavalière lâcha prise. Elle tomba sur le sol avec un bruit mat. Inconsciente.

— Ollie ! Ollie !

Geoffrey fondit en larmes. Il n'osait descendre de cheval, craignant de ne pouvoir remonter. La pluie noyait le paysage lorsqu'en sanglotant il se dirigea vers l'étable.

Son père et le palefrenier le virent arriver, pleurant et agitant la main. A ce moment-là, la jument d'Olivia le dépassa au grand galop. Elle se dirigea tout droit vers sa stalle. Les deux hommes échangèrent un regard. Il n'y avait personne sur la selle. Le petit garçon leur rapporta l'accident... les éclairs... le tonnerre... le cheval emballé... la chute... Robert avait déjà le pied à l'étrier. Il regarda Charles.

— Vous savez monter ?

Charles acquiesça. Il aida son fils à mettre pied à terre pour prendre sa place. Il eut toutes les peines du monde à faire avancer la vieille jument fatiguée, mais le temps pressait. Ils perdraient de précieuses minutes à harnacher un autre cheval.

Robert avait compris où se situait le lieu de l'accident. Tandis qu'ils s'y rendaient sous la pluie battante, le cœur de Charles cognait dans sa poitrine. Au début, ils faillirent la manquer. Elle n'était plus qu'un petit amas de vêtements, une veste de jockey marron sur le sol mouillé, une longue chevelure noire. Le palefrenier descendit le premier. Charles l'imita. Le visage d'Olivia était d'un blanc crayeux. Elle semblait inanimée. La peur envahit Charles, qui se demanda comment il annoncerait à Geoff, à son père et à sa sœur une si mauvaise nouvelle.

185

— Est-elle... balbutia-t-il.

Le sifflement du vent empêcha Robert de l'entendre. Le palefrenier se tourna seulement vers Charles pour dire qu'il allait chercher un chariot.

— Restez avec elle. Je reviens dans dix minutes. J'appellerai le médecin.

Charles s'agenouilla près d'Olivia. Un faible souffle soulevait imperceptiblement sa poitrine. Elle respirait encore mais elle avait perdu connaissance. Il ôta son manteau pour la protéger de l'averse et découvrit, étonné, que ses larmes se mêlaient aux gouttes de pluie. Elle avait payé cher son imprudence. Geoffrey aurait pu tomber là, à sa place, mais Charles savait qu'elle ne l'aurait jamais permis. Du reste, le cheval de son fils était si vieux, si fatigué, qu'il n'aurait pas eu la force de sauter par-dessus le mur des haies. En la regardant, Charles ressentit un frémissement, quelque chose de triste et de chaud qui lui rappela Susan. C'était la même émotion que lorsqu'il parlait à Susan, lorsqu'il s'émerveillait de sa douceur, de ses yeux rieurs. Susan, qu'il avait perdue deux ans plus tôt et dont le souvenir le transperçait comme la lame d'un poignard. Son regard se posa de nouveau sur Olivia. Geoffrey avait raison. Les jumelles n'étaient pas les mêmes. Elles étaient très différentes. Victoria, sauvage, libre, insensible et sensuelle... Il voulait la dompter, la posséder, la réduire entre ses bras, tout en sachant que jamais il ne l'aimerait. Mais cette femme qui gisait à terre éveillait son instinct protecteur. Plus jamais il ne se plierait aux caprices cruels d'une fatalité qui lui dérobait les êtres qu'il chérissait. Pour lui, aussi bizarre que cela pût paraître, Victoria représentait la sécurité, tandis qu'Olivia lui était intolérablement chère... Et si elle mourait maintenant... si elle s'en allait... il ne le supporterait pas. Pas une fois de plus. Pas encore. Ce serait trop injuste. Il eut soudain conscience de ses sentiments troubles pour elle... sachant, néanmoins, qu'il épouserait sa sœur.

— Olivia...

186

Il se pencha sur elle, prononçant son nom encore et encore, lui caressant les cheveux, priant pour que son cou ne se soit pas rompu. Elle respirait toujours.

— Olivia... parlez-moi... Ollie... s'il vous plaît...

Il pleurait comme un enfant. Un flot d'amour le submergea. Il se détesta pour cette faiblesse.

— Olivia...

Un frisson parcourut le corps inerte. Elle ouvrit les paupières et il dut se recomposer une attitude digne. Elle le regarda, un peu hébétée, comme si elle ne le connaissait pas.

— Ne bougez pas. Vous avez fait une mauvaise chute, cria-t-il dans le vent impétueux qui balayait les rafales de pluie.

Ils étaient trempés jusqu'aux os. Charles avait déployé son manteau en guise de parapluie au-dessus du visage d'Olivia. Son visage à lui dégoulinait de pluie et de larmes, mais elle était trop choquée pour le remarquer. Brusquement, elle parut se rappeler.

— Geoff va bien ?

Elle avait peine à articuler les mots, la tête lui tournait, un voile lui brouillait la vue. De nouveau, elle leva les yeux sur l'homme penché sur elle. Elle réalisa soudain que c'était Charles et esquissa un pâle sourire, qui s'évanouit presque aussitôt.

— Il va bien. Il est venu nous chercher.

Elle essaya d'acquiescer mais la douleur la fit tressaillir. Elle referma les yeux, sous le regard fiévreux de Charles. Ses sentiments pour Olivia avaient fait naître en lui une sourde terreur. Il persistait à croire qu'il avait raison d'épouser Victoria. Il s'exposerait à un trop grand danger s'il s'autorisait à aimer une femme comme celle-ci. Il n'avait jamais ressenti un sentiment aussi puissant, excepté envers Susan... Oui, Victoria personnifiait la sécurité. Dangereuse à sa manière, mais pas pour lui. Pas pour son âme. Victoria l'intriguait. Mais cette femme, allongée par terre comme une poupée brisée, avec sa gentillesse et sa douceur, avait, elle, le pouvoir de le détruire.

— Comment vous sentez-vous ?

Le déluge continuait à déverser des trombes d'eau sur eux. Il déplaça légèrement le manteau, afin de la protéger du vent.

— Très en forme.

Elle lui adressa un faible sourire. Il avança la main, lui effleura la joue du bout des doigts, combattant farouchement les émotions qui, de nouveau, l'envahissaient. Ce n'était qu'un instant unique dans l'éternité, une erreur passagère.

— Voulez-vous m'aider à me relever ? demanda-t-elle.

Elle n'était pas sûre d'y arriver seule.

— Ne bougez surtout pas. Robert va arriver d'un instant à l'autre avec le chariot.

— Je ne veux pas que père s'inquiète.

— Vous auriez pu vous tuer, Olivia. Je vous supplie de vous montrer plus prudente à l'avenir.

Il ne savait plus s'il avait envie de la gronder ou de l'embrasser.

— Je vais bien.

— Vous n'en avez pas l'air.

Il lui sourit. Le regard qu'ils échangèrent était lourd de sensations inexprimées. Un singulier sortilège les enveloppait. Olivia avait tout oublié : leur passé et leur avenir. Il n'y avait plus que le présent. Cette précieuse minute, sous la pluie torrentielle, elle couchée sur le sol gelé, la main de Charles sur sa joue, les yeux de Charles, caressants. « Je deviens folle ! » pensa-t-elle.

— Est-ce que mon cheval va bien ?

— Décidément, votre sens des priorités m'étonnera toujours. Oui, cette vieille rosse se porte comme un charme. Mieux que vous, en tout cas.

Elle voulut s'asseoir mais se recoucha aussitôt. Sa tête avait failli éclater. La silhouette du chariot apparut alors sur le versant de la colline et, pendant un court instant, Charles se sentit assailli par le désir de cacher Olivia à Robert. De la garder avec lui jusqu'à la fin des temps. Tous deux savaient que ce moment ne se reproduirait plus. Ils ne l'évoqueraient jamais. Il fallait l'oublier. Leurs yeux se cherchèrent avidement, puis ce fut comme si une porte se refermait. Pour toujours.

— Comment va-t-elle ? s'enquit Robert en sautant du chariot.

— Mieux, je crois.

Charles se pencha. D'un seul geste, il souleva la jeune fille dans ses bras et l'assit sur le siège. Elle laissa sa tête reposer contre le dossier avec un gémissement, le visage mortellement pâle. Rien de cassé, constata-t-il. Elle avait subi une sévère commotion. Charles monta à son tour et s'installa en face de la blessée. Robert attacha le cheval de Charles derrière la voiture.

Pendant le bref trajet jusqu'au manoir, le jeune homme ne quitta pas Olivia des yeux. Il avait mille choses à lui dire, mais mieux valait garder le silence. Ç'aurait été trop risqué. Il avait atteint un tournant fatidique à la mort de Susan. A présent, il avait choisi son chemin. Son mariage avec Victoria n'altérerait en rien son adoration pour sa défunte épouse. Il s'agissait d'un arrangement. Un marché. Olivia... c'était autre chose. Elle était le feu qui menaçait de le dévorer. Victoria n'était qu'une étincelle de désir et de sensualité. Olivia incarnait quelque chose qu'il avait déjà connu et qu'il ne connaîtrait plus jamais... qu'il n'oserait plus connaître, de crainte de le perdre. Il ne ramasserait plus l'étincelant joyau pour le perdre de nouveau.

Olivia rouvrit les yeux. Elle le scruta comme si elle avait deviné ses réflexions. Lentement, elle hocha la tête. Elle lui tendit la main et il saisit ses doigts glacés.

— Je suis désolé, murmura-t-il comme s'il avait formulé ses pensées à voix haute.

Elle eut un sourire, avant de refermer les paupières. Elle crut qu'elle avait fait un rêve : Charles près d'elle, l'orage, la pluie, sa main sur la sienne... Tout cela semblait si compliqué, si difficile à comprendre. Elle chercha fébrilement une raison à ces sensations étranges, puis, soudain, Victoria fut là... avec Bertie... son père... et le médecin. Un vertige s'empara d'Olivia.

Ils la mirent au lit. Victoria s'assit à son chevet. Elle insista pour voir Geoffrey, afin qu'il ne soit pas effrayé. Elle lui dit qu'elle avait été stupide. Ils n'auraient pas dû sortir par un si mauvais temps. Le petit garçon hocha la tête. Oui, il comprenait. Il promit de revenir lui rendre visite bientôt. Puis il l'embrassa et ce geste lui rappela vaguement quelque chose... à ceci près que le souvenir se dérobait. Elle ne savait plus qui... ni quand... Le docteur lui avait administré un sédatif, malgré ses protestations. Victoria demeura auprès d'elle tandis qu'elle sombrait dans le sommeil. Bertie avait proposé de la veiller mais Victoria s'y était opposée... Olivia avait quelque chose à lui dire... quelque chose de terriblement important...

— Aime-le, Victoria, il le faut... il a besoin de toi.

Le sommeil l'engloutit alors, et tout le monde se retrouva à bord d'un bateau. Victoria en robe de mariée, Charles à côté d'elle, disant une phrase qu'Olivia n'entendit pas. Geoff de l'autre côté, tenant la main de sa mère. Susan les regardait mais Victoria ne s'en aperçut pas... D'ailleurs personne ne s'en rendit compte, puis le bateau coula d'un seul bloc en silence.

Olivia se réveilla le lendemain à midi. Une épouvantable migraine lui vrillait les tempes. Elle était aussi fatiguée que si elle n'avait pas fermé l'œil de la nuit, comme si elle avait livré un fantastique combat contre des démons. Victoria lui annonça que les Dawson étaient partis. Geoffrey avait laissé un bouquet de fleurs pour elle, et Charles un mot disant qu'il était navré et exprimant ses souhaits de prompt rétablissement. Olivia resta au lit. Elle lut et relut le billet de Charles en se demandant si elle avait rêvé. Elle avait décelé une expression sur son visage qu'elle n'avait jamais vue auparavant... ou est-ce que son imagination lui jouait des tours ? Et comment distinguer la vérité du délire ?

— Tu as reçu un sacré coup sur la tête, ma fille ! déclara Victoria en remplissant une tasse de thé qu'Olivia prit avec une grimace douloureuse.

— Je te crois. J'ai fait de ces cauchemars !

Ses songes la hantaient ; elle ne parvenait pas encore à dissocier le rêve de la réalité.

— Cela ne m'étonne pas. Le docteur t'a prescrit du repos pendant plusieurs jours. Ferme les yeux et dors !

La personne qui importait le plus au monde à Victoria était sa sœur jumelle. Elle resta assise près d'elle des heures durant ce jour-là. Elle la regardait dormir, caressait ses cheveux, lui parlait lorsqu'elle ouvrait les yeux. Et quand, quelques jours plus tard, Olivia se leva et ébaucha quelques pas vacillants, elle sut que les fantômes qui avaient peuplé son sommeil n'étaient que le fruit de son imagination... Une imagination parfois embarrassante. Il lui semblait avoir vu Charles agenouillé à son côté, la main posée sur sa joue... Et lorsqu'ils avaient ensuite effectué le trajet en chariot, il pleurait...

— Tu te sens mieux ? s'enquit Victoria, l'aidant à descendre l'escalier afin de rejoindre leur père dans la salle à manger.

— Beaucoup mieux, affirma Olivia d'une voix tremblante.

Elle était déterminée à recouvrer ses esprits. Elle n'avait pas de temps à perdre en rêveries stupides.

— Et maintenant, au travail ! reprit-elle. Il faut organiser ton mariage.

Victoria ne répondit pas. Olivia, de son côté, balaya résolument de son esprit les images troublantes de la nuit. Elle allait se concentrer sur ses devoirs. Le reste, y compris ce curieux pincement au cœur, n'avait aucune importance.

— Tu as une mine excellente, Olivia ! s'exclama son père, ravi qu'elle soit remise sur pied.

Elle lui fit son plus beau sourire, enchantée de le revoir, heureuse d'avoir échappé aux songes qui l'emprisonnaient depuis des jours, l'isolant du reste du monde.

— Merci, père, dit-elle tranquillement.

Les deux sœurs prirent place de part et d'autre de leur père, à la table dressée pour le dîner.

11

Trop occupé, Charles ne reparut pas à Croton au mois de janvier, ni en février. Un procès important l'accaparait, et il devait aussi s'occuper des affaires de son futur beau-père. Olivia décida de se rendre à New York, à la fin de février, afin de trouver la robe de mariée de sa sœur. Celle-ci avait accepté de l'accompagner, mais elle n'accordait à son mariage qu'un intérêt relatif. En revanche, les nouvelles de Londres relatées dans les journaux la passionnaient. Emmeline Pankhurst, sortie de prison après un an de détention, fidèle à ses tactiques extrémistes, avait organisé une manifestation contre le bureau du ministre de l'Intérieur. Les militantes en avaient brisé toutes les vitres après avoir mis le feu au Lawn Tennis Club, au nom des libertés des femmes.

— Tant mieux ! exulta Victoria.

Depuis ses fiançailles, elle était plus féministe que jamais.

— Victoria ! s'exclama Olivia, profondément choquée. C'est parfaitement inadmissible. Comment peux-tu tolérer des actes aussi violents ?

Pankhurst devait sa dernière incarcération à une attaque à la bombe.

— Elles se battent pour la bonne cause. C'est comme la guerre, Ollie. Ce n'est pas beau, mais parfois elle se révèle nécessaire. Les femmes ont le droit d'être libres.

— Tu exagères ! objecta Olivia, agacée. Elles ne

sont pas en cage comme des bêtes de foire, tout de même.

— Mais c'est ce que nous sommes, précisément. Des bêtes. Des animaux domestiques dont les hommes disposent à leur guise. Voilà où réside la véritable violence.

— Si jamais tu tiens des propos pareils en public... gronda Olivia.

Elle lança à sa sœur un regard excédé avant d'abandonner la discussion. Inutile d'insister : Victoria défendait farouchement l'émancipation des femmes. Leur droit de vote lui tenait à cœur.

Olivia préférait lui montrer des modèles de robes de mariée plutôt que s'épuiser en querelles inutiles. Victoria y jetait à peine un coup d'œil. Son mariage ne suscitait en elle aucune émotion. Elle laissait à sa sœur le choix de sa robe, allant jusqu'à suggérer qu'Olivia n'avait pas besoin d'elle pour faire le tour des magasins.

— Jamais de la vie ! Courir seule les boutiques ne m'amuse pas. Tu viens avec moi, que tu le veuilles ou non.

Victoria avait fini par y consentir du bout des lèvres. Elle se moquait éperdument de la cérémonie, de la robe, des invités, de tout. Comme d'habitude, le rôle de l'organisatrice incomba à Olivia. Elle réussit à obtenir de Victoria les noms de ses invités. Charles avait envoyé sa propre liste. Ils avaient échangé une brève correspondance polie, impersonnelle. Il désirait convier une centaine de personnes, si toutefois les Henderson n'y voyaient pas d'inconvénient. Des amis, des relations de travail — il n'avait aucune famille. La liste d'Edward comportait deux cents noms et celles de chacune des sœurs cinquante. Quatre cents en tout. Olivia comptait en fait sur trois cents personnes. Les autres étaient trop âgés, vivaient trop loin ou avaient été invités uniquement par courtoisie. Le mariage, qui aurait lieu à Croton-on-Hudson, serait suivi d'une réception au manoir Henderson.

Geoffrey devait porter les anneaux. Victoria refusait obstinément la traditionnelle escorte des demoiselles d'honneur.

— Je ne veux que toi, déclara-t-elle à Olivia en soufflant la fumée de sa cigarette. Tu seras ma seule et unique demoiselle d'honneur. Je n'en veux pas d'autres.

— Et moi, je voudrais que tu ailles fumer ailleurs ! (Elle fumait constamment, ces temps-ci.) Pense à nos camarades de classe. Elles seraient ravies de t'accompagner à l'autel.

— Pas moi. Nous nous sommes perdues de vue il y a des siècles. Nous ne sommes pas restées longtemps à l'école et j'ai du mal à imaginer nos préceptrices en demoiselles d'honneur.

Elles éclatèrent de rire. De fait, elles avaient eu comme préceptrices une série de vieilles filles acariâtres et chevalines.

— Bon, d'accord, je m'incline. Mais, dans ce cas, ta robe devra être d'autant plus impressionnante.

— La tienne aussi, répondit Victoria.

Chaque fois qu'il était question de son mariage, ses yeux s'assombrissaient. Seuls le voyage de noces en Europe, les gens qu'elle y rencontrerait, puis le retour à New York où elle jouirait d'une indépendance considérable la consolaient. La cérémonie en elle-même, tout comme la réception, ne l'intéressait pas le moins du monde.

— Pourquoi ne porterions-nous pas la même robe au mariage ? dit-elle avec un sourire malicieux. Imagine : deux mariées absolument identiques, plongeant l'assistance dans la confusion. Qu'en dis-tu ?

— J'en dis qu'en plus de fumer, tu bois.

— Moi, je trouve l'idée excellente. Est-ce que tu crois que père remarquerait quelque chose ?

— Non, mais Bertie ne serait pas dupe, donc oublie cette petite fantaisie.

Ce disant, Olivia agita un doigt menaçant sous le nez de sa sœur, puis ressentit la douleur familière qui l'assaillait chaque fois qu'elle pensait à son départ. A son absence. Au fait que Victoria ne serait plus là, à enfumer leur chambre. Quatre mois seulement les séparaient de la date fatidique.

Elles se rendirent à New York à la fin de février, comme prévu. Elles avaient réservé une chambre au Plaza, afin de ne pas avoir à ouvrir la maison. Leur père avait essayé de leur imposer Mme Peabody mais Victoria avait déjoué ses plans. Elle avait insisté sur le fait qu'elles n'avaient pas besoin de gouvernante. Dès qu'elles furent dans la chambre d'hôtel, elle jeta en l'air son chapeau. Enfin seules ! Seules à New York où elles pourraient s'amuser comme bon leur semblait. Elle commença par commander un apéritif et alluma une cigarette.

Olivia la considéra d'un œil sévère.

— Victoria, tu peux faire ce que tu veux à l'intérieur de cette chambre. Mais si jamais tu ne te tiens pas comme il faut dans l'hôtel ou n'importe où ailleurs, je te ramène au manoir après avoir averti père. Est-ce clair ?

— Oui, Ollie, soupira Victoria.

Une flamme espiègle dansait dans ses prunelles. Elle adorait se trouver ici, en compagnie d'Olivia, sans chaperon. Le soir, elle devait dîner avec Charles. En attendant, elles iraient regarder les modèles de Bonwit Teller. Outre sa robe de mariée, Victoria avait besoin de plusieurs tenues pour le bateau et pour l'Europe. Olivia avait déjà établi une liste des boutiques les plus renommées de Paris. Pour la première fois, elles allaient acheter des vêtements en un seul exemplaire. Olivia n'avait pas besoin de toilettes. Elle ne prendrait pas le bateau, elles ne seraient plus ensemble pour porter les mêmes tenues. La première commande qu'elle avait passée pour une seule robe lui avait brisé le cœur. Mais il était grand temps qu'elle s'habitue à l'idée du départ de Victoria.

Après un rapide déjeuner à l'hôtel, elles prirent un taxi qui les déposa devant Saks. Partout où elles étaient allées, au restaurant de l'hôtel, au salon, en sortant du taxi, tous les regards se tournaient vers elles. Sitôt qu'elles mirent le pied chez B. Altman, un remous parcourut la salle, et une armée de vendeuses guidée par un couturier se précipita à leur rencontre. Olivia avait apporté avec elle des dessins, des photographies découpées dans des revues, des croquis qu'elle avait exécutés elle-même. Elle avait une idée très claire de la robe de mariée qu'elle désirait : du satin blanc, des kilomètres de dentelle blanche, une traîne de la longueur de l'église. Victoria porterait le diadème en diamants de leur mère, recouvert du voile de dentelle. Elle ressemblerait à une reine... Elle fit part de ses souhaits au couturier en chef de Bonwit Teller ; il répondit que cela ne poserait aucune difficulté. Ils discutèrent pendant environ une heure, penchés sur des échantillons d'étoffes, tandis que Victoria essayait des chapeaux et des chaussures, indifférente à la discussion.

— Ils ont besoin de tes mensurations, déclara finalement Olivia.

— Tu n'as qu'à leur donner les tiennes, ce sont les mêmes.

— Pas tout à fait. (Le buste de Victoria était un peu plus large, sa taille à peine plus fine, mais un millimètre près faisait une différence.) Allez, déshabille-toi.

— D'accord, d'accord...

Victoria se prêta à l'opération avec distance. Ensuite, Olivia et le couturier évoquèrent la tenue de la demoiselle d'honneur. Olivia voulait quelque chose d'une grande simplicité. Du satin bleu glacé. Un modèle taillé comme la robe de sa sœur mais plus court, sans traîne et sans dentelle. Tandis qu'ils en dessinaient l'esquisse, le couturier lui fit remarquer, avec pertinence, que sa robe risquait de paraître trop insignifiante par rapport à la robe de la mariée, qui serait somptueuse. Ils ajoutèrent une petite traîne, un manteau long de dentelle bleu pâle, un chapeau assorti. Les deux modèles avaient atteint une parfaite harmonie.

Olivia les montra à Victoria, qui lui sourit avant de lui murmurer au creux de l'oreille :

— Echangeons nos robes le jour du mariage. Personne ne s'en apercevra.

— Arrête !

Olivia la rappela à l'ordre d'une voix sévère. Après quoi elles commencèrent à choisir les innombrables tenues dont Victoria aurait besoin en Europe. L'été serait long... Il fallait plus d'un après-midi pour constituer toute une garde-robe. Olivia décida de revenir le lendemain, seule, afin de trouver sacs, chaussures et accessoires. Elle était en train de remercier le couturier lorsqu'elle vit sa sœur se figer. Victoria regardait un couple d'arrivants. Un homme grand, aux cheveux bruns. On entendait son rire. Aussitôt, il avait été entouré par la nuée de vendeuses. La femme qui l'accompagnait était blonde, emmitouflée dans un manteau de chinchilla... Toby Whitticomb et Evangeline, manifestement dans les derniers mois de sa grossesse. Celle-ci retira son manteau, exposant ses rondeurs généreuses enveloppées de satin gris. Machinalement, Olivia recula d'un pas, et coula un regard vers sa sœur. Victoria demeurait immobile, comme foudroyée. Olivia salua le couturier avant de pousser doucement sa jumelle vers la sortie.

— Allons-y. Nous avons fini.

Victoria ne bougea pas. On eût dit que ses pieds avaient pris racine. Elle fixait Toby avidement. Comme s'il s'était senti observé, il se retourna Il aperçut les jumelles et son regard se porta de l'une à l'autre, étonné, irrité par la double vision de son ancienne maîtresse. A l'évidence, il n'avait pas distingué Victoria de sa sœur. Il se détourna rapidement et conduisit Evangeline à l'autre bout du magasin. Mais elle aussi avait aperçu les sœurs Henderson et poussait les hauts cris tandis que son mari s'efforçait de la calmer.

— Victoria, s'il te plaît ! murmura Olivia d'un ton ferme.

Elle avait honte de se donner ainsi en spectacle. Les

autres clients, les vendeuses les regardaient. Toby dit quelque chose à son épouse, qui fondit en larmes.

Olivia saisit le bras de sa sœur et l'entraîna presque de force hors du magasin. Dans la rue, elle héla un taxi qui, grâce à Dieu, attendait à la station. Elle poussa Victoria à l'intérieur de la voiture et se laissa tomber sur le siège arrière, lançant au conducteur le nom de leur hôtel. Le taxi démarra. Victoria pleurait. Ses larmes se muèrent en sanglots incontrôlés. Elle n'avait pas revu Toby depuis leur pénible scène de rupture devant l'immeuble de son bureau.

— J'aurais été enceinte de cinq mois, fit-elle d'une voix plaintive, exprimant pour la première fois son chagrin, le deuil du bébé qu'elle avait perdu à Croton.

— Victoria, pense à ce qu'aurait alors été ta vie. Un enfer. Pense à ce qu'il t'a fait. Il t'a prise, laissée, détruite. Il t'a trahie, reniée. Ne me dis pas que tu l'aimes encore, chuchota Olivia, horrifiée, alors que le taxi filait en direction du Plaza.

En guise de réponse, Victoria secoua la tête et ses pleurs redoublèrent.

— Je le déteste. J'exècre tout ce qu'il représente... tout ce...

Elle s'interrompit, le cœur serré. Le souvenir de leurs étreintes au cottage blanc la hantait encore. Naïvement, elle l'avait cru. Elle avait cru à ses promesses : il allait quitter sa femme, divorcer, l'épouser, elle, et voilà que maintenant Evangeline se pavanait, exhibant son gros ventre et montrant du doigt Victoria, comme une catin. Elle sut soudain pourquoi son père avait voulu la protéger et, pour la première fois, elle éprouva une profonde gratitude à l'égard de Charles Dawson.

Elle pleurait toujours lorsqu'elles traversèrent à pas pressés le vestibule de l'hôtel. Dans leur chambre, elle s'effondra sur le lit, secouée de sanglots. Olivia tenta de la consoler. En vain. Aucun raisonnement, aucun mot gentil ne semblait pouvoir tarir la source brûlante de ses larmes. Des larmes versées sur la cruauté des hommes, sur l'amère leçon qu'elle avait reçue.

Ses sanglots ne cessèrent qu'à six heures de l'après-midi. Abattue, défaite, elle regarda sa sœur.

— Tu l'oublieras un jour, dit doucement Olivia.

— Je ne ferai plus confiance à personne. Oh ! Ollie, tu ne peux pas imaginer ses mots doux, ses promesses... sinon je ne me serais jamais donnée à lui...

Ou l'aurait-elle fait quand même ? Elle n'en était plus sûre. Il y avait en elle des zones d'ombre inexplorées. Toby avait éveillé son désir, il lui avait fait faire des choses dont elle ne se serait pas crue capable. Comment expliquerait-elle cela à Charles ? De nouveau la gratitude la submergea. En lui donnant son nom, il la mettait à l'abri de la curiosité malsaine, de la haine d'une société bien-pensante.

— J'ai été stupide, avoua-t-elle encore une fois à Olivia qui l'entourait de ses bras et la berçait comme une enfant.

Charles trouva les deux sœurs enlacées tristement. Sa fiancée surtout avait l'air accablée.

— Que se passe-t-il ? s'alarma-t-il. Etes-vous malade ?

Il les regarda tour à tour. Olivia eut un pâle sourire ; Victoria, l'air morose, secoua la tête.

— La journée a été longue et pénible, dit Olivia. Commander sa robe de mariée est un moment bouleversant dans la vie d'une femme.

Argument peu convaincant ! Charles se demanda si leur future séparation, de plus en plus proche, ne commençait pas à produire son effet sur les deux jeunes femmes. Plein de compassion, il invita Olivia à dîner avec eux. Il avait réservé une table au Ritz-Carlton et des places à un concert. Olivia refusa. Elle ne voulait pas les déranger. Ils ne s'étaient pas vus depuis deux mois, il valait mieux qu'ils soient seuls. Elle dînerait à son hôtel, puis étudierait encore des revues de mode pour sa sœur.

— En êtes-vous sûre ? demanda Charles.

Ils attendaient que Victoria ait fini de s'habiller.

— Certaine, répondit-elle tranquillement.

Une réminiscence vague, fugitive, de sa chute de cheval apparut. Un lambeau de souvenir, qui s'évanouit aussitôt.

— C'est dur pour elle, parfois, vous savez, tenta-t-elle d'expliquer.

Elle souhaitait que Charles soit sincèrement épris de sa sœur. Pour rien au monde elle n'aurait voulu que Victoria vive avec un homme qui ne la comprenait pas. D'un autre côté, elle avait toute confiance en Charles. Il était intelligent, gentil, affectueux. Il saurait rendre heureuse Victoria, quoi qu'il advienne.

— Elle me manquera et je lui manquerai, poursuivit-elle avec un sourire ému. Je suis contente que Geoff passe l'été avec moi.

— Et lui donc ! Il est fou de joie !

Il la regarda droit dans les yeux, cherchant des réponses qu'il ne trouva pas. Qui était-elle au juste ? Pourquoi semblait-elle si prompte à se sacrifier pour son père ? Cachait-elle un secret, et lequel ? Dès leur première rencontre en août, il avait été frappé par sa propension à la solitude.

— Nous viendrons à Croton à Pâques, déclara-t-il, se gardant bien de l'embarrasser par des questions indiscrètes. Si toutefois cela ne vous crée pas trop d'ennuis... Votre père m'a invité lors de notre dernière entrevue.

— Oh non ! au contraire. Nous serons ravis de vous recevoir, Geoffrey et vous.

Victoria sortit à ce moment-là du dressing-room. Parée d'une robe de soie bleu marine qu'Olivia avait choisie pour elle, elle évoquait la Reine de la nuit dans un conte de fées. Saphirs et diamants étincelaient à ses oreilles. Un long collier de perles, héritage de leur mère, chatoyait sur l'étoffe sombre.

— Vous êtes très belle, ce soir, la complimenta-t-il avec fierté.

C'était la vérité. Il s'étonnait toujours de contempler cette beauté parfaite en deux exemplaires... Dommage qu'Olivia ne veuille pas se joindre à eux, pensa-t-il. Il aurait eu plaisir à les avoir toutes les deux à sa table. Mais il n'y avait pas moyen de la convaincre, aussi s'en alla-t-il avec Victoria.

Le restaurant comptait parmi les établissements les plus élégants de New York. Une fois à table, Victoria se sentit gagnée par l'inquiétude. Et si jamais Toby arrivait escorté par sa femme ? Elle n'était pas prête à affronter une nouvelle scène.

— Je vous trouve trop calme, ce soir, fit remarquer Charles. Que se passe-t-il ?

Ils avaient passé commande et il lui avait pris la main.

Elle ne répondit pas. Des larmes brillaient dans ses yeux et il n'insista plus... Ils parlèrent d'autre chose : la politique, leur voyage, leur mariage, l'Europe.

Il découvrait une interlocutrice pertinente, bien informée, qui avait des idées extrêmement libérales, presque provocantes, lesquelles, bizarrement, ne lui déplurent pas. Il la présenta à des relations, ce soir-là. Plus tard, dans leur loge, au concert, Victoria parut se détendre. Il la ramena à l'hôtel. Ils prirent un dernier verre au bar et elle alluma une cigarette.

— Oh ! mon Dieu ! fit-il, puis il rit de sa propre réaction.

— Choqué, Charles ?

Elle adorait choquer les gens. Et elle semblait redevenue elle-même alors que toute la soirée elle avait fait preuve d'une étrange nervosité.

— Aimeriez-vous que je le sois ?

Il but une gorgée de scotch. L'humour, l'esprit de repartie de Victoria, son intelligence avaient suscité son admiration. La vie lui accordait une seconde chance, songea-t-il.

— Peut-être... Oui, j'aimerais bien vous choquer, sourit-elle en soufflant un nuage de fumée dans sa direction.

— Je suppose que c'est vrai, soupira-t-il avec philosophie. Nous mènerons donc une existence pleine de surprises et de rebondissements. (L'alcool lui déliait la langue. Il posa la question qui, depuis le début, lui brûlait les lèvres :) Etiez-vous très amoureuse de lui ? De l'homme qui a rompu vos fiançailles, je veux dire ?

Il attendit la réponse, la vit hésiter. Victoria se remémorait le Toby qu'elle avait aimé passionnément, et le Toby qu'elle avait aperçu ce matin : l'homme qui lui avait signifié qu'elle était répudiée, sur les marches devant son bureau, puis qui avait prétendu que c'était elle qui l'avait séduit...

— Oui, finit-elle par répliquer. Je l'ai été autrefois. Plus maintenant. En fait, je le déteste.

— La haine n'est-elle pas la face cachée de l'amour ?

— Sans doute...

Elle avait failli perdre la raison après leur rencontre fortuite de ce matin.

— Nous n'étions pas fiancés, ajouta-t-elle.

Elle le regarda droit dans les yeux. Elle ne le duperait pas. Elle ne lui mentirait pas. C'était déjà généreux de sa part d'avoir accepté de la sauver... Charles inclina la tête.

— Oui, je le sais. Il m'a semblé plus facile de parler de fiançailles... Votre père m'a donné un vague aperçu de ce qui s'était passé. Vous étiez très jeune... vous l'êtes toujours...

Il lui adressa un tendre sourire, regrettant qu'il n'y ait pas un attachement plus profond entre eux, et en même temps soulagé par cette constatation. Victoria excitait son désir d'une façon incroyable, mais cela n'avait rien à voir avec l'amour.

— Il a eu tort de profiter de votre innocence. Un vrai gentleman n'aurait jamais abusé de la situation. Votre père m'a dit qu'il vous avait menti, qu'il vous avait promis le mariage.

Elle acquiesça de la tête. Il était inutile d'ajouter quoi que ce soit. Charles savait tout, ou presque, et cependant il voulait d'elle pour femme. Que les hommes sont étranges ! se dit-elle.

— Certains possèdent le talent de faire souffrir les

autres, murmura-t-elle tristement. Mais cela ne se reproduira plus, en ce qui me concerne.

Une lueur farouche dansait dans ses yeux bleus.

— J'espère que non, répondit-il avec un sourire.

Mais il avait saisi son avertissement. Elle ne lui ferait jamais confiance. Peu importait : il n'avait pas l'intention de la blesser.

— Je ne vous décevrai pas, Victoria. Je ne vous mentirai pas, si c'est cela dont vous avez peur. Je n'ai jamais déçu personne. Je suis un homme honnête... assommant peut-être, mais honnête...

Une fois de plus, elle mesura l'ampleur de sa dette à son égard.

— Je vous remercie, Charles, dit-elle, levant sur lui ses yeux pleins de larmes. Merci de faire cela pour moi. Vous n'y êtes pas obligé.

— Non, mais vous non plus, répondit-il doucement. Il y a toujours d'autres solutions. Peut-être que, après tout, nous souhaitons nous marier et nous avons sauté sur l'occasion.

Il voulait y croire. Il posa son verre, tandis qu'elle écrasait sa cigarette dans un cendrier. Il se pencha, l'embrassa gentiment.

— N'ayez pas peur de moi, Victoria. Je ne vous ferai pas de mal, je vous le jure.

Elle le laissa alors l'embrasser une nouvelle fois. Son cœur se serra : elle n'éprouvait aucune émotion. Elle ne ressentait rien, rien du tout. Elle se demanda s'il l'avait compris.

Il la raccompagna jusqu'à sa chambre où Olivia l'attendait. Du premier coup d'œil, celle-ci sut que Victoria, malgré sa tristesse, était apaisée. Sa rencontre avec Toby et sa femme cet après-midi avait mis de l'ordre dans ses idées. Pour la première fois elle paraissait envisager sereinement son avenir.

Le lendemain, Charles les invita toutes les deux à déjeuner. Il les emmena au Della Robbia. Olivia lui raconta d'amusantes anecdotes sur leurs visites chez les couturiers. Victoria restait silencieuse, mais elle avait adopté une attitude plus amicale à son endroit. Il les raccompagna en voiture chez Bonwit où elles continuèrent leurs emplettes. Le soir même, elles repartirent pour Croton sans l'avoir revu. Donovan vint les chercher en voiture comme prévu et les reconduisit au manoir. Olivia regrettait de n'avoir pas eu le temps de voir Geoff. Elle se promit de lui rendre visite en mars, lorsqu'elles retourneraient à New York pour leurs derniers achats.

Mais ses projets tombèrent à l'eau. Fin février, leur père attrapa une mauvaise grippe qui le cloua au lit. Olivia craignait que la maladie n'évoluât en pneumonie mais ce ne fut heureusement pas le cas. Il garda la chambre tout un mois. La jeune fille ne bougea pas de son chevet avant qu'il se sente mieux. Le 1er avril, il fit une brève apparition dans la salle à manger. Et, deux semaines plus tard, les Dawson arrivèrent pour passer Pâques à la campagne. Olivia avait préparé une surprise pour Geoffrey. Deux poussins, fraîchement éclos dans leur basse-cour, et un minuscule lapin blanc.

— Oh ! merci ! Qu'ils sont mignons ! Papa, vous les avez vus ? s'extasia le petit garçon lorsque Olivia les lui fit découvrir.

Elle avait essayé de persuader Victoria de les offrir à Geoffrey. Celle-ci avait sèchement refusé. Elle détestait plus encore les animaux que les enfants, avait-elle déclaré. Olivia avait l'impression d'exhorter une collégienne à faire ses devoirs. Mais la situation s'était légèrement améliorée. Victoria accueillit aimablement Charles. C'était déjà quelque chose.

Ils furent invités à quelques réceptions, assistèrent tous ensemble à un concert donné chez les Rockefeller. C'était l'occasion rêvée de présenter Charles à ceux qui ne le connaissaient pas encore. Il s'acquitta de son rôle de futur gendre d'Edward Henderson avec un savoir-vivre exquis. Tout le monde félicitait les deux fiancés, et Olivia continua à rappeler à sa sœur qu'elles préparaient un mariage, pas un enterrement.

— S'il te plaît, mets-toi bien cela dans la tête !

grondait-elle alors qu'elles examinaient pour la cen-
tième fois la liste des invités.

Olivia avait mis plus de trois mois avant d'amener
Victoria à discuter du menu. Les cadeaux commençaient à affluer. C'était à Olivia qu'avait incombé la
tâche fastidieuse d'ouvrir les paquets et d'établir un
catalogue. Victoria ne daigna pas y jeter un coup d'œil.
En désespoir de cause, Olivia écrivit les remerciements
à la place de sa sœur.

— Tous ces chichis ! Ce que ça peut être bête !
maugréait la future mariée. (On eût dit une enfant gâtée
plutôt qu'une suffragette.) Idiot, frivole, inutile, et trop
cher ! On ferait mieux d'envoyer l'argent aux femmes
qui croupissent en prison pour leurs idées.

— Charmant ! s'exclamait Olivia, les yeux levés au
plafond. Tu expliqueras aux gens à quelle maison d'ar-
rêt ils doivent envoyer leurs cadeaux.

Elles finissaient par en rire. Victoria se moquait gentiment de sa sœur mais, au fond, elle redoutait leur
séparation. Olivia lui manquerait cruellement. Elle en
détestait davantage encore l'idée du mariage... Pas du
mariage avec Charles, grâce auquel elle vivrait à New
York plus librement qu'à Croton. Mais la perspective
de quitter Ollie lui était insupportable. Elle tentait
désespérément de convaincre Olivia de venir vivre
avec elle.

« Tu t'entends beaucoup mieux avec Geoffrey que
moi » était son argument favori. Olivia secouait la tête
avec obstination.

— Non. Il t'épouse pour que tu serves de mère à
son fils. Enfin, je le suppose...

En réalité, elle se doutait que Charles avait d'autres
raisons, beaucoup plus profondes.

— Il ne voudra pas que je m'occupe de son fils,
puisqu'il aura une femme à la maison. Et puis tu sais
bien que je ne peux pas quitter père. Qui aurait pris
soin de lui le mois dernier si je n'avais pas été là ?

— Bertie.

— Ce n'est pas la même chose, répondit Olivia fermement.

— Et si tu te maries ? Comment se débrouillera-t-il sans toi ?

— Je ne me marierai pas, dit tranquillement Olivia. Il le sait. Voilà le fin mot de l'histoire. Et maintenant revenons à nos moutons. Que désires-tu comme desserts pour ton mariage ?

Victoria feignit de pousser un cri, qui fit arriver Charles à la rescousse.

— Ollie me rendra folle avec notre mariage ! accusa Victoria.

— C'est la croix et la bannière pour lui arracher une réponse, se plaignit Olivia. Je vous préviens, vous allez devoir la rouer de coups si vous voulez qu'elle s'occupe de votre intérieur.

— Excellente idée. Je vais me procurer un fouet.

Il sourit à sa belle-sœur, avant d'emmener sa fiancée se promener sur les berges de l'Hudson. Ils laissèrent Geoffrey au manoir. Le petit garçon ne quittait plus « tante Ollie », comme il l'appelait. Elle le conquit totalement en lui offrant un autre cadeau pour son anniversaire, qui était presque à la même date que celui des jumelles. Charles avait offert à sa fiancée un joli bracelet en or, et à Olivia un flacon de parfum. Olivia apporta à Geoffrey un présent bien plus original. Elle avait d'abord demandé la permission à Charles ; il l'avait donnée à contrecœur puis avait tout oublié. Mais pas Olivia. Elle l'appela de New York où elle complétait ses achats pour le compte de sa sœur, puis arriva chez eux avec le présent. Les yeux du petit garçon brillèrent lorsqu'elle sortit de son panier un bébé cocker. Aussitôt, Geoffrey prit le chiot dans ses bras et tous deux poussèrent des glapissements de ravissement.

— Vous êtes tellement gentille avec lui, murmura Charles, les yeux embués de larmes. Il a passé deux années difficiles sans sa mère.

— C'est un merveilleux petit garçon. Nous passerons un été inoubliable, affirma-t-elle, optimiste, en s'efforçant de ne pas penser qu'elle allait se séparer de sa sœur.

Toutes deux commençaient à paniquer.

— Nous vous écrirons d'Europe, dit-il comme s'il avait ressenti sa peine.

Mais les lettres ne remplaceraient jamais une présence quotidienne. Olivia se disait qu'elle aurait finalement bien aimé vivre chez sa sœur à New York, et cela faisait éclore un sourire désabusé sur ses lèvres. Encore une chose impossible, elle le savait.

— Tout va bien se passer, répondit-elle, tandis que Geoffrey revenait en courant, le chiot sur ses talons. Comment vas-tu l'appeler ?

— Je ne sais pas, souffla Geoff, hors d'haleine, ses cheveux blonds ébouriffés... Jack... George... Harry...

— Pourquoi pas Chip ? suggéra Olivia.

— Chip ! jubila le petit garçon, excité comme une puce. Ce nom me plaît beaucoup !

Apparemment le chiot l'aimait aussi, car il remua la queue, puis roula sur le dos en poussant un minuscule jappement, qui les fit rire tous les trois. Geoffrey le souleva et repartit à toutes jambes afin de montrer son trésor à la cuisinière et à la bonne. Ils habitaient une maison attrayante mais de dimensions modestes dans l'East Side, avec vue sur le fleuve. Pas somptueuse mais tout à fait convenable. Victoria n'avait parlé ni de déménager ni d'effectuer des travaux. A sa place, Olivia aurait déjà été en train de s'affairer. Elle se serait attaquée à de nouvelles plantations, aurait recouvert les coussins, acheté un piano. Victoria ne faisait preuve d'aucun enthousiasme pour les tâches domestiques. La politique, son indépendance personnelle la captivaient davantage.

Olivia ne resta pas longtemps. Elle avait encore mille courses à faire. Charles la persuada de dîner avec eux. Elle revint donc le soir, et ils passèrent une soirée agréable. Ils discutèrent, rirent beaucoup, jouèrent aux charades.

— Victoria a raison, dit Charles quand la bonne emmena Geoff et le chiot se coucher. Peut-être devriez-vous vivre ici avec nous.

— Je regrette qu'elle vous ait ennuyé avec cette sottise.

Olivia regarda par la fenêtre une péniche qui fendait paisiblement les eaux sombres du fleuve.

— Vous en aurez vite assez des visites de votre belle-sœur... De toute façon je ne peux pas laisser père, et elle le sait.

— Votre vie n'est pas drôle, Olivia, murmura-t-il.

Que deviendrait-elle après le départ de Victoria ? Elle mènerait l'existence d'une femme de soixante ans...

— C'est ainsi. On ne décide pas toujours de son destin, les choses vous arrivent et il faut les accepter. Vous non plus, pendant les deux dernières années, votre vie n'a pas été drôle.

— Non, en effet.

Leurs regards se croisèrent. Il se détourna. Il avait l'impression qu'il se brûlerait s'il s'approchait d'elle. Les émotions se lisaient sur son visage, tels des orages suivis d'accalmies. Elle était si expressive qu'il pouvait presque ressentir ce qu'elle éprouvait.

— Je m'en veux de vous enlever Victoria.

Pour toute réponse elle eut un hochement de tête. Charles commençait à entrevoir le chagrin qui l'habitait. Olivia n'avait plus qu'un espoir : que sa sœur soit heureuse, au moins.

Elle alla embrasser Geoffrey dans son lit. Flanqué du singe en peluche et du chiot, le petit garçon souriait jusqu'aux oreilles. Lorsqu'elle le vit, Olivia éclata de rire.

— N'oublie pas d'emmener Chip à la campagne, quand tu viendras, lui dit-elle, certaine que le conseil était inutile.

Geoffrey n'avait pas l'intention de se séparer de son chien. Pas une minute. Elle redescendit les marches.

Charles la raccompagna à son hôtel et ils s'attardèrent dans le hall.

— Je suppose que je ne vous reverrai pas avant le mariage, dit-il avec une expression singulière.

Il trouvait cela étrange : se remarier. Trahir la mémoire de Susan. Il se plaisait à penser qu'il avait pris cette décision pour le bien de son fils. Un petit garçon a besoin d'une mère, se répétait-il. Même les brèves visites d'Olivia le prouvaient. Geoffrey s'épanouissait comme une fleur dès qu'il la voyait. Victoria ne produisait pas le même effet sur lui mais, avec le temps, cela viendrait... N'étaient-elles pas de vraies jumelles ?

— Vous me reconnaîtrez. Je serai celle qui portera la robe bleue, lui rappela Olivia en souriant. Vous ne pourrez pas nous confondre.

— Ce sera probablement la première fois que je n'aurai pas besoin de la bague de ma mère comme point de repère, répondit-il en riant.

— Ou alors, demandez à Geoff, le taquina-t-elle. Il vous dira.

Elle le regarda alors, sachant que la prochaine fois ce serait différent... Lorsqu'ils se retrouveraient, il serait un homme marié, l'époux de sa sœur.

— Je vous verrai au mariage, murmura-t-elle.

Il inclina la tête, une lueur de regret dans les yeux.

Il l'embrassa sur la joue, tourna sur ses talons et se dirigea vers la sortie à grands pas.

12

La dernière nuit de Victoria dans leur chambre de jeunes filles fut étrange pour les deux sœurs. Elle ne dormirait plus jamais ici. Lorsqu'elle reviendrait en visite à la maison paternelle, elle partagerait une autre chambre avec son mari. Olivia et Victoria allaient tourner définitivement la page de leur existence commune. Se quitter était un déchirement, un crève-cœur, une amputation. Une sensation d'étouffement insupportable. Victoria finit par s'endormir, pelotonnée de son côté du lit, comme toujours. Olivia la regardait. Elle toucha les longs cheveux noirs, soyeux, si semblables aux siens, effleura la joue de sa sœur, immobile, lui tenant la main et priant pour que le soleil ne se lève plus jamais. Mais l'aube embrasa bientôt l'horizon, annonçant une journée glorieuse.

Olivia n'avait pas fermé l'œil. Elle avait entendu sonner et s'égrener les heures de la nuit sans jamais quitter sa sœur du regard. Victoria s'étira, bâilla, ouvrit les yeux, se tourna en souriant vers sa jumelle, puis se souvint. Son sourire s'effaça. Le jour doux-amer du sacrifice et de la liberté était arrivé. Un prix à payer, une promesse à prononcer, une nouvelle vie, le départ vers un rivage inconnu. Son cœur se déchirait en songeant que c'était pour aujourd'hui.

— Aujourd'hui, c'est le jour de ton mariage, dit Olivia d'un ton solennel lorsqu'elles se levèrent dans un ensemble parfait.

Elles se déplaçaient avec la même grâce sans s'en

rendre compte. Comme la pensée que l'une d'elles allait se marier était surprenante ! La colère flamba un instant dans l'esprit d'Olivia. Si sa sœur n'avait pas commis ces folies à New York neuf mois plus tôt, elles n'en seraient pas là.

Elles se baignèrent et se vêtirent en silence. Elles n'avaient nul besoin de mots. Les mots, elles les ressentaient, elles les entendaient au fond de leur cœur, comme lorsqu'elles étaient petites filles. Elles avaient leur propre langage, un système de communication sans paroles, uniquement par la pensée.

Elles se coiffèrent : cheveux tirés en arrière formant un chignon opulent. Elles portaient des bas de soie, des sous-vêtements de satin. Une touche de fard à paupières, un peu de rouge à lèvres rehaussaient l'éclat de leur teint. Elles se ressemblaient plus que jamais. Personne n'aurait pu faire la différence ce matin-là. La bague de Charles brillait sur la table de nuit.

— Il n'est pas trop tard, dit Victoria avec un sourire. Cela pourrait être ton mariage.

Olivia laissa échapper un rire. L'espace d'une seconde, leur ancienne connivence rejaillit. Elles retrouvaient cet univers où aucun étranger n'avait jamais pénétré.

— Nous pourrions les mettre au défi de deviner laquelle des deux est la mariée... Je te parie que même Charles ne saurait pas le dire.

— Peut-être. Mais toi tu le saurais, répliqua tranquillement Olivia. C'est ton jour et le sien... et celui de Geoffrey. Oh ! Victoria, ma chérie, si tu savais combien je t'aime. (Des larmes firent briller ses yeux). J'espère que tu seras très, très heureuse.

Elles s'enlacèrent étroitement. Victoria, en larmes, s'écarta légèrement pour scruter sa sœur avec intensité, presque avec fièvre.

— Et si je ne le suis pas ? fit-elle dans un murmure apeuré.

— Tu le seras. J'en suis persuadée. Donne-lui une chance. Il t'aime.

C'était du moins ce qu'elle espérait.

— Ollie, si je ne suis pas heureuse, je divorcerai. Toby n'a pas eu le courage de le faire, mais moi je n'hésiterai pas.

Les sourcils froncés, Olivia regardait sa jumelle.

— En voilà des façons de commencer un mariage ! Ouvre-lui ton cœur, Victoria. Il ne te décevra pas.

— Et si moi je le déçois ? Notre union va avoir lieu sous d'étranges auspices. Lui ira à l'autel accompagné du fantôme de sa femme. Moi j'irai avec mon affreux péché... avec Toby, acheva-t-elle, sarcastique.

— Non, tout cela est terminé. Vous commencez une vie nouvelle, Charles et toi. Voilà deux ans qu'il a perdu sa femme... Il était grand temps qu'il se remarie. Vous serez heureux, ma chérie, je le sens.

— Vraiment ? murmura Victoria d'une petite voix triste. Alors pourquoi est-ce que je ne sens rien ? Ollie, je ne ressens absolument rien quand je suis avec lui.

Le pire, c'était qu'Olivia, elle, ressentait beaucoup trop d'émotions en présence de Charles.

— Donne-lui une chance, répéta-t-elle. Attends que vous soyez tout seuls. Le bateau, le voyage de noces, c'est tellement romantique !

— Je ne suis pas romantique, déclara Victoria en lançant à sa sœur un regard inquiet. Parfois, je me dis que je ne pourrai pas aller jusqu'au bout. Et ce n'est même pas commencé.

— Sois patiente, s'il te plaît... pour lui, pour toi, pour Geoff...

— Ah ! ah ! Tu as hâte de te débarrasser de moi, n'est-ce pas ? (Victoria eut un sourire malicieux.) Il fallait le dire, que tu voulais ma penderie.

— En fait, je veux ton chapeau jaune avec la plume verte.

Une horreur qu'elles avaient achetée à une foire de campagne plusieurs années auparavant. Il n'y en avait qu'un seul et Victoria l'avait pris.

— Je te le donne. Tu peux d'ailleurs le porter aujourd'hui. Il est tout à fait assorti à ta robe.

Elles avaient conscience qu'elles cherchaient à gagner du temps. Peu après, Bertie fit irruption dans la chambre et les réprimanda de n'être pas encore habillées.

— Il ne reste que les robes, Bertie, lui expliqua Olivia. Tout le reste est fait. De la coiffure aux chaussures.

— Vous n'irez pas à l'église comme ça, que je sache. Allez, dépêchez-vous. Mettez vos robes, vite !

Olivia se vêtit la première. Sa toilette, spectaculaire, d'un bleu glacé, épousait étroitement sa silhouette mince. Elle mit le collier d'aigue-marine de sa mère, le bracelet et les boucles d'oreilles assortis. Elle enfila le manteau de dentelle, se coiffa du charmant chapeau. En bas de soie et escarpins de satin blancs, Victoria l'admira.

— Tu ferais une superbe mariée, Ollie.

— Sans doute... Mais la mariée, c'est toi, mon bébé.

Elle ne l'avait pas appelée ainsi depuis leur plus tendre enfance. Main dans la main, elles se rendirent dans la pièce voisine où Olivia aida sa sœur à enfiler sa somptueuse robe. Elle ajusta la traîne interminable, fixa le diadème sur sa tête à l'aide d'épingles, et rabattit le voile par-dessus. On eût dit une apparition. Bertie fondit en larmes lorsqu'elle les revit. Elles étaient la réplique exacte de leur mère.

— Oh ! mon Dieu, oh ! mes petites chéries..., fut tout ce qu'elle put articuler en arrangeant pour la vingtième fois le voile de Victoria.

Leur beauté resplendissait. La gouvernante courut, en reniflant, chercher les fleurs. Chacune portait un bouquet d'orchidées et de lis dont l'entêtante fragrance emplissait l'air. Ollie suivit Victoria sur le palier où leur père attendait. Il se figea sur place, bras ballants, bouche bée. Un instant, il parut sur le point de s'évanouir, puis il poussa un cri émerveillé. Bertie avait deviné à qui il pensait. Elles ressemblaient tellement à Elizabeth... qui avait leur âge lorsqu'elle était morte. Ses filles constituaient une double vision d'elle.

— Aujourd'hui, au moins, je saurai qui est qui, fit-il semblant de grommeler en tapotant ses yeux avec son mouchoir. (Il leur sourit, s'efforçant de ne plus penser à leur mère.) Ou bien avez-vous encore manigancé quelque mauvais tour ! Est-ce que ce pauvre Charles emmènera sa vraie fiancée devant le prêtre ?

— Qui sait, père ? répondit Victoria.

Tous les trois éclatèrent de rire, puis descendirent l'escalier. Olivia soulevait la traîne de la mariée... qui suscita l'admiration des domestiques. On n'avait jamais vu de robe aussi splendide.

Il fallut près de dix minutes pour installer la mariée, sa traîne et son voile dans la voiture. Donovan, au volant, fit preuve d'une patience d'ange. Enfin, ils prirent la direction de l'église. Bertie suivait avec Petrie dans la Ford. Olivia avait proposé d'emmener Geoffrey, mais Charles avait préféré avoir son fils avec lui dans sa chambre d'hôtel, puis se rendre à l'église en sa compagnie.

Sur leur chemin, les passants s'arrêtaient pour les regarder. Les voitures klaxonnaient, les enfants saluaient la mariée comme une princesse. Mais Victoria les regardait à peine. Perdue dans ses pensées, elle fixait le néant. Elle se remémorait les événements qui l'avaient conduite à cette impasse. Ce mariage qui, quoique providentiel, était une nouvelle erreur. Quand la flèche de l'église se découpa sur le ciel clair, elle faillit s'écrier qu'elle avait changé d'avis, qu'elle préférait se retirer dans un couvent. Mais, avant qu'elle ouvre la bouche, la voiture s'immobilisa et Olivia l'aida à descendre. Il était trop tard.

On les conduisit rapidement à l'intérieur de l'édifice. Victoria cherchait désespérément à rester un instant seule avec sa sœur. Il fallut encore dix minutes avant que tout soit prêt. Alors, les notes de la marche nuptiale retentirent. Victoria devait remonter l'allée centrale au bras de leur père. Tétanisée par une peur panique, elle s'accrochait à Olivia.

— Je ne peux pas ! murmurait-elle. Je ne peux pas ! Ollie, au secours ! Aide-moi.

— Il le faut ! chuchota ardemment Olivia. (Le visage de Victoria était d'une pâleur mortelle sous le voile.) Tu ne peux pas t'arrêter maintenant. Vas-y, ma chérie, tu ne le regretteras pas.

— Et si c'est un fiasco ? S'il refuse de divorcer ?

— Victoria, n'y pense pas. Pas maintenant. Il ne tiendra qu'à toi que ce mariage soit une réussite... Allez, mon bébé, je t'en supplie, vas-y.

Les larmes aveuglaient Victoria. Muette de peur et de chagrin, elle vit une porte s'ouvrir. L'orgue jouait. Avant qu'elle puisse faire demi-tour, Victoria était déjà au bras de son père, avançait d'un pas solennel. Oh ! comme elle aurait voulu que tout s'arrête ! Elle aurait alors tourné les talons et serait partie en courant avant qu'il soit trop tard... Hélas, il était déjà trop tard. Elle avait l'impression d'avancer vers la mort alors qu'elle arrivait à l'autel sous les yeux de quatre cents personnes. Son père lui serra la main avant de rejoindre l'assemblée. A travers ses larmes, seule devant l'autel, elle le vit alors. Charles se tenait droit, grand et fier, très élégant dans sa veste sombre, son pantalon rayé et sa chemise neigeuse. Il était séduisant, remarqua-t-elle pour la première fois. Il avait des yeux tendres, et un regard si doux qu'elle crut presque à un mariage d'amour. Il lui prit la main, la sentit trembler violemment, et tâcha de la rassurer par une douce pression. De lui faire comprendre qu'il la protégerait... Il aurait voulu lui donner davantage que sa protection, mais, pour le moment, il n'avait rien d'autre à lui offrir. Elle le regarda en silence, puis baissa les yeux. Elle avait compris. Ils allaient contracter un mariage de raison. Leur union serait un arrangement basé sur une mutuelle compréhension, un vœu solennel, une parole d'honneur donnée entre deux personnes qui, d'un commun accord, avaient accepté de renoncer à leurs rêves de jeunesse.

Ils échangèrent les alliances, le serment sacré. Victoria avait cessé de trembler. Elle souriait en remontant l'allée au côté de Charles. Olivia, au bras de leur père, les suivait. Elle tenait Geoff par la main. En elle se mêlaient d'étranges sentiments : la sensation de perte, le deuil, la joie, l'amour. Hormis son père, ce petit garçon qui avait tant souffert était tout ce qu'elle avait au monde à présent.

13

La réception après le mariage remporta un vif succès grâce à Olivia, qui, comme toujours, avait veillé aux moindres détails. Des mois de préparatifs avaient porté leurs fruits. Nourriture exquise, décor sublime, gerbes de fleurs savamment agencées, sculptures de glace parfaites. Un orchestre venu de New York jouait des mélodies en vogue. Les élégants invités s'accordaient à faire l'éloge de la mariée. Elle était si belle ! Il y avait eu ces rumeurs, bien sûr, mais en la voyant si rayonnante, si respectable, si amoureuse de son séduisant époux, on avait du mal à accorder tant soit peu de crédit aux calomnies. Quatre cents personnes applaudirent les mariés qui ouvrirent le bal en dansant sur l'air du *Beau Danube bleu*. Ils tournoyèrent au rythme de la valse, la robe de Victoria flottant autour d'elle comme une mer de satin et de dentelle. Olivia, moins mise en valeur, n'en était pas moins jolie. Elle dansa avec leur père, puis avec Charles, et enfin avec Geoffrey.

Charles l'invita de nouveau à danser en fin d'après-midi. Tout en virevoltant dans les bras de son beau-frère, Olivia comptait les minutes. Bientôt, Victoria troquerait sa robe de mariée contre l'ensemble prévu pour sa lune de miel, et s'en irait. Ils passeraient leur nuit de noces au Waldorf-Astoria et embarqueraient sur l'*Aquatania* le lendemain matin. Il avait été question de les accompagner jusqu'au quai, mais Geoffrey, terriblement nerveux de savoir son père sur un bateau, avait conduit Olivia à changer d'avis. Les adieux seraient donc écourtés. Les jeunes mariés prendraient congé à Croton.

— Vous avez fait un travail magnifique, Olivia, la complimenta Charles. Vous êtes une merveilleuse organisatrice.

— Je dirige la maison de père depuis des années. Je suis contente que cela vous ait plu.

Elle rejeta la tête en arrière, feignit de l'observer, les yeux plissés, dissimulant ses véritables sentiments sous une grimace comique.

— Comment vous sentez-vous maintenant que vous êtes de nouveau un homme marié ?

— Ah ! vous avez remarqué la façon dont je danse ? La chaîne et le boulet au pied ne me facilitent pas la tâche.

Elle éclata de rire.

— Vous êtes impossible !

Il paraissait heureux.

Victoria, quant à elle, se laissait envahir par le soulagement. C'était fait. Fini. Elle y était parvenue. A l'église, elle avait failli prendre ses jambes à son cou, mais ce moment d'affolement faisait déjà partie du passé. Contente d'elle-même, tout à fait détendue, elle accueillait ses invités, dansait avec des amis de son père ou de son mari. Elle adressa un signe discret à Olivia, qui dansait avec Charles. Il était temps de se changer, expliqua Olivia à son cavalier, puis elle s'éclipsa derrière sa sœur. Charles se mit à bavarder avec des amis, Geoffrey à son côté. Le petit garçon était soucieux. Son père allait s'absenter longtemps. Olivia avait promis de s'occuper de lui, mais tout de même ! Son père lui manquerait.

Victoria attendait sa sœur au bas de l'escalier, tout sourire. A la différence de ce matin, elle semblait enjouée.

— Que s'est-il passé ? s'enquit Olivia en lui prenant la main et en montant l'escalier avec elle. Tu as l'air enchantée tout à coup.

A l'exception de leurs robes, elles étaient absolument identiques. Leurs visages, leurs mains, leurs cheveux, leurs gestes même se reflétaient comme dans un miroir.

— Je ne sais pas... Je crois que j'ai décidé d'aller de l'avant. D'arrêter de m'inquiéter. On verra bien comment les choses évolueront, dit Victoria avec philosophie.

Elle avait bu. Pas beaucoup, mais juste assez pour voir la vie en rose.

— Bravo ! Tout ira bien alors, déclara Olivia d'une voix assurée.

Dans la chambre, Victoria retira sa somptueuse robe de mariée. Elles l'étalèrent précautionneusement sur le lit. Olivia alla chercher l'ensemble de soie blanche qu'elles avaient rapporté de New York pour cette occasion. Victoria le passa, se coiffa d'un chapeau cloche assorti, puis écarquilla les yeux.

— Oh ! Ollie, que vais-je devenir sans toi ? murmura-t-elle.

Olivia dut combattre une vague de panique.

— N'y pense pas, chuchota-t-elle en refoulant ses larmes. Je serai ici. Je vous attendrai, Charles et toi, avec Geoffrey.

— Oh ! mon Dieu, Ollie... Je ne peux pas te quitter.

Elles tombèrent d'un même mouvement dans les bras l'une de l'autre, et se tinrent étroitement enlacées.

— Oui, je sais... je sais..., dit Olivia sans parvenir, pour une fois, à se montrer courageuse pour deux. Il faut bien que tu partes... Charles serait peut-être fâché si tu envoyais Geoff à ta place en voyage de noces.

— Essayons. Il ne le remarquera peut-être pas.

Elles se mirent à rire à travers leurs larmes. Elles vivaient le pire moment de leur vie. Peu après, elles redescendirent au rez-de-chaussée, les yeux rougis, le nez repoudré.

— Où étiez-vous donc passées ? demanda leur père, qui discutait avec Charles.

Elles firent de vagues réponses. Le moment était

venu pour Victoria de jeter son bouquet à un groupe de jeunes célibataires qui l'attendaient fébrilement. Du haut du perron, elle fit exprès de l'envoyer à sa jumelle, qui l'attrapa au vol presque malgré elle. Des cris fusèrent de toutes parts : « Ce n'est pas juste ! Elle a triché ! », mais, au fond, personne ne lui en voulut. Soudain, Victoria et Charles se retrouvèrent près de la voiture. Olivia se tenait au côté de son père. Ses yeux croisèrent le regard de sa sœur. Un sanglot gonfla sa poitrine... Victoria courut vers elle et, de nouveau, elles s'étreignirent longtemps, en silence, sous le regard désolé de leur père. Les larmes montèrent aux yeux de Charles.

— Je t'aime... Prends bien soin de toi... murmura Olivia, pleurant sans retenue tandis que les invités se détournaient de cette pénible scène.

Victoria avait perdu l'usage de la parole. Elle resta enlacée à sa sœur jumelle, puis se détacha lentement d'elle, alla embrasser leur père et s'engouffra dans la voiture. Charles serra dans ses bras son petit garçon, échangea une poignée de main avec son beau-père, posa un baiser sur la joue de sa belle-sœur.

— Prenez soin d'elle, dit-elle d'une voix tremblante.

Il la dévisagea sans plus cacher les sentiments qu'il avait enfouis au fond de son cœur.

— Comptez sur moi. Dieu vous bénisse, Olivia... Et vous, veillez sur mon fils si jamais quelque chose nous arrive...

— Il ne vous arrivera rien.

Elle lui sourit à travers ses larmes et le regarda prendre place à côté de Victoria.

Ils agitèrent la main dans un ultime au revoir. La voiture démarra, et ceux qui restaient se retrouvèrent seuls, abandonnés, comme des naufragés sur une île déserte. Olivia serrait la main de Geoffrey. Lentement, ils retournèrent vers le manoir. L'attente commençait. L'été s'annonçait long et solitaire.

Sur la route, Charles tendit son mouchoir à sa femme. Il comprenait sa peine. Et il savait qu'il ne pouvait rien faire pour l'adoucir. Les jumelles ne s'étaient jamais séparées auparavant... Un lien puissant, indestructible, les unissait l'une à l'autre, comme il avait pu le constater au cours des derniers mois.

— Vous allez mieux ? demanda-t-il avec sollicitude alors qu'elle se mouchait pour la troisième fois, sans cesser de pleurer.

— Oui, je crois...

Elle le regarda, s'efforçant de sourire, et ne réussit qu'à verser de nouvelles larmes. Elle n'avait jamais été aussi malheureuse, même après sa rupture avec Toby.

— Au début, ce sera difficile pour toutes les deux, dit gentiment Charles. Mais vous vous habituerez. Les autres jumeaux aussi se marient et se séparent. Ne vous êtes-vous jamais renseignée sur ce sujet ?

Elle fit non de la tête, et se rapprocha de lui. Ce geste le toucha profondément. Sans Olivia, elle semblait si vulnérable... Sa belle assurance, son attitude provocante s'étaient envolées.

— Vous allez vous amuser à bord, dit-il afin de meubler le silence. Avez-vous déjà pris le bateau ?

De nouveau, elle secoua la tête en soupirant. Il faisait de gros efforts pour la dérider, mais en vain. Ce n'était pas sa faute, mais Victoria se sentait terriblement seule sans Ollie.

— Je suis désolée, dit-elle, remarquant une fois de plus combien il était séduisant. Je ne pensais pas que ce serait aussi pénible.

Elle n'avait pas imaginé que quitter Ollie la bouleverserait autant.

— Ça va aller. Ça va s'arranger, Victoria.

Il passa son bras autour des épaules de la jeune femme. Ils effectuèrent le reste du trajet en silence. Ce soir-là, à l'hôtel, Victoria était tellement épuisée qu'elle s'endormit avant que son mari ressorte de la salle de bains.

Il avait commandé du champagne. La bouteille refroidissait dans la pièce voisine. Il sourit en la voyant dormir.

— Bonne nuit, petite fille, murmura-t-il en tirant la couverture sur elle. La vie est longue. Nous boirons du champagne une autre fois.

Il passa dans la pièce à côté et se servit une coupe. Ses pensées voguaient vers Olivia et son fils ; il se demanda ce qu'ils étaient en train de faire.

A ce moment-là, Olivia dormait aussi, tout comme Geoff, serrés l'un contre l'autre dans le grand lit. Henry, le singe en peluche, était là lui aussi, ainsi que Chip, le chiot, couché à leurs pieds. Le spectacle aurait réchauffé le cœur de Charles s'il avait pu le voir... Il revint dans la chambre où sa nouvelle épouse dormait à poings fermés. Comment serait sa vie avec elle ? Par certains côtés, cela promettait d'être passionnant ; par d'autres, cette perspective l'effrayait. En vérité, l'avenir était impossible à imaginer.

14

Charles était déjà debout quand Victoria se réveilla le lendemain à neuf heures. Douché, rasé et habillé, il avait commandé du café et les journaux.

Elle entra dans la pièce en chemise de nuit, encore ensommeillée. Le champagne qu'elle avait bu la veille l'avait assommée.

— Bonjour, la Belle au bois dormant, l'accueillit-il avec un sourire. Avez-vous bien dormi ?

— Très bien.

Elle se servit du café, fouilla dans son sac à main, prit une cigarette et l'alluma.

Il la regarda par-dessus son journal d'un air surpris.

— Vous fumez à cette heure de la journée ?

Cela l'amusait, au fond. Elle correspondait parfaitement à l'idée de rebelle qu'il s'était faite d'elle.

— Oui, quand l'occasion se présente. Puis-je ?...

— Ma foi... du moment que vous ne me soufflez pas la fumée au visage avant ma première tasse de café ! Je ne raffole pas de l'odeur du tabac mais j'essaierai de vivre avec, s'il le faut.

— Bien, sourit-elle, satisfaite que la première barrière entre eux soit tombée aussi aisément.

La deuxième, maintenant.

Elle se pencha sur le journal déployé, fit un commentaire sur les émeutes en Italie et la grève de la faim de Mary Richardson dans sa prison britannique. D'après l'article, elle était nourrie de force.

— Vous êtes passionnée de politique, n'est-ce pas ?

223

Elle l'intriguait. Et maintenant qu'ils étaient seuls, il avait envie d'en savoir plus.

— Je suis fascinée par la liberté, répondit-elle. Par le combat que l'on doit livrer pour l'obtenir. Se libérer du joug, quel qu'il soit. Je crois avant tout à la libération des femmes.

Elle le regardait dans les yeux. Une fois de plus, il fut frappé par la sensualité qui émanait d'elle, sans même qu'elle le sache.

— Alors pourquoi le mariage ? se risqua-t-il à demander.

— Parce qu'il est le premier jalon sur la route de la liberté. Je serai beaucoup plus libre avec vous qu'avec mon père.

— Comment le savez-vous ?

— Aujourd'hui, je suis une adulte. Hier, j'étais encore une enfant. Je devais faire tout ce qu'il voulait.

— Et maintenant, vous devrez faire tout ce que je veux, moi, rétorqua-t-il de l'air du tyran imbu de son pouvoir.

Elle se tut alors et le scruta pour voir s'il parlait sérieusement, et il s'empressa de la rassurer :

— Non, Victoria, je ne suis pas un monstre. Vous agirez comme bon vous semble, à condition de ne pas me mettre dans l'embarras en public et de ne pas courir de danger. Je vous l'ai déjà dit : évitez de vous faire arrêter. Le reste vous regarde... Vous pouvez approuver les grèves de la faim, assister à des réunions politiques, passer du temps avec des féministes à blâmer la méchanceté des hommes... Je vous donne carte blanche...

Elle parut enchantée. Son père avait raison. Charles était un homme raisonnable. Et, pour l'instant, il ne lui demandait rien en échange.

— Merci, dit-elle.

Elle paraissait très jeune, et moins audacieuse que tout à l'heure, lorsqu'elle tenait sa cigarette entre les doigts.

— Allez vous habiller maintenant, sinon nous

serons en retard pour l'embarquement. (Il consulta sa montre. Il était dix heures. Ils étaient attendus à bord à onze heures et demie.) Désirez-vous un petit déjeuner ? s'enquit-il poliment.

Elle eut l'impression de partir en voyage en compagnie d'un ami extrêmement civilisé, courtois et bien élevé.

— Je n'ai pas faim.

Ils avaient passé la nuit ensemble, dans le même lit... Il s'était couché pendant qu'elle dormait, s'était levé avant qu'elle se réveille. Etrange sensation que d'avoir partagé le lit d'un homme sans en garder de souvenir. Elle ne le considérait pas encore comme son mari. Encore moins comme un amant. Cela n'avait rien à voir avec Toby... Elle savait très bien ce qu'un homme est en droit d'attendre d'une femme, mais elle n'arrivait pas à s'imaginer dans les bras de Charles... En fait, elle redoutait cet instant. Heureusement, Charles se comportait en gentleman. Jusqu'ici, il ne lui avait témoigné qu'un intérêt amical.

Elle alla s'habiller. Une heure plus tard, elle revint dans le salon de leur suite. Elle portait la robe carmin qu'Olivia avait achetée pour elle, avec la veste assortie. Les cheveux tirés en chignon sur la nuque, elle s'était coiffée d'un chapeau cloche. Elle était ravissante.

C'était une sensation étrange que d'être elle-même, d'être une personne entière et non plus la moitié d'une paire. Elle éprouvait un agréable avant-goût de liberté lorsque Charles et elle quittèrent l'hôtel, salués par le personnel. Il la conduisit vers la voiture qui les attendait. Leurs bagages devaient déjà se trouver dans leur cabine, sur l'*Aquatania*.

Le paquebot était accosté au quai n° 54. Un orchestre jouait des airs joyeux, des confettis volaient en tous sens, des passagers et des visiteurs élégamment vêtus empruntaient la passerelle d'embarquement de la première classe. Des badauds s'agglutinaient devant le somptueux navire dans une ambiance de fête. Victoria écarquillait les yeux. Oh ! si seulement Olivia était avec elle ! Comme elles seraient heureuses de découvrir les fastes du navire ! L'expression de tristesse qui, l'espace d'une seconde, assombrit ses traits n'échappa pas à Charles. Il devina à quoi elle pensait.

— Elle viendra peut-être avec nous la prochaine fois, suggéra-t-il gentiment.

Victoria lui sut gré de sa générosité.

Leur cabine, située sur le pont B, était un véritable petit appartement, étonnamment clair. Elle jouxtait un salon aménagé en jardin anglais, plus vrai que nature. Tout en se promenant, Victoria regardait, impressionnée, les tenues des autres femmes, des modèles sortis tout droit des revues de mode chères à Olivia. Une chance que celle-ci l'ait obligée à emporter toute sa nouvelle garde-robe dans une grande malle qu'en ce moment même une hôtesse devait ouvrir, afin de ranger les vêtements à l'intérieur de la vaste penderie.

— Ce que c'est amusant ! s'exclama-t-elle en battant des mains comme une enfant.

Charles posa son bras sur ses épaules. Il aimait les voyages en bateau. Mais, après la disparition de Susan, il avait été persuadé de ne plus les apprécier. Victoria avait réussi à lui faire changer d'avis.

Ils déambulèrent sur le pont inférieur où miroitait la piscine, puis remontèrent sur le pont-promenade pour assister au départ. Les musiciens se mirent à jouer plus fort. Sirènes rugissantes, le fier navire s'éloigna du quai, sous les ovations des spectateurs. Appuyée au bastingage, Victoria retira son chapeau pour saluer la foule et, instantanément, ses cheveux furent recouverts de confettis. C'était la première traversée de l'*Aquatania* après son voyage inaugural. Charles espérait que le bateau aurait plus de chance que le *Titanic*, pourtant réputé insubmersible. Au dire de la compagnie maritime, l'*Aquatania* alliait le luxe à la sécurité. Il y avait à bord un nombre suffisant de canots de sauvetage... ce qui n'empêcha pas Charles d'afficher un air grave lorsqu'ils regagnèrent leur cabine. Inéluctablement, Susan venait hanter son esprit.

— Comment était-elle ? demanda Victoria avec audace, en allumant une cigarette.

Il ne s'en offusqua pas. Il voulait qu'elle soit à l'aise avec lui.

— Il ne serait pas juste de dire « parfaite », répondit-il honnêtement. Objectivement, elle ne l'était pas. Mais c'était la personne qui me convenait. Je l'aimais de tout mon cœur. J'ai eu énormément de mal à accepter sa disparition... A m'habituer à cette absence... Peut-être, maintenant que nous sommes mariés, les choses vont-elles changer.

Il s'était exprimé d'une voix pleine d'espoir, comme quelqu'un qui aurait traversé une longue maladie dont il n'était pas encore sûr d'être guéri.

— Vous avez beaucoup de courage, dit Victoria. Vous ne me connaissez pratiquement pas.

— Je crois que si. Nous sommes tous les deux dans une situation difficile et nous avons tous les deux besoin d'aide.

— Voilà une raison bizarre pour contracter un mariage.

— De toute façon, se marier est bizarre... Deux personnes liées pour la vie, vous rendez-vous compte ? C'est un risque à prendre mais qui, je pense, en vaut la peine.

Il remplit deux coupes de champagne, lui en tendit une.

— Et si cela ne fonctionne pas ?

La question le prit de court, mais il ne faiblit pas.

— Quand on veut, on peut, riposta-t-il fermement. Oui, il suffit de vouloir.

A son tour, il posa la question piège.

— Alors, voulez-vous ?

Un long silence suivit. Puis, enfin :

— Je crois, répondit-elle. Hier, j'étais terrorisée. J'ai failli prendre la fuite avant la cérémonie.

Aujourd'hui, elle riait de sa peur.

— C'est compréhensible. Si les gens étaient honnêtes, la plupart vous diraient la même chose. Moi aussi j'ai hésité, pendant une seconde.

— Mon hésitation a duré un peu plus, dit-elle doucement.

— Et maintenant ? Avez-vous toujours envie de vous enfuir ?

Il s'était approché d'elle et la regardait intensément. De nouveau il ressentait la sensualité qui émanait d'elle à la différence d'Olivia. Victoria se laissa noyer dans son regard. Elle ne savait plus ce qu'elle voulait. Pas s'enfuir, en tout cas.

— Vous n'iriez pas loin sur ce bateau, dit-il d'une voix rauque.

Charles s'assit à côté d'elle. Il posa sa coupe, prit la jeune femme dans ses bras et l'embrassa. Elle en eut le souffle coupé ; puis elle répondit à son baiser avec plus de fougue qu'il ne l'avait escompté. Elle était exactement ce qu'il s'imaginait : une jument sauvage, indomptable... Une compagne qui n'exigerait jamais l'amour qu'il ne pouvait pas lui donner.

— Vous êtes très belle, Victoria.

Il ignorait l'étendue de son expérience. Il savait qu'elle n'était pas tout à fait innocente, mais son père n'était pas entré dans les détails, et il n'avait pas cherché à les connaître.

Il lui ôta précautionneusement sa veste carmin avant de l'attirer de nouveau dans ses bras. Ils étaient assis sur le canapé de leur salon. Les pièces, d'un luxe inouï, valaient bien une suite de palace. Il n'avait pas regardé à la dépense, désireux de combler sa jeune épouse.

Elle alluma une cigarette qu'il lui retira pour l'embrasser une fois de plus. Sur ses lèvres, il sentait le goût du tabac blond, mais cela lui était égal. Tout en elle l'enflammait. Elle avait renversé la tête, s'abandonnant à ses baisers jusqu'à ce qu'il se lève, la prenne dans ses bras et l'emmène dans leur chambre.

Ils naviguaient déjà en haute mer, mais, à travers le hublot, des vols de mouettes striaient encore l'azur.

Ils étaient seuls. Personne ne viendrait les déranger.

Charles ôta la robe rouge de sa femme et la laissa tomber à côté du lit. En silence, il contempla son corps superbe, ses longues jambes, sa taille menue, ses seins ronds haut placés. Sans la quitter des yeux, il tira les rideaux, puis se déshabilla en hâte. Un instant après, il l'avait rejointe sous la couverture. Il lui enleva ses sous-vêtements, sentit contre lui sa peau soyeuse, à laquelle il avait tant rêvé, pendant si longtemps. Une longue flamme darda à l'intérieur de son corps, plus brûlante que jamais. De sa vie il n'avait ressenti un tel désir. Depuis Susan, il n'y avait eu aucune femme dans sa vie. Ces deux longues années d'abstinence ne faisaient qu'aiguiser son ardeur. Il serra Victoria dans ses bras et la sentit trembler comme une feuille.

— N'aie pas peur, murmura-t-il tout contre ses cheveux. Je ne te ferai pas mal, je te le promets.

Mais, déjà, elle s'était écartée. Elle lui tournait le dos et tremblait si violemment que rien ne semblait pouvoir l'arrêter. Il l'enlaça, la tint étroitement serrée pendant un très long moment, puis il l'obligea à se retourner pour lui faire face.

— Je ne te forcerai pas à faire quelque chose dont tu n'as pas envie, Victoria. N'aie pas peur de moi, je t'en supplie. Je sais combien c'est difficile pour toi...

Sa nuit de noces avec Susan rejaillit dans sa mémoire. Elle était si jeune alors, si innocente, si inexpérimentée, contrairement à Victoria qui semblait plus téméraire... mais qui au fond ne l'était pas. Elle n'était qu'une jeune femme de vingt et un ans. Charles pensait qu'en dépit de son cœur brisé elle était encore vierge. Il était de seize ans son aîné. Il avait faim et soif d'elle, mais il ferait preuve de patience.

— Je ne peux pas..., murmura-t-elle, le visage enfoui dans la poitrine de Charles... Je ne peux pas faire ça... avec toi...

Des images traversaient son esprit bouleversé : les extases qu'elle avait connues auprès de l'homme qu'elle avait aimé, sa belle histoire d'amour qui s'était lamentablement terminée dans une salle de bains, au milieu d'une mare de sang.

— Je ne te forcerai pas... nous avons toute la vie devant nous...

A ces mots, elle se mit à pleurer. Elle désirait désespérément la présence de sa sœur.

— Je suis désolée, dit-elle pitoyablement... Je suis vraiment désolée... Je ne peux pas faire ça...

— Chut...

Il l'enlaça de nouveau et se mit à osciller tout doucement, comme il berçait Geoffrey quand il s'écorchait le genou ou versait des larmes de détresse... Pelotonnée dans ses bras, elle finit par s'endormir. Alors il se leva et enfila un peignoir afin qu'elle ne le voie pas nu lorsqu'elle se réveillerait. Il commanda du thé, qu'il lui servit avec des cookies dès qu'elle rouvrit un œil.

— Je ne mérite pas cela, déclara-t-elle d'un air malheureux.

Elle ne voulait rien de lui, pas même une tasse de thé. Elle avait la pénible sensation de l'avoir trahi. Un télégramme de Croton ne fit qu'accentuer son malaise.

« Nous vous aimons. Bon voyage et heureuse lune de miel. Père, Olivia et Geoffrey. »

Un flot de nostalgie submergea Victoria. Elle se leva d'un bond et se dirigea vers la salle de bains. Elle était si belle que Charles, bien qu'il s'efforçât de ne pas la regarder, la suivit des yeux.

Peu après elle ressortit, drapée dans le peignoir de soie lavande qu'Olivia avait acheté pour elle.

— Ne t'inquiète pas, la rassura-t-il de nouveau, et il déposa un baiser sur son front.

Le feu qu'elle avait allumé en lui couvait. Son désir s'était exacerbé mais il n'entreprit aucune tentative d'approche. Peu après, ils s'habillèrent pour le dîner.

Elle apparut vêtue d'une robe de satin blanc moulante. Un décolleté plongeant dans le dos dévoilait la cambrure de sa taille, la chute de ses reins.

— Tu vas attirer tous les regards, observa Charles avec bonne humeur.

230

Ce soir-là, ils furent placés à la table du capitaine Turner. Dès que l'orchestre entama le premier morceau de musique, Charles entraîna sa femme sur la piste de danse. En exécutant les figures du tango, il la sentait se mouvoir sensuellement contre lui... Il dut se retenir pour ne pas la ramener en courant dans leur cabine.

— Je ne te laisserai plus sortir, décréta-t-il alors que les derniers accords de guitare s'éteignaient. Tu fais tourner la tête à tous les hommes.

Victoria répondit par un rire cristallin. Elle n'avait pas remarqué qu'elle était le point de mire des regards masculins... Elle n'avait pas conscience de sa beauté. Elle semblait d'ailleurs n'avoir peur de rien... sauf de Charles. Oui, elle avait peur d'une étrange manière.

Cette nuit-là, allongé auprès d'elle, il n'osa d'abord la toucher. Mais, peu à peu, le feu qui couvait sous les cendres se mua en brasier et il ne put refréner son désir. Il fit glisser les fines bretelles de la chemise de nuit des épaules de Victoria, la dévêtit, baisant et caressant chaque parcelle de peau qu'il dénudait. Elle gisait dans ses bras, magnifique et passive. Elle savait qu'elle devait remplir ses devoirs d'épouse. De son côté, Charles était résolu à ne pas la brusquer. Il voulait la conduire au plaisir, ou lui insuffler le même désir que celui qu'elle lui inspirait.

Il la caressait tout doucement, très lentement, mais bientôt sa passion pour elle prit le dessus. C'était un amant expérimenté. Et tendre. Oui, beaucoup plus tendre que Toby qui se montrait souvent brutal. Mais elle avait profondément aimé Toby, et l'avait follement désiré, au point de se soumettre à toutes ses fantaisies, à tous ses caprices, sans peur, sans remords. Elle aurait voulu se comporter de la même manière avec Charles... Devenir sa femme dans tous les sens du terme. Charles, qui avait atteint le sommet de l'excitation, tandis qu'elle ne ressentait rien.

Il entra alors en elle. Il murmurait son nom en prenant possession de sa bouche, s'efforçant de la rassurer, de ne pas l'effrayer, puis, soudain, il comprit.

— Ce n'est pas la première fois, n'est-ce pas ? demanda-t-il d'une voix enrouée, en enfouissant son visage entre ses seins avant de se relever pour la dévisager. (Et, comme elle hochait tristement la tête :) Tu aurais dû me le dire, Victoria. J'étais inquiet à l'idée de te faire mal.

— Tu ne m'as pas fait mal, dit-elle calmement.

Il frissonnait encore de plaisir et, à part une sorte de compassion, elle n'avait rien ressenti. Mais elle ne croyait plus à toutes leurs belles phrases sur l'amour... Ces choses-là ne s'apprennent pas, se dit-elle. On n'apprend pas à aimer quelqu'un avec le temps. On l'aime ou on ne l'aime pas. On l'avait dupée, et à son tour, elle avait dupé Charles. Leur union n'aboutirait à rien. Ils passeraient simplement une vie entière côte à côte, comme deux étrangers.

— Et tu l'aimais, n'est-ce pas ? demanda-t-il.

Il voulait tout savoir à présent.

— Oui, répondit-elle avec franchise en soutenant son regard. Je l'aimais.

— Combien de temps cette liaison a-t-elle duré ?

— Un peu plus d'un mois.

Charles poussa un soupir. Heureusement qu'elle n'avait pas été la maîtresse de Toby Whitticomb un an ou deux... mais finalement cela avait peu d'importance.

— Il m'a menti, reprit-elle. Il m'a menti sur toute la ligne. Il ne m'a jamais vraiment aimée. Il m'a dit qu'il était pris au piège d'un mariage sans amour, qu'il allait divorcer pour m'épouser. Je l'ai cru. Sinon, je ne me serais jamais donnée à lui... (Puis, après réflexion :) Ou peut-être que si. Je n'en sais rien.

Elle paraissait accablée mais, au moins, elle ne lui mentait pas.

— Il a commencé à parler de nous. A plaisanter sur nos moments les plus intimes... Quand John Watson lui a posé la question, de la part de mon père, il a prétendu que c'était moi qui l'avais séduit. Il a ajouté qu'il n'avait jamais eu l'intention de quitter sa femme, qui d'ailleurs attendait un heureux événement, qu'il ne m'avait jamais rien promis...

— Quel horrible individu ! Et maintenant, tu ne me fais pas confiance, n'est-ce pas ?

Du bout des doigts, Victoria effleura le visage de Charles.

— Ce n'est pas ça... D'ailleurs j'ignore ce que j'ai... Je ne peux pas, voilà tout... Comme s'il y avait un mur entre moi et les hommes... tous les hommes. Je ne veux pas qu'on me touche.

Mauvais augure pour notre avenir, pensa Charles. Mais il dit :

— Y a-t-il autre chose que tu m'as caché, Victoria ?

Il l'avait presque deviné, avant qu'elle en convienne. Au début, elle secoua mollement la tête. Ensuite, sous le regard pénétrant de son mari, elle haussa les épaules, sans conviction.

— Rien...

Il sut instantanément qu'elle mentait. Il lui saisit le menton, et elle releva la tête tristement.

— J'étais enceinte, dit-elle d'une voix presque inaudible.

— J'en étais sûr.

— Je suis tombée de cheval et j'ai perdu le bébé, dès que nous sommes rentrés à Croton. Olivia était avec moi. Je ne lui avais rien dit. Elle m'a sauvé la vie. J'ai eu une hémorragie... J'ai bien failli mourir... On m'a emmenée à l'hôpital et...

Ses larmes tracèrent des sillons brillants sur ses joues pâles.

— Je ne veux pas avoir d'enfants.

— Tu sais, cela ne se passe pas toujours ainsi... Donner la vie ne consiste pas toujours à se retrouver seule... terrorisée... coupable... enceinte du bébé d'un homme qui ne vous a pas aimée...

Lui non plus ne l'aimait pas. Du moins pas comme il avait aimé Susan... Et de toute façon, elle non plus ne l'aimait pas.

— Ma mère est morte à ma naissance. Je l'ai tuée, dit-elle abruptement.

De nouvelles larmes inondèrent son visage. Charles la reprit dans ses bras.

— Je suis persuadé que ce n'est pas vrai, murmura-t-il.

— Elle allait bien quand Olivia est née... J'étais un gros bébé, elle est morte en me mettant au monde, onze minutes après Ollie.

— Cela ne veut pas dire que tu l'as tuée.

Elle associait la candeur à la sensualité, la naïveté à l'intelligence.

— Je ne tiens pas à avoir d'autres enfants, précisa-t-il. Mais ne te mets pas en tête qu'il ne faut surtout pas devenir mère. Avoir Geoff fut un grand bonheur pour Susan. L'accouchement n'avait pas été facile non plus, Geoff était également un gros bébé.

Il crut revoir le visage rayonnant de Susan, donnant le sein à son bébé. Charles en avait été ému aux larmes. Dix ans s'étaient écoulés depuis et il n'avait pas oublié ce charmant tableau.

— Peut-être changeras-tu un jour d'avis, Victoria. Il est important pour une femme d'avoir des enfants. Nous nous habituerons l'un à l'autre... Nous oublierons ceux qui nous ont fait souffrir.

— Susan t'a fait souffrir ? Comment ? demanda-t-elle, surprise.

Elle aurait bien voulu croire qu'ils s'habitueraient, comme il disait. Mais elle n'y croyait pas. Ils étaient trop différents, trop loin l'un de l'autre. Elle ressentait de la sympathie pour lui. Mais pas d'amour.

— Elle est morte ! répliqua-t-il. Elle a coulé avec ce fichu bateau. Voilà comment elle m'a fait souffrir. Elle a cédé sa place dans le canot de sauvetage à un gamin, à un gosse que je ne connais pas, et dont je me fiche éperdument... Et elle m'a quitté.

Des larmes étincelaient dans ses yeux. Il avait connu le chagrin, le deuil, la colère. Il avait plongé au fond de l'angoisse, de la terreur. Et il avait refait surface. Il aurait volontiers tendu la main à Victoria, afin de la hisser sur le rivage. Mais il ne pouvait pas la sauver malgré elle.

— Il faut se battre, dit-il tranquillement. On ne peut pas regarder toujours en arrière, se rappeler ceux qui nous ont rejetés. Même s'il t'a blessée, même s'il t'a trahie, tu dois l'oublier.

— Je n'y arrive pas encore.

— Tu y arriveras. J'attendrai.

— Et entre-temps ?

Elle posait sur lui un regard inquiet. Charles eut un sourire. Leur relation était loin d'être parfaite, mais c'était toujours mieux que la solitude des deux dernières années.

— Nous ferons de notre mieux... Nous attendrons... Nous deviendrons amis... J'essaierai de ne pas trop t'importuner...

Elle savait qu'elle n'avait pas le droit de se refuser à lui. Et lui savait qu'elle n'avait aucun désir pour lui.

— Nous verrons, reprit-il. Nous n'avons pas le choix. Nous sommes mariés, Victoria.

— Tu mérites plus que ce que je peux te donner, Charles.

— Si c'est vrai, cela viendra aussi un jour. Pour toi aussi... En attendant, contentons-nous de ce que nous avons.

Il lui sourit avec philosophie. Il l'acceptait telle qu'elle était. Une femme jeune, belle, qui attisait son désir, et qui ne l'aimait pas. Mais la jeunesse de Victoria jouait en faveur de Charles. Elle finirait par oublier Toby. Et par vouloir appartenir à son mari. Lorsque ce moment viendrait, il serait là.

15

La lune de miel ne combla pas les espérances de Charles. L'attitude récalcitrante de Victoria à son égard ne s'améliora pas pendant la traversée. Ils arrivèrent en Europe le 26 juin et, deux jours plus tard, un jeune nationaliste serbe assassina à Sarajevo l'archiduc François-Ferdinand, neveu de l'empereur d'Autriche, et son épouse.

Ce qui de prime abord passa pour un incident isolé ne tarda pas à plonger l'Europe entière dans la consternation. A ce moment-là, Victoria et Charles, descendus au Claridge de Londres, recevaient des amis. Victoria, plus intéressée par la marche sur Washington des femmes exigeant le droit de vote, ne prêta qu'une attention relative à l'attentat de Sarajevo. Parmi les connaissances de Charles, elle rencontra quelques suffragettes qui l'enchantèrent par leurs discours. Mais son vœu le plus fervent, rendre visite aux Pankurst en prison, se heurta au veto catégorique de Charles. Pour la première fois, celui-ci s'opposa au projet de sa femme. Ils discutèrent âprement, mais Victoria n'eut pas gain de cause. Charles voulait bien se montrer tolérant, à condition qu'elle ne dépasse pas certaines limites.

— Mais j'ai échangé une correspondance avec elles, Charles ! s'écria-t-elle, comme si cet argument pouvait le convaincre.

— Je me fiche pas mal que tu leur aies écrit ou qu'elles te soient apparues lors de visions mystiques, Victoria. Il est hors de question que tu ailles voir ces

236

femmes en prison. Tu finiras sur une liste noire et le gouvernement britannique nous jettera dehors.

— C'est absurde. Les gens sont beaucoup plus larges d'esprit ici.

— J'en doute, vois-tu.

Sa naïveté ne le faisait plus sourire. Ces jours-ci, il se montrait grincheux. L'origine de sa mauvaise humeur était facile à déceler. Ses tentatives pour s'attirer les faveurs de Victoria avaient lamentablement échoué.

Cela allait de mal en pis. Lorsqu'ils arrivèrent en France, Victoria sursautait chaque fois qu'il l'approchait. Elle ignorait les raisons de cette aversion. C'était viscéral. Elle ne voulait plus qu'un homme la touche, fût-il son mari. Elle ne faisait plus confiance à la gent masculine, et l'idée de concevoir un bébé l'horrifiait. Charles lui avait pourtant expliqué qu'il suffisait de prendre certaines précautions... Il fit l'effort de se procurer les moyens nécessaires. Rien n'y fit. Elle se mettait à trembler et à sangloter dès qu'il posait la main sur elle. Il commençait à perdre patience.

— Pourquoi ne m'as-tu rien dit ? Pourquoi ne m'as-tu pas mis au courant de ton dégoût ? lui reprocha-t-il une nuit, dans leur chambre du Ritz, à Paris.

L'attitude de Victoria l'affectait. Il la désirait toujours mais en avait assez de faire l'amour à une femme frigide qui sanglotait entre ses bras, quand elle ne tremblait pas de tous ses membres. Il avait l'impression d'être un violeur.

— Je ne savais pas que ce serait comme ça, hoqueta-t-elle entre deux sanglots.

Ils se trouvaient dans une somptueuse suite, mais elle avait gâché leur voyage de noces. Paris ne faisait qu'amplifier sa nervosité. Etre piégée dans cette ville étrangère avec Charles accroissait son angoisse. Elle n'avait plus qu'un seul souhait : parler politique, rencontrer des suffragettes, participer à des réunions sur l'émancipation des femmes... Au fil des jours, la situa-

tion se détériorait. Il apparaissait de plus en plus clairement que Victoria voulait tout sauf un mari.

— Avec Toby, ce n'était pas pareil !

La phrase lui avait échappé. Charles blêmit. Humi-
lié, il quitta la suite en claquant la porte, et se promena
longuement dans Paris. Elle s'excusa platement lorsqu'il revint, et fournit un effort sincère pour le consoler. Jeune, sensuelle, très excitante, elle parvint vite à
ses fins. Il la sentit vibrer sous lui puis, presque aussitôt, se figer dans la peur et la répulsion.

— Tu ne seras pas enceinte, Victoria, souffla-t-il,
presque au paroxysme de la passion.

Mais, tandis qu'il l'aimait fougueusement, elle
demeurait inerte dans ses bras. Comme absente. Quelque chose était mort en elle, qui ne ressusciterait plus.

— Je ne suis pas médecin, ni magicien, s'écria-t-il,
désespéré.

Il n'avait encore jamais enduré cette torture : désirer
comme un fou une femme qui n'éprouvait absolument
rien. Charles était au supplice.

De temps à autre, ils recevaient des nouvelles d'Olivia. Victoria semblait ne vivre que pour ouvrir les lettres de sa sœur. Ou pour parcourir les journaux à la
recherche d'articles sur les suffragettes. Le reste lui
importait peu. Elle paraissait plus à l'aise en compagnie des femmes, à tel point que Charles finit par se
demander si elle aimait vraiment les hommes. Là résidait peut-être le fond du problème. Il en voulait à
Edward Henderson de l'avoir entraîné dans ce cauchemar...

Dans ses missives, Olivia disait que tout allait bien.
Une vague de chaleur avait transformé les abords de
l'Hudson en fournaise. La santé de leur père s'était
améliorée. Geoffrey se portait comme un charme et
montait désormais comme un parfait cavalier. Olivia
songeait à lui offrir un cheval, s'il continuait à accomplir des progrès aussi spectaculaires. Un cheval rien
que pour lui, qu'il monterait lorsqu'ils viendraient en
visite à Croton. Quant à Chip, il était devenu un redou-

table grignoteur de tapis... Et il avait mâchonné tous les meubles.

Elle espérait que le couple allait bien, poursuivait-elle. Qu'ils étaient heureux et que l'absurde attentat de Sarajevo n'avait en rien affecté leur voyage. Elle en avait eu des échos, mais il n'y avait aucune raison pour que le conflit se généralise. En dehors des Autrichiens, le reste de l'humanité ne se sentait pas concerné par l'incident.

Charles partageait ce point de vue. Il continua à faire preuve d'optimisme même lorsque, en visitant le sud de la France, il apprit que l'Autriche avait déclaré la guerre à la Serbie. Il s'alarma, néanmoins, quand, quatre jours plus tard, l'Allemagne déclara la guerre à la Russie, puis, deux jours après, à la France. La situation se dégradait rapidement.

Ils étaient alors à Nice, à l'hôtel d'Angleterre. Charles décida de regagner immédiatement Londres.

— Mais c'est ridicule, Charles ! tempêta Victoria, boudeuse.

La France lui plaisait. Elle n'avait pas envie de repartir. Ils envisageaient d'aller ensuite en Italie.

— Nous n'allons pas changer de projets sous prétexte qu'un pays minuscule a des sautes d'humeur ! poursuivit-elle, agacée.

— Les sautes d'humeur en question s'appellent la « guerre ». Et l'Allemagne n'est pas un « pays minuscule ». Elle risque d'attaquer à tout moment. Fais tes bagages. Nous partons.

— Je n'irai nulle part.

Elle s'assit sur le canapé de leur suite, les bras croisés sur la poitrine.

— Tu es folle ! Tu feras ce que je te dis.

Il commençait à se lasser. L'été traînait en longueur.

Le lendemain, ils se disputaient toujours quand l'armée allemande envahit la Belgique. Cette fois-ci, Victoria reçut le message. Elle boucla leurs valises et, le surlendemain, alors que l'Autriche recevait la déclaration de guerre du Monténégro, ils quittèrent Nice.

239

L'Europe s'enlisait dans les sables mouvants des reproches et des accusations.

Ils retournèrent au Claridge de Londres d'où ils assistèrent aux déclarations de guerre successives. Celle de la Serbie, puis du Monténégro à l'Allemagne, et de l'Autriche à la Russie. Le 12 août, la Grande-Bretagne et la France déclarèrent la guerre à l'Autriche.

Un matin, Charles rentra précipitamment à l'hôtel. Il avait changé leurs billets de bateau. Ils auraient dû rester une semaine de plus, mais le temps pressait. Il fallait ramener Victoria saine et sauve aux Etats-Unis le plus vite possible. Dès le lendemain matin, ils embarqueraient sur l'*Aquatania*. Le temps que Victoria revienne de promenade, tout était déjà prêt : les bagages faits, l'hôtel réglé, Olivia prévenue par télégramme. Charles expliqua à Victoria leur changement de programme. Elle le dévisagea, indignée.

— Comment ? Nous partons ? Tu as pris cette décision sans même m'en parler !

— Exact. L'Allemagne vient de déclarer la guerre à l'Angleterre. Je n'attendrai pas les coups de canon. Je prends mes affaires et ma femme et je retourne dans mon pays.

— Tes affaires et ta femme ! Je ne suis pas une chose, Charles. Un objet que tu peux emporter dans tes bagages sans l'avoir consulté au préalable.

— Nous n'avons que trop discuté ces jours-ci, Victoria. J'en ai assez.

— Navrée de te l'entendre dire.

Elle avait été de mauvaise humeur toute la journée. Elle souffrait d'un mal de tête tenace. La veille au soir, ils s'étaient prêtés à leurs ébats frustrants et décevants. Leur prétendue amitié du début se transformait lentement mais sûrement en une colère larvée. Victoria était incapable de formuler ce qui n'allait pas. Mais tout son corps se crispait dès que Charles l'enlaçait. Elle manquait d'expérience, avait peu de points de comparaison, mais cela ne lui était jamais arrivé avec Toby...

Charles lui avait fait remarquer qu'à lui non plus cela n'était jamais arrivé avec Susan... Ils s'étaient endormis furieux l'un contre l'autre, éprouvant plus durement encore cette solitude à deux.

— Nous partons à dix heures demain matin, déclara-t-il froidement.

— Toi, peut-être, Charles, riposta Victoria. Moi je reste.

Elle prenait un malin plaisir à le contrarier. A le mettre au défi.

Il la fusilla du regard.

— Ici ? En pleine guerre ? Tu devras d'abord me passer sur le corps. Trêve de plaisanteries ! Tu viens avec moi.

— Attention, Charles... Peut-être y a-t-il une leçon à tirer...

Elle lui faisait face, le menton haut. Dans ses yeux brillait une sombre excitation, qui effraya presque Charles. Il se demanda quel démon l'avait poussé à épouser une femme qui stimulait autant son désir et qu'il ne parvenait jamais à satisfaire.

— Peut-être le destin a-t-il voulu que nous soyons ici, au milieu du conflit, acheva-t-elle.

Jeune, belle, et peut-être un peu folle, pensa-t-il. L'étincelle de la rébellion brûlait en elle sans relâche. Son penchant pour l'aventure dépassait l'entendement. Voilà pourquoi, sans doute, Edward Henderson était si pressé de la marier... Et de garder auprès de lui sa fille saine d'esprit... Mais au plus profond de sa colère, Charles savait que Victoria n'était pas déséquilibrée. Elle avait simplement une personnalité difficile à comprendre. Il se sentit trop vieux pour discuter le moindre détail à chaque instant. Le pire, c'était qu'elle aimait cela. Elle se plaisait à le torturer, à le tourmenter, à refuser automatiquement toutes ses suggestions pour proposer à la place des solutions déraisonnables, comme rester en Europe, alors que la guerre embrasait le Vieux Continent.

— Cela te paraîtra certainement affreusement

ennuyeux, Victoria, dit-il, s'efforçant de rester calme. Mais il n'est pas sage de s'attarder dans un pays en guerre. Si je te laisse ici, ton père me tuera. Que tu le veuilles ou non, que notre destin soit ici ou ailleurs, tu me suivras à New York... Et si tu ne penses pas à moi ou à ton père, pense au moins à ta sœur. Elle serait malade d'inquiétude... En ce qui me concerne, je rentre. J'ai un fils de dix ans, qui a déjà perdu sa mère. Je n'ai pas l'intention de me faire tuer par une balle perdue. Est-ce suffisamment clair ?

Cette fois-ci, elle acquiesça en silence. L'évocation d'Olivia l'avait ramenée à la raison. Olivia aurait parlé de la même manière. Elle lui aurait opposé les mêmes arguments... Toutefois, elle continua à considérer leur départ comme un acte de lâcheté. Suivre de près les événements, se trouver dans l'œil du cyclone, l'aurait passionnée.

Elle resta debout tard, après qu'il partit se coucher. Comme les pièces d'un puzzle, les événements fatidiques qui l'avaient conduite dans cette impasse s'assemblaient... Sa liaison avec Toby... le bébé qu'elle avait perdu... sa réputation ruinée... son mariage forcé avec Charles... et maintenant, le devoir conjugal auquel elle était soumise... et qu'elle ne pouvait plus supporter. L'avenir s'annonçait maussade. L'espace d'un instant fulgurant, l'envie de s'en aller, de disparaître à jamais sans laisser de traces lui traversa l'esprit. Mais elle ne bougea pas. Il lui fallait au moins revoir Olivia. Cependant, le retour à New York l'effrayait. Vivre avec Charles et son fils, endosser, en plus des obligations de l'épouse, les responsabilités d'une mère lui répugnaient. L'Europe lui avait donné un avant-goût de l'existence dont elle rêvait. Elle aspirait à une vie trépidante, à de passionnantes discussions politiques, à la liberté. Aucun lien, charnel ou spirituel, ne l'unissait à cet homme. Et, après deux mois de vie commune, en dépit de sa gentillesse, elle savait que les choses ne s'amélioreraient pas. Il l'avait compris également. Néanmoins, il ne voudrait jamais l'admettre. Et alors ?

Allait-elle demander le divorce, comme elle l'avait dit à Olivia, le jour même de son mariage ? Charles ne l'accepterait pas. Elle était prise au piège. Enchaînée à cet homme, elle finirait par couler avec lui. Ou bien elle mourrait d'ennui. Elle en parlerait à Olivia, se promit-elle, bien qu'elle ne sût pas quoi lui dire exactement. Ils avaient conclu un marché, échangé des vœux. Ils avaient joué. Et ils avaient perdu...

— Est-ce que tu comptes venir te coucher ou non ?

La voix de Charles la fit sursauter. Il se tenait sur le seuil de leur chambre. Elle le regarda, hésitante, avant d'acquiescer. Allait-il encore lui infliger ses désirs ou voulait-il voir si elle allait obéir ? Dans les deux cas, elle sortirait vaincue.

Elle se glissa entre les draps et il se contenta, à sa surprise, de l'entourer de ses bras.

— Je ne sais pas comment t'atteindre, Victoria, dit-il avec tristesse. Je sais que tu es là et pourtant je ne te trouve pas.

Sa femme était une inconnue. Comme elle, il commençait à perdre espoir. Leur mariage datait de deux mois et, déjà, il prenait des allures d'éternité.

— Je n'arrive pas à me trouver non plus, Charles, répondit-elle.

Ils s'accrochèrent l'un à l'autre comme deux épaves dans l'océan.

— Un jour nous nous trouverons. Si nous sommes patients... Je ne renoncerai pas à toi si rapidement. Il m'a fallu des mois pour comprendre que Susan était morte. Je continuais à espérer que les sauveteurs la trouveraient.

Elle hocha la tête, réconfortée malgré tout. Cela aurait été tellement plus simple de l'aimer. Mais elle ne savait pas comment s'y prendre. Peut-être en était-elle incapable. Il n'y avait pas de place pour lui dans son cœur. Le pire, c'était qu'il en avait conscience.

— Ne me laisse pas, Charles, dit-elle d'une toute petite voix. Pas encore...

Elle avait peur, sans Olivia.

— Je te garde, murmura-t-il en la serrant contre lui. Je te garderai pendant très, très longtemps...

Sa dernière pensée, avant de s'endormir, fut que leur lune de miel n'était pas le désastre qu'il s'imaginait. Peut-être les choses s'arrangeraient-elles. Et, tandis qu'il dormait, Victoria, dans ses bras, rêvait de liberté.

16

Le retour sur l'*Aquatania* parut à Charles et Victoria deux fois plus long que l'aller. Etendus sur des transats, ils regardaient la mer ; ou bien il somnolait pendant qu'elle lisait... A bord, elle fit la connaissance d'Andrea Hamilton et évoqua interminablement avec elle ses dernières théories sur la libération des femmes. Charles n'y prêtait qu'une oreille distraite. Ce qu'il avait pris pour une lubie se révélait être une véritable passion. L'intérêt de sa femme pour la cause des suffragettes frisait l'obsession. Elle ne vivait plus, ne respirait plus que pour cela. La maladie de l'émancipation avait sérieusement atteint Victoria... Ses lectures, ses sujets de discussion, ses aspirations le prouvaient. Sa fougue, son enthousiasme pour le féminisme provoquaient chez Charles un profond ennui.

— Le capitaine nous a invités à sa table ce soir, dit-il d'une voix ensommeillée, tandis qu'elle se prélassait sur la chaise longue voisine.

— C'est gentil à lui, répondit-elle, avec indifférence. Veux-tu venir nager avec moi ?

Parfois, Charles ressentait leur différence d'âge. Il préférait rester tranquille, au soleil, alors qu'elle était perpétuellement en quête d'occupations. Il la suivit, néanmoins, désireux de lui faire plaisir.

Peu après, ils descendirent sur le pont inférieur. Charles s'efforçait de ne pas penser au corps de Victoria. Vêtue d'un maillot de bain noir, elle fendait d'une élégante brasse l'eau miroitante de la piscine. Il était impossible de ne pas admirer son style, sa longue silhouette souple. Il plongea et ils nagèrent côte à côte. Enfin, elle s'arrêta et se tourna vers lui avec un sourire. Visiblement, elle se sentait mieux.

— Tu es formidable, la complimenta-t-il.

Elle lui donnait du fil à retordre, mettait à chaque instant son autorité au défi, le contredisait sans répit. Parfois, il souhaitait mieux la connaître, et parfois encore, il aurait voulu ne pas l'avoir rencontrée du tout... En la regardant, son esprit vogua vers sa jumelle et il se demanda si désormais il pourrait les distinguer l'une de l'autre. Ou si cela ne serait pas encore plus difficile... Victoria avait démenti son intuition. Elle ne correspondait en rien aux prévisions de Charles.

— Est-ce qu'Olivia t'a manqué ? demanda-t-il alors qu'ils se séchaient et s'allongeaient sur des transats pour regarder les autres nageurs.

— Terriblement, répondit-elle honnêtement. Je me suis toujours dit que je ne pourrais pas vivre sans elle. Quand j'étais petite, j'étais persuadée que si nous nous séparions j'en mourrais.

Il avait éprouvé le même sentiment pour Susan.

— Et maintenant ?

Tout en elles l'intriguait. Leur façon de communiquer sans mots, presque télépathique, le mystérieux instinct qui les unissait.

— Maintenant, je sais que je peux le supporter... Même si cela me rend triste. J'aimerais tant qu'elle vienne vivre avec nous à New York ! Mais elle ne voudra pas quitter père. Il ne le lui permettrait pas. Il a décidé une fois pour toutes qu'Olivia serait son bâton de vieillesse... C'est injuste, mais elle ne le ressent pas ainsi.

Charles acquiesça. Pour une fois, ils étaient d'accord.

— Nous lui en parlerons à notre retour. J'espère au moins qu'elle nous fera de longues visites. Geoff adorerait ça.

— Tu accepterais qu'elle vive avec nous ? s'enquit-elle.

La générosité de Charles l'étonnait, au même titre que l'indulgence de sa sœur à l'égard de leur père. Celui-ci n'était qu'un vieil égoïste qui continuerait à dominer ses filles tant qu'elles lui obéiraient. Mais c'était Olivia qui, finalement, payait le prix fort.

— Je n'y vois aucun inconvénient, répondit-il. Elle est intelligente, polie, gentille, serviable...

Il remarqua l'expression de sa femme et s'interrompit. De façon surprenante, il la considérait réellement comme sa femme... Même si, après deux mois passés ensemble, ils demeuraient de parfaits étrangers l'un pour l'autre.

— C'est elle que tu aurais dû épouser ! lança Victoria.

— Ton père ne m'a pas proposé sa main, riposta-t-il.

La colère grondait en lui chaque fois qu'il songeait aux secrets que le vieil homme lui avait cachés. Victoria n'avait pas connu une idylle brisée... Elle avait bel et bien eu une liaison avec un homme marié dont elle était tombée enceinte. Ce n'était pas tout à fait la même chose, bien que Charles fût disposé à l'accepter.

— Eh bien, peut-être nous ferons-nous un jour passer l'une pour l'autre, si tu le souhaites, s'emporta Victoria.

Il fronça les sourcils, irrité.

— Ce n'est pas drôle !

L'idée d'être dupé par les jumelles lui causait un étrange malaise.

— Remontons-nous dans notre cabine ? demanda-t-il.

Elle acquiesça. Ces temps-ci, toutes leurs discussions dégénéraient en querelles.

Ils s'habillèrent séparément, et ressortirent ensemble de la cabine. A la table du capitaine, toutes les conversations tournaient autour de la guerre en Europe, un des sujets favoris de Victoria. Ses remarques pertinentes impressionnèrent l'assistance. Charles était fier d'avoir une épouse aussi belle qu'intelligente. Dommage qu'elle ne soit pas plus facile à vivre, songea-t-il.

Ils empruntèrent le pont-promenade après une ou deux danses. Ni l'un ni l'autre n'était d'humeur à valser. Une nuit limpide couronnait l'Atlantique de ses étoiles. Victoria alluma une cigarette, contemplant en silence l'immense étendue liquide.

— Eh bien, fit-il, malicieux. Qu'avez-vous pensé de votre lune de miel, madame Dawson ? Vous êtes-vous bien amusée ?

— Oui... et non... pour répondre franchement à votre question, monsieur Dawson. Cela dépendait des moments... Et vous, qu'en pensez-vous ?

— Que c'était intéressant. Mais pas de tout repos.

Ils rentraient aux Etats-Unis, la guerre à leurs trousses.

— Ainsi va la vie, philosopha-t-il. On n'a jamais deux fois la même chance.

Il faisait allusion à Susan... Et à Toby, qui n'était pas l'homme idéal mais que Victoria avait follement aimé.

— Cela prend du temps... Nous ferons de notre mieux... Peut-être que petit à petit nous apprendrons à nous aimer, ajouta-t-il.

Il en doutait à présent, tout comme elle.

— Et maintenant, que dois-je faire ? Dois-je me transformer en petite ménagère modèle ?

— Avez-vous d'autres projets, madame Dawson ? Devenir médecin ? Avocat ?

— Non. La politique me conviendrait davantage.

La guerre qui avait éclaté en Europe la fascinait.

— Je voudrais étudier l'actualité, m'impliquer dans une cause. Me rendre utile.

— C'est-à-dire ? demanda-t-il, l'air horrifié. Conduire une ambulance ?

— Pourquoi pas ? fit-elle, songeuse.

— Il n'en est pas question ! Les manifestations

féministes suffisent amplement, merci ! Quant à la guerre... c'est non !

Mais rien ne pourrait l'arrêter si elle décidait vraiment de retourner en Europe, se dit-elle. Olivia la désapprouverait, elle aussi. De toute façon, elle n'avait nulle intention de faire part de ses résolutions à sa sœur ou à son père. Depuis que le navire avait appareillé de Southampton, elle n'avait cessé d'y réfléchir. Quitter l'Europe lui faisait l'effet de passer à côté de quelque chose d'important. De fuir le cours de l'histoire. De tourner le dos à l'essentiel pour se précipiter dans le cocon feutré de la sécurité. La voix de son mari la tira de ses méditations.

— Et Geoff, dans tout ça ? Est-ce qu'il entre dans tes activités ? Auras-tu un peu de temps à lui consacrer ?

Elle savait combien il tenait à son fils. L'ombre de l'inquiétude dansa un instant sur les traits de la jeune femme.

— Ne t'inquiète pas. Je m'occuperai de lui.

— Bien.

Il eut un sourire satisfait, puis ils regagnèrent leur cabine. Il y faisait si chaud qu'ils ouvrirent deux hublots. Ce soir-là, il ne la toucha pas. Le courage, l'énergie lui manquaient.

Le lendemain matin, à neuf heures, les passagers durent participer à un exercice de sauvetage. Compte tenu de la guerre, le capitaine et les marins se montrèrent plus sérieux, plus tatillons que d'habitude. Tandis qu'ils avançaient vers leur poste d'évacuation, Victoria se demanda si Charles pensait à Susan. Mais il demeura impassible et, plus tard, de retour dans leur cabine pour le petit déjeuner, il l'embrassa sur la joue.

— C'est en quel honneur ? demanda-t-elle.

Il lui sourit.

— En l'honneur de notre mariage. Nous n'avons pas été très conciliants. J'essaierai de mieux me comporter une fois à la maison. Retourner à la vie de tous les jours me fera du bien... Les lunes de miel sont difficiles, tu ne trouves pas ?

Il faisait sans doute allusion à leurs rapports sexuels ratés.

Ils essayèrent à nouveau le soir même. Victoria fournit un vague effort, en vain. Sa froideur, son insensibilité irritèrent Charles. Cela ne s'arrangerait-il donc jamais ? Il fut un temps où faire l'amour l'émerveillait. Geoffrey était le fruit de ses étreintes délicieuses avec Susan... Victoria, elle, ne lui procurait qu'une sensation de frustration et de solitude. En la regardant dormir, il se rendit compte qu'il commençait à perdre l'espoir d'une vraie vie de couple. Il était grand temps de rentrer, se dit-il. Et de voir si les choses s'amélioreraient, une fois installés à la maison...

Quand le navire passa devant la statue de la Liberté, Victoria et Charles, accoudés au bastingage, contemplaient un magnifique lever de soleil sur New York. Depuis deux mois, ils ne s'étaient jamais sentis aussi proches... aussi pressés de revoir ceux qu'ils aimaient, elle sa sœur, lui son petit garçon. Olivia les avait avertis qu'ils les attendraient tous au port. Le paquebot accosta le quai de débarquement noir de monde à dix heures du matin et Victoria poussa aussitôt un cri de ravissement. Elle avait aperçu sa sœur, son père et Geoffrey au milieu de la foule. Charles et elle se mirent alors à agiter frénétiquement les bras, jusqu'à ce qu'Olivia les aperçoive. Elle se mit à crier et à sautiller, en tenant Geoffrey par la main. Leur père agitait son mouchoir, et ils avaient même emmené le chien, qui avait beaucoup grandi.

Victoria dégringola littéralement la passerelle pour se précipiter vers eux. Il était facile de constater vers qui allait son affection. Elle se jeta dans les bras de sa sœur et toutes les deux se mirent à danser, enlacées. Elles n'étaient plus qu'un tourbillon de rires et de larmes. Lorsque enfin elles s'arrêtèrent, Charles découvrit, dans un vertige, qu'il ne parvenait toujours pas à les distinguer. Victoria portait une robe rouge, se rappela-t-il, mais Olivia aussi. Cette dernière avait simplement pensé qu'on l'apercevrait plus facilement si elle était en rouge. Charles dut chercher des yeux l'alliance et la bague qui brillaient à l'annulaire gauche de Victoria.

— Eh bien, admit-il de bonne grâce, certaines choses ne changent pas, à ce que je vois.

Les deux jeunes femmes riaient, toujours étroitement enlacées. Olivia avoua qu'elle avait cru mourir sans sa jumelle.

— Heureusement que Geoffrey était là ! Il a pris soin de moi, acheva-t-elle, posant un regard plein de fierté sur le petit garçon.

C'était un enfant extraordinaire.

— Comment s'est passé votre voyage ? demanda Edward.

Charles s'empressa de répondre :

— Merveilleusement bien... A part la guerre, bien sûr. Par chance, nous avons pu repartir très vite.

— Il semble que le conflit soit sanglant, là-bas, dit son beau-père pendant que les employés de la douane inspectaient les bagages alignés sur le quai.

Leurs passeports avaient déjà été contrôlés à bord.

Olivia avait rouvert la résidence de la Cinquième Avenue. Ils avaient l'intention de rester quelques jours en ville, afin de rendre visite aux jeunes mariés. Ce bref séjour permettrait en outre à Edward de surveiller ses affaires. Le petit Geoff semblait déchiré entre son père et Olivia. Il était enchanté de revoir le premier mais pas du tout prêt à quitter la seconde, qu'il considérait à présent comme sa mère.

— Elle m'a gâté, papa. Elle est si gentille ! Nous montions à cheval tous les jours, nous avons nagé, fait des pique-niques... Olivia m'a emmené partout. Elle m'a même offert un cheval.

Geoff ne cessa de bavarder tout en aidant son père à ranger les bagages dans le coffre de la Ford. Edward était venu avec ses deux voitures et, lorsqu'ils arrivèrent devant la maison de Charles, dans l'East Side, il fut facile de deviner que la main habile d'Olivia était passée par là. Elle avait ouvert la maison, avec la bonne de Charles, qu'elle avait dirigée à la perfection. Les chambres avaient été aérées, le linge de maison lavé et repassé, la cuisine et l'argenterie rutilaient. Des gerbes de fleurs rayonnaient partout. Olivia avait prévu de petits cadeaux pour chacun, quelques jouets pour Geoff, un nouveau panier pour le petit chien.

— Qui a fait tout cela ? demanda Charles, stupéfait.

Victoria, qui avait compris au premier coup d'œil, n'appréciait qu'à moitié les initiatives de sa sœur. C'était sa maison, ici, et elle ne voulait pas passer pour une incapable. Mais d'un autre côté, elle n'avait pas l'intention de se comporter en femme d'intérieur.

— Olivia, répondit-elle tranquillement.

— Alors, j'espère qu'elle viendra nous voir plus souvent, dit Charles, reconnaissant, en jetant un regard espiègle à sa femme.

— Je n'ai aucun talent domestique, Charles. Je ne m'intéresse pas aux travaux ménagers. Nous sommes très différentes.

— Qui l'eût cru en vous voyant ? la taquina-t-il.

Peu après, au rez-de-chaussée, il illustra sa plaisanterie sans le faire exprès. Il embrassa avec un immense respect la joue de sa femme en la remerciant de tout ce qu'elle avait fait pendant son absence. Il l'avait prise pour Olivia. Tout le monde s'esclaffa, y compris lui-même.

Sur les conseils d'Olivia, la bonne avait préparé des carafes de citronnade. Les deux hommes se mirent à parler de la guerre. Geoffrey sortit dans le jardin avec le chien. Victoria entraîna sa sœur à l'étage, sous prétexte de défaire les bagages.

— Mon Dieu, j'ai cru que je n'y arriverais pas, soupira-t-elle dès qu'elles furent seules. Te quitter comme ça... c'était affreux.

— Je ne te crois pas, sourit Olivia. (Cela avait été infernal pour elle aussi. Chaque minute lui avait paru plus longue qu'un siècle.) Est-ce que tu t'es bien amusée ? demanda-t-elle, hésitante.

Elle ne voulait pas se montrer indiscrète, mais elle avait au moins besoin de savoir si sa sœur était heureuse. Victoria la dévisagea pendant un très long moment avant de répondre. Lorsque enfin elle se décida à le faire, elle s'exprima à mi-voix, afin que personne d'autre ne puisse l'entendre.

— Je ne suis pas sûre de pouvoir continuer, Ollie... Je ne sais pas... J'ai beau essayer... Je n'aurais jamais dû accepter ce mariage. Charles l'a bien compris. Il fait de son mieux, mais cela ne marche pas. Il est toujours amoureux de Susan... et je n'ai pas oublié Toby. Il est sans cesse entre nous.

— Oh ! Victoria ! Tu ne peux pas laisser cet individu détruire ton mariage, murmura Olivia, désolée, en s'asseyant et en saisissant les mains de sa sœur. Chasse-le de ton esprit.

— Et Susan ? Charles l'aime toujours... Ollie, poursuivit-elle tristement, il ne m'aime pas. Il ne m'a jamais aimée, ne m'aimera jamais. Toutes ces balivernes à propos de l'amour qui vient avec le temps ! Comment peut-on être amoureuse d'un étranger ?

— Vous vous habituerez l'un à l'autre. Sois patiente. Geoffrey t'aidera.

— Il me déteste. Ils me détestent tous les deux.

— Ne dis pas cela !

Les yeux embués, Olivia dévisageait sa sœur. Elle ne s'attendait pas à une telle confession ! Elle avait bien eu un vague pressentiment, mais ne pensait pas que la situation était aussi grave.

— Oui, l'amour vient avec le temps ! affirma-t-elle. Mariage ne rime pas avec coup de foudre. Victoria, promets-moi que tu ne feras pas de bêtises.

— Je ne sais plus où j'en suis, avoua la jeune femme avec franchise.

Elles se regardèrent de nouveau. Olivia lui trouvait un air plus mûr, une grâce plus féminine. Peut-être était-ce une illusion. En fait, elle n'avait pas changé. Elles ne s'étaient jamais autant ressemblé.

— Je me sens perdue, poursuivit Victoria. Ollie... que vais-je devenir ?

— Une bonne épouse pour Charles, une mère affectueuse pour son fils. Essaie de tenir tes engagements. Rappelle-toi le serment que tu as prononcé le jour de ton mariage.

— L'honorer, l'aimer, lui obéir... quel manque de dignité, non ? C'est plutôt dégradant, ton serment, dit irrévérencieusement Victoria, avant d'allumer une cigarette.

— Comment peux-tu dire une chose pareille ?

Olivia fronçait les sourcils. Sa tendresse pour sa sœur ne l'aveuglait pas au point de l'empêcher de voir ce que Charles devait supporter. Victoria était impossible, par moments.

— Tu crois que Charles acceptera que tu fumes dans votre chambre ?

Victoria s'esclaffa.

— Il a intérêt. Je vis ici, désormais.

Elle ne se sentait pas à l'aise dans cette maison étrangère, parmi des étrangers. Si elle s'écoutait, elle repartirait avec son père et sa sœur. Mais ceux-ci s'opposeraient vigoureusement à un tel projet.

— Vas-tu rester un peu à New York ? voulut-elle savoir.

Olivia acquiesça, et ce simple geste remplit Victoria d'un indicible soulagement.

— Je ne sais pas par où commencer, murmura-t-elle, fébrile.

Olivia lui sourit.

— Je viendrai tous les jours jusqu'à ce que tu sois installée.

— Et après ? s'écria Victoria en se tordant les mains, envahie par une vague de terreur. Qu'est-ce que je ferai, après, moi ? Je ne sais pas comment on devient une bonne épouse. Je n'y arriverai jamais.

— Mais si. Tu es tout simplement trop nerveuse.

Olivia l'entoura d'un bras protecteur, et Victoria en ressentit immédiatement l'effet apaisant. On eût dit qu'elle était revenue à la maison, chez une mère aimante. Posant sa tête sur l'épaule de sa sœur, elle éclata en sanglots.

— Cela ne peut pas durer, Ollie... je le sais... Notre voyage de noces a été épouvantable.

Sous son air d'adulte sophistiquée, elle n'était qu'une enfant, aussi vulnérable que Geoffrey.

— Chut... tu y arriveras, répéta Olivia d'une voix douce. Maintenant calme-toi. Cesse de t'inquiéter. Nous ferons tout cela ensemble.

Victoria se moucha, puis elles descendirent au rez-de-chaussée. Encore une fois, il était impossible de les distinguer. Quand leur père dit : « Olivia, il est temps de rentrer », elles répondirent en même temps « oui papa », et éclatèrent de rire.

— Je les obligerai à porter des signes distinctifs quand elles seront ensemble dans cette maison, déclara Charles avec bonne humeur.

Il était content d'être rentré, d'avoir retrouvé son fils. Il avait l'impression de remonter le temps. Il y avait de nouveau une femme à la maison, des fleurs partout... Même si les bouquets, qui embaumaient, n'avaient pas été disposés dans les pièces par la femme qu'il avait épousée.

Avant de s'en aller, Olivia embrassa Victoria en lui promettant de revenir le lendemain matin. Elle se pencha pour embrasser Geoff, qu'elle serra dans ses bras.

— Tu vas beaucoup me manquer, dit-elle tendrement. Prends bien soin de Chip et de Henry, d'accord ?

— Revenez vite, répondit-il d'une petite voix triste.

Ils sortirent sur le perron en agitant la main. Ensuite, l'un après l'autre, les Dawson retournèrent à l'intérieur et refermèrent la porte pour commencer leur vie commune.

17

Pendant la semaine qui suivit, Olivia aida Victoria à s'installer dans la maison qui dominait l'East River... Victoria avait pris en grippe cet endroit pourtant gai et ensoleillé. Cela manquait de confort, se plaignait-elle. Elle aurait voulu retourner dans le manoir où elle avait vécu son enfance et son adolescence. Charles et elle partageaient une vaste pièce claire... trop près, selon Victoria, de la chambre de Geoffrey, située de l'autre côté du couloir. Elle trouvait le petit garçon envahissant avec ses soldats de plomb, ses petites voitures, son chien, ses balles, ses billes...

— Oh ! Seigneur, il ne va donc nulle part, ce gamin, hormis à l'école ?

Elle ne respirait que lorsque Geoffrey s'en allait. Hélas, il était toujours pressé de rentrer à la maison. Après une absence de deux mois, il avait hâte de se retrouver chez lui, dans son décor familier. Et, tous les soirs, il attendait son père sur le perron. Victoria avait la sensation qu'il lui fallait, elle aussi, se mettre au garde-à-vous comme un soldat pour recevoir son mari.

Elle n'avait absolument aucune idée de ce qu'ils aimaient manger. Le premier dîner qu'elle leur prépara ne suscita aucun enthousiasme. Ils restèrent polis, mais y touchèrent à peine. Le lendemain, elle s'en plaignit à Olivia, qui lui révéla aussitôt quels étaient les plats favoris de Geoff.

— Reste avec nous, tu vois bien que tu es indispensable !

Ce n'était pas une plaisanterie.

— Tu te répètes ! la gronda Olivia.

Elle voyait bien que sa sœur n'assumait pas son rôle de maîtresse de maison. Pis encore, elle jugeait les tâches ménagères indignes d'elle.

— Il n'arrive pas à faire la différence entre nous, dit-elle sur un ton taquin. Tu ne veux pas prendre ma place pendant un certain temps ?

La lueur qui dansait dans ses yeux mit Olivia sur ses gardes. On eût dit qu'un projet se formait dans l'esprit de Victoria. Heureusement, celle-ci n'insista pas et, à la fin de la semaine, elle paraissait mieux comprendre en quoi consistaient ses nouvelles obligations.

Tout allait pour le mieux dans la maison ensoleillée de l'East Side. Charles affichait une bonne humeur presque constante. La qualité des dîners s'était considérablement améliorée, il avait repris le travail et plusieurs dossiers qu'il étudiait pour le compte de son beau-père l'accaparaient entièrement. Geoff se comportait comme un petit garçon modèle. Cependant, diriger la maison représentait toujours pour Victoria la pire des corvées. Elle se voyait reléguée au rang d'une servante et un moment vint où elle s'aperçut, avec horreur, qu'elle n'aurait jamais le temps de s'adonner à sa véritable passion.

Là encore, ce fut Olivia qui lui insuffla le courage de continuer.

— Fais-le pendant une semaine ou deux, suggéra-t-elle. Ensuite, lorsque tu auras tout en main, tu pourras faire des courses, voir tes amies, déjeuner avec elles...

Aller à des meetings, participer à des manifestations... A des réunions d'information annoncées dans la presse. Victoria brûlait de s'y rendre, afin de recueillir de plus amples informations sur la guerre qui ravageait l'Europe. Elle dévorait les articles des journaux, s'efforçant de comprendre la complexité du conflit... Lorsque Charles rentrait de son travail, il était trop fatigué pour en parler avec elle.

Finalement, Olivia retourna à Croton avec leur père.

Edward se sentait fatigué, ce qui obligea sa fille à le ramener à la campagne. Elle promit de revenir vite. En outre, Charles et Victoria avaient l'intention de passer bientôt un week-end à Croton. Le projet ne se concrétisa pas : Charles, pris dans les remous d'un procès, partait de bonne heure et rentrait tard, l'école accaparait Geoff, et Victoria s'impliquait totalement dans les meetings. Elle appela quelquefois Olivia, les deux sœurs s'écrivirent presque tous les jours, puis, soudain, septembre toucha à sa fin et entre-temps la face du monde avait changé, tandis que leur vie avait pris un nouveau tournant.

A la fin du mois d'août, le Japon était entré en guerre aux côtés de l'entente franco-anglaise. La bataille de la Marne avait mis fin à l'offensive allemande en France, mais les Allemands effectuaient des raids aériens sur Paris. Les Russes avaient subi des défaites sanglantes dans la région des lacs mazures, puis en Prusse. Victoria suivait le développement des hostilités avec une exaltation qui finit par supplanter sa passion du féminisme. Le conflit qui avait mis l'Europe à feu et à sang avait pris une importance capitale à ses yeux.

Les premières semaines, se conformant aux conseils d'Olivia, elle avait dirigé tant bien que mal la maison de Charles. Mais peu à peu, sa véritable nature ayant repris le dessus, elle se voua corps et âme à ses passions... Elle n'était plus jamais chez elle mais courait les réunions politiques et les conférences sur les batailles qui faisaient rage en Europe. Lorsque Charles rentrait, elle ne parlait que de la guerre, dans l'espoir d'entamer avec lui une discussion intéressante. Il n'avait pas tardé à remarquer que, depuis le départ d'Olivia, son épouse avait repris ses anciennes habitudes. Elle ignorait les responsabilités les plus élémentaires d'une femme mariée. Olivia n'étant pas là pour l'inciter à accomplir certaines tâches ou pour les effectuer à sa place, Victoria ne s'occupait plus de rien. Bientôt, la maison fut à l'abandon, le désordre régnait partout, le jardin se transforma en une jungle d'herbes folles, et les voisins rapportèrent à Charles que son fils passait le plus clair de son temps à jouer dans les rues, parce que Victoria n'était jamais sur place pour le surveiller.

— Tu ne respectes pas nos accords, reprocha-t-il à sa femme.

Elle aurait voulu le faire, mais comment ? Elle ne savait pas... ne parvenait pas à se plier aux règles... A aucune règle. Leur vie privée n'avait fait qu'empirer. Ils ne faisaient plus l'amour. Victoria montrait toujours la même aversion quand Charles s'approchait d'elle... De plus, elle semblait hantée par la crainte que Geoff puisse les entendre. Charles buvait plus que de raison, elle fumait constamment. L'odeur tenace de tabac qui imprégnait les pièces le rendait fou de rage. Décidément, ce mariage ne répondait guère à ses attentes.

Lorsque Olivia leur rendit de nouveau visite, six semaines plus tard, elle constata que la situation entre les époux s'était sérieusement dégradée. Victoria ne tenait plus en place, son mari avait visiblement atteint l'extrême limite de la patience. Un mauvais pressentiment avait tourmenté Olivia avant son arrivée. Mais New York l'attirait comme un aimant. Elle s'y rendit donc. Quand elle entra dans la maison de l'East Side, la tension était presque palpable. Les deux époux ne desserraient pas les dents.

Olivia emmena Geoff et le chien avec elle à l'hôtel, dans l'espoir que sa sœur fasse la paix avec son mari. Elle l'exhorta à se montrer plus conciliante mais, lorsqu'elle revint le lendemain, leur mésentente n'avait fait que s'aggraver.

— Mais que se passe-t-il ? Qu'est-ce que tu veux, à la fin ? explosa Olivia.

Victoria lui rendit un regard plein de colère.

— Ce n'est pas un mariage, Olivia. C'est un arrangement, et il le restera jusqu'à la fin des temps. Il m'a embauchée comme femme de ménage, gouvernante et bonne d'enfant.

— Balivernes ! lui rétorqua Olivia tout en arpentant le vaste salon clair. Tu te comportes comme une enfant gâtée. Il t'a donné sa protection, son nom, il t'a sauvée de la catastrophe qui aurait très certainement suivi ta malheureuse liaison... Il t'a offert sa maison, son fils, une vie agréable. Et tu es furieuse sous prétexte que tu dois veiller à ce que la cuisinière lui serve un repas correct. Non, Victoria, il ne t'a pas embauchée comme une servante. Seulement, tu n'as pas très envie d'être sa femme non plus.

— Tu n'en sais rien ! fulmina Victoria, ulcérée que sa sœur ait deviné la vérité.

— Tu es trop indulgente avec toi-même, dit Olivia d'une voix radoucie.

Elle mourait d'envie de la prendre dans ses bras, de la serrer contre elle, de la consoler. Victoria lui manquait atrocement mais pas assez pour souhaiter qu'elle quitte son mari. Ce serait un désastre, dont Charles et Geoffrey paieraient les conséquences.

— Je t'en prie, Victoria, fais un effort. Tu le dois à Charles. Et à Geoffrey... Avec le temps, tu t'habitueras. Je t'aiderai, ajouta-t-elle, les yeux suppliants.

— Je ne veux diriger ni cette maison ni aucune autre. Je n'ai jamais nourri une ambition aussi médiocre. C'est la faute de père. Il a voulu me punir et voilà où j'en suis maintenant.

Olivia hocha la tête. Elle estimait que Victoria avait expié sa faute le jour où elle l'avait découverte gisant dans leur salle de bains de Croton. Le reste n'était qu'obligations, routine, une vie à laquelle il fallait bien se résigner. Or le renoncement ne faisait pas partie des qualités de Victoria. Elle ressemblait à un oiseau qui, sans relâche, se heurte aux barreaux de sa cage au risque de se briser les ailes. Ne plus pouvoir voler librement la rendait folle.

— Olivia, dit-elle sombrement, je préfère mourir que de rester ici.

Elle se laissa tomber sur une chaise et leva sur sa

sœur un regard embué. Mais Olivia ne se laissa pas fléchir.

— Je ne veux plus t'entendre débiter ces sornettes.

— Je parle sérieusement. Il y a une guerre en Europe. Des hommes meurent par milliers. Des innocents sont tués. Je serais plus utile là-bas qu'ici, où je perds mon temps à surveiller Geoffrey.

— Il a besoin de toi, Victoria, insista Olivia, les yeux étincelants de larmes.

Elle aurait tant souhaité pouvoir changer le comportement de sa sœur. Victoria avait toujours une idée insensée en tête, un idéal pour lequel elle désirait ardemment se battre et mourir... Elle ne voyait pas la réalité immédiate, ses proches qui ne demandaient qu'un peu de son attention.

— Et Charles aussi, poursuivit Olivia, le regard implorant.

Victoria signifia son refus de se ranger à l'opinion de sa sœur jumelle par un simple mouvement de tête. Debout devant la porte-fenêtre, elle contemplait le jardin à l'abandon. Depuis leur retour d'Angleterre, elle n'avait pas parlé une seule fois avec le jardinier.

— Non, répondit-elle en se tournant de nouveau vers sa sœur. Charles a besoin de Susan et elle n'est pas là. Elle ne reviendra jamais... Peut-être a-t-elle eu de la chance...

Elle suspendit sa phrase et Olivia la regarda, plus inquiète que jamais. L'espoir que Victoria se réconcilie avec l'idée de cette union qu'elle considérait comme un châtiment s'amenuisait.

— Nous n'avons aucune vie intime, si tu comprends ce que je veux dire, reprit-elle. Nous n'en avons jamais eu. Depuis le début, c'est un fiasco. Je suppose qu'il rêve toujours d'elle et quant à moi... je... ne peux pas... Non, pas après Toby.

Les yeux pleins de larmes, elle baissait la tête, abattue. Cette attitude ne lui ressemblait pas. Victoria ne se décourageait pas aussi facilement. Elle était persévérante. Olivia était persuadée que, si sa sœur l'avait voulu, elle aurait réussi son mariage.

— Peut-être te faut-il plus de temps, dit-elle douce-ment, quelque peu embarrassée par ces confidences.

Ce n'était pas le moment de se laisser étouffer par la timidité. La situation était grave, elle le savait.

— Nous avons eu deux mois pendant notre voyage de noces, répondit Victoria, désespérée, et cela n'a pas amélioré les choses.

— C'était différent, dit Olivia avec la sagesse tran-quille d'une mère qui rassure sa fille. Le temps vous aidera à comprendre ce que vous attendez l'un de l'autre.

Un voile brûlant lui empourprait les joues. Victoria lui sourit. Olivia était si candide ! Elle ignorait tout des complications des rapports amoureux. Olivia n'imagi-nait pas combien il était dur de tressaillir de dégoût chaque fois qu'un homme vous touchait... Victoria ne pouvait donner à Charles ce qu'elle n'avait pas. Il avait d'ailleurs cessé d'essayer de la conquérir, blessé par sa répugnance trop visible.

— Tout est nouveau pour toi, reprit Olivia, aussi bien la maison que Charles. Accorde-lui une autre chance. Peut-être sans Geoff... histoire de mieux faire connaissance.

— Peut-être... murmura Victoria, manquant de con-viction.

Cela ne changerait rien. Elle n'éprouverait jamais pour lui que de l'animosité. On l'avait contrainte à contracter ce mariage et cela, elle ne l'oublierait pas. On l'avait vendue à un homme qui se sentait esseulé après la mort de sa femme, qui désirait son corps mais ne l'aimait pas, qui ne lui confiait pas ses pensées inti-mes. Au moins, Toby lui avait fait croire qu'elle était aimée, adulée. Il lui avait menti, mais il l'avait rendue heureuse. Oui, elle avait cru à l'amour de Toby... Quant à Charles, si gentil, si prévenant, si bien élevé fût-il, elle était convaincue qu'il n'éprouvait aucun sentiment à son égard.

— Ce fut une erreur, Olivia. Fais-moi confiance. Je le sais.

— Tu ne peux pas encore arriver à cette conclusion. Vous n'êtes mariés que depuis trois mois. Et avant, tu le connaissais à peine.

— Et si dans un an je te répète la même chose ? Que diras-tu alors ?

Les deux sœurs se regardèrent. Victoria semblait maintenant très sûre d'elle-même. Cette histoire ne pouvait aboutir qu'à la séparation. Elle le savait aussi sûrement qu'elle respirait. Ils ne réussiraient pas à s'aimer.

— Eh bien, Olivia ? Me pousseras-tu alors à divorcer ?

Leur père ne consentirait jamais au divorce. Olivia elle-même ne put s'empêcher de se sentir choquée. Victoria, elle, était consciente d'une chose : elle n'endurerait pas ce supplice jusqu'à la fin de ses jours.

— Je ne resterai pas ici, Olivia. Cela me tuera.

— Tu dois rester ! répondit Olivia avec ferveur. Du moins assez longtemps pour être certaine de tes sentiments... et des siens... Tu ne peux pas prendre une telle décision maintenant, Victoria. C'est trop tôt.

Si cette situation s'éternisait, si elle se sentait vraiment malheureuse, elle retournerait peut-être à Croton sans divorcer. Mais cette solution la tuerait tout autant. Victoria aspirait à une vie bouillonnante d'idées politiques, de combats, de causes à défendre. Elle ne resterait pas enfermée à la maison, à repriser les chaussettes de leur père, comme Olivia. Une partie de son subconscient désirait ardemment que Victoria rentre, afin qu'elles soient de nouveau ensemble comme avant. Mais une autre partie, plus généreuse, souhaitait sincèrement qu'elle reste auprès de Charles, et qu'ils soient heureux ensemble.

— Et si j'emmenais Geoff à Croton avec moi pour quelques jours ? Ce n'est pas grave s'il rate un ou deux jours d'école, n'est-ce pas ? Cela vous permettrait de vous retrouver, avec Charles... Qui sait, un miracle pourrait se produire.

— Tu rêves, Ollie !

Victoria haussa les épaules. Sa jumelle n'avait pas tout à fait saisi les subtilités du problème. Ce mariage était voué à l'échec, point final. Elle dut admettre, néanmoins, qu'elle serait soulagée si Geoff s'absentait. Non qu'elle le détestât... Mais s'occuper de lui, le surveiller, ramasser ses jouets, chasser le chien de sa chambre, tout cela l'épuisait. Avoir sous sa responsabilité un autre être humain, quel ennui ! pensait-elle. Que de temps perdu !

— Oui, emmène-le... Je suppose que s'il était mon fils, poursuivit-elle pensivement, ce serait différent. Mais il ne l'est pas. Et, du reste, je n'ai aucune envie d'avoir des enfants.

Elle l'avait signifié dès le début à Charles. Sur ce sujet, elle demeurait inflexible. Pas d'enfants ! Olivia l'écoutait, surprise. Elle-même chérissait tendrement Geoffrey. Dès l'instant où son regard s'était posé sur lui, elle l'avait pris en affection. Il remplaçait dans son cœur les enfants qu'elle n'aurait jamais.

— Je serai heureuse de lui offrir l'hospitalité au manoir, dit-elle calmement. A condition que tu passes plus de temps avec Charles et pas seulement dans de vieilles églises désaffectées ou des allées sombres avec tes suffragettes.

— Ah ! ah ! Voilà le mouvement féministe réduit à une image bien sordide, s'esclaffa Victoria, soulagée malgré tout d'être débarrassée de Geoffrey pendant quelques jours. Tu te trompes complètement. Tu verrais par toi-même si tu m'accompagnais à une réunion, ne serait-ce qu'une fois. Mais, pour le moment, la guerre en Europe compte plus que tout le reste. Je voudrais comprendre ce qui se passe réellement là-bas.

— Essaie plutôt de mieux comprendre ton mari, répondit Olivia, l'œil sévère.

En riant, Victoria l'enlaça et l'embrassa.

— Tu as toujours volé à mon secours, murmura-t-elle comme une petite fille perdue, alors qu'Olivia la serrait dans ses bras.

Victoria lui manquait cruellement. Surtout la nuit, quand elle se tournait et se retournait dans le grand lit solitaire.

— Je ne suis pas sûre de pouvoir t'aider, cette fois, dit-elle honnêtement. Il va falloir que tu te débrouilles toute seule.

— La solution serait que tu prennes ma place, lança Victoria sur le ton de la plaisanterie. Je t'assure, la vie serait beaucoup plus facile.

Olivia ne sourit pas. Le mariage n'était pas un jeu.

— Vraiment ? Combien de temps supporterais-tu de prendre soin de père à la campagne ? Pas une journée !

Victoria n'aurait pas été satisfaite à Croton non plus. Elle avait le goût des vastes horizons, Olivia le savait. Elle avait espéré que Charles comblerait le vide dans le cœur de sa sœur. Mais, maintenant qu'elle y songeait, peut-être que si Victoria avait des enfants à elle, le problème serait résolu.

Olivia partit chercher Geoff à l'école dans l'après-midi, avec sa valise, le chien et le vieux singe en peluche. Il grimpa dans la voiture, enchanté d'apprendre qu'ils allaient à la campagne. Il avait hâte de monter son cheval, de se promener avec Olivia, de revoir papy Edward, comme il l'appelait maintenant.

En rentrant chez lui, Charles découvrit, non sans étonnement, que son fils était parti pour Croton.

— Et l'école ? s'enquit-il, stupéfait.

— Oh ! il peut rater quelques cours, non ? Il n'a que dix ans, après tout... dit Victoria, balayant d'un geste gracieux le sujet.

Elle était allée à une conférence sur la bataille de Bruxelles et en était rentrée très satisfaite.

— Tu aurais pu me demander mon avis, répondit-il d'un ton las, conscient cependant qu'ils étaient seuls et que Victoria rayonnait de beauté.

Ses yeux pétillaient d'enthousiasme, une longue

robe noire, dernier cri de la mode parisienne, mettait en valeur sa silhouette fine.

— Je suis supposée être sa mère ! s'écria Victoria, hors d'elle.

Le feu de ses prunelles ne la rendait que plus désirable.

— Oui, mais moi je suis son père. Je suis plus âgé et plus sage que toi, dit-il, radouci. Tu as eu raison... Quelques jours au grand air lui feront le plus grand bien... Et à nous aussi si nous allons le rejoindre ce week-end.

Il savait qu'en dépit de son antipathie pour la campagne elle adorait rendre visite à sa sœur... Mais, dans ce cas, le départ de Geoff n'aurait servi à rien.

— Une autre fois, marmonna-t-elle d'un air vague. Nous laisserons le petit ici et nous irons voir Olivia et père.

— Sans Geoff ? s'étonna Charles. Il ne nous le pardonnerait jamais. (Il la regarda avec tristesse.) Tu n'aimes pas être avec lui, n'est-ce pas, Victoria ?

— Je... ne suis pas très à l'aise en sa compagnie, admit-elle.

Elle alluma une cigarette, souffla la fumée. La présence de son mari aussi la mettait mal à l'aise... Elle aurait bien voulu lui trouver toutes ces qualités dont Olivia le parait. Pour Victoria, il était un étranger.

— Je ne suis pas habituée aux enfants.

— C'est un petit garçon si facile, protesta-t-il.

Il avait amplement mérité l'immense amour de Susan... Sa profonde affection... Il arrivait toujours un moment où Charles comparait Victoria à Susan. Sa seconde femme ne pensait à personne, hormis à elle-même et à sa jumelle. Olivia avait toujours veillé sur elle, la traitant comme un bébé.

— J'aurais voulu que vous vous connaissiez mieux, Geoff et toi...

— Olivia dit la même chose de nous.

Elle lui sourit à travers la fumée de sa cigarette.

— Pourquoi ? Lui as-tu fait part de tes doléances ?

Charles plaçait la discrétion au sommet des vertus. Selon lui, les affaires de famille ne devaient pas franchir le seuil de la maison. Avec Victoria, il ne se faisait aucune illusion. Il était évident qu'elle n'avait aucun secret pour sa jumelle. Et, considérant l'indigence de leurs rapports actuels, il en éprouva un sentiment de honte vis-à-vis de sa belle-sœur.

— Est-ce la raison pour laquelle elle a emmené Geoff ? Pour nous laisser seuls ?

— Je lui ai juste dit que j'avais du mal à m'habituer à ma nouvelle vie, murmura Victoria.

Il sut à l'expression de ses yeux qu'elle avait tout raconté à Olivia jusqu'au moindre détail.

— Victoria, je souhaiterais qu'à l'avenir tu ne discutes pas de notre vie privée avec ta sœur, dit-il, les sourcils froncés. C'est... comment dire... indélicat.

Elle hocha la tête sans un mot, tandis que la cuisinière annonçait que « Madame était servie ».

Le dîner se déroula dans la même tension. Le repas à peine terminé, Charles se réfugia dans son bureau. Lorsqu'il en sortit, Victoria était couchée et lisait. Depuis leur retour à New York, Charles travaillait tard tous les soirs. C'était une façon comme une autre de combattre ses démons. Il pénétra dans la chambre, les traits tirés, épuisé. Sa jeune femme était là, radieuse, absorbée dans sa lecture. Telle qu'il l'avait rêvée lorsqu'il avait accepté de l'épouser. Son cœur se serra. Par moments, il l'aimait presque... Oh ! pas totalement, car il s'était promis de ne plus jamais connaître le grand amour. Mais ce soir, sa beauté étourdissante, ses longs cheveux, sombres torsades ruisselant sur ses épaules et dans son dos, ses seins épanouis sous la dentelle de sa chemise de nuit le laissaient sans défense.

— Tu ne dors pas ?

Il s'éclipsa dans le dressing-room, en ressortit en pyjama et robe de chambre. Victoria lisait toujours.

Susan et lui dormaient nus. A partir de ses secondes noces, Charles avait changé ses habitudes. Il se mettait au lit couvert de pied en cap et prenait garde de maintenir entre son épouse et lui une distance prudente. A la suite de plusieurs tentatives tout aussi désastreuses que lors de leur voyage de noces, il avait tiré la conclusion qui s'imposait : Victoria ne supportait aucun contact physique avec lui.

Dès qu'il se glissa entre les draps, elle posa docilement son livre et éteignit la lampe de chevet, après quoi les deux époux demeurèrent allongés dans le noir.

— C'est drôle d'être ici seuls, dit-il au bout d'un moment. Sans Geoff, je veux dire.

Savoir son fils près de lui le rassurait. Mais il aimait bien aussi se retrouver avec Victoria. Ils avaient pour eux tout l'étage, songea-t-il, tourmenté par un désir insidieux. Victoria ne répondit rien... Ses pensées voguaient vers sa sœur. Olivia lui manquait. De tout son cœur elle souhaitait retourner auprès d'elle, ne plus être mariée à Charles, ne plus avoir à s'occuper de Geoffrey. La vie conjugale n'avait aucun des attraits qu'elle avait imaginés. La liberté escomptée n'était qu'illusion. Il fallait sans cesse être au service du mari, du fils du mari... c'en était fatigant à la fin ! Si elle avait su, elle ne se serait jamais mariée. A présent, le couvent faisait figure d'oasis auprès de l'aride désert du mariage.

— A quoi penses-tu ?

Charles s'était tourné sur le côté et la regardait.

— A la religion.

Il n'en crut pas un mot.

— Quel odieux mensonge ! Tu dois avoir des pensées vraiment cruelles.

— Tu as raison, répliqua-t-elle avec candeur.

Parfois, lorsqu'ils ne se sentaient pas totalement étrangers, ils étaient liés par un semblant d'amitié.

Du dos de la main, Charles lui caressa la joue. Très doucement. Il regrettait que tout ait été gâché dès le départ. Comment en étaient-ils arrivés à une mésentente aussi effroyable ? Leur vie commune n'était plus qu'un abîme de malentendus et de maladresses... Surtout pour Victoria qui ne savait plus comment s'y prendre, comment faire face à ses propres sentiments de révolte ou à l'attitude de Charles, somme toute compréhensible après qu'elle l'eut rejeté.

— Tu es si belle, murmura-t-il en l'enlaçant, la sentant déjà se figer à son côté. Victoria... attends... fais-moi confiance... Je ne te ferai pas de mal...

Mais il était trop tard. Le visage de Toby se superposait à celui de Charles, et elle ressentit dans ses entrailles l'affreux déchirement qui l'avait clouée au sol de la salle de bains, la nuit où elle avait perdu son bébé.

— Tu ne m'aimes pas, dit-elle.

La phrase avait jailli spontanément, et Victoria en fut la première étonnée.

— Laisse-moi apprendre à t'aimer... Faire l'amour nous rapprochera...

Mais cela fonctionnait d'une autre manière pour elle... Pour Victoria, on aimait d'abord et on se donnait ensuite. Là résidait toute la différence entre les hommes et les femmes.

— Il faut bien commencer d'une manière ou d'une autre... poursuivit-il. Se faire confiance...

Il mentait. Il ne se fierait plus à aucune femme. Il aurait toujours l'arrière-pensée qu'elle pourrait mourir... Il avait considéré la mort de Susan comme une trahison. Et il avait éprouvé la même sensation le jour où Olivia était tombée de cheval. Il l'avait vue si frêle... si vulnérable... Et si elle était morte, elle aussi... Non ! Il ne permettrait plus jamais à personne de le plonger dans le deuil et la consternation. Pas même à Victoria. Susan avait emporté dans la tombe sa confiance en la vie.

— Laisse-moi apprendre à t'aimer, répéta-t-il dans un chuchotement fiévreux.

La vérité était tout autre, Victoria le savait. Il ne désirait que son corps. Elle avait fait serment de l'aimer, de l'honorer... Elle lui devait obéissance. Mais elle n'obéirait jamais à un homme. Pas même à son mari.

Avec un soupir, elle le laissa l'enlacer. Il lui fit

l'amour très doucement, avec une profonde tendresse, et elle trouva l'étreinte moins désagréable que d'habitude... sans ressentir pour autant le moindre plaisir. Quant à Charles, il avait saisi le message de ce corps inerte et passif entre ses bras. Plus aucune illusion ne subsistait. Aucun lien ne les unirait jamais. Elle n'éprouvait rien pour lui. Pas l'ombre d'un frémissement ne l'avait parcourue durant ce simulacre d'ébats amoureux. Ses tentatives, invariablement couronnées d'échecs cuisants, en étaient la preuve. Charles comprit qu'aucune magie n'existait entre eux. Cette nuit-là, ils s'endormirent chacun de leur côté, en silence.

Le répit accordé par Olivia s'épuisa en conférences pour elle, et en réunions de travail pour lui. Le lendemain de sa tentative malheureuse, il dîna à son club avec John Watson et ses associés. Le week-end, enfermé dans son bureau, il revit les détails du procès dont il s'occupait. Ce fut à peine s'ils s'adressèrent la parole. Ils n'étaient pas fâchés. Simplement lointains, distants... Le fossé se creusait chaque jour davantage entre eux et il n'y avait plus moyen de le combler. Lorsque Donovan ramena Geoff, le dimanche soir, Charles fut enchanté de réentendre une voix dans la maison silencieuse, d'avoir quelqu'un à qui parler.

Olivia n'avait pas renvoyé le petit garçon à ses parents les mains vides. Elle lui avait donné des cadeaux, un thermos de chocolat chaud pour la route, une grosse boîte de cookies qu'ils avaient faits ensemble. Geoffrey avait même un mouchoir imprégné du parfum d'Olivia. Une douleur physique transperça Victoria à la pensée que quelques heures plus tôt l'enfant était avec elle. La pointe d'une absurde jalousie lui perça le cœur et elle demanda à l'enfant d'une voix irritée pourquoi Olivia ne l'avait pas accompagné.

— Elle voulait venir, répondit Geoffrey, blessé par le ton accusateur de Victoria. Mais papy Edward a attrapé une bronchite et elle ne peut pas le laisser. Il tousse beaucoup. Nous lui avons préparé des litres de soupe et tante Ollie va lui appliquer des... cataclysmes.

— Des cataplasmes, le corrigea son père en riant.

Victoria ne sourit même pas. Elle paraissait cruellement déçue. Elle avait espéré de tout son cœur revoir sa sœur jumelle. Hélas, Dieu seul savait quand Olivia pourrait se libérer de ses devoirs filiaux, car dernièrement leur père tombait sans cesse malade.

La bronchite traîna en longueur et, comme Olivia avait recommandé à sa sœur de ne pas venir seule à Croton en délaissant son mari, les jumelles ne se revirent pas avant Thanksgiving.

Leur père, pâle, amaigri, était alors de nouveau sur pied. Il fut ravi d'accueillir les Dawson. Victoria avait toujours l'impression que l'on parlait de quelqu'un d'autre lorsqu'on l'appelait « Mme Dawson ». Elle n'aurait jamais d'autre nom que le sien. Elle ne comprendrait jamais pourquoi une femme devait prendre le nom d'un homme sous prétexte qu'elle l'épousait.

Durant leur séjour, profitant d'un temps exceptionnellement beau, Geoffrey et Olivia s'adonnèrent à leur sport favori, l'équitation. Geoffrey, tout fier de sa monture, qui lui obéissait au doigt et à l'œil, était devenu un parfait petit cavalier. Plus tard, il jouerait au polo, déclara-t-il à son père, après lui avoir fait une démonstration de ses talents.

Ils étaient tous de bonne humeur lorsqu'ils prirent place à table pour le dîner de Thanksgiving. Sauf Victoria. Cette dernière était tendue. Elle avait passé une grande partie de la matinée à la cuisine, à bavarder avec Bertie. La nostalgie de son passé la rongeait. Le manoir lui rappelait à la fois le bonheur perdu et le présent abhorré. Elle partageait avec Charles la chambre d'amis. Mais elle brûlait de se retrouver dans le grand lit où autrefois sa sœur et elle dormaient côte à côte... Privilège qui, désormais, revenait au petit Geoffrey. Il lui avait volé sa place... Et comme si cela ne suffisait pas, tous chantaient ses louanges : Olivia, Bertie, Charles, Edward... Geoff était l'objet de l'attention générale. Aussi, cette nuit-là, lorsqu'il alla se coucher et que le chœur de ses admirateurs reprit de plus belle, Victoria explosa.

— Pour l'amour du ciel, cessez de miauler comme une bande de vieux chats ! Il est bien élevé, et alors ? Il a presque onze ans, c'est normal ! Qu'y a-t-il de si remarquable ?

Dans le silence pesant qui suivit, elle se sentit gagnée par l'embarras général.

— Désolée, souffla-t-elle avant de quitter la table, sous le regard blessé de Charles et celui, sidéré, de son père.

Olivia partit à sa recherche dès que cela lui fut possible. Elle la trouva dans leur ancienne chambre où Geoffrey dormait déjà, entouré de son singe en peluche et du chien.

— Je suis navrée, murmura Victoria, regrettant son esclandre. Je ne sais pas ce qui m'a pris. Mais j'en ai par-dessus la tête d'entendre toute la journée que Geoff est adorable.

Elle était jalouse de l'enfant, pensa Olivia, stupéfaite.

— Il faudra que tu présentes des excuses à Charles, dit-elle tristement.

Elle avait pitié d'eux. Ils paraissaient si moroses, si tristes. Même Geoff l'avait remarqué. Il avait déclaré que Victoria et son père se disputaient tous les jours, matin et soir... Au petit déjeuner et au dîner, avait-il précisé calmement, comme d'autres auraient dit qu'ils récitaient les grâces à chaque repas.

— D'accord, je le ferai, répondit Victoria en lançant à sa sœur un regard plein de lassitude. Je suppose qu'il en sera ainsi jusqu'au Jugement dernier. Deux étrangers en colère, sans rien en commun, enfermés avec un gamin dans une maison exiguë.

Olivia ne put réprimer un sourire. C'était un peu excessif, sans doute, mais c'était visiblement ainsi que Victoria le vivait.

— Tu me dépeins là un joli tableau.

— C'est vrai, Ollie. Un calvaire de tous les instants.

Je ne sais pas ce que nous faisons ensemble. Si Charles est honnête, il doit se le demander aussi.

— Je te conseille de réfléchir encore avant de prendre une décision, suggéra sa sœur.

Peu après, elles descendirent l'escalier, main dans la main. Dès qu'elles pénétrèrent dans la salle à manger, Charles regarda Olivia droit dans les yeux.

— Te sens-tu mieux ?

— Euh... oui... bredouilla-t-elle, ne sachant quoi dire, tandis que Victoria éclatait de rire.

— Elle se sent très bien. C'est moi l'horrible mégère que tu as épousée... Du reste, je te prie d'excuser mon éclat de tout à l'heure.

Ce petit malentendu eut le don d'alléger l'atmosphère. Olivia, rougissante, détourna la tête. Une fois de plus, il n'avait pu les distinguer. Et, comme par un fait exprès, elles avaient mis la même robe et s'étaient coiffées pareil.

Il était facile de les confondre. Même l'expression maussade de Victoria, qui aurait pu aider à l'identifier, disparaissait comme par magie dès l'instant où elle retrouvait sa sœur.

Après cet incident, chacun parut de meilleure humeur. Le week-end s'écoula dans une atmosphère agréable. Mais Victoria reprit son air morose au moment du départ. Elle avait passé des heures à discuter avec son père de la guerre et lui avait longuement narré la bataille meurtrière d'Ypres. Etrangement, elle qui exécrait la campagne s'était sentie chez elle à Croton. A présent, cet intermède terminé, elle allait retourner dans la maison qu'elle en était venue à détester.

Charles s'installa au volant de leur Packard. Geoff, suivi de Chip, se glissa sur la banquette arrière encombrée de sacs de voyage. Olivia, sur le perron, regarda longuement sa sœur.

— Sois gentille, chuchota-t-elle en l'enlaçant. Sinon, je viendrai te donner la fessée moi-même.

— Oh oui ! promets-moi que tu viendras.

Le sourire de Victoria était triste. Chaque fois

qu'elle se séparait de sa sœur, elle avait l'impression de mourir. Charles les regarda s'embrasser, fasciné par l'inaltérable lien qui les unissait. Le lien qu'il ne nouerait jamais avec sa femme, dussent-ils vivre ensemble cent ans. Aucun être au monde ne parviendrait à s'immiscer entre elles. Car ce lien qui le subjuguait tant s'était formé avant même leur naissance. Elles étaient faites d'une seule et même étoffe, comme deux robes taillées dans le même tissu, strictement identiques. On ne savait où l'une finissait et où l'autre commençait. Parfois, en dépit des différences qu'elles avaient ou qu'elles prétendaient avoir, elles étaient à ses yeux presque la même personne. Et, cependant, la femme qui avait pris place à côté de lui, alors qu'ils roulaient vers New York, n'avait pas la tendresse de sa sœur. Ses idées brillantes, son intelligence ne compensaient pas son manque de douceur... On pouvait les comparer à une pièce de monnaie. Face, tu gagnes... Pile, tu perds...

— Comment puis-je savoir laquelle des deux jumelles j'emmène avec moi ? s'enquit-il plaisamment, satisfait de son week-end.

Olivia s'était surpassée. Le repas de Thanksgiving avait été un vrai délice. Comme tous les autres repas. Les entremets, le choix des vins étaient parfaits. Leur chambre, parfaitement entretenue, embaumait l'encaustique, les domestiques avaient prévenu leurs moindres désirs. Olivia menait son monde avec le talent d'une maîtresse de maison accomplie.

— Justement, tu n'en sais rien, répondit Victoria. Et c'est cela qui est amusant.

Il s'en voulait d'avoir confondu sa femme et sa belle-sœur. Lorsqu'elles étaient ensemble, à Croton ou chez lui, en ville, il surveillait ses gestes et ses paroles. Afin de ne pas mettre Olivia dans l'embarras par un mot indiscret, il se tenait constamment sur ses gardes. Victoria, au contraire, semblait prendre plaisir à créer ce genre de confusion. Elle en profita, d'ailleurs, pour lui raconter un des nombreux cas où elles s'étaient fait passer l'une pour l'autre à l'école.

— Je ne vois pas ce qu'il y a de drôle, grommela Charles. C'est affreusement gênant. Que dirais-tu si quelqu'un confiait à Olivia quelque chose qui t'est destiné... et que tu n'aurais pas voulu qu'elle sache ?

— Olivia et moi n'avons pas de secrets.

— J'espère que cela n'est plus vrai.

Il la dévisagea mais elle haussa les épaules, avec un petit sourire. Là-dessus, Geoff se lança dans le récit de ses promenades à cheval. L'été suivant, Olivia lui avait promis de l'inscrire à un concours hippique.

Les semaines qui suivirent Thanksgiving s'envolèrent à une vitesse incroyable en préparatifs pour Noël, achats de cadeaux, réceptions...

A la fête annuelle de Noël chez les Astor, ils croisèrent Toby Whitticomb et sa femme. Victoria s'appliqua à éviter son ancien amant toute la soirée.

Toby essaya en vain d'attirer son attention, et elle fumait tranquillement une cigarette dans le jardin quand des pas crissèrent sur le gravier. C'était lui. Elle commença à s'éloigner mais il lui prit le bras, la tirant en arrière. Ce simple geste fit naître en elle un long et brûlant frisson.

— Toby, non ! Je t'en prie...

Ses yeux s'emplirent de larmes. Sans même le savoir, il avait déjà détruit son mariage.

— Je voudrais juste te parler.

Il était plus séduisant que jamais. L'alcool qu'il avait bu toute la soirée faisait briller ses yeux.

— Pourquoi l'as-tu épousé ? demanda-t-il d'un air blessé.

Elle retint un cri indigné, la main crispée, afin de ne pas lui assener la gifle qu'il méritait. Si leurs chemins ne s'étaient pas croisés, elle serait encore libre et heureuse.

— Tu ne m'as pas laissé le choix, dit-elle, s'efforçant d'adopter un ton froid mais consumée par des sensations qu'elle avait crues enfouies depuis un an.

— Que veux-tu dire ? Etais-tu...

Il la regardait intensément. Les potins n'avaient jamais mentionné de bébé. Et si sa mémoire ne le trahissait pas, elle ne s'était pas mariée immédiatement.

— Tu as crié sur tous les toits que je t'avais séduit.

Elle le regardait droit dans les yeux, excédée.

— Ce n'était qu'une plaisanterie.

— Une plaisanterie de mauvais goût !

— Oui, en effet, convint-il.

Elle lui tourna le dos et se dirigea à pas pressés vers le salon où Charles l'attendait. Il parut surpris en voyant Toby entrer juste après elle mais ne posa aucune question. Il ne voulait pas savoir et elle n'avait guère envie de lui raconter... Elle avait été le dindon de la farce, cela suffisait ainsi. Elle allait vivre avec ce fardeau, avec un cœur brisé et une réputation sauvée de justesse par un mariage de raison.

Le lendemain, Victoria reçut une gerbe de deux douzaines de roses rouges. Elle devina aisément qui en était l'expéditeur... Personne d'autre dans sa vie n'aurait pu lui offrir de fleurs... Malgré le trouble qui l'avait envahie lors de leur rencontre fortuite, elle jeta les roses à la poubelle. Quelques jours plus tard, elle trouva dans son courrier une lettre signée T. Son correspondant l'implorait d'accepter un rendez-vous. Elle ne répondit pas. Quels que fussent ses sentiments pour lui, elle ne souhaitait pas renouer. C'était trop tard...

Charles et elle continuaient à vivre chacun de son côté. Ils n'évoquèrent jamais Toby. Ils étaient d'humeur enjouée quand ils prirent la route de Croton pour y passer les fêtes de Noël. Ils remplirent la Packard de présents. Victoria avait acheté un jeu très compliqué pour Geoff. La vendeuse lui avait assuré qu'il s'agissait du cadeau idéal.

Les deux époux discutèrent du conflit européen pendant tout le trajet. Le déroulement des opérations militaires passionnait Victoria. Elle était si bien informée qu'elle impressionna Charles, beaucoup moins intéressé qu'elle par les combats sanglants qui ravageaient l'Europe. Sur le front ouest, offensives et contre-offensives avaient cédé le pas à une guerre d'usure : les armées allemande et française étaient immobilisées dans un épuisant face-à-face sur un front allant de la Suisse à la mer du Nord.

— L'Amérique n'entrera pas en guerre, déclara Charles, pragmatique... Il faut voir les choses comme elles sont : le conflit profite à notre pays.

Les Américains vendaient des munitions et des armes aux belligérants.

— C'est odieux ! s'indigna Victoria. Nous pourrions aussi bien tuer directement les gens au lieu de nous cantonner dans une neutralité hypocrite, feignant d'avoir les mains propres.

— Ne sois pas si sectaire, bon sang ! s'écria-t-il, presque indigné par sa naïveté. Comment crois-tu que certains font fortune ? Ton propre père avait une aciérie... Que produisait-elle à ton avis ?

— Arrête. J'en suis malade rien que d'y penser.

Elle regarda le paysage par la fenêtre, songeant aux soldats qui allaient passer Noël sur les champs de bataille. Elle se sentait coupable de célébrer la naissance du Christ tandis que des milliers de vies humaines étaient en péril. Or, ici, personne ne semblait concerné.

— Dieu merci, il a vendu l'aciérie, murmura-t-elle.

Décidément, pensa-t-elle avec tristesse, Charles ne partageait aucune de ses passions. C'était un homme pratique, qui avait les pieds sur terre. Il ne s'occupait que de son travail et ne s'inquiétait que pour Geoff. Le reste du monde ne le concernait pas.

A Croton, Victoria découvrit que son père était de nouveau malade. Cette fois-ci, le rhume qu'il avait attrapé quinze jours plus tôt avait évolué en pneumonie. Maigre, affaibli, il descendit brièvement au salon le jour de Noël. Tous ouvrirent leurs cadeaux. Edward avait offert à chacune de ses filles un collier de diamants. Elles poussèrent des cris de joie et voulurent les porter immédiatement. Les joyaux étincelaient sur leurs robes, qui, comme toujours, étaient identiques. En plaisantant, Charles déclara qu'elles le faisaient exprès et qu'il craignait de se tromper de cadeau. Il donna à sa femme un joli corsage et une paire de boucles d'oreilles en diamant, qui s'harmonisaient à la perfection avec le collier... A Olivia, il offrit une écharpe en cachemire et un livre de poésie... qui avait appartenu jadis à Susan, s'aperçut Victoria, intriguée.

— Pourquoi te l'avoir donné à toi ?

— Sans doute parce qu'il ne veut pas le garder... Tu détestes la poésie, alors, il ne restait plus que moi...

Olivia eut un pâle sourire. Le cadeau l'avait troublée. Sur la page de garde, Charles avait écrit une dédicace touchante. Elle connaissait ce livre, aimait ces poésies. Apparemment, Susan aussi les aimait...

Victoria se tut. Son indignation explosa peu après, lorsque Geoffrey ouvrit les cadeaux que lui offrait Olivia. Deux petits fusils, ainsi que toute une armée de soldats de plomb. Avec un cri de joie, il se mit aussitôt à aligner les uniformes français, allemands, anglais... Olivia les avait commandés depuis des mois. Victoria lança à sa sœur un regard outragé.

— Comment as-tu pu faire ça ? cria-t-elle, tremblante de colère. Comment as-tu pu lui offrir des objets aussi révoltants ? Et pourquoi ne pas les avoir couverts de sang, pendant que nous y sommes ? Cela aurait été plus honnête.

Des larmes avivaient l'éclat de ses yeux. Pour ne rien arranger, Geoff avait délaissé le jeu compliqué qu'elle lui avait acheté.

— J'ignorais que tu t'y opposerais, répondit Olivia, consternée. Ce ne sont que des jouets, Victoria... Les enfants aiment bien jouer aux soldats.

— Je me fiche pas mal de ce que les enfants aiment ou pas. Des milliers d'hommes sont en train de mourir au combat... Ce n'est pas un jeu. Et ce n'est pas drôle. Ce sont des êtres humains, eux aussi. Ils ont des femmes et des familles qui les attendent... Et vous, vous en faites des jouets. C'est inadmissible !

Elle se détourna, en larmes. Inquiet, Geoff demanda à son père s'il devait rendre son cadeau à « tante Ollie », mais Charles le rassura d'un signe de la tête... Peu après, il emmena Victoria se promener. Ils marchèrent en silence jusqu'à l'endroit où se trouvait la tombe de sa mère.

— Tu n'aurais pas dû te mettre dans tous tes états, observa-t-il gentiment. Ta sœur ne pensait pas à mal... Elle ne comprend pas la violence de tes sentiments.

Lui non plus d'ailleurs ne la comprenait pas. Dans son esprit, Victoria demeurait une énigme.

— Oh ! Charles, je n'en peux plus, s'écria-t-elle, je ne peux plus être ta femme. Je ne suis pas faite pour le mariage. Tout le monde le voit, sauf toi.

Elle respira profondément afin de combattre une vague de nausée. Son malaise s'était aggravé quand Charles avait donné le livre à sa sœur. Non par jalousie, mais par lassitude. Elle se sentait constamment à la mauvaise place, confinée dans un univers étriqué.

— J'ai eu tort d'obéir à père, quand il a arrangé notre mariage. J'aurais dû le laisser m'envoyer dans un couvent et m'oublier. Je n'en peux plus, vraiment... insista-t-elle.

Elle fondit en larmes, puis des sanglots amers la secouèrent. Charles se décida alors à poser la question qui lui brûlait les lèvres.

— Est-ce que tu le revois ? C'est donc cela ?

Elle le regarda, effarée. Comment avait-il deviné que Toby avait essayé de la revoir après la réception chez les Astor ?

— Bien sûr que non, répondit-elle froidement. C'est cela que tu penses ? Que je suis infidèle ? Oh ! j'aurais peut-être dû te tromper, cela aurait été plus amusant...

Elle regretta aussitôt son ironie... Elle regrettait un tas de choses... Mais les regrets, les remords n'avaient jamais rien arrangé. Elle se mit à pleurer, debout devant la tombe de sa mère, en proie à une profonde détresse.

— Je ne sais quoi te dire, murmura Charles au bout d'un long silence.

Il avait eu tort de mentionner Toby. La cuisinière lui avait rapporté que son épouse avait jeté une gerbe de roses. Et elle lui avait aussi montré un morceau de lettre sur lequel figuraient ces quelques mots : « Accepte de me revoir, s'il te plaît », signés T. Il avait alors songé au pire. Apparemment, il avait eu tort... Mais cela ne modifiait en rien la situation.

— Veux-tu que je parte ? demanda-t-elle au comble du désespoir.

Il s'approcha d'elle et l'entoura de ses bras.

— Bien sûr que non. Je veux que tu restes. Nous sommes mariés depuis seulement six mois... On dit que la première année est toujours difficile...

Il se mentait à lui-même. La première année avec Susan avait été idyllique.

— Je ferai des efforts, reprit-il. J'essaierai d'être plus raisonnable... Et si de ton côté tu te montres plus patiente, nous nous sortirons de ce mauvais pas... Que souhaites-tu que je fasse pour les soldats de plomb ? Si tu le désires, j'en discuterai avec Geoffrey...

— Non, dit-elle en reniflant dans son mouchoir, prise soudain d'une furieuse envie de fumer. Il me détesterait. Il a déjà détesté mon cadeau... La vendeuse m'avait pourtant juré qu'il l'adorerait... Moi-même je ne comprends rien à ce jeu.

— Moi non plus, admit-il. Mais j'apprendrai. Je peux tout apprendre... Si tu veux bien m'enseigner...

Mais elle ne voulait rien lui enseigner. Elle voulait s'en aller. Elle n'avait plus qu'une seule pensée en tête : partir loin, très loin.

Ils revinrent à pied vers le manoir, plus calmes, en silence.

Dans l'après-midi, Victoria se mit à la recherche de sa sœur. Elle la trouva dans la buanderie avec Bertie.

— Je suis navrée, Victoria, dit Olivia dès que la gouvernante les laissa seules. Je ne me doutais pas que mes soldats de plomb allaient te bouleverser.

Elles portaient toutes les deux des robes vert pâle, des émeraudes aux oreilles... Et comme chaque fois qu'elles se retrouvaient, elles se découvraient de nouvelles raisons de se chérir. Les deux sœurs échangèrent un sourire complice.

— Ne t'en fais pas, soupira Victoria. Je suis bête. Je me suis tellement impliquée dans ce qui se passe en Europe que, parfois, j'oublie que je suis en Amérique... Heureusement que père a vendu l'aciérie. Sinon je serais en train de manifester contre les marchands d'armes et je me ferais encore arrêter.

Elles éclatèrent d'un même rire, puis Victoria s'assit sur une chaise et leva le regard sur sa sœur. Son rire s'était éteint. Avant même qu'elle ouvre la bouche, Olivia sut qu'elle allait lui demander un service important.

— Ollie, fit-elle dans un murmure fiévreux, sors-moi de là. Ne serait-ce que pour une ou deux semaines... Avant que je devienne complètement folle... Je t'en supplie, Ollie...

Olivia se raidit. Elle devinait ce qui allait suivre.

— Dois-je te répondre non avant que tu me poses la question ou te laisser demander et refuser ensuite ?

— S'il te plaît, Ollie, prends ma place, l'implora Victoria à mi-voix. Juste un peu... Il faut que je réfléchisse... Je ne sais plus où j'en suis, tu comprends ?

Ses yeux reflétaient une peine immense, mais Olivia secoua la tête. Se faire passer pour sa jumelle n'était pas une solution. Victoria devait affronter seule ses problèmes. Elle avait prêté serment ; de plus, Charles personnifiait la gentillesse et il était hors de question de le duper.

— Voyons, Victoria, réfléchis un peu, chuchota-t-elle. Inverser nos rôles conduirait au désastre. Que se passerait-il si Charles découvrait cette supercherie ? Je ne peux pas faire semblant d'être sa femme, il le verrait immédiatement. Et même s'il ne s'en rendait pas compte, c'est mal, Victoria, je ne veux pas me prêter à cette farce.

Victoria sut que sa sœur n'accepterait pas. Les yeux brûlants, elle s'agrippa au bras d'Olivia.

— Je sais que c'est mal. C'était déjà mal quand nous échangions nos rubans à l'école... Ou quand tu mentais à ma place, feignant d'être moi... Nous l'avons déjà fait cent, mille fois... Il n'en saura rien, je te le jure... Il est incapable de nous distinguer, tu le sais.

— Cette fois-ci il le saura. Ou bien Geoff s'en apercevra... De toute façon, je ne veux pas parler plus longtemps de ce projet absurde. C'est non ! Est-ce clair ?

Elle prenait volontairement un air furieux, de manière à persuader Victoria de ne pas compter sur elle.

Victoria n'insista pas. Elle se redressa avec une expression désespérée dans le regard, puis elle sortit lentement de la pièce.

18

Elles n'évoquèrent plus ce sujet durant le reste de leur séjour. La tristesse de Victoria, le jour où elle quitta Croton, faisait peine à voir. Olivia, de plus en plus inquiète, aurait voulu lui rendre visite en ville mais la maladie de leur père la retint. La pneumonie récidiva, clouant Edward au lit, puis la grippe força Olivia à s'aliter. Vers la fin février, elle réussit enfin à aller à New York... Rien n'avait changé entre les deux époux. La situation avait même empiré. Elle trouva Victoria plus irritable, Charles plus nerveux. Le lendemain de son arrivée, le petit Geoffrey commença à avoir de la fièvre.

Victoria était sortie lorsque Olivia découvrit le petit garçon claquant des dents. Alarmée, elle appela le médecin, avant de joindre Charles à son bureau. Celui-ci rentra peu après.

— Où est-elle ? fut sa première question.

A contrecœur, Olivia dut avouer qu'elle n'en savait rien. Victoria était partie depuis des heures. Entretemps, des taches rouges avaient envahi le visage et le corps de l'enfant. Le docteur diagnostiqua un cas particulièrement sévère de rougeole.

Victoria revint à sept heures du soir. Elle avait assisté à une conférence fort intéressante sur les sous-marins allemands, au consulat britannique. Les Allemands faisaient tout pour isoler la flotte anglaise. Au thé qui avait suivi la conférence, Victoria, prise dans des discussions animées, n'avait pas vu le temps passer. Elle n'avait même pas songé à prévenir Charles qu'elle serait en retard pour le dîner.

Olivia épongeait le front de l'enfant lorsque sa sœur rentra. Dans la maison régnait cette agitation fébrile qui témoigne d'un décès soudain ou d'une maladie grave.

— Que se passe-t-il ? murmura-t-elle depuis le seuil de la chambre de Geoff.

Tel son reflet dans un miroir, Olivia s'approcha d'elle sur la pointe des pieds.

— Il a la rougeole. Le pauvre petit souffre le martyre... Dommage qu'il ne soit pas à Croton, je me serais mieux occupée de lui. Je me demande s'il ne faut pas faire venir Bertie. Il va garder le lit pendant plusieurs semaines... Veux-tu que je reste ?

— Oh ! mon Dieu, oui ! Et Charles ?

Elle voulait savoir s'il était furieux contre elle.

— Je crois qu'il se fait du souci pour toi, répondit Olivia.

C'était une façon polie de l'avertir que la colère de son mari n'avait d'égale que sa suspicion. Il lui en voulait d'être en retard, se demandait où elle avait passé tout l'après-midi. Il se chargea lui-même de lui faire part de ses reproches, plus tard, dans leur chambre.

— Où as-tu dit que tu étais ? demanda-t-il d'un ton soupçonneux pour la deuxième fois.

Un ton qu'elle ne lui connaissait pas.

— Je te l'ai déjà dit. Au consulat britannique. A une conférence sur les sous-marins allemands.

— Formidable ! Mon fils a quarante de fièvre et toi, tu accumules les informations sur des sous-marins. Merveilleux !

— Je ne suis pas extralucide. Comment voulais-tu que je devine qu'il allait tomber malade aujourd'hui ?

Elle arborait un calme qu'elle n'éprouvait pas. Ces huit derniers mois, ils étaient devenus experts en matière de combat... Sans doute plus qualifiés que les capitaines des fameux sous-marins eux-mêmes.

— Tu aurais dû être ici ! s'emporta-t-il. Je ne suis pas censé revenir en urgence du bureau parce que personne ne sait où est sa mère.

— Sa mère est morte, Charles. Je ne suis qu'un substitut, dit-elle froidement.

— Un piètre substitut, je dois dire. Ta sœur lui accorde plus d'attention que toi.

— C'est elle que tu aurais dû épouser... Elle aurait fait une bien meilleure épouse. Une bien meilleure maîtresse de maison.

— Ce n'est pas elle que ton père m'a proposée, hélas !

Il s'en voulut de la dénigrer ainsi. Leur vie commune s'enlisait dans d'incessantes déceptions. Tous deux oscillaient entre le ressentiment et les reproches. Et cela continuerait ainsi jusqu'à la fin de leurs jours. Il n'y avait pas d'autre issue, puisque Charles excluait le divorce.

— Va le dire à père ! riposta-t-elle avec véhémence. Peut-être acceptera-t-il de te vendre la bonne marchandise. Comme on échange des chaussures qui ne sont pas de la bonne taille. Vas-y donc ! Demande-lui.

Ils étaient pris au piège. Ils n'avaient plus aucun rapport physique. Leur dernière tentative, encore plus lamentable que les précédentes, remontait à janvier. Ils s'étaient alors juré en silence, chacun de son côté, de ne plus jamais recommencer. Et ils avaient tenu parole. Leurs étreintes ne leur apportaient que dépit et frustration. Elles reflétaient l'échec de leur couple. Charles était déterminé à ne plus jamais la toucher, même si cela signifiait une abstinence perpétuelle. Tacitement, Victoria était d'accord. Il n'y avait aucune raison de poursuivre cette sinistre comédie.

— Garde tes suggestions pour toi ! dit-il sombrement. Elles ne sont pas drôles. J'entends te trouver à la maison tous les jours, auprès de notre fils... de mon fils, si tu préfères... Je veux te voir le soigner, le nourrir, jusqu'à ce qu'il soit guéri. Est-ce clair ?

— Oui, monsieur ! répondit-elle en esquissant une

petite révérence. Ma sœur peut-elle rester pour m'aider ?

— Pour prendre soin de lui, tu veux dire, lança-t-il méchamment, non sans pertinence. (Victoria ignorait comment s'occuper d'un enfant malade.) De toute façon, je ne fais pas la différence entre vous... alors que ce soit l'une ou l'autre...

— Entendu...

Elle se précipita hors de la pièce, à la recherche de sa sœur. Celle-ci n'avait pas bougé du chevet de Geoff... En la voyant, le cœur de Victoria s'envola. L'envie de dormir avec elle la nuit, comme au bon vieux temps, la submergea. Mais une telle initiative risquait d'ajouter un reproche de plus à la longue liste des griefs de Charles. Il s'attachait trop aux apparences. Il n'avait plus l'intention de coucher avec sa femme, mais de là à faire chambre à part... Il n'y consentirait jamais, surtout pas en présence de sa belle-sœur.

— Comment a-t-il pris la chose ? demanda tranquillement Olivia.

Geoff dormait à poings fermés, assommé par la fièvre.

— Pas très bien.

Victoria lui sourit. Même dans ces circonstances pénibles, elle se réjouissait d'être avec sa jumelle. Olivia était sa seule amie, sa confidente. Elle n'osa pas lui expliquer combien son mariage s'était dégradé, mais cela, elle devait déjà le savoir. Très certainement, elle les avait entendus se disputer.

Finalement, ils restèrent tous les trois en huis clos dans la petite maison de l'East Side. La rougeole de Geoff dura trois semaines. Olivia ne quitta pas une minute son chevet. Charles en avait conscience. Il avait aussi l'impression d'avoir aperçu plusieurs fois Victoria auprès de l'enfant. Mais il avait tort. En réalité, c'était toujours Olivia, qui ne fit rien pour le détromper. Ce fut la seule concession qu'elle accorda à sa sœur. D'ailleurs, Victoria ne lui avait pas redemandé de se faire passer pour elle.

Certes, les relations entre les époux demeuraient tendues, mais Olivia ne perdait pas espoir qu'avec le temps ils finiraient par s'aimer. Et si jamais Victoria attendait un enfant, malgré ses dénégations...

Mais Victoria ne lui avait pas décrit ses nuits solitaires. Elle avait omis de lui dire que Charles l'avait récemment accusée de revoir Toby. Il avait peine à croire qu'une femme pouvait renoncer à l'amour pour lequel elle avait tout sacrifié, et vivre comme une nonne. Victoria disparaissait sans lui rendre de comptes, et cela étayait ses soupçons. Mais il ne posait aucune question, et Victoria ne montrait plus aucun empressement à lui raconter ses journées... Elle n'avait pas revu Toby, bien sûr, mais avait fait des rencontres intéressantes : un général à l'ambassade de France, un colonel au British Club. Selon eux, les volontaires étaient les bienvenus en Europe. Les populations touchées par la guerre avaient besoin d'aide. Leurs récits hantaient Victoria. Mais elle n'en soufflait mot, pas même à sa sœur.

Olivia finit par regagner Croton, à la fin de mars. Elle était épuisée. La tension qui électrisait l'atmosphère de la petite maison de l'East Side et les soins qu'elle avait prodigués sans relâche à Geoffrey l'avaient vidée de son énergie. Pour la première fois de sa vie, ne plus voir sa sœur lui procurait un véritable soulagement... Les Dawson vinrent au manoir à Pâques. Plus tristes, plus moroses que jamais. Charles et Victoria s'adressaient à peine la parole. Dix mois de déchirements avaient eu raison de leurs bonnes résolutions. Geoffrey avait perdu le sourire. La rougeole l'avait beaucoup affaibli. Il devait sa guérison aux bons soins de « tante Ollie », disait-il. L'épidémie avait durement frappé son école. Deux petites filles de sa classe avaient succombé à la maladie.

Charles remercia vivement Olivia lors d'une promenade dans le domaine, et le cœur de la jeune femme bondit vers lui, tandis qu'ils contemplaient l'Hudson. Elle décelait chez son beau-frère un profond désarroi, une infinie tristesse. Et une lucidité aiguë. Il avait fait son propre malheur et il le savait. Il avait connu l'amour autrefois et il avait cru pouvoir se contenter de quelque chose de moins précieux. Il avait agi pour le bien de son fils mais n'avait fait que se protéger contre la perte d'un être cher. Il s'était trompé sur toute la ligne...

Il regarda longuement Olivia, sans un mot, puis ils firent demi-tour et reprirent le chemin du manoir. Elle avait passé son bras sous celui de Charles. Ce geste amical rappela au jeune homme tout ce qui faisait défaut à son mariage. Avec un frisson, il s'écarta d'elle. Il lui était pénible de se sentir proche de quiconque, et plus particulièrement de la sœur compatissante de sa femme.

Dans sa naïveté, Olivia pensait que sa jumelle s'était résignée à son sort. Mais, la veille de son départ, Victoria se glissa dans leur ancienne chambre. Elle dévisagea Olivia avec une intensité singulière.

— Il faut que je te parle, déclara-t-elle d'une voix tendue et, l'espace d'un instant, Olivia crut qu'elle allait lui annoncer un heureux événement.

Rien ne l'avait préparée à la déclaration de Victoria. Celle-ci la sondait du regard. Sa main s'avança pour effleurer la joue de sa sœur.

— Je pars.

— Quoi ?

— Tu as très bien entendu, Olivia. Je ne supporterai pas cette vie une minute de plus.

— Mais tu n'as pas le droit de faire ça. Comment peux-tu être si... si égoïste ?

Elle ne pensait pas encore à elle-même. Toute son inquiétude allait vers Charles et Geoffrey.

— Je mourrai si je reste. J'en suis persuadée, Ollie.

Elle s'était mise à arpenter la pièce de long en large puis, s'arrêtant soudain devant sa sœur :

— Je t'en supplie, Olivia, prends ma place. De toute

façon, je m'en vais... Au moins tu seras là, puisque tu te fais du souci pour eux.

Olivia la regarda, horrifiée.

— Mais... où vas-tu ?

— En Europe... En France, probablement. Je travaillerai sur le front... Je pourrai conduire une ambulance, je suis une excellente conductrice.

— Va dire cela à papa, répondit Olivia à travers ses larmes. Ton français est épouvantable. C'est moi qui passais les examens à ta place.

De nouvelles larmes jaillirent ; elle se mit à pleurer sans retenue à l'idée de perdre sa sœur.

— J'apprendrai... Oh ! Ollie, ne pleure pas... Fais-le pour moi... Une dernière fois... Trois mois... Je ne te demande pas plus... Je prendrai le bateau dans trois semaines et je reviendrai à la fin de l'été... Je t'en prie, il faut que j'y aille, Olivia. Toute ma vie je me suis informée, j'ai assisté à des réunions, j'ai pris la défense de diverses causes... toujours dans l'ombre. Je n'ai jamais rien accompli. Je ne me suis jamais rendue utile à personne... Contrairement à toi...

— Alors, reste ici. Rends-toi utile en m'aidant à plier les draps ou à entretenir le jardin... Oh ! mon Dieu, Victoria..., sanglota-t-elle, ne pars pas..., je t'en implore, s'il t'arrivait quelque chose...

Elle s'interrompit, incapable d'envisager les conséquences d'un malheur qui frapperait sa sœur. Elle l'avait déjà à demi perdue le jour où elle était partie vivre à New York, à une heure de route... Mais l'Europe, de l'autre côté de l'Atlantique... Non, c'était impossible.

— Il ne m'arrivera rien, je te le jure.

Les deux sœurs se faisaient face comme au matin du mariage de Victoria, dans la chambre qu'elles avaient partagée pendant vingt ans et qui maintenant paraissait désespérément vide à Olivia.

— Ollie, je ne peux plus vivre comme ça. Charles et moi ne sommes pas faits l'un pour l'autre. Nous sommes trop malheureux ensemble. Si je pars, les choses changeront.

Olivia se moucha dans son mouchoir.

— Pourquoi ne le lui dis-tu pas ? demanda-t-elle d'une voix raisonnable. Il est intelligent. Il comprendra.

— Il ne me laissera jamais partir, répondit Victoria avec une conviction absolue.

Sur ce point, Olivia était d'accord avec elle.

— Et si je prends ta place ? murmura-t-elle pensivement. On pensera que c'est moi qui suis partie ?

Elle se tut, effarée. Involontairement, elle était en train de s'associer au projet insensé de sa sœur.

— Tu n'auras qu'à dire que tu pars... je ne sais pas, moi... pour la Californie. Parce que tu as envie d'être seule. De réfléchir. Ou parce que la vie est trop pénible sans moi... Trouve un prétexte...

— Et j'abandonnerai père ? Les gens me traiteront de monstre. Lui le premier.

— Il comprendra, décréta Victoria d'un ton vibrant d'espoir.

Cette fois-ci, la conversation était allée loin. Son idée faisait son chemin. Elle en était la première étonnée. L'excitation qui s'emparait d'elle faisait danser deux petites flammes dans ses pupilles. Olivia déclara alors en secouant la tête que ce n'était pas possible... Mais ce refus ne troubla pas Victoria.

— Il ne te touchera pas, insista-t-elle. Il n'y a plus rien entre nous depuis des mois. Il n'y aura plus jamais rien, d'ailleurs.

Et moi qui attendais qu'elle m'annonce une grossesse ! pensa Olivia, stupéfaite. Mais elle dit :

— Pourquoi ?

Charles paraissait si chaleureux, si vigoureux, si plein d'entrain.

— Je ne sais pas, répondit Victoria, songeuse. Trop de fantômes nous séparent : Susan... Toby... Il y a quelque chose qui ne va pas entre nous... Je crois que tout simplement nous ne nous aimons pas... et...

— Je ne te crois pas, coupa fermement Olivia.

— C'est la vérité. Nous n'avons aucune tendresse l'un pour l'autre. Je ne l'aime pas, Ollie. Et cela ne risque pas de s'améliorer. L'amour ne se commande pas.

— Et si je refuse de me faire passer pour toi ?

— Je partirai quand même. Sans laisser d'adresse. Il ne saura pas où je suis allée. Je reviendrai quand je serai prête à l'affronter... Je t'écrirai à notre maison de la Cinquième Avenue. Tu iras de temps à autre chercher le courrier sans que personne le sache.

Sa détermination donnait à réfléchir. Olivia s'abîma dans la réflexion. Leur père constituait le plus gros obstacle. Si elle lui faisait croire qu'elle voulait partir, il en aurait le cœur brisé. Pourtant, le lien qui l'attachait à sa jumelle était le plus fort. Olivia s'était toujours pliée à la volonté de sa sœur. Et, cependant, ce plan l'effrayait. C'était de la folie pure. Comment prendre la place de Victoria, avec un mari et un enfant... sans oublier que Geoffrey s'en apercevrait.

— Le petit le saura tout de suite, Victoria. Il nous reconnaît parfaitement.

— Tu n'auras qu'à te comporter comme moi... Ne sois pas trop gentille avec lui, et le tour sera joué.

Elle eut un sourire satisfait. Olivia la regarda, incrédule.

— Tu n'as pas honte ? Comment peux-tu dire cela ?

— D'accord, d'accord, je me montrerai très gentille avec tous les deux pendant les trois prochaines semaines. Ils ne verront pas la différence quand tu me remplaceras. Il faudra que j'arrête de fumer... Oh ! mon Dieu, quel supplice ! Et je ne boirai plus qu'un peu de sherry, seulement quand Charles m'offrira un verre.

Un large sourire illuminait ses traits. Olivia, elle, avait adopté un air de future mariée récalcitrante.

— Que de sacrifices ! s'exclama-t-elle, sarcastique. (Puis, redevenant sérieuse :) Qu'est-ce qui te fait croire que je vais accepter ?

— Tu n'acceptes pas ?

Victoria retint son souffle en attendant la réponse.

— Je ne sais pas.

— Vas-tu y réfléchir ?

— Peut-être.

Ce stratagème lui donnait l'occasion de partager la vie de Charles et de Geoffrey, et surtout il lui permettait d'empêcher Victoria de détruire complètement son couple. Si Olivia prenait sa place, si elle faisait en sorte que Charles ne s'aperçoive de rien, à son retour Victoria aurait sans doute recouvré la raison. Elle aurait vécu la grande aventure à laquelle elle rêvait et reviendrait au bercail... Alors que si Olivia refusait de la remplacer, trois semaines plus tard, la rebelle partirait en claquant la porte avec désinvolture, et alors les rumeurs reprendraient de plus belle. Peut-être que sauver le mariage de Victoria était plus important que s'occuper de leur père. De plus, elle pourrait toujours rentrer à Croton en cas d'urgence.

— Eh bien ? demanda Victoria, qui ne l'avait pas quittée des yeux et avait deviné ses pensées. Père aura Bertie et, par ailleurs, tu ne seras pas loin.

— Oui, mais il pensera que je l'ai abandonné, dit Olivia avec tristesse.

— Ce ne sera que justice, répliqua irrévérencieusement sa sœur. Il te retient ici pour le restant de tes jours, il t'empêche de te marier...

Sa véhémence arracha un sourire à Olivia.

— Je ne veux pas de mari, Victoria ! Je suis très bien seule.

Si le destin n'avait pas voulu que Victoria épouse Charles, elle aurait peut-être envisagé de devenir sa femme. A présent, elle ne s'autorisait plus à penser à lui. Et même si elle prenait la place de sa sœur, ce serait temporaire, songea-t-elle. Si elle acceptait, elle le ferait par esprit de solidarité. Pour les aider. Pas pour être auprès de Charles. Elle ne se permettrait pas de tirer un quelconque bénéfice de cette mise en scène... Un soupir gonfla sa poitrine, alors qu'elle s'efforçait d'y croire, de crainte que cette idée ne lui paraisse trop attrayante.

— Même si tu ne veux pas de mari, je te prête le mien ! Aussi longtemps que cela te plaira. Pour trois mois ou pour toujours, dit Victoria d'un ton léger.

Ce n'était pas tout à fait une plaisanterie. Elle n'avait pas oublié qu'autrefois Olivia n'était pas insensible au charme de Charles. Néanmoins, elle savait que sa sœur n'aurait jamais essayé de lui voler son époux. Olivia était trop loyale, trop honnête, trop convenable pour se prêter à ce genre de badinage. Olivia avait depuis longtemps réussi à contrôler ses émotions. Elle n'éprouvait plus pour Charles qu'une affection fraternelle. La preuve, elle souhaitait du fond du cœur qu'il soit heureux avec Victoria.

— Tu as intérêt à revenir à la fin de l'été ou je dirai à tout le monde la vérité et je viendrai te chercher moi-même, déclara-t-elle avec une emphase qui fit rire Victoria.

— Ils nous jetteront probablement toutes les deux en prison !

— Oui, et toi tu adoreras ça, gémit Olivia.

— C'est bien possible !

Et, tout en riant, Victoria noua ses bras autour du cou de sa sœur. Olivia représentait son seul espoir, depuis sa désastreuse liaison avec Toby. Elle considérait qu'elle en avait payé le prix. Maintenant, elle désirait sa liberté.

— Olivia, s'il te plaît, accepte... Je t'en supplie... Je me tiendrai tranquille jusqu'à la fin de ma vie, je le jure. Je te tricoterai des écharpes, je cirerai tes chaussures... Et plus jamais je ne te demanderai de te faire passer pour moi... Mais fais-le, je t'en prie !

— Seulement si tu t'engages à revenir et à être une épouse et une mère exemplaire.

Le sourire de Victoria s'effaça.

— Je ne peux pas te le promettre. Je ne sais pas ce qui se passera. Peut-être ne voudra-t-il plus de moi, dit-elle, exprimant tout haut ce qu'elle pensait tout bas.

— Alors, ils ne doivent jamais apprendre que tu es partie, dit Olivia doucement. Quand t'en vas-tu ?

— Le 1er mai.

Trois semaines plus tard. A peine le temps d'habituer son père à son prétendu départ, de mettre de l'ordre dans le manoir, avant de se glisser dans la peau de Victoria. Les deux jeunes femmes échangèrent un long regard. Ensuite, très lentement, Olivia acquiesça. Victoria laissa échapper un cri de triomphe, elles s'enlacèrent et, l'espace d'une seconde, Olivia se rendit compte, incrédule, de sa propre exaltation. Elles se mirent à en parler, avec l'enthousiasme de deux écolières qui préparent un mauvais coup. Olivia se demandait dans quelle aventure elle allait se lancer. Mais, quels que fussent ses craintes et ses doutes, Victoria ne lui permettrait pas de faire marche arrière.

Elles descendirent au rez-de-chaussée, se tenant par la main. Dans le vaste vestibule, Geoffrey jouait à la guerre. Le petit garçon tirait à l'aide de son canon sur ses soldats de plomb. D'instinct, sans s'être concertées, elles surent comment se comporter. Victoria enfouit sa main gauche dans sa poche, de manière qu'il ne voie pas son alliance, puis elle lui sourit avec chaleur.

— Tu sembles bien t'amuser, lui dit-elle en lui ébouriffant les cheveux. Puis-je t'offrir un verre de citronnade et des cookies ?

Un sourire radieux illumina la frimousse de Geoffrey. Il fit tomber encore quelques soldats à coups de canon, tandis qu'Olivia le regardait, renfrognée.

— Arrête un peu de jouer à ce jeu, grommela-t-elle. C'est stupide.

Elle s'avança vers lui d'un pas nonchalant. Son cœur battait à se rompre. S'il la reconnaissait... Mais il lui lança un regard indifférent.

— Pardon, Victoria. Papa a dit que je pouvais y jouer.

Ensuite, il adressa un clin d'œil à la femme qu'il prenait pour Olivia, et qui ne l'était pas... Lorsque les deux sœurs se retrouvèrent dans la cuisine, Olivia n'en croyait pas ses yeux. C'était la première fois qu'elles avaient réussi à le duper.

— Tout se passera bien, la rassura Victoria.

Olivia hocha la tête. Elle disposa sur un plateau une assiette de cookies et un verre de citronnade pour Geoffrey, en se demandant si elle aurait autant de chance avec le père du petit garçon.

19

La partie la plus difficile du plan consistait, pour Olivia, à mentir à son père. Edward Henderson s'était complètement remis de sa pneumonie. Il semblait en pleine santé et songeait même à se rendre à New York. Olivia réussit à le convaincre de remettre à plus tard ce projet, qui compliquerait trop ses propres desseins. Victoria et Geoff revenaient en juin pour passer les vacances d'été avec eux, lui rappela-t-elle habilement, c'est-à-dire un mois plus tard. Edward se rangea à l'opinion de sa fille. Il serait plus raisonnable, en effet, de les attendre à Croton.

En juillet et août, les Dawson iraient à Newport, où Charles avait loué un cottage au bord de l'eau. Olivia et son père avaient été invités à les y rejoindre. Le temps qu'ils reviennent, Victoria serait de retour d'Europe, c'est du moins ce qu'Olivia espérait, et tout rentrerait dans l'ordre. Olivia avait déjà rangé son passeport en lieu sûr, afin de le donner à sa sœur.

Elle était en train d'élaborer mentalement la lettre qu'elle écrirait à son père, lui expliquant qu'elle suivait une sorte de retraite religieuse en Californie, en priant pour qu'il la croie, quand la voix d'Edward interrompit ses réflexions.

— Est-ce que tu penses qu'ils s'entendent bien ? Je m'inquiète pour Victoria, parfois... Charles est si gentil, et pourtant on ne la sent pas heureuse avec lui.

Olivia tombait des nues. Elle regarda son père, impressionnée par la pertinence de ses observations.

— Je ne sais pas, fit-elle, préférant apaiser ses soucis en vue de ménager un départ facile à Victoria. Je crois qu'ils finiront par s'adapter. Charles était très amoureux de sa première femme, cela doit être dur pour lui et pour Geoff.

— J'espère que tu as raison, dit le vieil homme. Elle ne tenait pas en place, la dernière fois qu'ils sont venus... Seigneur ! Quelle nervosité !

Olivia avait détourné la tête pour lui dissimuler ses larmes. Dans quelques jours elle lui assenerait un coup bas. Elle détestait cette idée, mais il était impossible de rebrousser chemin.

— Et toi, ma chérie ? Comment te sens-tu sans ta sœur ?

— Elle me manque... affreusement parfois, dit-elle d'une voix que l'émotion rendait rauque. Mais je vous aime, père... Où que je sois, je vous aimerai toujours...

Il vit alors une expression étrange dans ses yeux, quelque chose qu'il avait déjà aperçu mais dont il valait mieux ne pas parler.

— Tu es adorable, sourit Edward en lui tapotant la main. Moi aussi je t'aime, ajouta-t-il en sortant dans le jardin.

Ces mêmes sentiments, Olivia les exprima d'une main tremblante, ce soir-là, dans sa fameuse lettre, qu'elle emporterait avec elle à New York et rapporterait à Croton, en se faisant passer pour Victoria. A mesure que les heures passaient, leur subterfuge lui apparaissait dans toute son absurde complication. Il aurait été plus simple de confier la missive à Bertie, qui la remettrait à son père trois jours plus tard. Mais c'était au-dessus de ses forces. En fait, elle cherchait à gagner du temps.

Comme il l'avait si bien deviné, disait-elle dans sa lettre, elle se sentait trop seule sans sa sœur. Elle avait besoin de se recueillir quelque part, de se retrouver. Elle s'était donc résolue à faire une retraite religieuse en Californie pendant quelque temps, afin de voir plus clair en elle-même... (Tout en exposant ces arguments, elle les trouvait invraisemblables, mais elle se força à poursuivre.) Elle serait de retour à la fin de l'été. Là-bas, elle rendrait visite à une ancienne camarade d'école qui l'avait invitée. Pourvu qu'il ne se doute de rien, se dit-elle, se rappelant qu'elles avaient quitté l'école depuis plus de dix ans, et que leur père avait confié leur éducation à des précepteurs. Elle lui assura qu'elle l'aimait, qu'il n'était pas responsable de son départ, que c'était une question de temps et de réflexion personnelle... Les larmes qui roulaient sur ses joues mouillèrent la feuille de papier... Elle voyait si trouble qu'elle eut du mal à écrire son nom. Elle composa ensuite une autre lettre, à l'intention de Geoffrey, qu'elle cacheta, et griffonna un mot pour Bertie : « Je reviens bientôt. Prends soin de père. Je t'embrasse, Ollie. » Elle se coucha alors sur le vaste lit à colonnettes, les yeux rougis, respirant à peine. Le sommeil la fuyait. Mille pensées fourmillaient dans sa tête. Quelle folie s'était donc emparée d'elle ? Victoria avait suffisamment d'audace pour se prêter à cette manigance insensée, mais elle, Olivia, avait eu tort d'accepter. Trop tard... Elle n'avait plus qu'à espérer que la santé de leur père resterait stable et que Charles ne découvrirait pas la supercherie.

Le rôle qui lui échoyait pesait comme un fardeau sur ses épaules. Elle se réveilla le lendemain matin, résolue à parler à sa sœur. Intuitivement, elle savait qu'il serait vain d'essayer de la convaincre. Victoria préférerait mourir plutôt que renoncer à son projet.

Olivia embrassa son père avant de partir pour New York sous prétexte de rendre visite à sa sœur. Elle noua ses bras autour de son cou et resta longtemps la joue appuyée contre la sienne. Elle aurait voulu rester avec lui pour toujours. Sa vie à Croton s'écoulait dans une douce sécurité, même si, autrefois, elle avait rêvé à une existence différente.

— Amuse-toi bien à New York, dit-il en l'embrassant chaleureusement. Achète de belles robes pour toi et ta sœur.

La pointe de la culpabilité écorcha le cœur d'Olivia.

— Au revoir. Je vous aime, papa.

Elle ne l'avait pas appelé « papa » depuis des années. Encore un baiser... un serrement de main... puis Edward se rendit dans le jardin pour sa promenade quotidienne.

Durant le trajet, Olivia se cantonna dans un mutisme inhabituel, qui ne manqua pas de surprendre Donovan. Le chauffeur s'en souvint, plus tard, lorsqu'ils comprirent les raisons de ce silence. Olivia devait se sentir terriblement coupable de fuir ainsi en Californie... Ils n'imaginaient pas qu'elle n'avait jamais quitté New York où elle vivait avec Charles Dawson en se faisant passer pour sa sœur... Cela dépassait leur entendement.

Olivia arriva à la maison à trois heures de l'après-midi, avant que Geoff rentre de l'école. Victoria l'attendait, détendue, presque froide, bien qu'elle fût la proie d'une agitation intérieure. Elle devait embarquer pour l'Europe le lendemain matin. Au début, elles avaient prévu de se voir plus tôt, puis elles s'étaient ravisées. Leur nervosité risquerait de les trahir, et, du reste, Olivia avait préféré rester le plus longtemps possible avec leur père.

Elle tendit à sa sœur son passeport. Celle-ci voyagerait sous le nom d'Olivia Henderson, pas sous celui de Victoria Dawson. La photographie ne posait évidemment aucun problème. A son tour, Victoria remit à Olivia un trousseau de clés, et une liste de noms à ne pas oublier : ceux des domestiques, de la secrétaire de Charles, de l'institutrice de Geoff. Le lendemain matin, Olivia n'aurait plus qu'à prendre la place de sa sœur. A cette pensée une sourde angoisse l'assaillait. Quand Geoff revint de l'école, il lui trouva un drôle d'air.

— Qu'y a-t-il, tante Ollie ? voulut-il savoir. Papy Edward est malade ?

— Non, il va bien. Beaucoup mieux que cet hiver, en fait. Il t'embrasse très fort.

Dès le lendemain, elle allait devoir se montrer plus réservée à son égard, même si Victoria lui témoignait un peu plus de chaleur. Ce qui signifiait que, quand elle le voulait, elle pouvait, se dit-elle, ce qu'elle fit remarquer à Victoria, qui eut un sourire espiègle.

— Oui, mais je fais semblant... Le reste du temps, je n'y songe même pas.

— Eh bien, tu y songeras quand tu reviendras, répondit Olivia d'une voix sévère.

Déjà, elle bâtissait des projets d'avenir. Elle en était venue à se convaincre que ce bref intermède sauverait le mariage de Charles et de Victoria. Dans son imagination, Victoria revenait, enchantée de retrouver Charles et d'avoir un fils comme Geoffrey. Tout était bien qui finissait bien... Victoria les serrait dans ses bras, et Olivia était enfin libre de regagner Croton... « Et ils vécurent heureux jusqu'à la fin des temps. » Ainsi se terminait la fable dans ses rêves... Aussi fut-elle décontenancée quand Charles revint du bureau et que, sans la prévenir, Victoria l'incita à se faire passer pour elle. Olivia l'aborda plutôt froidement, ce qui n'eut pas l'air de l'étonner, lui demanda comment il avait passé sa journée, et mentionna quelque chose qu'elle avait lu dans le journal. Peu après, il s'éclipsa dans son bureau, à l'étage. Il ne s'était absolument pas rendu compte que, pendant dix minutes, il avait conversé avec Olivia et pas avec sa femme.

— Tu vois comme c'est facile ? triompha Victoria. Nous avons toujours réussi et personne, jamais, n'a fait la différence.

Cette nuit-là — la dernière —, Olivia dormit dans la chambre de Geoffrey. Elle s'accrochait à lui dans son sommeil comme pour lui prodiguer son affection avant de se glisser dans la peau de son nouveau personnage. Encore que, sous le déguisement de Victoria, elle pourrait toujours essayer de gagner son amitié. Une chose l'inquiétait : que Geoffrey ait de la peine quand il saurait que « tante Ollie » était partie pour la Californie sans prévenir. Le lendemain, alors qu'elle l'aidait à s'habiller pour passer la journée chez un de ses amis

— Victoria avait organisé cette visite de longue date —, elle dit, en guise d'avertissement :

— Je t'aime beaucoup, beaucoup, tu sais. Où que j'aille, quoi qu'il advienne, je reviendrai... Pas... (Les mots, récalcitrants, restaient bloqués au fond de sa gorge.) Pas comme ta maman...

Elle voulait qu'il sache qu'elle ne l'abandonnerait pas.

Le petit garçon la regarda.

— Vous allez quelque part ? demanda-t-il d'une voix inquiète... Pourquoi pleurez-vous, tante Ollie ?

— Je ne pleure pas. J'ai un rhume... Et je suis trop bête... Et puis je t'adore...

— Oui, moi aussi.

Il lui fit son plus beau sourire et sortit de la chambre avec son chien sur les talons. Ils se revirent au petit déjeuner. Victoria n'avait jamais été plus gaie, plus vive, plus bavarde. Elle ne cessa de parler, de citer les journaux à propos de la guerre, de rire. Elle alla même jusqu'à déposer un baiser sur le front de Geoffrey, lorsqu'il partit chez son ami. Elle contenait à peine sa joie. Ne plus les voir pendant trois mois lui faisait l'effet d'un bain de jouvence... A cette seule pensée, elle avait envie de pousser un cri de délivrance. Pas plus tard que cet après-midi, elle se remettrait à fumer... Et elle s'envolerait, tel l'oiseau qui quitte sa cage.

Lorsque Charles quitta la maison pour se rendre à son travail, ce qui lui arrivait fréquemment le samedi, elle s'était un peu calmée.

— Tâchez de ne pas faire trop de bêtises, dit-il aux sœurs jumelles en les taquinant. J'ai mille choses à faire ce matin.

Victoria avait compté là-dessus. Elle aurait été désarçonnée si Charles avait choisi de rester à la maison, mais elle aurait su trouver une astuce. Sa décision prise, aucun obstacle ne pouvait entraver sa fuite.

— Amuse-toi bien, lança-t-elle, sarcastique.

Elle le regarda dégringoler les marches. La porte

d'entrée claqua, et ce fut la dernière image qu'elle eut de son mari.

Aussitôt, les deux sœurs s'enfermèrent à clé dans la chambre de Victoria. Celle-ci retira son anneau de mariage et le solitaire de la mère de Charles et les remit à Olivia, qui les glissa à son annulaire. Ils étaient exactement à la bonne taille. Il n'y avait pas de différence. Ensuite, Victoria jeta un regard alentour avant de dévisager sa sœur.

— Et voilà, dit-elle. C'est fait.

— C'est fait ? répéta Olivia. Trouves-tu cela aussi simple ?

Victoria hocha la tête. Elle ne cachait plus son enthousiasme. Le chagrin de se séparer de sa jumelle la déchirait, mais le soulagement de laisser loin derrière elle Charles, sa petite maison new-yorkaise et la routine l'emportait. Elle savait ce qu'elle voulait. Depuis onze mois, elle regrettait ce mariage forcé, organisé par son père, à qui elle n'aurait jamais dû obéir.

— Prends soin de toi, dit-elle à Olivia. Je t'aime.

Elle la serra contre son cœur, puis s'écarta.

— Moi aussi je t'aime, répondit Olivia, étouffée par les larmes... Si jamais il t'arrivait quelque chose...

Elle s'interrompit, incapable de continuer.

— Il ne m'arrivera rien. Je passerai les trois prochains mois à conduire des ambulances, à faire des pansements, à veiller sur des soldats blessés, qui n'ont pas vu d'eau et de savon depuis des lustres...

Elle exultait, tandis qu'Olivia ébauchait une grimace.

— C'est charmant ! Qu'est-ce qui t'a pris de te lancer dans cette aventure ? Je ne te comprends pas...

Plutôt que de rester au chaud à la maison avec Charles et Geoffrey... Personne ne comprendrait jamais pourquoi Victoria préférait risquer sa vie sous prétexte de se rendre utile.

— Quelqu'un doit le faire, répondit Victoria tranquillement.

Elle se changea, mit une robe noire toute simple, et monta au grenier où elle avait caché son unique bagage. Elle revint dans la chambre pour se coiffer d'un chapeau sobre, muni d'un lourd voile noir.

— Qu'est-ce que c'est ? s'enquit Olivia.

On eût dit une veuve. Le voile épais masquait ses traits.

— Il y aura des photographes à bord. C'est un paquebot superbe, beaucoup plus luxueux que l'*Aquatania*.

La traversée n'aurait rien à voir avec son triste voyage de noces. Aujourd'hui, elle allait effectuer un voyage vers la liberté. Elle avait réservé une cabine simple en première classe, avait précautionneusement retiré de la banque une partie de la somme que son père lui avait donnée pour son mariage. Charles n'avait rien soupçonné. Elle avait cinq cents livres en liquide dans son sac. Elle n'aurait pas besoin d'argent dans les tranchées... Dans sa valise, elle avait empilé des vêtements simples et confortables, plus une ou deux tenues habillées pour le bateau. Elle avait prévu de rester la plupart du temps dans sa cabine, de crainte qu'une connaissance de son père ou de Charles soit à bord.

— Tu as pensé à tout, remarqua tristement Olivia.

Son cœur se déchirait de la voir si gaie.

Elles sortirent et hélèrent un taxi dans la 14e Rue, qui les déposa au quai 54. Autour du navire régnait l'ambiance de fête habituelle : musique, rires, brouhaha de voix. Le champagne coulait à flots en première classe, alors que passagers et visiteurs affluaient. La veuve au voile noir escortée par sa sœur monta rapidement la passerelle. Elles n'eurent aucun mal à trouver la cabine, où les porteurs avaient déjà déposé sa valise.

Pendant un très long moment, elles se regardèrent. Il n'y avait plus rien à dire à présent. Les mots n'étaient plus nécessaires. Victoria laissait sa vie entre les mains de sa sœur. Olivia s'occuperait de tout en son absence... L'instant affreux de la séparation était arrivé... trop vite. Si elle s'était écoutée, Olivia serait tombée à genoux pour supplier sa sœur de rester. Mais elle n'avait pas l'ombre d'une chance d'être entendue.

— Je saurai tout ce que tu fais... là..., fit-elle, la main posée sur son cœur. Tâche de ne pas me rendre folle d'inquiétude.

— J'essaierai, dit Victoria en riant. Et toi, n'oublie pas de te disputer jour et nuit avec Charles, sinon je vais lui manquer.

Olivia l'étreignit fortement.

— Jure-moi que tu reviendras saine et sauve.

— Je te le jure ! promit Victoria solennellement.

La sirène du bateau rugit, un avertisseur invita les visiteurs à quitter le navire. Le cœur d'Olivia s'emballa.

— Je ne peux pas... te laisser partir..., murmura-t-elle, affolée.

Elle s'accrochait à sa sœur en pleurant.

— Si, tu peux, répondit calmement Victoria. Comme tu l'as fait pour mon voyage de noces.

Olivia ne put que s'incliner. Sa sœur la reconduisit à la passerelle. De nouveau, elle avait baissé son voile... Olivia ne put s'empêcher de sourire à cet accoutrement ridicule.

— Je t'adore, idiote ! Je ne sais pas pourquoi je te laisse t'embarquer dans cette histoire.

— Parce que tu sais qu'il le faut.

C'était la vérité. Victoria était résolue à partir ; de toute façon, elle s'en irait. Une dernière étreinte, un ultime baiser. Olivia apercevait les yeux de sa sœur, pleins de larmes, à travers le voile.

— Je t'aime, répéta-t-elle.

Victoria la serra de toutes ses forces.

— Moi aussi... Oh ! Ollie, merci ! Merci de m'avoir rendue à la vie.

— Que Dieu te bénisse, murmura Olivia.

Puis elle descendit lentement la passerelle du *Lusitania*, et s'éloigna sur le quai.

20

Olivia passa le reste de l'après-midi l'esprit engourdi. Hagarde, elle errait sans but d'une pièce à l'autre. Le *Lusitania* avait sûrement pris le large ; il emportait sa sœur de plus en plus loin. Elle souhaitait que Geoff et Charles rentrent afin de rompre sa solitude, et en même temps elle redoutait cet instant. Sans sa jumelle, elle se sentait perdue... Victoria, elle, depuis son voyage de noces, était rompue aux longues traversées. Elle s'envolait maintenant vers ce qu'elle croyait être la liberté... laissant Olivia avec une immense inquiétude.

Tout à l'heure, quand Charles et Geoff reviendraient, elle allait donner la représentation de sa vie. Et, telle une actrice avant son entrée en scène, elle mourait de trac. Elle avait les lettres pour Geoff, pour son père, et même une pour elle-même, dans laquelle elle promettait d'expliquer à son retour sa fuite en Californie. Elle était supposée avoir pris le train pour Chicago l'après-midi, au lieu du bateau à destination de Liverpool.

Le temps que Charles rentre, elle avait recouvré son sang-froid. Elle était prête à jouer son rôle. Il entra dans leur chambre et, à la vue du visage d'Olivia, il sut instantanément que quelque chose de terrible s'était passé. Oubliant leurs disputes, il se précipita vers elle.

— Victoria ! Qu'y a-t-il ? Es-tu malade ?

Mortellement pâle, elle s'était laissée tomber sur une chaise, avec une expression désespérée.

— C'est Ollie...

Il attendit la suite. Olivia n'avait pas eu d'accident, se dit-il, sinon Victoria serait près d'elle, à l'hôpital.

— Elle est partie...

— Où ça, à Croton ? s'étonna-t-il. C'est tout ?

Mais Victoria — ou du moins la femme qu'il prenait pour Victoria — paraissait aussi accablée que si quelqu'un de sa famille était mort.

— Vous vous êtes disputées ?

Elle se disputait avec tout le monde, ces derniers temps. Même avec sa sœur. Olivia secoua la tête. Elle n'avait aucune peine à feindre la tristesse car, de fait, le départ de Victoria l'avait plongée dans un abîme de chagrin. Dès lors, elle n'avait pas besoin de simuler un désarroi qu'elle éprouvait réellement. Elle tendit à Charles la lettre prétendument adressée à Victoria. Personne ne pouvait distinguer l'écriture des deux sœurs, pas même Bertie.

La lettre expliquait en toute simplicité que, bien qu'elle en eût le cœur brisé, Olivia avait pris la décision de s'isoler pendant un certain temps, afin de réfléchir à sa vie. Elle se sentait perdue, depuis que Victoria s'était mariée. Son existence à Croton, trop solitaire, trop vide, l'oppressait. En conséquence, elle prenait la liberté de s'en aller, le temps de résoudre ses problèmes. Elle avait même songé à se retirer dans un couvent, puisqu'elle ne se marierait pas.

— Oh ! mon Dieu ! s'exclama Charles. Mais c'est affreux ! (Il fouilla ses poches, puis sa mallette.) J'ai suffisamment d'argent. Je vais aller à Chicago et la ramener. Elle ne peut pas faire ça. Ton père en aura une attaque.

Olivia eut un hochement de tête. Charles venait d'exprimer sa propre inquiétude.

— Le temps que tu arrives à Chicago, elle aura pris le train de Californie, dit-elle d'un ton pragmatique.

C'était plutôt cavalier vis-à-vis de sa sœur, mais elle n'allait pas laisser Charles parcourir le pays, alors que Victoria, tranquillement installée dans une cabine de première classe, voguait vers l'Europe.

— Tu ne la trouveras jamais, Charles.

Il se laissa tomber pesamment sur un fauteuil, encore sous le coup de l'émotion. Et, sans savoir qu'il sondait les yeux de la vraie Olivia, il s'efforça de saisir les raisons de cette fuite. S'il avait mieux connu sa femme, il aurait deviné qu'elle n'était pas pour rien dans ce départ inopiné...

— Tu dois avoir une vague idée, murmura-t-il. Chez qui est-elle allée ? Qui est cette amie qui l'a invitée ?

Il semblait inquiet, autant qu'elle l'aurait été si tout cela avait été réel. Son cœur bondit vers lui. Elle lui savait gré de se faire autant de souci pour sa belle-sœur.

— Elle est très secrète, tu sais, dit-elle, avant d'éclater en sanglots.

Sa sœur allait sillonner des champs de bataille pendant trois mois. Elle n'avait pas besoin de feindre la tristesse. Au déchirement de la séparation se mêlait l'angoisse de rester sans nouvelles.

— Oh ! ma chérie, dit-il en lui entourant les épaules de son bras dans un geste inattendu. Je suis désolé. J'espère qu'elle changera d'avis et qu'elle reviendra dans deux ou trois jours... Peut-être devrions-nous attendre un peu avant de l'annoncer à ton père.

— Tu ne sais pas à quel point elle peut être entêtée, Charles, se plaignit Olivia, très convaincante. Elle est loin d'être aussi douce et soumise qu'elle en a l'air.

— En effet, je commence à m'en apercevoir, convint-il d'un ton désapprobateur. Est-ce que ton père aura été trop exigeant avec elle ? J'ai toujours pensé qu'il était injuste de la garder auprès de lui. Olivia n'a pas de vie privée, pas d'amis, pas de soupirants. Ce n'est pas normal. Elle ne va jamais nulle part mais, du moment qu'elle est là pour s'occuper de lui, il est content. Voilà peut-être ce qui l'a incitée à partir, conclut-il tristement.

— Peut-être...

Olivia n'avait pas encore envisagé les choses aussi

crûment, mais il n'avait pas tort... Si son père arrivait à la même déduction, il serait terrassé par la culpabilité. Cependant, elle doutait qu'il se remette en question.

— Elle a laissé une lettre pour père, reprit-elle. Je voudrais la lui remettre demain.

Le lendemain était un dimanche.

— Es-tu sûre qu'il ne vaut pas mieux attendre quelques jours ? demanda-t-il, de plus en plus alarmé.

— Non, Charles, je la connais. Je crois qu'il faut annoncer la nouvelle à notre père.

— Je te conduirai à Croton, déclara-t-il solennellement. Elle n'a rien dit de particulier hier soir ? N'a-t-elle pas fait une allusion, même minime ?

— Non, rien.

Les suicidaires se comportaient de la même manière... Charles s'empressa de chasser l'idée funeste de son esprit. Pourquoi Olivia n'aurait-elle pas écrit la vérité dans sa lettre ? Pourquoi n'irait-elle pas réfléchir quelque part avant de réapparaître, sage et sereine comme avant ? Pour la première fois de sa vie, il éprouva un élan de compassion envers sa femme. Victoria semblait si menue tout à coup, si brisée et si douce qu'elle faisait davantage penser à sa sœur.

Revenu de chez son ami, Geoff éclata en sanglots lorsqu'il apprit la nouvelle. La lettre qu'Olivia lui tendit ne parut pas le consoler.

— C'est comme maman, hoqueta-t-il dans les bras de son père, sous le regard embué d'Olivia. Elle ne reviendra pas... Plus jamais... Je le sais...

— Elle reviendra, déclara Olivia à travers ses larmes. Souviens-toi de ce qu'elle t'a dit... Où qu'elle aille, quoi qu'il advienne, elle reviendra, et elle t'aimera toujours...

C'étaient les mots mêmes qu'elle avait prononcés le matin, tandis qu'elle l'aidait à s'habiller. Il ne se demanda pas comment elle les connaissait, mais Olivia se promit d'être plus attentive à l'avenir.

— Olivia ne ment pas, Geoff, reprit-elle doucement, plus doucement que ne l'aurait fait Victoria... Elle t'aime comme son propre enfant, comme le fils qu'elle n'a pas eu et qu'elle n'aura jamais. Il ne reste plus qu'à attendre son retour.

Le petit garçon secoua la tête, désespéré. Il ne croyait plus en rien. Plus tard, ce soir-là, Olivia lui expliqua que sa propre mère serait revenue si elle l'avait pu. Ils étaient dans la chambre de Geoff. Allongée sur son lit, les doigts alourdis par les bagues de Victoria, Olivia parlait tout en grattant la tête de Chip.

— Maman aurait pu revenir. Elle n'a pas voulu ! rétorqua le petit garçon.

Il était en colère contre sa mère. Et il en voulait à Olivia de l'avoir rejeté.

— Qu'entends-tu par là ? demanda-t-elle.

— Elle n'était pas obligée de céder sa place. Elle aurait mieux fait de monter dans le canot de sauvetage avec moi.

— Elle a sauvé la vie de quelqu'un d'autre. C'est une noble action.

Geoff la regarda, hésitant, et elle vit les larmes dans ses yeux.

— Maman me manque, murmura-t-il.

D'ordinaire, il ne faisait pas ce genre de confidences à Victoria mais, désormais, il n'avait plus qu'elle. Olivia allongea la main et toucha la sienne.

— Je le sais, chuchota-t-elle. Et je sais qu'Ollie te manque aussi... Peut-être pourrons-nous devenir amis maintenant.

Il leva alors sur elle un regard pensif, interrogateur, et aussitôt elle détourna la tête, craignant d'être allée trop loin. Elle allait devoir se surveiller sans cesse. Elle l'embrassa et quitta la pièce à la hâte. Charles l'attendait dans leur chambre... La soirée, pénible, l'avait éreintée... Elle ne remercierait pas Victoria, quand elles se reverraient.

— Comment va-t-il ? s'enquit Charles.

Ses yeux reflétaient l'angoisse. Pour la deuxième fois de sa courte existence, son fils perdait sa mère... Depuis un an, Victoria ne lui était pas d'un grand réconfort, bien qu'il dût admettre que, ce soir, elle faisait preuve d'une gentillesse et d'une compréhension inhabituelles... Finalement elle ne manquait pas totalement d'humanité, pensa-t-il. Il ne lui aurait pas pardonné de laisser Geoff seul avec son chagrin.

— Il est bouleversé, répondit-elle tranquillement. Je le comprends... Mon Dieu ! je ne sais pas ce qui a pris à Ollie. C'est un mystère !

Elle s'assit sur le bord du lit, épuisée, souhaitant que Victoria souffre d'un violent mal de mer durant toute la traversée. Elle le méritait... Elles avaient commis une folie... Maintenant, c'était irréparable. Et demain, il allait falloir l'annoncer à leur père.

— Crois-tu qu'elle est amoureuse de quelqu'un sans que personne le sache ?

La supposition de Charles arracha un faible rire à Olivia. Le seul homme qui l'avait attirée, c'était lui, et il était le mari de sa sœur. Effectivement, personne ne savait qu'elle avait été secrètement éprise de lui. Heureusement... Elle ressentirait trop de honte si on venait à le découvrir.

— Ollie amoureuse ? Oh ! non... Elle ne s'intéresse pas à... aux hommes... Elle est très timide...

Il lui lança un curieux regard.

— Mais comme toi, ma chère, dit-il d'un ton sarcastique.

Olivia haussa les sourcils.

— Qu'est-ce que cela signifie ?

Victoria aurait posé la même question.

— Tu le sais pertinemment. Cela signifie que notre vie commune manque singulièrement de romantisme.

— Je ne savais pas que tu t'attendais à épouser une romantique, répliqua-t-elle, assez fière de cette repartie, digne de Victoria.

Elle se tut, redoutant le pire, mais il parut trouver cela normal.

— Non, mais je ne m'attendais pas non plus à en arriver là. Et toi non plus, je suppose, répondit-il tristement.

Elle le regarda avec sympathie, ce qui étonna Charles ; il changea de sujet. A chaque jour suffit sa peine, songea-t-il avec philosophie, il était inutile d'en rajouter... de s'enliser dans l'une de leurs discussions sans fin. Sur le plan amoureux, leur mariage était terminé, il le savait.

— A quelle heure veux-tu aller chez ton père demain ?

— La route est longue... Je ne sais pas... le matin ? Si tu n'y vois pas d'inconvénient.

Victoria savait conduire, mais pas elle. Au cas où Charles se désisterait, elle appellerait Donovan sous prétexte qu'elle était trop mal pour conduire.

— Non, pas du tout. Je serai heureux de te rendre ce service... Cela t'ennuie que nous emmenions Geoff ?

Le petit garçon irritait Victoria. Mais Olivia répondit rapidement :

— Bien sûr que non.

Charles la regarda. Il avait noté un subtil changement chez elle... Le choc du départ inopiné d'Olivia l'avait radoucie. Elle semblait à présent plus vulnérable. Plus docile, aussi. Et plus petite... Pas physiquement, non ! Spirituellement, d'une certaine manière. Ce soir, elle ne cherchait pas à le défier.

Plus tard, dans la nuit, elle resta longtemps allongée, les yeux grands ouverts dans le noir, vêtue de la chemise de nuit de Victoria, pelotonnée à l'autre bout du lit, le plus loin possible de Charles. C'était la première fois qu'elle dormait avec un homme. La peur la taraudait. A tout instant, elle craignait qu'il ne découvre la supercherie, qu'il ne la jette dehors... Mais rien de tel ne se produisit. Charles la scrutait dans l'obscurité, n'osant se rapprocher ni la toucher. Elle lui tournait le dos. A l'imperceptible frémissement de ses épaules, il devina qu'elle pleurait.

— Tu es réveillée ? murmura-t-il. Est-ce que ça va ?

Elle esquissa un sourire qu'il ne put voir.

— Plus ou moins... Je pense à elle...

C'était la vérité. Depuis ce matin, Victoria occupait toutes ses pensées.

— Olivia est parfaitement capable de se débrouiller. Elle reviendra quand elle sera prête. N'aie crainte, elle ne disparaîtra pas pour toujours.

Il ignorait qu'il parlait de sa propre femme, et c'était tant mieux, pensa-t-elle non sans une vague tristesse.

— Et si elle est... blessée ? dit-elle, exprimant ouvertement ses appréhensions, et il se rapprocha subrepticement.

— Pourquoi ? Les tribus indiennes vivent en bonne intelligence avec les Blancs... La plupart habitent des villages indiens... A mon avis, elle passera l'été là-bas sans rencontrer de difficultés.

— Et s'il y avait un tremblement de terre ?

— Il n'y en a pas eu depuis neuf ans...

— Un incendie ? La guerre ?

Il sourit mais ne la toucha pas.

— La guerre ? En Californie ? Pourquoi veux-tu que nous déclarions la guerre à la Californie ?

Il la fit se retourner pour la dévisager. Il avait raison, elle pleurait. Les larmes inondaient son visage, luisant dans le clair de lune. Elle faisait penser à une adorable enfant.

— Essaie de dormir et arrête de t'inquiéter. Ton père enverra peut-être un détective privé là-bas, qui la ramènera en un rien de temps.

A ceci près qu'aucun détective ne la trouverait. Victoria était loin, très loin de la Californie. Et Olivia regrettait amèrement de l'avoir aidée à s'en aller. Elle pouvait toujours envoyer un télégramme au *Lusitania*, disant qu'elle avait changé d'avis et la sommant de rentrer. Oui, elle enverrait un télégramme avant que le navire arrive à Liverpool. Aux dernières nouvelles, les sous-marins allemands bloquaient l'entrée des ports anglais... Bon sang, mais où avait-elle la tête lorsqu'elle avait accepté que sa sœur aille se jeter dans cette poudrière ? A cette pensée, ses larmes redoublèrent. Sans y prêter attention, elle laissa Charles l'attirer contre lui et la tenir ainsi étroitement enlacée. L'odeur de son savon et de son after-shave lui chatouilla les narines. Il s'était rasé avant de se mettre au lit, conformément aux règles les plus strictes de la bonne éducation. Un instant, elle se laissa bercer par sa force, sa chaleur, puis, dans un sursaut, elle s'écarta, embarrassée. Il n'était que son beau-frère après tout, pas son mari, même s'il croyait l'être.

— Je suis navrée, murmura-t-elle maladroitement.

— Ce n'est pas grave.

L'espace d'un instant, un flot de tendresse l'avait submergé... Elle se lova de nouveau à l'extrémité du lit, puis tous deux sombrèrent dans un sommeil profond jusqu'au matin.

Ils se levèrent et s'habillèrent séparément. Un soulagement supplémentaire pour Olivia... Victoria n'avait pas menti. Leur existence était réglée selon un accord des plus civilisés. Un arrangement qui excluait d'emblée une trop grande familiarité. Elle ne revit Charles qu'au petit déjeuner, rasé et entièrement habillé. Geoffrey baissait le nez dans son verre de lait d'un air maussade. Il n'avait guère envie de se rendre à Croton. Son père réussit à le persuader et il fit contre mauvaise fortune bon cœur. C'était le jour de congé de la cuisinière et de la femme de chambre, et Charles avait scrupule à le laisser tout seul. Le petit garçon ne se gêna pas pour déclarer, néanmoins, que sans « tante Ollie » le manoir serait lugubre.

Ils prirent la Packard. Le trajet s'effectua dans un silence solennel pendant lequel des images de son père traversaient l'esprit d'Olivia. Elle avait mille fois répété les phrases qu'elle prononcerait, mille fois étudié ses expressions, ses attitudes. Mais rien ne l'avait préparée à l'insondable peine qu'elle lut dans ses yeux. Si elle lui avait tiré une balle en plein cœur, il aurait sans doute été moins abasourdi... Heureusement que Charles était à son côté. Ensemble, ils aidèrent le vieil homme à s'asseoir, puis Charles lui versa deux doigts de cognac... Edward sirota une gorgée, puis son regard se porta de son gendre à sa fille.

— Je ne suis donc qu'un vieux tyran..., marmonna-t-il. Pas plus tard qu'avant-hier je lui ai pourtant posé la question... « Olivia, lui ai-je dit, ce n'est pas une vie pour une jeune femme. » Elle ne voulait rien savoir et prétendait que c'était ici qu'elle voulait vivre... Lâchement, je l'ai laissée faire. Cela m'arrangeait... Elle m'aurait terriblement manqué si elle était partie... Et voilà, c'est fait, maintenant.

Une larme coula sur sa joue flétrie. Le cœur d'Olivia se serra. Elle garda le silence ; Edward Henderson se tourna vers son gendre.

— Je crois qu'elle serait tombée amoureuse de vous, si je l'y avais autorisée... Je ne l'ai pas fait, naturellement...

Il détourna la tête, tandis que la vraie Olivia se sentit suffoquer.

— Père, ce n'est pas vrai... J'en suis sûre... Elle n'a jamais rien dit...

Elle s'interrompit, mortifiée, rouge comme une pivoine, mais personne ne parut remarquer son trouble.

— Ces choses-là ne s'expriment pas par des mots, dit-il en s'essuyant les yeux. Cela se voyait. Je suis un homme. J'ai deviné son secret. Mais j'ai préféré sauver ta réputation, Victoria. Alors, j'ai ignoré ses sentiments.

Les lèvres de Charles ne formaient plus qu'une ligne mince. Olivia n'osait plus le regarder.

— Tu as tort. Elle me l'aurait dit, insista-t-elle dans un ultime effort pour restaurer sa propre dignité.

— Est-ce qu'elle t'a dit qu'elle allait partir ? lui rétorqua son père, haussant le ton. Alors cesse de croire que tu sais tout, Victoria.

Olivia avala sa salive. Il ne manquait plus que Charles pense qu'elle avait pris la fuite par dépit amoureux ! Elle aurait donné dix ans de sa vie pour le convaincre du contraire. Heureusement, il semblait partager son opinion.

— On ne peut jamais savoir pourquoi certaines personnes agissent ainsi, monsieur. L'esprit a ses secrets. Le cœur, ses raisons. Il existe un lien très puissant entre les jumeaux en général, et entre Olivia et Victoria en particulier. Elles perçoivent des choses que nous ne parvenons même pas à imaginer. Depuis que Victoria a sa propre vie, Olivia doit se sentir trop seule. Et peut-être essaic-t-elle de se retrouver, de trouver sa propre personnalité.

— Dans un couvent ? demanda Edward, sidéré. (Ce n'était pas le destin qu'il souhaitait pour sa fille.) Je t'ai menacée de t'envoyer au couvent, dit-il à celle qu'il prenait pour Victoria. Mais je ne parlais pas sérieusement.

— Je t'ai cru, pourtant.

Elles l'avaient cru toutes les deux.

— Je n'aurais jamais fait cela.

Il l'avait obligée à se marier, à la place, et c'était la raison qui l'avait poussée à prendre la fuite. Hélas, Olivia ne pouvait rien dire.

Comme Charles l'avait prévu, Edward décida d'engager des détectives. Il pria son gendre de s'en charger, dès le lundi matin. Ils rassemblèrent les lettres, et Olivia promit de fournir un effort de mémoire afin de se rappeler les noms de leurs anciennes camarades d'école. Très certainement, aucune ne s'était expatriée en Californie, pensa-t-elle. Les enquêteurs partiraient sur une fausse piste.

Elle laissa les deux hommes dans la bibliothèque. Elle avait besoin d'air. Dans la cuisine, Geoff et Bertie pleuraient. La gouvernante lisait et relisait le mot d'Olivia. Elle était en état de choc, si bien qu'elle ne fit pas très attention à la jeune femme. Celle-ci en profita pour s'éclipser, après avoir déposé un bref baiser sur le front de sa nourrice... Elle sortit dans le parc. Elle n'était même pas montée dans son ancienne chambre, de peur de donner libre cours à ses larmes.

Edward Henderson leur proposa de passer la nuit au manoir, mais Charles déclina l'offre. Le lendemain matin, il devait se rendre au tribunal de bonne heure. En outre, il avait hâte de contacter les enquêteurs. Cependant, il voulait bien que sa femme et son fils restent, dit-il. Olivia s'empressa de refuser. Sans sa sœur jumelle, prétexta-t-elle, le manoir achèverait de la déprimer. En fait, elle redoutait le flair de Bertie. Mieux valait ne pas tenter le diable. Une fois calmée, la gouvernante risquait de la reconnaître. Olivia avait besoin de temps pour peaufiner son personnage. Pour le moment, elle avait plutôt bien tenu son rôle. Les Dawson n'avaient conçu aucun soupçon.

Son père se remit à pleurer lorsqu'elle l'embrassa. A son côté, Bertie agitait son mouchoir. La Packard redescendit l'allée... Installé sur la banquette arrière, Geoff ne desserrait pas les dents. Il n'avait même pas eu envie de monter son cheval. C'est à peine s'il était allé jeter un coup d'œil à l'écurie.

— Est-ce qu'elle imagine seulement la peine qu'elle a causée à tout le monde ? dit Charles tandis que sa voiture franchissait les limites du domaine.

Il avait pitié de son beau-père. Même si celui-ci avait mieux réagi que prévu à la nouvelle. Charles ne fit aucun commentaire sur l'affirmation d'Edward selon laquelle Olivia serait amoureuse de lui. Il pensait très certainement que le vieil homme se faisait des illusions.

— Si elle avait su, elle ne serait pas partie, répondit Olivia en pensant à la véritable fugitive.

Victoria lui manquait affreusement. Chaque minute, chaque jour, son chagrin augmentait en même temps que la distance qui les séparait. La solution du télégramme lui paraissait de plus en plus raisonnable. Elle ne tiendrait pas longtemps... Sûrement pas trois mois...

Il était neuf heures du soir passées quand ils revinrent à New York. Ils n'avaient pas dîné. Olivia mit un tablier, entra dans le garde-manger, en ressortit. Peu après, elle avait grillé et beurré du pain, préparé un potage de poulet aux légumes et une salade de laitue.

— Comment as-tu fait la cuisine aussi vite ? s'étonna Charles... Qu'est-ce que tu me caches ?

Il eut un sourire timide. Les sautes d'humeur de sa femme l'avaient rendu prudent.

— Plus que tu ne l'imagines, répondit-elle avec un sourire.

Charles s'attabla, renfrogné. Geoff redescendit alors en pyjama. La soupe onctueuse, les délicieuses tartines beurrées lui mirent du baume au cœur. Il reprit même de la salade.

— C'est bon, Victoria, dit-il, la bouche pleine.

Olivia se retint de l'embrasser. Elle devait s'en tenir à son rôle. Lorsqu'elle lui tendit un plat de cookies, Geoff écarquilla les yeux.

— C'est toi qui les as faits ?

— Mais non, répondit Olivia en riant. C'est la cuisinière.

Geoff les goûta, puis tendit un morceau à Chip, qui l'engloutit.

— J'aime mieux les cookies de tante Ollie.

Olivia nettoya et rangea la cuisine pendant que Charles mettait son fils au lit. Elle monta à l'étage une demi-heure plus tard. Geoff était dans sa chambre. La jeune femme resta sur le seuil. Sa sœur avait de la chance, se disait-elle, une chance folle qu'elle n'avait pas su saisir. Elle naviguait en plein océan, au lieu de se trouver dans cette petite maison douillette, auprès de son mari et de son fils adoptif.

— Puis-je te border ? demanda-t-elle d'un ton détaché.

Le petit garçon haussa les épaules. A sa morosité se substituait peu à peu l'espoir que tante Ollie reviendrait. A la fin de l'été, avait-elle écrit dans sa lettre. C'était loin, la fin de l'été, mais Geoff était résolu à attendre.

— Oui, bien sûr...

Il repoussa Henry, le singe en peluche, intima à Chip l'ordre de sauter au bas du lit mais le chien remua la queue et lécha la main d'Olivia.

— Dors bien, murmura-t-elle.

Elle tourna les talons et se dirigea vite vers sa chambre. Elle avait mal au dos après l'aller et retour à Croton. La journée avait été interminable, elle aspirait à un repos bien mérité.

— Tu vas au tribunal demain ? demanda-t-elle en ôtant les épingles de son chignon.

Il leva le regard des papiers qu'il consultait, les sourcils froncés. C'était la première fois qu'elle lui posait une question sur son travail.

— Oui... Oh ! rien d'important, la routine. Merci pour le dîner, ajouta-t-il. Je trouve que ton père a relativement bien réagi.

— Oui, moi aussi.

C'était la première vraie conversation que Charles avait avec son épouse depuis longtemps, leurs disputes exceptées.

Ils se changèrent pour la nuit dans leurs dressing-rooms respectifs. Ils se couchèrent, dos tourné l'un à l'autre. Et, tout en se laissant gagner par le sommeil, Olivia se demanda comment Charles et Victoria en étaient arrivés là. La solitude à deux constituait une découverte pour elle.

Elle se leva tôt, le lendemain matin, et fit le petit déjeuner à la place de la cuisinière. Elle était censée adopter l'attitude de Victoria, mais l'oisiveté lui pesait. Une fois de plus, Charles remarqua le changement. Sa jeune épouse montrait soudain un empressement à prendre soin d'eux et de la maison qui le surprenait agréablement. Quant à Geoff, il s'efforçait de regarder la paume de la jeune femme, à la recherche de la tache minuscule. C'était d'autant plus difficile de l'apercevoir qu'Olivia se servait d'un torchon pour poser les assiettes chaudes sur la table. Elle se promit de faire très attention.

— Passe une bonne journée à l'école, dit-elle d'une voix détachée, sans l'embrasser.

Elle ne dit rien à Charles non plus lorsqu'il partit à son bureau. La plus grande prudence s'imposait. A sa place, Victoria ne leur aurait certainement pas adressé la parole ce matin. Elle ne serait sans doute même pas encore levée... De fait, Charles s'était étonné de la voir debout si tôt... Quant à Geoff, à son retour de l'école, il ouvrit de grands yeux devant l'insolite spectacle d'une Victoria installée dans la cuisine en train de repriser des chaussettes.

— Mais... qu'est-ce que vous faites ?

— Tu vois bien... Ollie m'a montré comment raccommoder, répondit-elle, rougissante.

— C'est la première fois que je vous vois faire ça.

— Il faut un début à tout... Tu ne veux pas que ton père aille pieds nus à son travail ?

Elle sourit, Geoff éclata de rire, puis se servit un verre de lait et une assiette de cookies avant de monter, à contrecœur, s'acquitter de ses devoirs scolaires. Dans un mois, l'école fermerait ses portes. Il avait hâte d'être en vacances.

Le reste de la semaine s'écoula sans incident notable. Olivia parlait peu. Elle pesait ses mots, surveillait ses gestes. Vivre constamment avec eux n'avait rien à voir avec une simple visite. Il lui fallait sans cesse rester sur le qui-vive. Une phrase malencontreuse, une gaffe risquait de la démasquer. Le vendredi, elle crut pouvoir souffler. Geoff allait chez des amis, Charles avait plusieurs rendez-vous avec des clients en ville. Il avait un dîner ensuite avec ses associés et, sachant combien Victoria détestait ce genre de corvée, il ne l'invita pas.

Olivia poussa un soupir de soulagement. Elle avait envie de rester seule, d'examiner de plus près les affaires de sa sœur, de jeter un coup d'œil aux lectures de Victoria, par exemple, aux articles qu'elle avait soigneusement découpés, aux invitations qu'elle avait acceptées : des réunions, une conférence à Ogden Mills dans quinze jours... Heureusement, Victoria l'avait déjà mise au courant de tout. Soudain, peu après neuf heures du matin, une étrange sensation s'empara d'elle. Elle faillit perdre l'équilibre, s'accrocha à un meuble pour ne pas tomber. Elle fut malade toute la journée. En fin d'après-midi, une douleur épouvantable lui enserrait le front comme un étau. Elle ignorait la cause de ce malaise. Elle n'avait pas attrapé froid, n'avait pas de fièvre. Lorsque Charles rentra, elle était blanche comme un linge, clouée au lit par une panique croissante.

— As-tu mangé quelque chose qui n'est pas passé ? lui demanda-t-il sans manifester d'inquiétude.

— Je ne sais pas, murmura Olivia d'une toute petite voix.

La chambre tournoyait lentement. Depuis midi, des vagues de nausée lui soulevaient l'estomac.

— Nous savons en tout cas que tu n'es pas enceinte, déclara-t-il, ironique.

Elle ne répondit pas. Elle était trop malade pour parler. Cette nuit-là, elle demeura allongée, les yeux ouverts, terrassée par un mauvais pressentiment. A peine s'endormit-elle qu'elle eut l'impression de se noyer. Elle s'assit, bouche ouverte, haletante, emplissant d'air ses poumons. Ne tenant plus en place, elle se glissa hors du lit. Charles remua, ouvrit les yeux.

— Ça ne va pas ? demanda-t-il d'une voix ensommeillée.

Elle secoua la tête en suffoquant. Il lui apporta un verre d'eau. Olivia en avala une gorgée, se mit à tousser. Il l'aida à s'asseoir sur une chaise.

— Je ne sais pas ce qui m'arrive... J'ai fait un affreux cauchemar.

La vague de panique revint, plus terrifiante que jamais. Elle sut alors qu'il était arrivé quelque chose à sa sœur. Elle leva des yeux apeurés vers Charles, qui lui saisit les épaules. Une fois de plus, le lien entre les deux jumelles le subjuguait. On eût dit qu'elles communiquaient par les sens, par la pensée.

— Tu es surmenée, dit-il doucement. Où qu'elle soit, je suis sûr qu'elle va bien, ajouta-t-il calmement.

Olivia s'accrocha à lui, tétanisée par une sombre terreur.

— Non, Charles ! Elle ne va pas bien. Je le sais.

— Tu n'en sais rien, répondit-il d'une voix posée.

Il voulut l'entraîner vers le lit mais elle résista.

— Je ne peux pas respirer ! s'écria-t-elle, effrayée. (Non, pas le bateau ! C'était impossible qu'un navire comme celui-ci coule !) J'ignore ce qu'elle a. Mais elle est malade.

Elle le sentait dans chaque fibre de son corps. Charles la regardait, impuissant. Elle était la proie d'un mal étrange. Des sanglots la secouèrent, brusques, saccadés, irrépressibles. Une crise de nerfs, se dit-il, affolé.

— Veux-tu que j'appelle le médecin, Victoria ?

Le prénom de sa sœur la fit bondir.

— Je ne sais pas..., s'étrangla-t-elle, les joues mouillées de larmes. Oh ! Charles, j'ai si peur !

Il s'agenouilla auprès d'elle, lui prit les mains. Finalement, il réussit à la convaincre de s'allonger. Il se coucha à son côté sans lâcher sa main. Chaque fois qu'Olivia fermait les paupières, la sensation de se noyer la submergeait. Elle ne dormit pas une minute. Au matin elle était calme et figée, presque en transe.

— Victoria, veux-tu une tasse de thé ? s'enquit-il.

Il avait décidé d'appeler le médecin. Depuis onze mois qu'ils vivaient ensemble, Victoria n'avait pas attrapé le moindre rhume. Elle jouissait d'une santé robuste. C'était d'autant plus spectaculaire de la voir aussi faible d'un seul coup. Le choc du départ de sa sœur l'avait atteinte plus qu'il ne l'aurait cru.

Il descendit dans la cuisine pour préparer du thé. Elle apparut peu après, les cheveux défaits, pieds nus. Elle paraissait un peu mieux, et ouvrit le journal, dans l'espoir de se distraire. La manchette capta immédiatement son attention... Elle déglutit péniblement... Le souffle lui manqua, de nouveau l'air quitta d'un seul coup ses poumons. Selon l'article qu'elle avait sous les yeux, une torpille allemande avait frappé le *Lusitania* au large de l'Irlande. Le navire avait sombré en dix-huit minutes. Depuis les côtes irlandaises on avait pu assister au spectacle de son naufrage. On déplorait la perte de nombreuses vies humaines. Pour le moment, on ignorait s'il y avait des survivants, car les flots charriaient des cadavres vers la rive.

— Oh ! mon Dieu ! Mon Dieu, Charles ! s'écria-t-elle.

Il eut juste le temps de la rattraper, tandis qu'elle s'affaissait, évanouie.

Charles intima à la bonne l'ordre d'appeler le médecin et de le prier de venir au plus vite : Mme Dawson était très malade. Elle venait de perdre conscience.

Il la souleva dans ses bras, la transporta à l'étage, l'allongea sur le lit. Il lui fit respirer les sels que Susan utilisait quand elle attendait Geoffrey. Presque aussitôt, ses cils battirent. Olivia rouvrit les yeux et posa un regard chaviré sur le visage de Charles.

— Je... oh... seigneur... Charles..., balbutia-t-elle.

Le bateau avait coulé. Sa sœur était à bord. Etait-elle vivante ou morte ? Comment le savoir ? Comment continuer à se taire ? Un torrent de larmes jaillit sur ses joues blêmes.

— Victoria, ne parle pas. Ferme les yeux.

Il était impossible de la calmer. La malade faisait preuve d'une agitation singulière. Ce fut avec soulagement qu'il entendit les pas du médecin dans l'escalier... Heureusement, Geoff se trouvait toujours chez ses amis. Un nouveau choc lui était ainsi épargné.

— Alors ? Que se passe-t-il ici ? demanda le praticien de sa voix forte.

A première vue, Mme Dawson manifestait une nervosité étrange. Visiblement, elle avait pleuré.

— Excusez-moi, docteur, dit-elle avant d'être aveuglée par un nouveau flot de larmes.

Charles la scrutait attentivement. Il se passait quelque chose de bizarre, mais quoi ? Depuis le départ d'Olivia, sa femme n'était plus la même. Elle s'efforçait d'expliquer au docteur ce qu'elle ressentait, sans parvenir toutefois à brosser un tableau clair de ses symptômes. Elle seule possédait la clé de l'énigme. Le malaise était survenu au moment où la torpille fatale avait heurté le *Lusitania*. Et depuis, son état n'avait fait qu'empirer. A présent une seule question la hantait : sa sœur était-elle vivante ou morte ? Qui pourrait la renseigner sur le sort de Victoria ?

Le médecin attira Charles hors de la pièce. Celui-ci lui raconta les événements de la semaine précédente et tous deux tombèrent d'accord : Mme Dawson souffrait « des nerfs », sorte d'hystérie souvent observée chez des jumeaux qui se séparent... Le praticien s'étonnait qu'elle n'ait pas eu de crise pendant leur voyage de noces... Mais ces choses-là vous rattrapent un jour ou l'autre, conclut-il. A son dire, le jumeau restant adoptait parfois une partie ou la totalité de l'identité, voire de la personnalité de l'autre. Charles l'écoutait en hochant la tête. Cette théorie correspondait aux changements qu'il avait observés chez Victoria. Une douceur, une fragilité propres à Olivia.

Le médecin prescrivit le repos complet. Peu à peu elle recouvrerait ses esprits mais, entre-temps, pas de contrariété, décréta-t-il. Pas de nouvelles dérangeantes, rien qui puisse la perturber. Charles mentionna l'évanouissement consécutif à la lecture de l'article relatant le naufrage du *Lusitania*.

— Oui, je vois. C'est épouvantable. Satanés Allemands...

Se souvenant que la première Mme Dawson avait péri en mer, il changea de sujet. Il suggéra de maintenir Geoff à l'écart pendant un jour ou deux, jusqu'à ce que Victoria se calme. Ensuite, il exposa le diagnostic qui, depuis le début, lui trottait dans la tête : il se pouvait que la jeune femme soit enceinte. Charles répondit que c'était impossible, puis le doute s'insinua dans son esprit.

— Je lui en parlerai, nous verrons, dit-il d'un ton neutre.

Avant de prendre congé, le médecin remit à Charles des sédatifs. Ils aideraient la patiente à se détendre. Il repasserait lundi, promit-il. Olivia refusa les médicaments.

323

— Ça va aller, dit-elle d'une voix faible.

Une seule chose comptait pour elle : obtenir des nouvelles du navire torpillé. Elle ne tenait plus en place. Lorsque Charles s'assit au bord du lit, une expression indéchiffrable sur le visage, elle demanda :

— Qu'est-ce qui te préoccupe ?

Son cœur battait la chamade. Avait-il deviné ? Avait-il reçu un appel téléphonique de la compagnie maritime ?

— Rien de bien grave. Du moins j'ose l'espérer. Le docteur m'a posé une question à laquelle je n'ai pas su répondre.

— Quoi donc ? Quelle question ?

De nouveau, sa peur confina à l'hystérie, malgré ses efforts pour ne rien révéler.

— Il m'a demandé si tu étais enceinte.

Olivia le regarda, effarée. Sa sœur lui avait juré qu'ils n'avaient plus de contacts physiques depuis longtemps. A quoi rimait cet interrogatoire ?

— Non, bien sûr, fit-elle dans un murmure.

— Pas de moi, c'est certain. Mais je ne puis m'empêcher de me demander si tu n'as pas renoué avec Toby. Je sais qu'il t'a envoyé des fleurs, mais j'ignore ce qui s'est produit par la suite, Victoria, même si tu considères que cela ne me regarde pas.

Cela expliquerait ses absences, ses sorties, ses retours tardifs le soir.

— Comment peux-tu insinuer une chose pareille ? s'indigna Olivia, horrifiée. (Elle ne savait pas que Toby avait envoyé des fleurs à sa sœur.) Comment oses-tu m'accuser d'adultère ? Je ne l'ai plus jamais revu, affirma-t-elle, espérant qu'elle disait la vérité.

Victoria n'était pas stupide au point de retomber dans les filets de ce Casanova de bas étage.

— Non, Charles, reprit-elle. Je ne suis pas enceinte.

Victoria non plus, elle en était persuadée. Elle avait trop souffert, elle était trop blessée, trop en colère contre les hommes, tous les hommes, trop éprise de liberté. Victoria aurait préféré mourir plutôt que retourner à

Toby après sa trahison. Quant à elle-même, elle était sûre de ne pas être enceinte.

— Je te présente mes excuses si je t'ai offensée. Admets, cependant, que cette possibilité n'était pas à exclure.

— J'ai peut-être été naïve mais je ne suis pas idiote ! dit Olivia aussi froidement qu'aurait parlé Victoria.

— Je l'espère.

Il quitta la pièce. Mais, lorsqu'il revint, il la trouva en pleurs. En fait, elle n'était plus là. Elle survolait par la force de son esprit l'océan à la recherche de l'épave du *Lusitania*. Dans l'après-midi, profitant d'une absence de Charles, elle courut au rez-de-chaussée et relut l'article du journal. Ensuite, elle envoya la femme de chambre lui acheter l'édition du soir qu'elle parcourut avidement. On ne savait rien encore, hormis que des centaines de personnes avaient péri au large de Queenstone. La mer rejetait leurs corps sur la grève. Ses jambes flageolèrent tandis qu'elle lisait. Lundi, elle irait aux bureaux de la Cunard. Peut-être la compagnie maritime possédait-elle une liste des survivants. Elle s'accrochait de toutes ses forces à ce mince espoir. Et, entre-temps, il lui fallait empêcher Charles de penser qu'elle était folle.

21

Olivia n'avait pas remarqué la petite annonce parue dans les journaux de New York et de Washington. Victoria, elle, l'avait vue le jour de son départ. Elle stipulait que les passagers en partance pour l'Europe devaient tenir compte de l'état de guerre entre l'Angleterre et l'Allemagne. La zone des hostilités englobait, entre autres, les eaux territoriales des îles Britanniques. Les sous-marins allemands s'octroyaient le droit de détruire tout vaisseau arborant le drapeau anglais ou celui des pays alliés de la Grande-Bretagne. Les voyageurs qui embarquaient sur des navires britanniques étaient ainsi prévenus des dangers qui les menaçaient. L'annonce, datée du 22 avril 1915, émanait de l'ambassade impériale d'Allemagne à Washington.

Par ailleurs, aucun navire, sous quelque drapeau que ce soit, ne pouvait être coulé sans avertissement préalable lui permettant d'évacuer les civils à bord. Dans ces circonstances, les passagers du *Lusitania* ne couraient aucun risque. Victoria avait hésité entre le bateau américain *New York* et le *Lusitania*. Elle avait opté pour le second. Celui-ci, beaucoup plus rapide, pourrait facilement échapper aux sous-marins. A cette époque, il effectuait le trajet Liverpool-New York une fois par mois. Aucun drapeau ne signalait son appartenance britannique, de manière à ne pas attirer l'attention des Allemands. Une épaisse couche de peinture dissimulait son nom et son port d'attache. Ses portes étanches demeuraient fermées durant tout le voyage. Une fois en mer d'Irlande, les marins débâchaient les canots de sauvetage et redoublaient de vigilance. Tout était conçu pour sauvegarder ce navire gigantesque, avec ses quatre cheminées monumentales peintes en noir et rouge, et ses dix ponts, sept au-dessus du niveau de la mer et trois en dessous. Depuis huit ans, il s'était révélé d'une parfaite fiabilité, puisqu'il en était à sa deux cent deuxième traversée.

Le *Lusitania* n'était pas le *Titanic*...

Afin d'assurer le maximum de sécurité, le capitaine et les marins observaient un couvre-feu tous les soirs ; on exigeait des passagers qu'ils ferment les rideaux de leurs hublots, et qu'ils ne fument pas sur le pont.

Dès le premier jour, Victoria s'était sentie parfaitement à l'aise. Elle avait aperçu lady Mackworth, née Margaret Thomas, activiste de l'Union sociale et politique des femmes, amie intime d'Emmeline Pankurst. Margaret comptait à son palmarès l'incendie d'un poste de police et une condamnation en prison, au grand dam de son honorable père, membre éminent de la Chambre des communes.

Après un séjour à New York, Margaret rentrait au pays. Victoria l'aborda sur le pont-promenade, et elles entamèrent une discussion passionnée.

— Vous êtes courageuse de voyager en Europe par les temps qui courent, dit Margaret.

Victoria s'était présentée comme une veuve qui se portait volontaire en France, dans le camp allié. Elle s'était procuré des noms de personnalités importantes de la Croix-Rouge et de l'armée française.

— Nous pourrions aussi bien avoir besoin de vous en Angleterre.

Ce disant, lady Mackworth lui sourit. L'esprit d'initiative de la jeune et jolie veuve, sa fougue l'avaient impressionnée. Elle partit dîner avec son père, tandis que Victoria commandait un repas dans sa cabine. Ils l'invitèrent à leur table le lendemain soir. Elevée sur deux étages, et surmontée par un dôme surchargé d'ornements et soutenu par des colonnes, la salle à manger de la première classe était grandiose. Le navire disposait également d'une bibliothèque, de fumoirs, d'une vaste nursery remplie de jouets, de divertissements divers et variés pour les jeunes et les moins jeunes. En dépit de la guerre, la bonne humeur régnait dans le palace flottant.

Les hommes parlaient des derniers combats, certaines femmes aussi, mais personne ne s'en inquiétait. Les sous-marins ne furent jamais mentionnés.

Victoria avait appris qu'Alfred Vanderbilt était à bord, et elle s'ingénia à l'éviter, car il connaissait son mari. Il avait le même âge que Charles, et elle se souvint que les deux hommes avaient déjeuné ensemble l'hiver précédent. Certes, elle voyageait sous le nom d'Olivia Henderson, mais elle ne voulait pas que Vanderbilt contredise l'histoire du départ d'Olivia en Californie. Aussi se montra-t-elle plus que prudente. Elle participa peu aux mondanités et passa le plus clair de son temps dans sa cabine, dans la bibliothèque ou sur le pont.

Charles Frohman, le célèbre producteur de théâtre, se trouvait également à bord, entouré d'une cour de jeunes gens remuants et admiratifs. Il se rendait à Londres pour assister à la première de la nouvelle pièce de James Barrie, *The Rosy Rapture*, qu'il avait l'intention de produire à Broadway. Elle aperçut également Charles Klein, auteur de théâtre de renom, qui travaillait sur son dernier texte, lorsqu'il ne bavardait pas avec Frohman. Elle aurait adoré discuter avec eux, mais la plus grande discrétion s'imposait. Elle déclina même l'invitation du capitaine Turner à une réception. Le capitaine l'avait, en effet, vue sur le pont et sa beauté l'avait subjugué.

La liberté agissait sur Victoria comme un philtre euphorisant. Après une année de mariage, la solitude lui faisait l'effet d'une délivrance. Seule sa sœur jumelle lui manquait. Olivia occupait constamment ses pensées. Victoria priait qu'elle n'ait pas eu à trahir leur secret. Mais elle savait au fond d'elle-même qu'Olivia ne parlerait pas. Elle lui vouait une confiance absolue. Mais le déchirement de cette nouvelle séparation frisait l'obsession.

Ils eurent beau temps durant toute la traversée. Aucune tempête ne s'abattit sur le navire, le ciel demeura d'un bleu d'azur. Cependant, chacun avait hâte d'arriver à destination. Le vendredi, Victoria boucla son bagage de bon matin. A midi, elle croisa lady Mackworth, qui lui donna son adresse à Newport et l'incita à l'appeler. De Liverpool, Victoria gagnerait Douvres d'où elle prendrait le ferry pour Calais. Après avoir contacté les gens dont les noms figuraient sur sa liste, elle avancerait vers le front.

Elle prit le repas de midi seule. Ils naviguaient dans la mer d'Irlande. Il faisait une chaleur inhabituelle et les stewards avaient ouvert les hublots de la salle à manger et des cabines de la première classe. Après le déjeuner, les passagers allèrent se changer. La terre d'Irlande était en vue, à une douzaine de milles au sud du phare d'Old Kinsale. L'excitation montait... Ils allaient bientôt longer la côte.

Victoria sortit sur le pont et s'accouda au bastingage, cherchant des yeux le port de Liverpool. L'orchestre jouait les accords animés du *Beau Danube bleu*, mais alors qu'elle contemplait la mer, elle vit une longue traînée blanche courir à fleur d'eau vers le navire, comme un poisson fendant les flots... Victoria suivit des yeux sa trajectoire. Elle portait la robe rouge qu'Olivia avait achetée en double exemplaire des siècles plus tôt ; elle avait laissé son chapeau dans la cabine, ses cheveux brillaient au soleil... Soudain, le paquebot tout entier tangua brutalement. Victoria s'aplatit sur la rampe. Une colonne liquide balaya le pont supérieur. L'étrave du navire se souleva, jaillissant hors de l'eau. Accrochée de toutes ses forces au bastingage, Victoria crut qu'elle allait passer par-dessus bord, mais elle tint bon. Le pont eut l'air de s'envoler, puis l'étrave retomba dans un aveuglant nuage d'écume, tandis que le paquebot mettait le cap à toute vapeur vers le phare.

Alentour, des cris, des appels retentissaient. Le bateau penchait à tribord. Victoria se rua en direction de sa cabine, sur le pont B, à la recherche de son gilet de sauvetage et de son argent. Elle se heurta à une foule de passagers courant en sens inverse... La jeune femme réussit néanmoins à se frayer un passage. Une fois dans la coursive, elle sentit le sol s'incliner davantage, à tel point qu'elle dut s'appuyer au mur pour avancer.

— Nous avons été touchés ! cria quelqu'un. Une torpille !

Une assourdissante sirène d'alarme couvrit soudain le vacarme mais on entendait encore l'orchestre jouer, et le souvenir de Susan sur le *Titanic* surgit soudain dans sa mémoire.

— Non ! Pas maintenant ! se dit-elle à voix haute.

Elle allait de l'avant, se heurtant aux cloisons, luttant pour garder l'équilibre. Le paquebot se couchait lentement sur le côté. Elle atteignit sa cabine juste à temps pour attraper son gilet de sauvetage, son portefeuille et son passeport. Inutile de s'embarrasser du bagage. Victoria n'avait emporté ni bijoux ni aucun autre objet de valeur. Elle enfila le gilet et se lança hors de la cabine. En empruntant le chemin inverse, menant vers le pont, elle entendait alentour des cris de panique, de désespoir. Sur l'escalier, elle entra en collision avec Alfred Vanderbilt, qui tenait à la main une mallette remplie de pierres précieuses.

— Est-ce que ça va ? s'enquit-il, parfaitement calme.

Elle n'était pas sûre qu'il l'ait reconnue. Comme d'habitude, il affichait un sourire courtois. Il ne semblait pas affecté par la tragédie ambiante. Son valet l'accompagnait.

— Oui, je crois, répondit-elle. Que s'est-il passé ?

Elle n'avait pas eu le temps de paniquer. Mais, au

beau milieu de cet échange de propos, une sourde explosion leur parvint des entrailles du navire.

— Des torpilles, dit-il comme s'il parlait de la pluie et du beau temps. Dépêchez-vous de monter sur le pont.

Il s'effaça pour la laisser passer. Victoria gravit les marches, après quoi elle le perdit de vue. La foule des voyageurs avait envahi la passerelle. Les canots de sauvetage, débâchés, n'offraient qu'une maigre possibilité de secours. Ceux de bâbord se balançaient au-dessus du pont selon un angle bizarre, les embarcations de tribord dansaient sur leurs poulies au-dessus de l'abîme. Le *Lusitania* évoquait un jouet d'enfant couché sur le côté dans une baignoire... Sauf que ce n'était pas un jouet, que la mer était profonde, et que la torpille l'avait gravement atteint, assez loin des côtes pour provoquer un désastre. Victoria regarda la bande de terre à l'horizon, se demandant si elle arriverait à nager jusqu'à la rive. Là-bas, les habitants de Queenstown assistaient au spectacle du géant sombrant rapidement dans les flots. La poupe plongea, la proue se dressa, terrifiante, vers le ciel. Les hurlements des passagers pris au piège se mêlaient aux cris des mouettes.

Le navire coulait. Un torrent d'eau, qui pénétra par les hublots ouverts, fit céder les portes étanches, immergeant l'un après l'autre les étages supérieurs.

Des scènes de terreur se déroulaient sur le pont des embarcations. Victoria avait retiré ses chaussures, tandis que des volutes de fumée l'enveloppaient. Elle suffoquait. Elle ignorait si c'était la fumée ou la panique qui l'empêchait de respirer, mais elle continua à se battre pour ne pas glisser sur le sol qui penchait de plus en plus. Les gens qui ne parvenaient plus à s'accrocher aux rampes tombaient dans la mer. Un sinistre fracas retentit, l'antenne radio s'abattit sur un groupe de personnes, les appels au secours, les cris des enfants et des mères fendaient l'air mouillé. Victoria revit Alfred Vanderbilt, qui aidait à installer des enfants dans les canots. Il ôta son gilet pour le passer à une petite fille, tout en gardant sa mallette dans ses bras.

L'eau montait à l'assaut du navire naufragé. Les poulies grinçaient au passage des cordages, deux embarcations se posèrent enfin sur la mer. La première fut retournée. Aux hurlements des victimes répondit l'horrible bruit d'une des cheminées géantes qui se cassa en deux. Une petite fille cramponnée aux cordages lâcha prise. Elle glissa sur les planches mouillées du pont en poussant un cri aigu. Victoria tendit la main vers elle, mais trop tard. L'enfant fut engloutie par l'océan qui se referma sur elle.

— Oh ! mon Dieu... mon Dieu..., cria Victoria.

Les boucles blondes refirent surface, puis le petit corps sans vie se mit à flotter, le visage tourné vers l'eau. Au milieu de l'enfer, une voix intima alors à Victoria l'ordre de monter dans un canot... On eût dit la voix de sa sœur... Un affreux grondement déchira le navire comme elle s'efforçait d'atteindre les embarcations. Ils avaient été touchés cinq minutes auparavant et déjà la mer engloutissait le paquebot. Il ne restait plus que deux canots et encore beaucoup d'enfants sur le pont.

— Prenez-le... Je cède ma place, cria-t-elle au jeune officier qui chargeait les esquifs.

— Savez-vous nager ? cria-t-il. Cramponnez-vous à une chaise longue. Nous allons couler !

Victoria suivit son conseil. Sa chaise longue glissa sur le pont incliné. L'instant suivant, elle était sur les flots qui charriaient matelas, planches, statues, transats, cadavres... Des objets continuaient à jaillir du navire, qui se démantelait dans une série d'explosions, et Victoria poussa un cri d'horreur quand deux corps heurtèrent son embarcation de fortune. Partout où elle se tournait elle ne voyait que des épaves, n'entendait que des hurlements, des cris d'agonie. Une femme sombra en étreignant son bébé mort... La chaise longue de Victoria fut immergée à plusieurs reprises... Chaque fois qu'elle remontait, c'était pour contempler d'autres horreurs... Finalement le courant l'emporta vers le rivage, à côté d'une autre chaise longue sur laquelle se prélassait un petit garçon en costume de velours bleu marine. Il faisait penser à un petit prince, à ceci près qu'il était mort, tout comme sa mère qui gisait à côté de lui... C'en était trop. Victoria crut perdre la raison. Elle garda les paupières fermées dans l'espoir que le cauchemar s'achève... Mais le cauchemar persistait. A un moment donné, en rouvrant les yeux, elle aperçut le capitaine Turner sur une chaise longue et lady Mackworth sur une autre... Plus loin, sur un piano à queue, naviguaient un officier et une vieille dame.

Mais tout autour d'eux, les passagers hurlaient... Ils continuaient à se noyer... La mer les avalait, puis recrachait leurs corps. Victoria était gagnée par l'engourdissement. Elle avait les pieds glacés et de plus en plus de mal à respirer... Elle s'accrocha à la chaise longue autant qu'elle le put. Et puis, finalement, miséricordieusement, elle glissa sous l'eau.

Grattements... hurlements... cris d'oiseaux... les bruits de l'enfer... Quelqu'un la tirait par les pieds et à chaque pas sa tête rebondissait sur la rocaille. Elle voulait parler. Pas un son ne franchissait sa gorge... Elle devait être morte. Mais peut-être pas, parce que chaque parcelle de son corps la faisait souffrir atrocement. Elle ouvrit péniblement les paupières. Le visage de l'homme qui la tirait par les pieds pour la jeter dans un cercueil se présenta à sa vue.

— Nom d'un chien, Sean, celle-ci est vivante... elle bouge.

Une toux violente la secoua, un flot d'eau salée jaillit de sa bouche. Ses cheveux étaient collés sur sa tête, ses lèvres craquelées. Elle avait les yeux brûlants, les poumons sur le point d'exploser. La nuit était tombée, un tas de cercueils jonchaient le sable, l'odeur de la mort et celle de l'océan saturaient l'air. Des oiseaux décrivaient des cercles sur le ciel sombre. L'homme l'aida à s'asseoir. Elle aurait été incapable d'un tel effort toute seule.

— On a cru que vous étiez morte, dit-il d'un ton d'excuse.

— Je l'ai cru aussi, répondit-elle.

Qu'étaient devenus les autres ? Ses compagnons d'infortune ? C'était facile à voir. Des centaines de cadavres étaient éparpillés sur les rochers. Des enfants, beaux même dans la mort, les yeux ouverts ou fermés. Çà et là, une mère sanglotait sur le corps de son petit.

— Les Boches ont coulé votre bateau, expliqua le

deuxième homme, celui qui s'appelait Sean. En dix-huit minutes, il n'y avait plus que des planches sur la mer. Ça s'est passé il y a cinq heures. On a organisé comme on a pu une opération de sauvetage et on vous a repêchée parmi les débris, mon frère et moi. Il y a très peu de survivants, ajouta-t-il avec un épais accent irlandais, lequel, en d'autres circonstances, aurait amusé Victoria. Voilà trois semaines que ces fichus sous-marins croisent au large. Ces salopards veulent frapper d'embargo le port, vous saisissez ?

Elle se demanda si le capitaine Turner était au courant.

— Allez, venez, dit-il. Je vais vous aider à vous lever. Vous avez eu de la chance.

Il la remit précautionneusement sur ses pieds nus. Ses bas de soie avaient disparu, ainsi qu'une partie de sa robe. Elle ne portait plus que sa petite culotte et un corsage rouge sous le gilet de sauvetage... En tâtant sa ceinture, elle sentit le renflement de son portefeuille... Elle n'avait pas tout perdu.

Elle se laissa porter par le jeune pêcheur irlandais en direction du pub local où d'autres survivants attendaient. Les habitants de Queenstown s'étaient mobilisés : ils avaient réquisitionné l'église, la mairie, l'hôpital de la marine royale. On servait du thé chaud aux rescapés, et la compagnie Cunard avait commandé deux mille cercueils.

En entrant dans le pub, appuyée sur le pêcheur, Victoria ne reconnut que deux visages dans la misérable petite cohue qui s'entassait devant le bar, dont celui du capitaine. Il avait été secouru par un petit vapeur, le *Bluebell*, qui avait aussi sauvé Margaret Mackworth.

— Jolie robe, dit lugubrement l'une des femmes.

Elle était l'une des rares mères qui avaient réussi à retrouver leurs enfants sains et saufs. D'autres femmes pleuraient leurs morts : maris et enfants. Ils s'étaient noyés sous leurs yeux en glissant sur le pont incliné et en tombant dans les eaux glacées. D'autres avaient été tués sur le coup par la chute de morceaux de tôle. Les rescapés composaient une sorte de tableau vivant conçu pour exprimer le désespoir... Victoria détourna les yeux. Elle n'avait plus qu'une idée en tête : prévenir sa sœur, lui envoyer un télégramme. Il était dangereux d'essayer de contacter Olivia, mais il le fallait. Il fallait qu'elle lui fasse savoir qu'elle avait survécu au désastre.

A minuit, Wesley Frost, le consul américain, fit le tour des refuges. Il demanda à chaque survivant ce qu'il pouvait faire pour lui. Victoria lui donna le nom et l'adresse d'Olivia, plus un message codé. Personne ne comprendrait le sens du texte hormis sa sœur. Il y avait 189 Américains à bord mais il était impossible encore de savoir combien avaient péri. Les survivants, de nationalités différentes, certains gravement blessés, désiraient contacter leurs familles. Bien qu'ils fussent peu nombreux, ils semblaient être des dizaines... Une foule de gens livides, aux yeux hallucinés. Leurs vêtements tombaient en lambeaux. Certains étaient même complètement nus, emmitouflés dans les couvertures que les sauveteurs avaient mises à leur disposition.

— Je m'en occuperai dès que possible, mademoiselle Henderson, promit le consul en lui tendant une couverture.

— Merci. J'apprécie votre aide, murmura-t-elle.

Elle claquait des dents et respirait encore par saccades. D'un seul coup, elle fut envahie par un sentiment d'horreur et elle se laissa tomber sur le plancher, en sous-vêtements, tremblant de tous ses membres, les yeux hagards. Elle n'avait pas revu Alfred Vanderbilt, et elle se demanda s'il faisait partie des victimes. Ses pensées se tournèrent alors vers Geoffrey qui avait survécu à une catastrophe similaire et qui avait vu sa mère sombrer avec le *Titanic*. Elle ressentit un élan de sympathie pour le petit garçon, l'envie de l'étreindre en même temps que sa sœur. Elle ferma les paupières afin de chasser les images du chaos, surtout celle d'une femme qui, avant de disparaître sous l'eau, avait crié qu'elle allait accoucher. Il lui sembla qu'elle apercevait Olivia, assise dans sa chambre à New York. « Je suis vivante », pensa-t-elle très fort, en priant pour que sa sœur l'entende.

23

Le lundi 10 mai, Olivia ne tenait plus en place. Elle observait Charles et Geoffrey, qui dégustaient leur petit déjeuner, en se retenant pour ne pas pousser un cri d'impatience. Son malaise perdurait ; elle venait de se disputer avec Charles à cause du journal.

— Le docteur a dit : pas d'émotions ! décréta-t-il en lui ôtant des mains l'édition du matin qu'elle parcourait avidement.

— Rends-moi ce journal ! hurla-t-elle en le lui arrachant. Je suis désolée... Je ne sais plus où j'en suis. Je voulais juste m'occuper l'esprit pour ne plus penser à Olivia.

— Je comprends, répondit-il d'une voix cassante.

Enfin, il partit pour son bureau. Naturellement, Geoff mit un siècle à se préparer. Finalement, il s'en alla à l'école et aussitôt Olivia attrapa son chapeau, son sac, et se précipita dehors. Elle héla un taxi et donna au chauffeur l'adresse des bureaux de la Cunard, dans State Street.

Une marée humaine avait pris d'assaut les locaux de la compagnie maritime. Des gens affolés qui pleuraient, hurlaient les noms de leurs parents qui voyageaient à bord du paquebot torpillé et quémandaient des informations. Les responsables de la compagnie, encadrés d'une brigade de policiers, s'efforçaient de calmer la foule. A l'évidence, ils possédaient peu de renseignements. Le nombre des morts augmentait à chaque minute — il s'élevait à plus d'un millier —

et le corps de Frohman avait été repêché au large de Queenstown. Des détails terrifiants venaient à chaque instant enrichir les rumeurs. On disait qu'en Allemagne on fêtait le torpillage du *Lusitania* comme une victoire, et cela décuplait la colère des familles des disparus.

Après sept heures d'attente, aucune liste de survivants ne fut affichée. Selon la direction de la Cunard, il n'y aurait aucune autre nouvelle avant le lendemain. Olivia sortit de l'immeuble le cœur lourd. Elle était restée debout pendant tout ce temps, dans le vain espoir d'apprendre quelque chose... Des noms avaient été lancés, une liste de victimes avait circulé, quelqu'un avait dit que l'on avait photographié les corps à Queenstown pour faciliter leur identification, et un frisson glacé avait parcouru Olivia. Pourtant, elle était habitée par l'étrange certitude que Victoria avait survécu. A deux ou trois reprises, elle crut entendre la voix de sa sœur qui lui disait : « Je suis vivante. » Réalité ? Illusion ? Elle le saurait assez vite. Si Victoria avait péri, elle en mourrait elle aussi. Hantée par ces réflexions, elle rentra à pied à la maison.

En montant les marches du perron, fourbue, les jambes flageolantes, elle aperçut un jeune homme en uniforme qui s'approchait... Son cœur cessa de battre. Elle s'élança au-devant de lui et l'agrippa par le bras, les yeux brillants.

— Avez-vous un télégramme pour moi ? Victoria Dawson ?

Elle savait que c'était à ce nom que sa sœur essaierait de la contacter. Victoria n'était pas assez cruelle pour la laisser dans l'attente si elle faisait partie des rescapés. Le facteur hocha la tête.

— Oui... je... là, bredouilla-t-il avant de déguerpir.

Elle avait attrapé comme une folle l'enveloppe qu'il lui tendait et l'avait décachetée précipitamment. Ses mains tremblaient à tel point que les lettres dansaient sur la feuille blanche... Enfin, de longs sanglots la secouèrent tandis que des larmes de soulagement roulaient sur ses joues... Sa sœur était vivante !

« Voyage mouvementé, indiquait le télégramme. Bravo à M. Bridgeman. Stop. Bons baisers de Queenstown. Stop. Je t'adore. Stop. »

M. Bridgeman était leur vieux professeur de natation à Croton... Olivia se mit à rire et à pleurer sur les marches, sans se soucier des voisins. Il n'y avait pas d'autres détails, pas d'autre information, pas d'adresse. Mais le message contenait le principal : sa jumelle avait survécu au naufrage. Elle n'avait pas besoin d'en savoir plus. Elle froissa le feuillet dans sa paume et courut à l'intérieur de la maison, où elle le fit brûler dans le four... Le garder aurait été trop imprudent. Si Charles le découvrait, il se poserait des questions. Ce n'était pas le moment.

Ces trois derniers jours, les pires de sa vie, avaient littéralement vidé Olivia de toute son énergie. Elle ne surmonterait pas une autre épreuve aussi pénible. Elle prit un bain chaud, qui lui rendit un peu de sa vitalité. Elle se sécha et passa un peignoir, ne sachant plus si elle avait envie de sangloter ou de chanter... A la place, elle se précipita dans la chambre de Geoff, qui venait de rentrer, et le serra dans ses bras. Le petit garçon la regarda, étonné. A son avis, Victoria devenait folle. Son père l'avait averti que la jeune femme « souffrait des nerfs », ce qui n'était qu'un doux euphémisme... En tout cas, il ne l'avait jamais vue d'aussi bonne humeur.

— Que vous arrive-t-il ? demanda-t-il alors que, tout sourire, elle exécutait une série de pirouettes gracieuses. Vous avez l'air contente aujourd'hui.

Elle aurait voulu crier : « Oui ! J'ai retrouvé ma sœur ! Elle est vivante ! Elle est à Queenstown ! Elle va bien ! », mais elle dit :

— C'est vrai. Il fait si beau ! Comment s'est passée ta journée à l'école ?

— Bah ! La routine... Où est papa ?

— Il n'est pas encore rentré.

Elle repartit en jubilant, et à l'heure du dîner elle descendit parée d'une nouvelle robe. Charles venait de franchir le seuil de la maison. Il semblait fatigué ; il alla se laver les mains avant de se mettre à table.

— Que s'est-il passé ? demanda-t-il d'un air las. Tu es resplendissante.

Il regarda Geoff, comme s'il attendait une explication.

— Rien. Je me sens mieux, voilà tout.

— Tes inquiétudes se sont-elles apaisées ?

— Peut-être bien, répondit-elle avec le rire insouciant de ceux qui sortent du cauchemar. Je vais mieux, répéta-t-elle.

Il se demanda si elle voyait Toby ou un nouvel amant. Durant le repas, elle fit preuve d'une si grande gentillesse à son égard et à l'égard de Geoff que lorsque la cuisinière servit le café il se sentait radouci.

— J'ai parlé avec un détective aujourd'hui, dit-il quand Geoff alla faire ses devoirs dans sa chambre. Il va commencer ses recherches la semaine prochaine, en Californie. Il a d'excellents contacts là-bas.

Elle le remercia sans cesser de sourire.

— Victoria, cette soudaine bonne humeur m'étonne ! Que se passe-t-il ? Attention, tu vas éveiller mes soupçons.

Il ne plaisantait qu'à demi. Mais ce soir-là elle paraissait si jolie, si jeune et innocente qu'il n'avait pas le cœur de se fâcher.

— Charles, je te l'ai dit et répété. Je me sens mieux... Délivrée d'un poids. Comme si je savais où se trouve ma sœur. J'ai la conviction qu'elle va bien... C'est inexplicable, je l'avoue.

Il inclina la tête. Il croyait à la télépathie qui existait entre les jumelles.

— Peut-être as-tu raison, soupira-t-il. Espérons-le.

Il était soulagé, lui aussi. Ces deux jours lui avaient fait l'effet d'un mauvais rêve dont il venait seulement de se réveiller. Il avait craint que sa femme ne sombre dans la dépression.

— Je suis désolée de t'avoir causé du souci, Charles.

— Ne t'excuse pas. Je me suis inquiété, bien sûr. Quoi de plus normal ?

Il la dévisagea presque avec timidité. Elle paraissait plus ouverte, plus amicale. Se rappelant les paroles du médecin, il se dit que le départ d'Olivia et le choc qui s'était ensuivi avaient peut-être transformé Victoria. Et que, depuis, celle-ci adoptait peu à peu la personnalité de sa sœur... Ce qui promettait une amélioration considérable. Maintenant qu'Olivia n'était plus là, Victoria semblait plus dépendante de Charles, plus désireuse de l'approcher qu'auparavant. Il n'avait pas oublié la façon dont elle s'était accrochée à lui, le vendredi soir, en criant sa peur. Oui, elle avait changé, conclut-il, sans pour autant se laisser aller à l'optimisme.

— J'essaierai désormais de mieux me comporter, promit-elle tranquillement.

Elle avait du courrier en retard, ajouta-t-elle avant de monter à l'étage. Elle aurait voulu écrire à Victoria, mais, bien sûr, c'était impossible... Elle ne pourrait le faire que lorsque sa jumelle aurait atteint sa destination définitive en France. Victoria avait promis de lui écrire à leur résidence de la Cinquième Avenue. Olivia était impatiente de lire sa première lettre.

Charles termina l'étude d'un dossier avant de monter à son tour. Tous les deux avaient embrassé Geoff dans son lit. En entrant dans leur chambre, il évoqua pour la première fois le naufrage du *Lusitania*.

— Torpiller un bateau civil, quelle honte ! Il paraît que les victimes se comptent par milliers, comme lorsque le *Titanic* a sombré. Pourvu que Geoff n'en entende pas parler, je crains que cette nouvelle catastrophe ne lui rappelle la mort de sa mère.

Elle le regarda gentiment.

— Et toi, Charles ? Tu ne t'es pas souvenu d'elle en apprenant la nouvelle ?

Sa sollicitude, sa douceur lui coupèrent le souffle. L'espace d'une seconde, il fut incapable de répondre. Leurs relations se résumaient jusqu'alors à des piques que l'un envoyait à l'autre, à des allusions acerbes.

— Oui, convint-il finalement. J'ai beaucoup pensé à elle ces deux derniers jours.

Pendant qu'elle était folle d'inquiétude, il souffrait en silence et elle ne s'en était même pas aperçue.

— J'en suis navrée, murmura-t-elle.

Il hocha la tête sans un mot. Leur conversation s'acheva là. Peu après, ils se mirent au lit, aussi prudemment qu'à l'accoutumée, en prenant soin de laisser entre eux un vaste espace.

— Tu es gentille, dit-il soudain dans le noir, de m'avoir demandé comment je me suis senti... je veux dire à propos de Susan et du bateau. Tous les souvenirs me sont revenus d'un seul coup. J'ai revécu ces heures horribles d'attente et de désespoir... Je n'avais pas cessé de harceler de questions les représentants de la White Star... qui ne savaient plus où donner de la tête. Je me revois sur le quai, quand le *Carpathia*, qui avait secouru les naufragés, est entré dans le port. Il pleuvait ce jour-là... Une petite pluie fine... J'ignorais encore tout de leur sort. Je ne savais pas s'ils étaient morts ou vivants... Puis j'ai vu Geoff... Un membre d'équipage le tenait par la main... J'ai cherché comme un fou Susan derrière eux. Je ne l'ai pas vue. Alors, j'ai compris... J'ai pris mon fils et nous sommes rentrés à la maison... Il lui a fallu des semaines, des mois pour se résoudre à en parler... Ce sont des épreuves qu'on n'oublie pas.

Et Victoria n'oublierait pas non plus, songea Olivia. Elle allongea la main dans l'obscurité, toucha doucement l'épaule de Charles.

— Je suis désolée pour vous deux, Charles. Vous n'avez pas mérité cela. La vie est injuste.

Ils se regardèrent à la clarté de la lune, et il vit quelque chose dans ses yeux qui, autrefois, l'aurait effrayé et qui, à présent, l'apaisait.

— Rien ne se produit sans raison... Tu ne serais pas là si le naufrage n'avait pas eu lieu, dit-il tendrement.

— Et tu serais beaucoup plus heureux, répondit-elle avec un sourire triste.

Elle songeait à sa sœur qui les avait quittés pour ce qu'elle appelait la grande aventure. Qui avait préféré le danger à la douceur du foyer. Le « voyage mouvementé » mentionné dans le télégramme représentait sa conception de l'existence.

— Ne dis pas ça, lui répondit-il. Susan nous a été enlevée pour une raison que nous ignorons. Je le pense profondément. Sinon les événements que nous vivons n'auraient pas de sens.

— J'ai beaucoup de chance de te connaître, Charles.

C'était une phrase bizarre dans la bouche d'une épouse mais Olivia ne s'en rendit pas compte. Elle était trop naïve. Il la regarda et l'innocence qu'il décela dans ses yeux l'étonna.

— Tu es gentille...

Il se demanda en même temps si lui l'avait vraiment connue. Ou s'il avait seulement cru ou rêvé la connaître. Elle semblait si différente, ce soir. Il s'approcha d'elle. Sans un mot, il l'embrassa en lui encadrant le visage de ses paumes. Il lui effleura la bouche d'un baiser très doux, presque fugitif, soucieux de ne pas l'effrayer... de ne pas réveiller les vieux démons de la peur et de la répulsion tapis en elle. Juste pour la remercier de sa compréhension et de son amitié. Mais à peine leurs lèvres se touchèrent-elles qu'un frisson le fit tressaillir. Sans plus pouvoir se retenir, il l'embrassa encore et encore, tout en s'intimant l'ordre d'arrêter.

— Puis-je continuer ? demanda-t-il d'une voix enrouée.

Elle fit non de la tête, mais qu'il cesse de l'embrasser était la dernière chose au monde qu'elle voulait. De nouveau, leurs lèvres s'unirent. Les bras d'Olivia se nouèrent autour du cou de Charles, comme animés d'une vie propre, et son corps se colla au sien. Il étouffa un soupir. Le désir l'embrasait tout entier, il la serra contre son cœur.

— Victoria, je ne veux pas te forcer à faire quelque chose que tu regretteras...

Voilà des mois qu'ils ne s'étaient pas touchés, mais

il se rappelait parfaitement leurs tentatives précédentes, toujours accompagnées de dépit, de frustration. Leurs relations sexuelles ne leur avaient jamais apporté aucune satisfaction.

— Charles... Je ne sais pas... Je...

Elle aurait voulu lui demander d'arrêter, lui expliquer que c'était mal, qu'il était le mari de sa sœur, mais la vraie Victoria, revenue d'entre les morts, avait choisi de refaire sa vie ailleurs... et elle, Olivia, se trouvait enfin entre les bras de l'homme qu'elle aimait depuis si longtemps... Non, elle ne pouvait s'arrêter maintenant.

— Je t'aime, murmura-t-elle.

Il ne s'était pas attendu à un tel aveu. Il posa sur elle un regard surpris et heureux.

— Oh ! ma chérie..., chuchota-t-il, sentant son cœur bondir vers elle.

Tout à coup, il sut ce qui n'allait pas entre eux depuis le début de leur union : il n'osait pas l'aimer.

— Oh ! comme je t'aime, dit-il malgré lui.

Puis il la prit avec douceur, avec tendresse. En dépit de la douleur qu'elle éprouva, elle se donna à lui, s'abandonnant à sa passion... Et, plus tard, alors qu'il la contemplait, ému aux larmes, il se sentit renaître. Pour tous les deux, un nouveau départ s'amorçait, une nouvelle vie, la lune de miel qu'ils n'avaient jamais eue mais avaient si profondément désirée.

Il resta longtemps éveillé à l'embrasser et à lui prodiguer des caresses, découvrant le corps qu'il croyait déjà connaître. Enfin il s'endormit dans les bras d'Olivia, blotti contre elle, alors qu'elle se demandait ce qu'il adviendrait d'eux quand Victoria reviendrait. Elle n'avait encore aucune idée de ce qu'elle dirait à sa sœur. Tout ce qu'elle savait, c'était qu'elle ne pourrait plus jamais quitter Charles.

24

Wesley Frost, le consul américain à Queenstown, procura à Victoria une robe et une paire de chaussures. Le dimanche suivant, la jeune femme prit le train à destination de Dublin. Un représentant de la Cunard l'attendait sur le quai. Un autre train la déposa, ainsi que d'autres rescapés de la catastrophe, à la gare de Lime Street, à Liverpool. Les journalistes s'agglutinaient à l'arrivée, dans l'espoir d'interviewer les survivants. Vance Pitney, le chroniqueur du *New York Tribune*, ayant déjà visité Queenstown et Liverpool, s'apprêtait à gagner Londres. Tous les journaux s'étaient emparés du meilleur sujet depuis le naufrage du *Titanic*. Le fait que le géant des mers avait été torpillé par les Allemands rendait la tragédie plus poignante encore. Ces milliers de vies perdues s'ajoutaient aux victimes de la guerre. Victoria évita les journalistes, et se rendit directement à l'hôtel Adelphi où elle s'efforça de se ressaisir. Elle était encore sous le choc.

Sa robe était affreuse. Victoria alluma une cigarette dans sa petite chambre. Soudain, elle fondit en larmes. Elle aurait voulu se retrouver au manoir de Croton. Mais c'était trop tard. Trop tard pour revenir en arrière.

Le soir, le patron de l'hôtel lui fit monter un plateau. Il savait qui elle était, pourquoi elle se trouvait ici. Des murmures l'avaient accompagnée lorsqu'elle avait traversé le vestibule. Elle avait expliqué en peu de mots sa situation à l'employé de la réception. Ses chèques, ses billets, sa lettre de crédit étaient trempés.

Lundi, elle irait les changer à la banque. Entre-temps, elle ne désirait pas attirer l'attention. Cette nuit-là, enfermée dans sa chambre, elle combattit sans résultat ses visions hideuses... Le bateau englouti, les visages effrayants des noyés, le jeune marin qui l'avait sauvée en lui conseillant de s'accrocher à la chaise longue dansaient une folle sarabande dans son esprit.

Elle ne ferma pas l'œil de la nuit. Le lendemain, elle avait une mine de papier mâché. Après une tasse de café et un toast, elle se sentit mieux. Elle se rendit à la banque et en ressortit avec de nouveaux billets pour s'engouffrer dans la boutique la plus proche. Elle acheta quelques robes, un pantalon, des pulls, des chaussures, une paire de bottes qu'elle enfilerait quand elle serait dans les tranchées. Peut-être lui donnerait-on un uniforme, mais de toute façon, il lui fallait des sous-vêtements, des produits de beauté, un peigne. Il ne lui restait plus rien, pas même les lambeaux de la robe rouge, qu'elle avait laissés à Queenstown.

— Vous comptez quitter le domicile conjugal ou quoi ? plaisanta la vendeuse avec un gloussement amusé.

Mais Victoria ne riait pas. Elle ne souriait pas.

— J'étais à bord du *Lusitania* lorsqu'il a coulé, répondit-elle.

Elle vit la femme déglutir. Le monde entier avait appris la tragédie.

— Vous avez eu de la chance, ma chère, murmura-t-elle, la bénissant en silence.

Victoria regagna son hôtel, les bras chargés de paquets. Les images du désastre, l'épouvante la hantaient. Parviendrait-elle jamais à oublier ces horreurs ? Ces visages ? Ces cris ? Ces enfants flottant sur l'onde, les yeux grands ouverts ? Elle crut revoir le petit garçon en costume de velours bleu, naviguant sur le transat. La mort avait figé ses traits. Le badge du *Lusitania* agrémentait le col de son vêtement... Il y avait de quoi haïr les Allemands jusqu'à la fin des temps.

Dans la soirée, elle commença à recouvrer ses

esprits. Comment allait-elle se rendre en France ? Ses projets avaient été modifiés, mais l'employé de l'hôtel lui avait indiqué l'itinéraire jusqu'à Douvres, d'où un petit ferry la conduirait à Calais. C'était risqué, avait-il ajouté. Des sous-marins allemands infestaient la Manche et, à cette pensée, Victoria frémit.

— Je ferais mieux de m'acheter un maillot de bain et de partir à la nage, dit-elle en grimaçant un sourire.

Son trait d'esprit fit rire le réceptionniste.

— Vous avez du cran, mademoiselle. A votre place, je ne crois pas que je remettrais les pieds sur un bateau.

— Je n'ai pas le choix, si je veux aller en France, n'est-ce pas ?

Elle était venue en Europe pour se rendre utile. Personne ne lui avait dit que ce serait facile.

Pendant la bataille d'Ypres, deux semaines plus tôt, les Allemands avaient utilisé des gaz d'acide chlorique. Les combats continuaient à y faire rage. Selon les témoignages, un véritable massacre se déroulait là-bas. Dès lors, une question se posait : comment arriverait-elle à rejoindre les personnes avec lesquelles elle devait se mettre en contact ? Celles-ci se trouvaient à Reims. Elle essaierait de les appeler de Calais, si le téléphone fonctionnait encore en France. Sinon... elle aviserait. Cette aventure, elle l'avait voulue, souhaitée, désirée ardemment. Son long voyage avait commencé sous de mauvais auspices et elle espérait ne pas avoir fait un mauvais choix.

Elle quitta Liverpool le mardi matin, après avoir remercié le personnel de l'hôtel. Tout le monde avait été d'une grande gentillesse avec elle. Chacun lui avait offert un petit cadeau : fruits, gâteaux, objets religieux, porte-bonheur, humbles témoignages de leur joie qu'elle compte parmi les rescapés du navire martyr.

Un taxi la ramena à la gare de Lime Street où elle prit un train pour Douvres. Plusieurs petits ferries dansaient sur les flots, près des quais, esquifs inoffensifs dans l'éclatant soleil de mai. Victoria les jaugea, l'œil méfiant. L'horrible expérience en mer d'Irlande avait fait naître en elle une peur viscérale. Elle discuta le prix de la traversée avec le capitaine. Il n'y avait qu'une poignée de passagers sur le ferry. C'était un bel après-midi, la mer miroitait sous un ciel d'azur, mais Victoria fixait les vagues, agrippée à la rampe, persuadée à chaque instant qu'elle risquait de mourir.

— *Vous avez bien peur, mademoiselle**.

Le capitaine lui sourit. De sa vie il n'avait vu une aussi jolie jeune fille. Elle semblait terrorisée, les yeux rivés sur la mer, à la recherche de la longue traînée blanche d'une torpille fendant l'eau.

— *Lusitania*, répondit-elle comme si elle prononçait un mot de passe.

Il hocha la tête. La tragédie s'étalait dans tous les journaux. Chaque fois qu'elle lisait un article, Victoria serrait les dents. Ses pensées se tournaient alors vers Olivia, qui, si elle n'avait pas reçu son télégramme, devait être rongée par l'angoisse.

La brève traversée jusqu'à Calais s'effectua sans incident. Une fois à destination, le capitaine descendit à terre les bagages de Victoria. Il se tourna ensuite vers un homme au volant d'une voiture, qui la conduisit vers l'hôtel le plus proche en refusant catégoriquement son argent... Après une tractation en français entre le chauffeur et le patron de l'hôtel, celui-ci attribua à la nouvelle venue une jolie chambre avec vue sur la mer.

Elle demanda à utiliser le téléphone qui, par chance, fonctionnait. Elle composa l'un des numéros qu'on lui avait donnés au consulat français de New York. Son contact, une femme qui répartissait les volontaires dans différents secteurs de la Croix-Rouge, était absent. Personne ne parlait anglais.

— *Rappelez demain, mademoiselle**, lui répondit-on.

La communication fut interrompue. Victoria resta dans sa chambre à fumer cigarette sur cigarette, alors

---

*. Les mots en italique suivis d'un astérisque sont en français dans le texte.

que la nuit chassait le crépuscule. Une fois de plus, elle réfléchit à son voyage. Au but qu'elle poursuivait. Elle avait quitté un mari, abandonné son père et sa sœur ; elle avait échappé à un naufrage et Dieu seul savait ce qui l'attendait. Cependant, la peur avait reflué. La détermination avait repris le dessus. Rien ne pouvait plus la détourner de son objectif... pas même la correspondante acariâtre qu'elle eut au téléphone le lendemain, et qui faillit lui raccrocher au nez sous prétexte qu'elle était trop occupée.

— Non ! cria-t-elle dans l'appareil, résolue à se faire entendre. Passez-moi quelqu'un tout de suite... *maintenant**... (Puis, de nouveau, elle lança le mot magique :) Je suis rescapée du *Lusitania*.

Un bref silence se fit, elle entendit un aparté étouffé à l'autre bout du fil, puis une voix masculine vint en ligne, qui lui demanda son nom.

— Olivia Henderson. Le consul français m'a donné vos coordonnées à New York... Je voudrais me porter volontaire sur le front. Je suis américaine et je me trouve à Calais.

— Et vous étiez à bord du *Lusitania* ? demanda-t-il avec une sorte de respect réconfortant.

— Oui.

— Mon Dieu... Pouvez vous être à Reims à cinq heures demain ?

— Je ne sais pas... Je pense que oui... Où est-ce ?

— A deux cent cinquante kilomètres de Calais... Direction sud-est. Ne vous trompez pas de route. Des combats se déroulent en rase campagne, mais ils sont moins importants qu'à Soissons, par exemple... Faites attention quand même.

Il sourit tout en se demandant ce qui l'avait incitée à quitter son pays, qui observait une stricte neutralité. Le président Wilson, malgré le torpillage du *Lusitania*, n'avait pas changé de politique. Neutraliste convaincu, il préférait rester à l'écart d'une guerre qui coûtait très cher en armes et en hommes... Depuis l'été passé, on déplorait cinq millions de morts et sept millions de blessés.

— Trouvez quelqu'un qui a une voiture, poursuivit la voix. Nous attendons une délégation de volontaires demain. Etes-vous infirmière ?

— Non, désolée, dit-elle, craignant qu'on refuse son aide.

— Savez-vous conduire ?

— Oui.

— Parfait. Nous vous confierons une ambulance ou une camionnette. Soyez là demain.

— Un instant, dit-elle alors qu'il allait raccrocher. Quel est votre nom ?

Sa naïveté le fit sourire. Visiblement, elle ignorait où elle mettait les pieds. Une fois de plus, il se demanda pourquoi elle venait risquer sa vie dans une guerre qui ne la concernait pas. D'autres l'avaient fait, bien sûr, des gens plus âgés, avec un passé compliqué... Celle-ci avait l'air d'une enfant... Il répondit que son nom n'avait aucune importance.

— Alors je demande qui ? insista-t-elle.

Une pointe d'irritation perça dans la voix de son interlocuteur.

— N'importe quel blessé, mademoiselle. Il y en a des centaines. Demandez le capitaine en charge, il vous dirigera vers l'hôpital ou la Croix-Rouge... Vous nous trouverez à coup sûr. C'est une petite guerre avec beaucoup de soldats. Vous ne pouvez pas nous manquer.

Il raccrocha. Ayant remercié l'employé de la réception, Victoria remonta dans sa chambre.

Ce soir-là, elle s'offrit un bon dîner. Le patron de l'hôtel entreprit de mener les négociations pour la voiture. Le chauffeur, un jeune homme, propriétaire d'une Renault, accepta le marché. Il prendrait des routes secondaires, décréta-t-il. Le trajet durerait toute la journée et il voulait partir tôt le matin. Il semblait plus jeune encore que Victoria et s'appelait Yves. Elle régla la course à l'avance, comme convenu. Il lui serra la main et lui conseilla de s'habiller chaudement et de porter des chaussures plates... Si jamais la Renault tombait en panne, il n'avait nulle envie de la porter dans ses bras jusqu'à Reims parce qu'elle aurait des talons hauts. Sa remarque, faite sur un ton de plaisanterie, ne manqua pas d'alarmer Victoria. Elle lui demanda si la voiture tombait souvent en panne.

— Pas tant que ça, répliqua-t-il.

Il lui souhaita une bonne nuit, puis s'en alla, promettant de venir la chercher le lendemain à l'aube.

Victoria passa une nuit blanche. L'excitation lui interdisait le repos. Son voyage touchait à sa fin. Le but serait bientôt atteint. Le lendemain, elle faillit déchanter. Le froid humide du petit matin la fit frissonner. Heureusement, le patron de l'hôtel avait préparé des sandwiches pour les voyageurs, et Yves arriva avec un thermos de café chaud préparé par sa mère.

Le trajet s'annonçait long. Ils firent une première halte avant Doullens, où il lui tendit un gobelet de café fumant.

— Pourquoi êtes-vous venue en France ? demanda-t-il.

— J'avais envie d'être utile à quelque chose, répondit-elle.

La vérité était trop compliquée, surtout pour ce garçon de Calais qui parlait à peine sa langue.

— Je me sentais inutile aux Etats-Unis, poursuivit-elle néanmoins. Je ne faisais rien pour personne.

Ses raisons semblaient nobles à ses propres oreilles. Yves hocha la tête. Il comprenait.

— Vous n'avez pas de famille, n'est-ce pas ?

S'il savait qu'elle avait quitté son mari et son fils adoptif, il l'aurait taxée de folie ou de perversité.

— J'ai une sœur, répondit-elle. Une sœur *jumelle**.

Un autre mot magique, dans toutes les langues. Un sourire illumina le visage du garçon.

— Sans blague. *Identique** ?

— Oui.

— *Très amusant**. Et elle n'a pas voulu venir avec vous ?

— Non, répliqua-t-elle fermement. Elle est mariée, voyez-vous.

Il fit signe qu'il comprenait. Mais il ignorait tout de la complexité de la situation.

La voiture redémarra. Le trajet se déroula en silence. Ils passèrent devant des fermes, des églises et des écoles, puis des champs en friche à perte de vue. Il n'y avait plus d'hommes pour labourer la terre. Yves tenta de l'expliquer à sa passagère en se livrant à une sorte de pantomime qu'elle finit par comprendre. Un peu plus loin, elle se servit un autre gobelet de café et alluma une cigarette.

— *Vous fumez** ? s'exclama son jeune conducteur, impressionné.

Les Françaises de la classe de cette femme ne fumaient pas. Victoria acquiesça.

— *Très moderne** ! dit-elle, provoquant un rire chez son compagnon.

Elle était *très moderne** même à New York, un peu trop en fait.

Ils traversèrent Montdidier, puis Senlis. Il faisait nuit lorsqu'ils atteignirent Reims. Elle avait raté son rendez-vous de cinq heures avec la Croix-Rouge. Il n'y avait plus une goutte de café dans le thermos, et ils n'avaient plus rien à se mettre sous la dent. Dans le lointain, on entendait des coups de feu sporadiques, entrecoupés par les rafales de mitrailleuses.

— Je n'aime pas ça, murmura le conducteur d'une voix nerveuse.

Quelqu'un les avait renseignés sur le chemin à suivre. Ils empruntèrent la direction de Châlons-sur-Marne et, peu après, un hôpital de campagne se présenta à leur vue. Il y avait beaucoup de monde partout, en pleine nature : des infirmiers et des infirmières en tabliers tachés de sang transportaient sur des civières des blessés, des agonisants. De plus en plus inquiet, Yves déclara qu'il allait repartir. Il aida Victoria à descendre de voiture. Des scènes horribles se déroulaient sous leurs yeux mais elle ressentit l'excitation familière l'envahir. Malgré la fatigue. Malgré les périls du voyage.

Elle demanda à quelqu'un où se trouvait la Croix-Rouge et récolta pour toute réponse un sourire contrit. Yves rebroussa chemin. Il allait la laisser là. Il avait accompli sa mission. Elle l'avait engagé comme chauffeur, pas comme guide... Il grimpa dans la voiture, et elle cria *merci**. Il ne se retourna pas, visiblement pressé de quitter Châlons-sur-Marne, ce dont elle ne pouvait lui tenir rigueur.

Une vaste tente dominait le champ. Des gens s'y engouffraient, d'autres en sortaient. Quelques-uns jetèrent un coup d'œil étonné à Victoria. Elle paraissait si propre, presque élégante, et offrait une vision extravagante ainsi debout, sa valise à la main. Elle finit par demander où se trouvait le bureau des infirmières.

— Là-bas, dit quelqu'un en tendant le menton.

Il transportait sur le dos un énorme sac à ordures, et en imaginant ce qu'il contenait Victoria sentit un frisson la parcourir.

Ce fut à peine si les infirmières la remarquèrent. Deux cents blessés que l'on avait ramenés du front gisaient par terre sur des brancards. Une tente de dimensions plus modestes aménagée en bloc opératoire ne désemplissait pas... Les blessés, couchés à même le sol, attendaient leur tour. Aux gémissements des uns répondaient les hurlements des autres. Certains avaient la chance d'être inconscients.

— Je ne sais pas quoi faire, murmura Victoria, dépassée.

Elle ne s'était pas attendue à ce chaos. Elle avait cru que quelqu'un lui expliquerait en quoi consistaient ses fonctions, et elle se trouvait au milieu de tous ces hommes ensanglantés, déchiquetés par les obus, brûlés par les explosions, empoisonnés par les gaz dont les Allemands les arrosaient. L'Entente franco-anglaise et ses alliés ne disposaient d'aucune arme comparable à ces gaz.

Victoria suivit l'infirmier en chef, un petit homme aux cheveux roux que quelqu'un, au passage, appela Didier. Dieu merci, il parlait anglais. Mais elle faillit s'évanouir lorsqu'elle comprit qu'il voulait lui confier les hommes que les brancardiers ramenaient des tranchées. En indiquant les mourants, il lui dit à mi-voix dans l'infernal vacarme :

— Voilà ! Faites ce que vous pouvez.

Leurs souffrances firent jaillir d'autres images dans l'esprit de Victoria. Les noyés du *Lusitania* refirent surface, mais ici c'était pire, puisque les victimes vivaient encore.

— Ils ne passeront pas la nuit... Les gaz, vous comprenez. On ne peut plus rien pour eux.

Un soldat, allongé aux pieds de Victoria, vomissait un liquide verdâtre. La jeune femme agrippa le bras de Didier.

— Je ne suis pas infirmière, souffla-t-elle, luttant contre une nausée violente. Je ne peux pas...

C'en était trop. Elle regrettait d'être venue.

— Je ne suis pas infirmier non plus, rétorqua-t-il d'un ton pincé. Je suis musicien... Ecoutez, c'est à vous de voir. Restez ou partez. Je n'ai pas de temps à perdre...

Il la défiait du regard.

— Je reste, dit-elle.

Elle s'agenouilla près d'un blessé. Une bombe lui avait arraché la moitié de la figure, qui disparaissait sous un bandage sanglant. Les chirurgiens avaient jugé inutile de l'opérer. Dans un vrai hôpital, il aurait peut-être eu une chance sur dix de survivre. Ici il n'en avait aucune.

— Comment vous appelez-vous ? demanda-t-il d'une voix frêle... Moi, c'est Mark.

Il était anglais.

— Olivia, répondit-elle, utilisant le nom qui était le sien maintenant.

Elle lui prit la main et la serra entre les siennes en s'efforçant de ne pas regarder sa blessure.

— Ah... américaine..., murmura-t-il avec un accent du Yorkshire. Je suis allé là-bas une fois...

— Je viens de New York.

Mais quelle importance cela pouvait-il bien avoir !

— Quand êtes-vous arrivée ?

Il s'accrochait à la vie. Comme si ces quelques propos échangés pouvaient l'aider à passer la nuit... Mais c'était impossible, et tous deux le savaient.

— Ce soir, dit-elle, et de nouveau la nausée la saisit, lorsqu'un autre garçon attrapa le bas de sa robe.

— D'Amérique... je veux dire..., chuchota Mark.

— Le week-end dernier... avec le *Lusitania*.

Ils étaient des centaines. Ombres pâles, remuant sur leurs paillasses. Quelqu'un, quelque part, poussait un cri continu, monocorde. Râles, sanglots, plaintes emplissaient l'air. Comme la nuit où le bateau avait coulé.

— Satanés Boches... Tuer des femmes... des enfants... Des bêtes féroces, dit-il, à bout de forces, voilà ce qu'ils sont.

Elle se tourna vers l'autre blessé, qui l'appelait. Il réclamait sa mère, et la soif le consumait. Dix-sept ans, originaire du Hampshire. Vingt minutes plus tard, il rendit son dernier soupir en tenant la main de Victoria... Ils mouraient par dizaines... Elle ne pouvait que tenir des mains, désaltérer les assoiffés, opération d'autant plus délicate que la plupart n'avaient plus d'estomac, plus de lèvres, et que les gaz avaient brûlé leurs poumons. L'horreur montait en même temps que la fièvre. La nuit égrenait ses heures sombres et, quand la première lueur de l'aube donna l'assaut aux ténèbres, Victoria sortit de la tente, couverte de vomissures et de sang. Elle ne savait où aller, ignorait où se trouvait sa valise. Elle avait tout oublié pendant que les blessés criaient son nom et que la mort venait les faucher dans ses bras. Didier et elle les avaient transportés dehors sur des civières et maintenant ils étaient alignés par terre en attendant d'être enterrés entre les collines. Des milliers de corps. Jeunes, à peine sortis de l'enfance...

— Allez donc manger un morceau au mess, dit Didier, indiquant de la main une autre tente, plantée à une certaine distance, qui paraissait hors d'atteinte à Victoria.

Elle n'avait pas dormi de la nuit, chaque muscle de son corps protestait. Elle s'était montrée infatigable. L'ombre d'un sourire joua sur les lèvres de Didier.

— Eh bien, Olivia, pas de regrets ?

L'épuisement faillit arracher à Victoria la vérité : elle n'était pas Olivia. Mais elle se tut. Aussi longtemps qu'elle demeurerait ici, elle se prénommerait ainsi.

— Non, dit-elle avec un sourire las.

Il pensa qu'elle ne disait pas la vérité. Elle avait travaillé dur pendant toute la nuit. Elle deviendrait une aide précieuse si elle restait. La plupart des volontaires prenaient la fuite au bout de quelques jours. On ne peut vivre l'horreur au quotidien sans flancher. Rares étaient ceux qui persévéraient. Quelques-uns accompagnaient Didier depuis le début... depuis presque un an maintenant. Mais cette jeune femme ne ferait pas partie de ceux-là. Trop jeune. Trop jolie. En quête de sensations fortes, sans doute...

— Vous vous habituerez. Attendez l'hiver, vous verrez !

Ils s'étaient enlisés jusqu'aux genoux dans une boue épaisse, des mois durant, l'an passé. Sous une pluie battante, tenace. Leur sort semblait pourtant enviable comparé à celui des Russes qui combattaient sous le froid mordant en Galicie. Victoria se dit soudain qu'en hiver elle serait repartie depuis longtemps. Elle se trouverait à New York, avec Charles et Geoffrey... Ils lui paraissaient si loin, si flous, comme s'ils n'existaient plus. Seule Olivia revêtait encore un aspect réel... Parfois, elle entendait même sa voix.

Elle quitta Didier et tituba jusqu'au mess. Une odeur de café et de nourriture lui chatouilla les narines. Malgré le carnage auquel elle avait assisté, elle mourait de faim. Elle prit des œufs, une assiette de ragoût cartilagineux et un morceau de pain dur comme du bois, qu'elle trempa dans la sauce. Elle fit passer le tout avec deux grands bols de café noir. Les infirmières et les médecins de garde échangeaient des propos banals. Tous tombaient de fatigue. Une ville entière était érigée dans la plaine sous forme de tentes et de baraquements qui abritaient l'hôpital et les entrepôts. Un petit château avait été réquisitionné pour le général et son état-major, les autres officiers logeaient dans une ferme. Victoria ignorait où elle serait affectée.

— Vous êtes ici avec la Croix-Rouge ? lui demanda une jeune femme grassouillette, à la voix agréable.

Elle portait un uniforme d'infirmière souillé de sang et dévorait un énorme petit déjeuner. Douze heures plus tôt, Victoria aurait été choquée. Aujourd'hui, ce sang lui paraissait normal.

— Je le devrais, du moins, expliqua-t-elle. Mais j'étais en retard au rendez-vous hier. Je ne sais ce qui leur est arrivé.

La femme hocha la tête. Elle avait dit s'appeler Rosie et, comme beaucoup de soignantes, elle était anglaise.

— Moi je sais, répondit-elle avec une drôle d'expression sur sa figure ronde. Un obus a heurté leur voiture à Meaux, alors qu'ils se dirigeaient vers notre camp, hier après-midi. Ils étaient trois. Morts sur le coup.

Victoria respira profondément. Elle aurait pu être dans la voiture si elle avait tenté de les rejoindre à Paris. Dieu merci, elle n'avait pas essayé.

— Qu'est-ce que vous allez faire ? demanda tranquillement Rosie.

Victoria réfléchit un instant. Au fond, elle n'en savait rien. C'était plus pénible qu'elle ne se l'était figuré. Les conférences auxquelles elle avait assisté dans les consulats, à New York, brossaient un tableau différent de la guerre... Les mots sont toujours plus propres, plus convenables que la réalité ; les mots décrivent une idéologie pure, ils simplifient les problèmes. Elle se demanda si elle préférait conduire une ambulance ou un corbillard... Si elle transporterait des mourants à l'hôpital ou des morts à leur dernière demeure.

— Je ne sais pas..., commença-t-elle, hésitante. Je ne suis pas infirmière. Je n'ai aucune expérience médicale... Je ne sais pas de quelle façon je peux me rendre utile.

Elle regarda Rosie avec une timidité nouvelle.

— A qui puis-je en parler ?

— Au sergent Morrison. Elle dirige les volontaires... Et surtout ne vous faites pas d'illusions ! Nous avons besoin d'aide, que vous soyez entraînée ou pas... Si vous supportez le spectacle, bien sûr.

Toute la question était là.

— Où est-elle ? s'enquit prudemment Victoria.

Elle n'avait pas encore pris la décision de rester.

Rosie rit en se resservant du café.

— Inutile de la chercher, elle vous trouvera. Le sergent Morrison est au courant de tout ce qui se passe ici... Et c'est un avertissement.

Rosie n'avait pas tort. A peine cinq minutes plus tard, une géante en uniforme s'approcha à grandes enjambées, puis jaugea Victoria du regard. Elle avait appris son arrivée par Didier. Le sergent Morrison, Australienne de Melbourne, mesurait un mètre quatre-vingt-cinq. Blonde aux yeux bleus, elle était en France depuis près d'un an. Elle avait même été blessée au combat. Elle menait l'équipe des volontaires d'une poigne d'acier, leur infligeant une discipline d'esclaves. Elle ne s'embarrassa pas d'inutiles préambules.

— A ce que je vois, on vous a tout de suite mise au travail, dit-elle à Victoria, qui se sentit toute petite.

— Oui, répondit-elle, le menton haut.

Dans ce camp, chacun semblait connaître ses devoirs. On eût dit une oasis de civilisation au milieu du chaos et de la barbarie.

— Est-ce que cela vous a plu ? demanda le sergent Morrison.

— Le verbe plaire n'est peut-être pas adéquat, répondit Victoria précautionneusement.

Rosie était repartie au bloc opératoire. Elle allait travailler encore douze heures... Les équipes étaient de garde pendant vingt-quatre heures. Parfois plus, jusqu'à ce que la fatigue ait raison de leurs forces. En fait, Rosie était sur la brèche depuis trente heures.

— Presque tous les blessés que j'ai soignés sont morts dans la nuit, reprit Victoria.

Penny Morrison ébaucha un hochement de tête. Une lueur d'émotion passa, fugitive, dans ses yeux bleus.

— Hélas, c'est le sort de la majorité de nos patients. Réfléchissez, mademoiselle Henderson.

Elle avait une mémoire d'éléphant. Elle avait retenu le nom de la nouvelle venue, l'avait déjà assignée aux quartiers des femmes et y avait envoyé son bagage.

— Nous avons besoin d'aide, poursuivit-elle avec franchise. J'ignore pourquoi vous êtes ici et je ne veux pas le savoir, mais si vous avez le cœur de rester, nous vous en serons reconnaissants. Actuellement, nos soldats essuient une terrible défaite.

Victoria avait eu l'occasion de le constater au nombre sans cesse croissant de blessés. On lui avait procuré un masque à gaz au cas où la tranchée la plus proche serait détruite et où les Allemands avanceraient.

— J'aimerais rester, s'entendit répondre Victoria.

Elle en fut la première étonnée. On eût dit qu'une voix étrangère avait répondu à la question du sergent.

— Parfait.

Penny Morrison consulta sa montre. Dans la matinée, une réunion aurait lieu au château, et le général l'y avait conviée. Elle s'éloigna, puis se retourna vers Victoria.

— Ah ! j'oubliais... Vous êtes assignée au baraquement des femmes. Vous y trouverez votre sac de voyage... On vous montrera votre couchette... Et vous êtes attendue aux urgences dans dix minutes.

— Quoi ? Tout de suite ?

Elle n'aspirait qu'à un repos bien mérité. Mais tel n'était pas l'avis du sergent. L'ombre d'un sourire apparut sur les lèvres de Penny Morrison.

— Vous serez libre ce soir à huit heures. Comme je vous l'ai déjà dit, Henderson, nous avons besoin de vous. Vous jouerez les belles endormies plus tard.

Leurs regards se croisèrent. Elle crut lire dans celui du sergent une expression chaleureuse, qui disparut presque aussitôt. Dix minutes. Cette femme était un tyran. Elle ménageait ses infirmières et exploitait les volontaires. Tout était rationné, dans ce camp, même le matériel humain.

— Attachez vos cheveux, dit-elle avant de faire demi-tour.

Victoria avala un troisième bol de café. Elle n'avait plus de forces, plus de courage... Et plus le choix.

— Déjà de retour ? Vous avez dû tomber sur le sergent Morrison, la taquina Didier.

Il était toujours là. Victoria passa un tablier propre, noua ses cheveux, mit une coiffe stérile. Les forces alliées les approvisionnaient autant que possible mais, compte tenu de leurs véritables besoins, les réserves s'épuisaient rapidement.

Les douze heures qui suivirent ne furent que la répétition du même cauchemar : râles d'agonie, membres amputés, yeux aveugles, poumons gazés. En ressortant de l'hôpital, Victoria chancelait. La nausée l'assaillit mais elle n'eut pas la force de vomir. Quelqu'un lui indiqua le baraquement des femmes. Une fois sur place, elle ne se donna pas la peine de chercher son bagage. Elle s'affala sur la couchette la plus proche, sombrant dans un sommeil de plomb. Elle ne rêva pas. Pas même à sa sœur. Elle ne rouvrit pas les yeux avant le lendemain après-midi. Elle se doucha avec le dispositif de fortune installé là, se lava les cheveux et reprit le chemin du mess où le dîner était déjà servi. C'était un splendide après-midi de mai. Ayant retrouvé figure humaine, elle se mit à table et but plusieurs bols de café corsé... Ici, tout le monde abusait du café.

Tout en mangeant, Victoria se rappela qu'elle ignorait ses nouveaux horaires. A la fin du repas, elle aperçut Didier et lui posa la question. Il venait de terminer ses trente-six heures de service. L'épuisement lui tirait les traits.

— Pas avant ce soir... C'est placardé dans vos quartiers. Morrison a décrété que vous aviez besoin de repos.

— Vous aussi, dit-elle d'un ton plein de sympathie.

Aujourd'hui, elle avait l'impression de faire partie intégrante du camp. C'était un sentiment rassurant.

— *Salut** ! cria-t-il en s'éloignant avec une tasse de café.

La caféine ne l'empêcherait pas de dormir. Rien ne pouvait le tenir éveillé, pas même les détonations des obus... Il tenait à peine debout, mais il sourit en s'éloignant. Cette jeune femme lui plaisait. Il ignorait pourquoi elle était là. Les volontaires venaient pour des raisons qui leur appartenaient. Ils n'en parlaient jamais, à moins de devenir des amis proches. Pour la plupart, partir sur le front était une évasion. Ils fuyaient une existence malheureuse. D'autres poursuivaient un idéal. Mais, quelle que soit la raison qui les avait incités à venir, elle n'avait rien à voir avec celle qui les retenait sur place.

Victoria regagna son baraquement où elle trouva sa feuille d'horaires. Elle reprendrait ses fonctions deux heures plus tard. Elle s'allongea un moment sur sa couchette, puis fit le tour du camp, afin de se familiariser avec les lieux. Elle songea à écrire à Olivia, puis décida qu'elle n'en avait pas le temps. Elle se présenta à l'hôpital en avance. L'équipe de garde avait changé. Peu après, le sergent Morrison se montra. Elle parut satisfaite de voir Victoria à son poste, et lui remit deux uniformes. Ils consistaient en une blouse, une jupe longue, un tablier blanc, une petite coiffe ornée d'une croix rouge et une cape rouge au cas où il ferait froid.

De vieux vêtements qui manquaient d'élégance mais qui montraient à quel groupe elle appartenait. Le sergent lui demanda si ça allait.

— Oui, je crois, répondit Victoria non sans une certaine réticence.

Elle n'était pas sûre de ses compétences. Elle essaierait de se montrer à la hauteur.

— Contente de l'entendre. Allez chercher votre carte d'identité dans votre baraque. Votre candidature a été acceptée hier à la réunion. Vous vous adapterez sans problème, mademoiselle Henderson.

Dans la bouche du sergent, c'était le plus beau des compliments, mais Victoria n'eut pas le temps de l'apprécier. Les combats faisaient rage à Berry-au-Bac et les blessés arrivaient par vagues sur des civières.

Elle consola, soigna, fit des pansements pendant quatorze heures d'affilée. En émergeant de l'hôpital, elle prit directement le chemin du baraquement. Elle était trop épuisée pour manger. Et pourtant, malgré sa fatigue, elle ne put refouler les images qui revenaient à sa mémoire. Les enfants noyés du *Lusitania* ressuscitaient pour se mêler aux corps déchiquetés des jeunes soldats. La folie et la mort s'en donnaient à cœur joie. Le monde n'avait plus de sens. Le soleil brillait dans le ciel bleu de France, les oiseaux chantaient, et les hommes s'étripaient avec une férocité bestiale. Elle dépassa sa baraque, s'assit sur l'herbe, le dos appuyé à un tronc d'arbre, et alluma une cigarette. La nécessité d'un peu de solitude pour rassembler ses pensées s'imposait à elle. Elle n'avait pas l'habitude d'une telle agitation. Vidée de son énergie, elle posa la tête sur le tronc, tirant sur sa cigarette. Le soleil lui caressait le visage ; elle avait la sensation d'avoir mille ans.

— Vous serez bientôt très joliment hâlée... Même si, il faut bien l'avouer, l'endroit n'est guère propice aux vacances.

La voix était masculine. Un léger accent français. Mais l'inconnu s'était exprimé en anglais. Il lui apparut en contre-plongée, plus grand que l'arbre. Des cheveux blonds striés de fils grisonnants... en d'autres circonstances, elle l'aurait trouvé séduisant.

— Comment savez-vous que je parle anglais ? demanda-t-elle avec curiosité.

— J'ai signé vos papiers hier.

Il la regardait froidement. Aucun des deux ne souriait, comme s'ils se jaugeaient l'un l'autre.

— J'ai reconnu l'uniforme, reprit-il. Et la description.

Penny Morrison avait déclaré qu'une très jolie Américaine figurait parmi les volontaires et qu'à son avis elle ne resterait pas plus de dix minutes au camp. Il évita de lui signaler ce détail.

— Suis-je censée me lever pour vous saluer ? demanda Victoria.

Elle ne savait rien du protocole. Pour l'instant, ils se dévisageaient comme un homme et une femme. Pas comme un capitaine et une assistante médicale.

— Non, répondit-il, souriant cette fois, à moins que vous ne vouliez rejoindre l'armée, ce que je vous déconseille fortement. Toutefois, si un soldat sommeille en vous, nous pouvons en discuter.

Il parlait un anglais parfait — il avait étudié à Oxford et à Harvard. Il semblait plus âgé que Charles, mais elle n'aurait pas su dire de combien. En fait, il avait trente-neuf ans. C'était un bel homme, à l'allure aristocratique.

— Capitaine Edouard de Bonneville, se présenta-t-il.

Il lui souriait, maintenant. Deux petites flammes éclairèrent les yeux de Victoria, éteints depuis son départ de New York. Elle n'avait eu personne à qui parler, excepté lady Mackworth, à bord du *Lusitania*. Ensuite, elle n'avait eu que des échanges purement formels. Or, cet homme paraissait différent.

— Etes-vous le commandant en chef du régiment ? Je suppose que je devrais bondir sur mes jambes, mais je crains qu'elles ne supportent pas mon poids.

Elle avait les yeux battus, et un sourire espiègle.

— Voilà un autre avantage lorsqu'on n'est pas dans l'armée. Rien ne vous oblige à vous mettre au garde-à-vous... Décidément, vous n'avez aucun intérêt à vous engager.

Il s'assit sur une souche, en face d'elle.

— Et, pour répondre à votre question, non, je ne suis pas le commandant en chef. Je suis le troisième ou le quatrième dans la hiérarchie. Je ne possède donc aucun pouvoir.

— Si vous avez signé mes papiers, vous devez bien en avoir un.

— Oh ! trois fois rien.

Il ne disait pas tout à fait la vérité. Il sortait de Saumur, école de cavalerie réservée aux nobles et aux fils de grandes familles, et il était militaire de carrière. Si tout se déroulait normalement, il deviendrait général. Mais il s'intéressait davantage à sa charmante interlocutrice qu'à sa propre histoire. En deux jours, il avait beaucoup entendu parler d'elle par ses hommes et par Penny Morrison. La nouvelle recrue intriguait tout le monde. Bien élevée, d'une beauté éblouissante, très jeune... Le genre de fille à passer l'été à danser, parée de toilettes de soie et de satin.

— J'ai entendu dire que vous avez embarqué sur le *Lusitania* ?

Il vit l'expression douloureuse de ses yeux, puis reprit :

— Votre voyage a mal commencé... Et ensuite ? Que vous est-il arrivé ? Vous êtes-vous perdue sur le chemin d'un endroit autrement plus plaisant que cet enfer ? Ou vous êtes-vous infligé cette punition volontairement ?

Elle éclata de rire. Cet inconnu lui plaisait. Il avait le genre d'esprit acéré qu'elle appréciait.

— Je suis venue volontairement, répondit-elle dans un sourire. Le hasard n'y est pour rien.

Leurs regards se croisèrent une nouvelle fois. Leurs prunelles étaient du même bleu sous les cheveux noirs de Victoria et ceux, blonds, d'Edouard. Un témoin de la scène aurait pensé qu'ils formaient un beau couple, même si le capitaine était beaucoup plus âgé que Victoria. A l'approche de la quarantaine, il aurait presque pu être son père. Pourtant, ce n'était pas un élan paternel qui le poussait vers elle.

— Comment se fait-il que vous parliez si bien anglais ?

— Je suis allé à Oxford, après la Sorbonne. Ensuite, afin de me perfectionner, j'ai effectué un séjour à Harvard, ajouta-t-il. Puis ce fut Saumur... Une école militaire française toute bête, avec des chevaux partout.

Son humour caustique réjouissait Victoria. Elle avait entendu parler de Saumur comme d'une école de cavalerie de très haut niveau. L'équivalent français de West Point.

— A présent, me voilà ici. (Il alluma lui aussi une cigarette, et Victoria, qui avait terminé la sienne, l'imita.) Et, croyez-moi, je préférerais être ailleurs.

Elle rit. On ne pouvait qu'être de son avis... C'était ahurissant qu'elle soit venue du bout du monde volontairement, comme elle l'avait avoué.

— Si vous aviez une once de bon sens, vous auriez pris un bateau américain, cette fois, pour retourner le plus vite possible dans votre pays... Au fait, d'où êtes-vous exactement ?

Il ignorait tout d'elle, excepté qu'elle était américaine et s'appelait Olivia Henderson — du moins le croyait-il.

— De New York.

— Qu'est-ce que vous avez fui ? Des parents tyranniques ?

D'après son passeport, elle avait vingt-deux ans. Un âge encore assez tendre pour vivre chez ses parents et pour faire une fugue... A moins qu'une déception amoureuse l'ait conduite en ce lieu, ce qui, franchement, constituait une réaction stupide.

— Non, répondit-elle en secouant la tête. Mon père est la gentillesse même.

Edouard parut surpris.

— Et il vous a autorisée à venir en France ? Drôle de bonhomme. Je n'aurais jamais laissé ma fille faire une chose pareille si j'en avais une.

Aucune alliance ne brillait à son annulaire... Mais elle non plus ne portait pas d'anneau de mariage et pourtant, elle était bel et bien mariée.

— Il ne sait pas où je suis, répliqua-t-elle. Il me croit en Californie.

— Ce n'est pas bien, ça ! s'exclama-t-il, l'œil désapprobateur.

Et si un malheur lui arrivait ? D'ailleurs, sa traversée sur le *Lusitania* avait déjà failli lui coûter la vie.

— Est-ce que vous avez mis quelqu'un au courant de votre... petite fantaisie ?

Elle était jeune, audacieuse. D'une témérité insensée.

— Ma sœur, dit-elle en s'adossant de nouveau à l'arbre.

La fatigue l'engourdissait. Néanmoins, elle avait envie de s'épancher. Peut-être se trompait-elle sur son compte. Peut-être avait-elle tort de lui faire confiance. De toute façon, il ne pouvait pas la renvoyer contre son gré. Elle avait des papiers. Elle était majeure. Elle ne risquait rien.

— Nous sommes jumelles, déclara-t-elle calmement.

— De vraies jumelles ? demanda-t-il aussitôt, au comble de la curiosité.

Elle acquiesça.

— Tout ce qu'il y a de plus vraies : des jumelles en miroir. Cela veut dire qu'elle a sur le côté droit tout ce que j'ai sur le côté gauche. Comme cette tache.

Elle ouvrit sa paume gauche pour lui montrer le minuscule point brun, entre l'index et le médius. Il n'avait nul besoin de cette marque pour l'identifier, mais il imaginait parfaitement le problème.

— Personne n'arrive à nous distinguer en dehors de la gouvernante qui nous a élevées. Même notre père nous confond.

Elle lui adressa un sourire malicieux qui trahissait tout le plaisir qu'elle avait eu, jadis, à plonger les gens dans le doute.

— Cela doit être terriblement compliqué, admit-il avec un sourire. Surtout pour les hommes, non ? Avez-vous déjà dupé un de vos soupirants ?

Elle rit. Il était intelligent, se dit-elle. Ce qu'elle ne savait pas encore, c'était qu'Edouard de Bonneville était subjugué par sa beauté. Il avait entendu dire qu'elle était jolie, mais ce mot lui semblait faible au regard de la réalité. Elle était absolument ravissante.

— Quelques-uns, avoua-t-elle d'un air innocent auquel il ne crut pas un instant.

— Les pauvres ! C'est affreux. J'avoue que j'aurais bien voulu voir ça, toutefois. Quel est le prénom de votre sœur ?

Elle n'hésita pas plus d'une seconde.

— Victoria, dit-elle.

— Olivia et Victoria. Formidable ! Ainsi, Olivia, vous êtes ici, entourée de votre mystère, et seule votre sœur le sait. Jusqu'à quand resterez-vous ? Jusqu'à la fin de la guerre ?

Il en doutait. Elle n'avait aucune raison de prolonger son séjour. A l'évidence, elle était issue d'un milieu social élevé. Elle s'exprimait dans un langage châtié, avait de l'éducation. Et elle était belle comme le jour. Elle retournerait chez elle sitôt qu'elle en aurait assez. Dès qu'elle se lasserait du danger permanent et du manque de confort... C'est-à-dire bientôt, conclut-il.

— Je ne sais pas, dit-elle honnêtement.

Ses grands yeux racontaient leur propre histoire. Un récit qu'il ne comprenait pas encore. Peut-être fuyait-elle quelqu'un ou quelque chose.

— Aussi longtemps que je le pourrai. Tout dépend de ma sœur.

Il leva un sourcil, étonné.

— Vraiment ? Pourquoi donc ?

C'était un être rare. Une créature étrange. Il aurait

bien voulu passer la journée à discuter avec elle, afin de mieux la connaître.

— Elle s'occupe de... certaines choses à ma place.

— La situation semble complexe.

— Elle l'est.

— Peut-être me raconterez-vous un jour votre vie ?

Il se promit de suivre ses faits et gestes tant qu'elle serait à Châlons-sur-Marne. Elle avait éveillé son intérêt.

Elle se redressa lentement alors, toute fourbue. Elle n'avait pas envie de le quitter mais le sommeil lui scellait les paupières. A sa surprise, il l'accompagna jusqu'au baraquement des femmes. Elle aurait parié qu'il ne voudrait pas qu'on le voie avec une simple volontaire, mais il ne semblait pas s'en formaliser.

La semaine suivante, il la vit fréquemment. Il passa par l'hôpital où il l'aperçut agenouillée près des victimes intoxiquées au gaz, qui se vidaient littéralement avant d'expirer dans ses bras. Il retourna plusieurs fois au mess pour boire un café avec elle... Ils réussissaient à discuter malgré le crépitement constant des armes et les sifflements d'obus, qui rappelaient toujours à Victoria la torpille fatale qui avait coulé le *Lusitania*. Des nuages toxiques d'un jaune verdâtre brouillaient l'azur du côté des régions soumises à un bombardement impitoyable ; les invalides, les blessés affluaient, mais tous deux parlaient de choses futiles : de parties de tennis, de yachts, de la passion des chevaux qui avait incité Edouard à rejoindre la cavalerie... Ils se découvrirent même des connaissances communes à Newport. Etranges conversations, au milieu du chaos et de la destruction. De temps à autre, il apparaissait au baraquement des femmes et, au bout d'un mois, il l'invita à dîner au château, avec le général et quelques officiers supérieurs de l'armée.

— Quoi ? Ici ? s'exclama-t-elle d'un air choqué, paniqué presque.

Elle avait tout perdu sur le bateau torpillé et la garde-robe qu'elle s'était constituée à Liverpool se

résumait à une demi-douzaine de vêtements fonction-
nels, d'une laideur à faire peur.

— J'ai bien peur qu'il soit hors de question de vous
inviter chez Maxim's à Paris, répondit-il, amusé.

Elle qui, jusqu'alors, n'avait eu sur le dos que blou-
ses et tabliers tachés de sang, elle qui avait conduit
des fourgons entiers de cadavres à la morgue du camp
raisonnait tout à coup en femme du monde.

— Je n'ai rien à me mettre, murmura-t-elle, flattée
malgré tout.

Elle le considérait comme un ami. La possibilité
qu'il soit attiré par elle ne l'avait pas effleurée. Il était
plus âgé, d'une position hiérarchique élevée. De plus,
l'endroit et les circonstances ne se prêtaient guère à
une idylle, bien que des liaisons se soient nouées au
sein du personnel. La guerre, le danger constant, la
mort rapprochaient certains êtres. D'autres, au contraire, gardaient leurs distances. Victoria avait classé
Edouard dans cette catégorie.

— Je n'ai rien à me mettre non plus à part mon
uniforme, Olivia.

Il la faisait sourire chaque fois qu'il l'appelait par le
prénom de sa sœur. Elle répondait à ce prénom sans
hésitation maintenant. Parfois, elle était assaillie de
craintes : après tout elle voyageait dans un pays en
guerre avec le passeport de quelqu'un d'autre.
Edouard, qui était à mille lieues de deviner ses pensées,
lui précisa qu'il passerait la chercher à sept heures le
soir même.

Il lui fallait une permission spéciale pour quitter son
service. Didier accepta de la lui accorder.

— Ah ! ah ! Une invitation à dîner ! Justement, je
me demandais quand cela arriverait, plaisanta-t-il, ses
sourcils cuivrés arqués.

Il avait de la sympathie pour elle. Victoria travaillait
dur sans jamais se plaindre ; elle était droite, loyale, on
pouvait compter sur elle. Souvent, elle faisait spontanément des heures supplémentaires.

L'insinuation de Didier la fit rire.

— Arrêtez ! Nous sommes juste bons copains.

— C'est ce que vous croyez. Vous ne connaissez pas les Français.

— Ne soyez donc pas fleur bleue ! le taquina-t-elle.

La nuit du dîner, elle se précipita au baraquement où elle troqua son tablier ensanglanté contre un uniforme propre. Elle n'avait plus aucun produit de beauté. Elle laissa flotter ses cheveux, les brossa soigneusement.

Edouard arriva, comme promis, au volant d'une camionnette. Le baraquement était presque désert. Les autres étaient au mess ou en service.

— Vous êtes très belle, ce soir, Olivia, déclara-t-il avec chaleur.

Elle eut un rire espiègle.

— Comment trouvez-vous ma robe ? Je l'ai fait faire à Paris... Et ma coiffure ? dit-elle en relevant ses longs cheveux noirs. Il m'a fallu des heures pour l'élaborer.

— Ah, quelle peste vous faites ! Pas étonnant que votre famille vous ait envoyée ici. Ils voulaient se débarrasser de vous.

— C'est vrai, dit-elle en songeant à Charles et à Geoff, qui ne lui manquaient pas.

— Avez-vous eu des nouvelles de votre sœur dernièrement ?

— Deux fois. Je lui ai écrit également... Mais je crains que mes lettres sonnent faux. J'ai du mal à lui expliquer ce qui se passe... ce que je vis...

— Il n'y a rien de plus difficile que de comprendre une guerre de l'extérieur, approuva-t-il.

Ils étaient arrivés devant le château. Elle lissa ses cheveux, descendit de voiture. Une curieuse nervosité l'assaillit, tandis qu'elle avançait aux côtés d'Edouard. Deux autres femmes figuraient parmi les invités. La châtelaine, une comtesse qui avait deux fois l'âge de Victoria et qui était une personne affable. Depuis que son château avait été réquisitionné, elle avait emménagé dans l'une des dépendances. L'autre femme était l'épouse d'un colonel anglais. Arrivé des mois plus tôt, il n'avait jamais pu repartir, et sa femme avait été autorisée à lui rendre visite.

Le dîner se distinguait par sa simplicité. La conversation roulait autour de la guerre. On évoqua la campagne de Galicie. Les Polonais avaient subi de lourdes pertes. Plus d'un million de soldats tombés au champ d'honneur en un mois, chose inconcevable pour Victoria, même si elle en avait vu elle-même mourir plus d'un millier.

Le général semblait ravi de la connaître. Le français de la jeune femme s'était amélioré, mais de toute façon tous parlaient anglais. Vers dix heures, Edouard la raccompagna en voiture au baraquement. Il était très fier d'elle. Victoria avait impressionné favorablement aussi bien le général que la comtesse, même si elle ne semblait pas en avoir conscience. Le grondement des armes et des canons peuplait la nuit, et elle pria pour qu'il n'y ait pas trop de victimes.

— Quand cela se terminera-t-il enfin ? monologua-t-elle, songeuse.

Bientôt, ils arriveraient au baraquement. D'un accord tacite, ils avaient évité le mess, perpétuellement encombré. Trouver un endroit tranquille, propice à une conversation, relevait pratiquement de l'impossible. Or, ce soir, Edouard avait envie d'être seul avec elle.

— Les guerres n'éclatent jamais au bon moment, dit-il avec philosophie. On peut remonter aux guerres puniques, rien n'a changé. A la fin, tout le monde est perdant.

— Pourquoi n'allons-nous pas tout de suite le dire aux Allemands ? proposa-t-elle avec un sourire.

Il lui offrit une cigarette, qu'elle accepta.

— N'oubliez pas qu'ils abattent toujours les messagers, répondit-il en lui donnant du feu avec un briquet en or. J'ai passé une merveilleuse soirée.

Il la regarda, incapable de croire qu'elle n'avait pas laissé une cour de soupirants transis là-bas, aux Etats-Unis. Et pourtant, ce dernier mois, son penchant pour la solitude l'avait frappé.

— J'ai plaisir à me trouver en votre compagnie, Olivia. J'aimerais que nous nous revoyions ainsi tranquillement.

Il aurait voulu l'avoir connue à Paris en temps de paix. La vie aurait été très différente. Il l'aurait emmenée dans son château à Chinon, à la chasse en Dordogne. Il l'aurait présentée à tous ses amis dans le sud de la France. Le paradis..., songea-t-il. Or ils étaient en pleine guerre. Et en guise de chasse à courre, ils n'avaient que les tranchées de Streenstraat et de Poelcapelle inondées de gaz. Faire la cour à une femme dans ces conditions relevait de la gageure.

— Moi aussi j'ai passé une excellente soirée, répondit-elle en savourant le tabac brun. Le général est vraiment quelqu'un d'exceptionnel.

Edouard lui prit la main, la porta un instant à ses lèvres.

— Vous aussi, ma chère.

Il lâcha sa main, redoutant encore sa réaction quand il aurait fini le petit discours qu'il avait préparé à son intention.

— Je voudrais vous dire quelque chose, Olivia, commença-t-il. Je ne souhaite pas qu'il y ait de malentendus entre nous...

Elle se raidit. Ces mots lui firent l'effet d'un couteau qui se retournait dans la plaie toujours vive de son cœur. Elle ne lui laissa pas le temps de s'expliquer. Elle ne permettrait plus à aucun homme d'abuser de sa confiance... de la détruire...

— Vous êtes marié ! coupa-t-elle sans une ombre d'émotion en le dévisageant.

— Qu'est-ce qui vous fait dire cela ? s'étonna-t-il.

Elle était plus perspicace qu'il ne l'avait pensé. La tristesse brûlait dans ses yeux, comme une flamme dévorante.

— Je le sais... Ou plutôt je l'ai compris dès que vous avez parlé de malentendu. Y a-t-il autre chose que vous vouliez me dire ?

— Oui. Un tas de choses. Chacun porte son fardeau.

Le mien est celui-là. Il ne s'agit pas d'un vrai mariage mais...

De nouveau elle l'interrompit brutalement.

— Mais d'une union sans amour, bien sûr ! Vous n'auriez jamais dû l'épouser, d'ailleurs vous la quitterez après la guerre ou peut-être pas, qui sait ?

Sa voix se brisa, et elle détourna la tête.

— Non, pas exactement. Elle m'a quitté il y a cinq ans. Et... oui, c'était un mariage sans amour. Je ne sais pas où elle se trouve actuellement. Probablement en Suisse. Elle s'est enfuie avec mon meilleur ami. Ce fut un soulagement. Mais nous sommes dans un pays catholique, malheureusement. Le divorce y est impossible. Aux yeux de l'Eglise et de la loi, je suis toujours marié, même si nous sommes séparés depuis des années.

Elle le regarda alors, surprise. La situation ne correspondait pas exactement à ce qu'elle avait imaginé. Ou alors il s'agissait de la même histoire, mais en version française. La méfiance, l'incertitude assombrissaient son regard, tandis qu'elle le scrutait.

— Elle vous a quitté ? demanda-t-elle d'une voix de petite fille incrédule, qui le fit sourire.

Il acquiesça. En ce qui le concernait, ce mariage n'avait jamais vraiment existé. Le temps avait effacé ses souvenirs. Il y avait eu, depuis, deux femmes qui avaient compté dans sa vie. Et aucune depuis près d'un an.

— Il y a longtemps maintenant qu'elle m'a quitté, répondit-il. Je pourrais prétendre que ma vie en a été bouleversée, ne serait-ce que pour m'attirer votre sympathie, mais non ! Je n'ai pas eu de peine. J'ai enfin respiré... Je dois une fière chandelle à Georges, l'ami avec lequel elle est partie. Un jour, à l'occasion, je le remercierai... Quand je pense que ce brave garçon doit se sentir coupable...

Sa mine épanouie fit rire Victoria.

— Pourquoi la détestiez-vous autant ?

— Parce qu'elle était gâtée, malveillante, en un mot

insupportable. D'une méchanceté rare, d'un égoïsme forcené...

— Pourquoi l'avez-vous épousée alors ? Est-elle jolie ?

Il l'intriguait plus qu'elle ne voulait l'admettre.

— Oui, très jolie, dit-il avec franchise.

Il avait toujours eu un faible pour les belles femmes.

— Mais cela n'a rien à voir. Elle était fiancée avec mon frère, qui est mort dans un accident de chasse, quelques semaines avant leur mariage... Il avait été assez bête pour l'engrosser et... (Il s'interrompit, puis ajouta sur un ton d'excuse :) Pardonnez-moi, je suis resté trop longtemps au front, j'aurais dû vous faire grâce de ce détail sordide...

Elle alluma une autre cigarette, tout ouïe. Ce récit n'était pas sans rapport avec sa propre histoire.

— Bref, j'ai accompli mon noble devoir : je l'ai emmenée à l'autel à sa place, afin de donner un nom à son enfant. Elle a fait une fausse couche trois semaines plus tard, du moins c'est ce qu'elle a prétendu. Je ne suis même pas sûr qu'elle était réellement enceinte. Je crois qu'elle a tendu un piège à mon frère et qu'il a été assez naïf pour y sauter à pieds joints. Mais, s'il l'avait épousée, il l'aurait sûrement étranglée. Il n'avait pas ma patience... Trois ans plus tard, elle est partie avec Georges. Ils étaient amants depuis un an, et elle lui assurait que je n'y voyais que du feu. J'ai quelques raisons de penser qu'avant lui il y en avait eu un ou deux autres, mais peu importe... Elle l'a convaincu de l'enlever et, depuis, je suis un homme libre et heureux de l'être. Je ne vois qu'un seul point noir : à moins que Georges, qui entre nous n'est pas très futé, devienne millionnaire, ou qu'elle rencontre quelqu'un d'autre, elle ne divorcera pas. J'aurais payé une fortune pour me débarrasser d'elle, mais je pense qu'elle ne renoncera pas facilement au titre.

— Quel titre ?

— Madame est baronne. Elle ne l'aurait pas été si elle avait épousé mon frère. Je suis l'aîné, voyez-vous.

Je crains qu'Héloïse ne soit subjuguée par les titres. Il lui faudra un vicomte ou un marquis pour qu'elle accepte de faire annuler notre mariage...

Son humour fit éclore un sourire sur les lèvres de Victoria. Raconté avec esprit, le sombre drame prenait des allures de comédie. Edouard la regardait dans l'obscurité de la nuit... Il étudiait attentivement ses traits fins, où se reflétaient ses émotions.

— A vous maintenant, dit-il alors. Dites-moi tout sur l'homme qui vous a brisé le cœur. J'ai eu la sensation d'avoir touché une corde sensible avec mon mariage sans amour... Je vous écoute, acheva-t-il gentiment en lui prenant la main.

Il se sentait libéré d'un poids. Pour rien au monde il n'aurait voulu donner des illusions à une femme. Il était libre, mais il ne pouvait pas se marier. Jusqu'à sa rencontre avec celle qu'il prenait pour Olivia, la question ne s'était pas vraiment posée. Il regrettait seulement de n'avoir pas eu d'enfants... Mais la seule pensée de fonder une famille avec Héloïse lui donnait des sueurs froides.

— Il n'y a rien à dire, répondit poliment Victoria. Ce n'est pas très important.

— Mais assez pour vous inciter à venir jusqu'ici ? dit-il doucement. Ou y avait-il autre chose ?

— Beaucoup de choses, répondit-elle, se sentant l'obligation de se montrer aussi honnête que lui.

Elle hésitait cependant. Le récit d'Edouard avait un accent de vérité qui ne trompait pas. Elle, devenue si méfiante, l'avait cru.

— Oui, il y a eu quelqu'un, avoua-t-elle finalement. J'étais très jeune, très stupide. Je n'avais que vingt ans. J'étais d'une naïveté incroyable. En fait...

Elle se tut, embarrassée. D'un sourire, il l'encouragea à poursuivre.

— En fait, le temps minimise certains événements auxquels on accordait une importance capitale. Il m'a fait perdre la tête, je suis tombée éperdument amoureuse de lui. Nous étions de passage à New York, il était plus âgé que moi, très séduisant. Marié et père de trois enfants. Il m'a raconté qu'il détestait sa femme, que leur mariage avait été arrangé par leurs familles, qu'il allait la quitter. Il demanderait le divorce et je n'avais plus qu'à patienter... Ensuite, il m'épouserait... Et, bien sûr, il mentait. J'ai cru à tous ses boniments, et...

Le souvenir des phrases cruelles de Toby l'assaillit... Suffoquée, elle laissa sa phrase en suspens.

— Je l'ai cru, parvint-elle à articuler. Je l'ai aimé à la folie... J'ai compromis ma réputation. Mon père l'a appris par un ami, qui est allé demander des comptes à mon amant, qui a prétendu que c'était moi qui l'avais séduit. Il m'a reniée, rejetée, il a juré qu'il ne m'avait fait aucune promesse... Selon sa version des faits, il n'avait jamais prétendu qu'il quitterait sa femme, qui, d'ailleurs, était enceinte.

Elle marqua une pause. La suite allait choquer Edouard, mais elle décida de la lui raconter tout de même. Elle n'avait rien à perdre... Son intuition lui disait de faire confiance à cet homme qui l'écoutait si attentivement.

— Oui, sa femme attendait un enfant, reprit-elle doucement. Et moi aussi. Nous sommes retournés à Croton-on-Hudson où nous vivons. Là-bas je suis tombée de cheval et j'ai perdu l'enfant. J'ai dû aller à l'hôpital... J'ai failli mourir. Mon père était furieux. A New York, on jasait. L'homme que j'avais aimé répandait les pires rumeurs sur mon compte... Il trouvait sans doute cela drôle mais mon père n'était pas du même avis. Il était résolu à réparer les outrages que j'avais infligés à son nom... Il m'a convoquée dans la bibliothèque, où il m'a sermonnée. Selon lui, j'avais traîné le nom des Henderson dans la boue. Nous ne pourrions plus nous montrer devant la bonne société américaine, soupira-t-elle en regardant le paysage enténébré par la fenêtre de la voiture, hantée par le désespoir qu'elle avait alors ressenti. (Elle se tourna de nouveau vers Edouard avec un sourire triste :) Il m'a obligée à épouser un de ses avocats. Je n'avais pas le choix. Il a dit que je leur devais, à lui et à ma sœur, de payer ma faute de ma personne. Je me suis pliée à ses exigences. Jusqu'alors, je n'avais jamais voulu me marier... Je rêvais de devenir une suffragette, de me faire arrêter et jeter en prison pour mes idées, acheva-t-elle, les yeux brillants.

Edouard laissa échapper un rire.

— Voilà une alternative que je ne recommanderais pas.

Il lui prit la main, se pencha pour poser un baiser sur ses doigts.

— Vous n'étiez certainement pas facile à vivre ces deux dernières années. Peut-être même ne l'avez-vous jamais été.

— Oui, sans doute. En tout cas, j'ai obéi. J'ai épousé l'avocat en question. Un veuf, père d'un petit garçon, dont la femme a péri dans le naufrage du *Titanic*. Il voulait une mère pour son fils.

— Et vous l'avez été ?

Il ne la quittait pas des yeux. Ce récit surprenant en cachait un autre, il en était certain. Bientôt, il connaîtrait le fin mot de l'histoire.

— Non, dit-elle honnêtement. Je n'ai pas été une mère pour le petit garçon, ni une épouse pour Charles. Le fils m'a détestée et le père aussi, je crois. J'étais l'opposé de sa défunte femme. Et lui n'était pas l'homme de ma vie... J'ai exécré ce mariage... J'ai haï mon mari... dit-elle d'une petite voix brisée... Je ne ressentais rien pour lui, et il le savait.

— Est-il un méchant homme, lui aussi ?

— Non, répondit-elle, les yeux pleins de larmes. Il est très gentil. Mais je ne l'aime pas.

Les sentiments amoureux sont imprévisibles. On ne peut les commander. Edouard inclina la tête. Il comprenait fort bien cela.

— Où est-il maintenant ?

— A New York, murmura-t-elle.

— Vous êtes toujours sa femme, je suppose ?

Il paraissait déçu. Il s'était attendu à tout, sauf à cela.

— Oui, souffla-t-elle tristement.

— Sans doute vous aime-t-il plus que vous ne l'imaginez. C'est très généreux de sa part de vous avoir laissée venir ici.

Généreux et admirable, pensa-t-il en même temps. Lui ne l'aurait pas laissée s'en aller si elle avait été sa femme.

— Il ne sait pas où je suis, chuchota-t-elle.

Elle était allée trop loin. Elle devait tout lui dire à présent. Tant pis pour son grand secret. Pour la première fois depuis deux ans, elle faisait confiance à un homme... Edouard ne lui ferait pas de mal, elle le savait.

— Non ? Où vous croit-il alors ?

Elle lui sourit. C'était à la fois dramatique et follement drôle. Si drôle qu'elle ne savait comment le formuler.

— Il... pense que je suis à la maison avec lui.

— Qu'est-ce que vous me chantez ?

Il la regarda, bouche bée, tandis que peu à peu la vérité se frayait un chemin vers son cerveau.

— Nom d'un chien ! Votre sœur... c'est cela, n'est-ce pas ? Il croit qu'elle est...

— Je l'espère...

— Elle a pris votre place ? s'écria-t-il, sidéré.

Pendant une seconde, elle eut peur qu'il ne la trahisse. Il était en possession de son passeport, de son adresse. Il pourrait écrire à son père, l'avertir...

— Je n'en crois pas mes oreilles... Mais vous êtes capable de tout. Pourtant un homme et une femme... Je veux dire un mari et sa femme...

— Nous avions cessé tout rapport amoureux depuis longtemps. Notre lune de miel fut un désastre. Nous n'avons jamais réussi à nous rapprocher. Je me sentais enchaînée à lui par la volonté de mon père, il pensait à sa chère disparue... Ma sœur jouera plutôt le rôle d'une gouvernante que d'une épouse. Il ne fera jamais la différence.

— En êtes-vous sûre ?

Il la scrutait, stupéfié par son audace.

— Absolument. Sinon je ne lui aurais pas demandé de me remplacer. Elle est douce et gentille... tout ce que je ne suis pas, et le petit garçon l'adore.

— Justement, est-ce que ce petit garçon ne se doutera de rien ?

— Non... Pas si elle fait attention.

Il se renversa sur le siège, essayant de digérer toutes ces informations.

— Vous avez laissé derrière vous un sac de nœuds, n'est-ce pas, Olivia ?

Elle sourit de nouveau, lui posa l'index sur les lèvres.

— Victoria ! murmura-t-elle.

— Victoria ? Mais, sur votre passeport...

— C'est le passeport de ma sœur.

— Ah... petite sorcière... mais bien sûr ! Vous avez même échangé vos prénoms... Oh ! le pauvre homme, comme je le plains ! Comment réagira-t-il, à votre avis, quand vous lui direz la vérité ?

A moins qu'elle reprenne sa place sans qu'il le sache, lorsqu'elle en aurait assez de la guerre... Edouard avait envie de tout savoir à présent.

— Je lui raconterai tout quand je retournerai là-bas. J'ai pensé lui écrire mais j'ai renoncé. Ce serait lâche, et injuste vis-à-vis d'Olivia. Je n'ai pas cessé d'y penser depuis mon départ. Je sais au moins ce que je ne dois pas faire. Lui revenir. Cela, non, Edouard, c'est au-dessus de mes forces. Je n'aurais pas dû obéir à mon père. Fonder une union sur rien... D'aucuns vivent dans le mensonge et s'en accommodent. Pas moi. Quand je retournerai aux Etats-Unis, je vivrai avec ma sœur. Peut-être resterai-je en Europe, je ne sais pas encore. Mais, quoi qu'il en soit, je l'implorerai de demander le divorce.

— Et s'il refuse ?

— Alors nous vivrons séparés tout en restant légalement mariés. Cela m'est égal. Mais reprendre la vie commune, non ! Il mérite mieux. Il aurait dû épouser Olivia. Ils auraient formé un couple parfait.

— Peut-être tombera-t-il amoureux d'elle pendant votre absence, dit-il, amusé par le paradoxe de la situation.

Il avait l'impression d'assister à une pièce de théâtre... Quel toupet ! songeait-il, riant sous cape. Quelle audace a cette fille !

— Mais non, ils ne tomberont pas amoureux l'un de l'autre. Olivia est trop loyale... La pauvre aura toutes les peines du monde à se faire passer pour moi. Elle a été un ange d'accepter. Je lui ai dit que je mourrais si elle ne prenait pas ma place pendant un certain temps. Nous faisions souvent cela quand nous étions petites et elle m'a toujours tirée des mauvais pas.

Elle eut un sourire attendri en pensant à Olivia, tandis qu'Edouard éclatait de rire.

— Mais vous, mademoiselle Victoria Henderson, vous n'êtes pas un ange. Vous êtes le diable ! Vous devriez avoir honte.

Puis, se rappelant la question qu'il avait oublié de lui poser :

— Combien de temps a-t-elle accepté de jouer cette comédie ?

Elle hésita, alors qu'il la dévisageait de son regard si bleu.

— Trois mois...

— Et vous êtes ici depuis un mois, n'est-ce pas ?

— Cinq semaines.

— Cela ne nous laisse pas beaucoup de temps.

Ils avaient tous deux une conscience aiguë des incertitudes de la vie. De l'importance du présent. A leurs yeux, une minute, une heure, un jour comptaient autant qu'une vie entière.

— Que diriez-vous si je vous proposais de passer un moment agréable avec un homme marié ? demandat-il avec franchise.

— Et vous ? Passeriez-vous quelques semaines avec

une femme mariée ? lui repartit-elle avec un sourire espiègle.

— Oui, ma chérie. Nous l'avons mérité l'un et l'autre.

En vérité, ils méritaient davantage que ce que le destin avait bien voulu leur accorder. Sans un mot de plus, Edouard se pencha sur le siège de la camionnette, attira Victoria dans ses bras et l'embrassa.

25

Bien qu'Olivia eût promis à son père de passer le mois de juin à Croton, le moment venu, elle ne se résolut pas à quitter Charles et Geoffrey... Leur vie avait complètement changé durant les dernières semaines. Depuis cette nuit-là, la nuit magique où Charles l'avait tenue dans ses bras, ils s'étaient aimés, encore et encore, savourant la lune de miel qu'ils n'avaient pu vivre auparavant. Loin d'exclure Geoffrey de leur bonheur, Olivia se sentait plus proche de lui que jamais. Elle avait à présent tout ce qu'elle avait secrètement souhaité. Ses rêves les plus intimes s'étaient réalisés. A un détail près : son mari, son fils, son alliance étaient ceux de Victoria mais, au plus fort de sa félicité, elle parvenait à l'oublier. Parfois, elle se disait que tout l'amour, toute l'affection qu'elle leur donnait serait portée au crédit de Victoria. Et parfois aussi, la culpabilité la consumait, jusqu'à ce que la main de Charles se pose sur elle, que sa bouche cherche la sienne, que ses bras l'étreignent, la nuit, dans le vaste lit conjugal. Leur passion avait atteint des sommets qu'il n'avait jamais connus auparavant et jamais soupçonnés chez Victoria. Sa sensualité s'était épanouie d'une façon imprévisible. Elle n'était pas la sauvageonne, l'amante indomptable qu'il avait imaginée. Son ardeur jaillissait du fond de son âme, elle se donnait entièrement, d'une façon émouvante, comme Olivia l'aurait fait, pensait-il par moments, se rappelant ses premières impressions sur les deux sœurs jumelles... Son ancienne confusion s'estompait, jour après jour. Ses sentiments vis-à-vis de sa femme n'avaient plus rien de trouble. La joie avait remplacé la tristesse, qui reprenait le dessus seulement lorsqu'il quittait Victoria pour se rendre à son travail, chaque matin.

Ils riaient aux éclats en se débattant pour émerger enfin du lit, se hâtaient d'y retourner chaque soir, leur passion intacte... Ils se couchaient de plus en plus tôt, et devaient se faire violence pour attendre au moins que Geoff aille dans sa chambre avant de monter les marches quatre à quatre, pressés d'assouvir leur désir.

— Nous sommes incorrigibles ! s'esclaffa un matin Olivia, tandis que Charles la poursuivait jusque dans la salle de bains, puis dans la baignoire.

— Tu es obscène, murmura-t-elle avec un manque de conviction touchant, tandis qu'il la prenait doucement, sous le jet d'eau chaude.

Son cri de protestation se mua en gémissements de plaisir. Une demi-heure plus tard, elle préparait leur petit déjeuner, l'air rêveur et l'œil cerné. Avant de s'en aller, Charles lui tapota familièrement les fesses. Geoff partit peu après pour l'école. Et quand le silence retomba sur la maison, Olivia se demanda une fois de plus par quel miracle elle trouverait la force de partir. De quitter Charles. Il ne restait plus que deux mois avant le retour de Victoria. Dans soixante jours, celle-ci reviendrait réclamer son bien. Olivia savait pertinemment que sa sœur n'aimait pas son mari. Elle le lui avait suffisamment répété. Certaines allusions de Charles, ses commentaires concernant les débuts de leur mariage, les informations qu'elle avait pu tirer de Geoffrey, tout confirmait les affirmations de Victoria, tout témoignait d'une union de façade, d'un arrangement, d'un mariage inexistant. Or maintenant l'union était réelle, même si Charles ne savait pas laquelle des deux sœurs le rendait heureux tous les soirs... Lorsque Victoria reviendrait, il ne comprendrait plus rien. Il chercherait à savoir pourquoi sa femme avait de nouveau changé. Le problème demeurait insoluble. Olivia n'y pouvait rien. A part chérir tendrement ces deux êtres auxquels le destin l'avait liée.

Quant à Charles, il avait l'impression de vivre au paradis. Ses relations avec sa jeune épouse dépassaient ses espérances. Leur passion le comblait plus encore que ses amours avec Susan, bien qu'il n'osât pas le formuler.

— Il nous aura fallu un an pour nous adapter, dit-il un soir d'un ton taquin, après qu'ils eurent fait l'amour, en serrant Olivia dans ses bras. Cela n'aura pas été si long, finalement.

— C'était beaucoup trop long, répondit-elle avec franchise.

Il la regarda dans les yeux.

— Que s'est-il passé à ton avis ? A quoi devons-nous ce merveilleux revirement ?

L'expression de la jeune femme l'effraya. Il y avait là quelque chose d'indéfinissable, la porte grande ouverte de son cœur... Il roula sur le dos et fixa le plafond.

— Je suppose que je devrais déborder de gratitude et ne pas trop en demander.

Comme s'il savait. Comme s'il avait tout deviné, se dit Olivia. Mais il n'ajouta rien. Peu après, il dormait paisiblement.

Il ne posa plus aucune question, même quand elle disait avoir oublié où il rangeait les factures ou ses outils, détails insignifiants mais curieux tout de même. Parfois, ces pertes de mémoire irritaient le petit Geoff. Mais, d'un autre côté, elle était si gentille, de si bonne compagnie, qu'ils firent semblant de ne pas s'en rendre compte.

Olivia ravala ses larmes le jour où ils partirent pour Croton, à la fin de la première semaine de juin, sitôt que l'école de Geoff ferma ses portes. Charles promit de venir le samedi et le dimanche. Il tint parole. L'anniversaire de leur mariage tombait un dimanche. Charles avait décidé de passer avec elle le lundi afin de célébrer convenablement ce premier anniversaire.

Edward était ravi de les voir en si bons termes. Leur bonheur sautait aux yeux et plus d'une fois Bertie jeta un coup d'œil soupçonneux à Olivia.

— Je n'arrive pas à le croire... Tu dois vouloir quelque chose, toi. Je ne sais pas... une maison plus grande ?

La gouvernante la taquinait, bien sûr. Elle savait que Victoria hériterait de la résidence new-yorkaise de son père, tandis que le manoir Henderson reviendrait à Olivia. D'après Bertie, la disparition de celle-ci avait affecté la santé de leur père. Or, ces jours-ci, Edward semblait bénéficier d'une rémission. Ses poumons étaient dégagés, son humeur, devenue taciturne, s'était singulièrement améliorée. Il déboucha une bouteille de champagne pour l'anniversaire de mariage des Dawson, puis, selon son habitude, monta se coucher de bonne heure.

Geoffrey dormait dans l'ancienne chambre des jumelles. Olivia entrait dans cette pièce le cœur serré. La vision du grand lit à colonnettes qu'elle avait partagé pendant vingt et un ans avec sa sœur rendait l'absence de celle-ci plus cruelle encore. Leur séparation était une blessure qui ne cicatrisait pas. Elle avait reçu deux lettres à l'adresse de la Cinquième Avenue, comme convenu. Victoria disait qu'elle se trouvait dans un hôpital à Châlons-sur-Marne où elle s'occupait de soldats blessés... Une existence lugubre aux yeux d'Olivia, mais que Victoria semblait apprécier. Malgré le déchirement de la séparation, Olivia savait gré à sa sœur d'être partie, même brièvement. Cela lui avait permis de connaître ces précieux, ces rares instants de bonheur avec Charles et Geoff. La nuit de leur anniversaire, ils s'aimèrent longtemps, tendrement.

Ensuite, alors qu'ils se reposaient, rassasiés l'un de l'autre, il mentionna leur triste voyage de noces sur l'*Aquatania* un an plus tôt. Le cœur d'Olivia s'envola vers lui alors qu'il décrivait la solitude, la déception, la frustration et qu'elle faisait semblant de s'en souvenir. Ainsi c'était vrai. Les deux versions concordaient. Leur union n'avait été qu'une longue descente aux enfers. Olivia se blottit contre Charles. Ils refirent l'amour et, cette fois-ci, leurs ébats eurent une qualité différente. On eût dit que leurs âmes, leurs cœurs, ne faisaient plus qu'un et quand, plus tard, Olivia, comblée, sentit peser les bagues de Victoria à son annulaire gauche, elle eut la sensation d'être réellement mariée avec Charles.

Il s'adressait à elle d'une tout autre manière à présent. Avec respect. Avec tendresse. Leur intimité physique rejaillissait sur leurs relations quotidiennes. Le jour où il repartit à New York, il dut s'arracher aux bras d'Olivia. Il en avait presque les larmes aux yeux. Il n'arrivait pas à détourner le regard de son visage. Enfin, il monta dans sa voiture. A Newburg, il faillit faire demi-tour. Il se comportait comme un collégien amoureux. Le soir même, il écrivit à sa femme une déclaration d'amour. Olivia fondit en larmes lorsqu'elle reçut la missive.

Geoff et elle montaient à cheval tous les jours. Le petit garçon avait perfectionné son style. Ils avaient attaqué la course d'obstacles et elle lui apprit à faire sauter sa monture. Charles craignait que les barrières ne soient trop hautes pour son fils, mais celui-ci s'était transformé en un parfait petit cavalier. Le petit garçon s'étonnait que Victoria monte aussi bien. Celle-ci aimait pourtant nettement moins les chevaux que sa sœur. Elle lui rappelait de plus en plus sa chère tante Ollie...

De temps à autre, Olivia simulait des sautes d'humeur. Alors, elle faisait une scène à Charles ou à Geoff de manière qu'ils ne puissent pas deviner la substitution. Seule différence : tandis que Victoria n'éprouvait aucun remords, Olivia ployait sous le poids de la culpabilité. Après chaque dispute, elle ne savait plus comment se faire pardonner. Le reste de la journée, elle se montrait plus gentille, plus douce encore qu'auparavant, essayant par des gestes câlins, des mots tendres, de s'attirer les bonnes grâces de Charles et de Geoff.

Le petit garçon l'aimait bien à présent. Il avait plaisir à parler, à se promener avec sa belle-mère. Pourtant, une vague nostalgie pour « tante Ollie », disparue si bizarrement, le tourmentait encore. Il en éprouvait alors une peine profonde mêlée de rancune, semblable à celle qui l'avait terrassé lors de la mort de sa mère. Les grandes personnes vous disent qu'elles vous aiment puis vous abandonnent, affirmait-il de temps à autre. Olivia ne savait quoi répondre. Elle ne pouvait que le chérir, l'entourer de toute son affection.

Ils attendaient Charles, qui devait venir passer avec eux la dernière semaine de juin. La veille de son arrivée, ils montèrent à cheval comme d'habitude. Sur le chemin du retour, en sautant par-dessus un ruisseau, la jument d'Olivia trébucha. La cavalière ne tomba pas mais la bête boitait, aussi descendit-elle et conduisit-elle sa monture à l'écurie, la tenant par la bride, suivie par Geoff à cheval. Dans l'écurie, elle découvrit un éclat de rocher dans le sabot de la jument. Elle prit un pic et tenta de déloger la pierre. Une autre jument hennit ; celle d'Olivia fit un écart inattendu, et la pointe de fer se planta dans la paume droite de la jeune femme, entre ses doigts. Le sang jaillit. Un garçon d'écurie courut chercher une serviette. Robert, le vieux palefrenier, éloigna la jument et finit de s'occuper lui-même de la pierre. En larmes, Geoff suivit Olivia au-dehors. Elle actionna la pompe et tint sa main ouverte sous l'eau.

— Vous aurez sûrement besoin d'un ou deux points de suture, mademoiselle Victoria, dit le garçon d'écurie.

Elle affirma vaillamment que non. Elle se sentait juste un peu secouée. Geoff lui apporta une caisse où elle s'assit.

— Tout va bien, Victoria ? lui demanda l'enfant.

Le sang se diluait dans l'eau froide qui ruisselait sur le sol.

— Oui, ça va aller, ne t'inquiète pas.

Geoff tenait la serviette propre avec le sérieux d'un

jeune médecin. Lorsqu'elle estima avoir bien nettoyé la blessure, elle lui tendit sa main.

— Allez-y, docteur. Serrez bien le bandage.

Le petit garçon regarda la paume ouverte. Olivia le vit avaler péniblement sa salive. Ses yeux se fixèrent ensuite sur le visage de la jeune femme. En un instant son univers avait basculé dans l'irréalité... Elle n'y avait pas songé, mais c'était trop tard. Il avait vu la fameuse tache brune qu'elle lui avait montrée autrefois.

— Tante Ollie, murmura-t-il, incrédule. Mais...

Il avait senti des différences, bien sûr. Mais de là à imaginer qu'elles s'étaient fait passer l'une pour l'autre... Pendant si longtemps...

— Mais où est...

Il s'interrompit. Robert approchait.

— Eh bien ? s'enquit ce dernier, inquiet. Dois-je appeler le médecin ?

— Non, je vais bien, dit-elle, apeurée tout à coup.

Elle avait refermé le poing, de manière que personne ne puisse voir la tache. Elle ignorait si Robert connaissait son existence. Bertie, en tout cas, décèlerait immédiatement l'imposture. Le vieux médecin de famille aussi, peut-être.

— Je vais bien, reprit-elle avec une assurance qu'elle n'éprouvait pas. Ce n'est rien. J'ai eu plus de peur que de mal.

Robert hocha la tête.

— Encore heureux que le pic ne vous ait pas transpercé la main, mademoiselle Victoria. Prenez bien soin de la plaie. Il faut qu'elle soit bien propre... Enveloppe-la bien, petit, dit-il à Geoff, qui serrait de toutes ses forces le tissu comme pour cacher la tache dans la paume de sa belle-mère.

Dès qu'ils furent seuls, un large sourire illumina sa frimousse. Tante Ollie était revenue. Il ne l'avait jamais perdue, en somme. Il rayonnait de bonheur. Olivia le prit dans ses bras et le serra sur son cœur.

— Je t'avais dit que je ne te quitterais pas, chuchota-t-elle contre ses cheveux.

— Est-ce que papa le sait ?

Elle secoua la tête, le regardant droit dans les yeux.

— Non, Geoff. Personne ne sait rien à part toi. Il ne faut pas le dire. Pas même à ton papa. Promets-le-moi.

— Je vous le promets.

Il était sincère. Pour lui, sa vraie belle-mère représentait une calamité. Il pria avec ferveur pour qu'elle ne revienne jamais. Non qu'elle fût méchante avec lui... Seulement indifférente. Et puis il ne l'aimait pas... Elle n'était pas Ollie. Une pensée subite lui traversa l'esprit. Ses yeux verts sondèrent le visage d'Olivia.

— Croyez-vous que papa sera furieux s'il l'apprend ?

— C'est fort possible, Geoff.

Elle ne voulait pas mentir plus longtemps à ce petit garçon qu'elle aimait comme son propre enfant.

— Est-ce qu'il va vous renvoyer ?

— Je ne sais pas. Il ne faut pas qu'il s'en doute, mon chéri, et cela dépendra de nous deux. Continuons à vivre l'instant présent... Oh ! Geoff, je t'en supplie, n'en parle à personne.

— Je n'en parlerai pas, affirma-t-il d'un air solennel.

Il lui entoura la taille de son bras, elle posa sa main bandée sur son épaule, et ils retournèrent au manoir, liés à jamais par leur grand secret.

26

Charles passa comme prévu la dernière semaine de juin à Croton. La main d'Olivia était guérie et, fidèle à sa parole, Geoff ne souffla mot. Mieux encore, rien dans son attitude ne laissait supposer qu'il cachait un secret. Après l'inquiétude des premiers jours, Olivia se détendit. Elle quitta Croton tout à fait rassurée. Son père se portait bien, Bertie se tamponnait les yeux avec son mouchoir, et les trois Dawson se réjouissaient à la perspective de leurs vacances au bord de l'eau. Charles avait loué un cottage à Newport, dans l'Etat de Rhode Island.

De prestigieux estivants, comme les Goelet ou les Vanderbilt, avaient pris d'assaut ce lieu de villégiature. Les fêtes, les réceptions battaient leur plein dans les vastes demeures modestement appelées « cottages ». Le temps était exquis. Geoff nageait comme un poisson, Charles resplendissait. Il poursuivait Olivia sur la plage et ils riaient comme des enfants.

Le 4 juillet, ils admirèrent, côte à côte, le traditionnel feu d'artifice. Leur cottage était une jolie maison confortable et, après avoir passé auprès de sa famille le mois de juillet, Charles retourna à New York le 1er août. Comme en juin, il reviendrait à la fin de chaque semaine. Le vendredi suivant, Olivia ne tenait plus en place. Elle avait hâte de le revoir. Elle était restée seule avec Geoff toute la semaine et pourtant, le petit garçon ne l'avait jamais appelée par son vrai prénom, il n'avait pas une seule fois évoqué leur secret. A onze ans, il était à même de comprendre qu'il existe des choses dont il ne faut jamais parler.

Ils se promenaient sur la plage, prenaient le thé avec des amis, fréquentaient assidûment le Yacht Club, collectionnaient des coquillages avec lesquels ils faisaient des collages pour Charles. Ils fabriquèrent pour lui un bonnet de marin incrusté de coquilles minuscules. Le vendredi suivant, en arrivant dans l'Etat de Rhode Island, Charles s'aperçut que le long trajet qu'il avait effectué en valait la peine.

— Je ne sais pas comment j'arrive à vivre sans toi pendant une semaine entière, lui dit-il après le dîner.

Chaque jour sans elle était un siècle de solitude. Leur maison de New York lui semblait désespérément vide. Il se sentait revivre dès l'instant où il la retrouvait.

— Mais qu'est-ce que je faisais avant de te connaître ? dit-il en l'embrassant plus tard, sur le balcon de leur chambre inondé par le clair de lune.

C'était une nuit claire, une nuit parfaite et, comme toujours, il brûlait du désir de la prendre dans ses bras. Il s'en voulait de ne pas parvenir à refréner sa passion... Il se plaisait en sa compagnie, aimait à lui parler, à être simplement avec elle. Mais sa sensualité était la plus forte. Dès qu'ils étaient au lit, il ne résistait plus à son désir. Cela changeait singulièrement de leur lune de miel ratée pendant laquelle elle avait accueilli ses tentatives d'approche avec une froideur glaciale... Pour finir par s'avérer infiniment sensuelle, telle qu'il l'avait rêvée. Mais tout avait changé dès l'instant où il s'était avoué qu'il l'aimait.

Cette nuit-là, après l'amour, il la tint étroitement enlacée, lui caressant la joue du bout des doigts. Une question qu'il n'osait encore lui poser brûlait ses lèvres. Il connaissait son opinion sur ce sujet. Mais peut-être avait-elle changé d'avis. Tant de changements étaient survenus ces deux derniers mois... Elle n'évoquait plus les réunions de suffragettes, bien qu'elle parcourût toujours avidement les journaux, épluchant les articles sur la guerre en Europe. Et elle avait arrêté de fumer. Cela lui avait certainement coûté et Charles ne l'en admirait que davantage. On avait beau dire, les femmes qui fumaient n'avaient pas bonne réputation. Au début, il avait trouvé cela amusant, excitant même, puis il s'était lassé, ne serait-ce qu'à cause de l'odeur tenace du tabac. Il avait remarqué aussi que la jeune femme dormait d'une manière différente à présent. Avant, elle se couchait aussi loin que possible de lui. Maintenant elle se blottissait dans ses bras, heureuse, confiante.

Le lendemain, ils allèrent à la plage. Olivia avait préparé un pique-nique qu'ils dégustèrent sur le sable. Ensuite, ils firent des courses. Elle voulait un nouveau parasol. Le soleil, qui tapait trop fort en août, l'étourdissait. Geoff, lui, réclamait de nouvelles sandales. Il avait grandi et pouvait à peine glisser les pieds dans ses anciennes chaussures. Ils marchaient sur le trottoir en discutant avec animation quand une petite fille de deux ou trois ans traversa la chaussée pour récupérer son ballon. Elle passa entre deux attelages. L'un des chevaux prit peur, se cabra, rua. La mère de la fillette poussa un cri. Personne ne bougea. Charles s'apprêtait à intervenir mais, avant qu'il puisse réagir, Olivia s'élança vers la petite fille. Elle l'attrapa et le cheval se redressa alors sur ses pattes arrière avant de retomber en avant en frôlant du sabot Olivia, qui avait formé de son corps un bouclier autour de l'enfant. Elle réussit à atteindre l'autre côté de la rue où s'agglutinait une foule de badauds. Le cocher retint la bête emballée par les rênes, la mère fondit en larmes, la nourrice se mit à gronder l'enfant qui éclata en sanglots. Charles, Geoffrey sur ses talons, se précipita vers Olivia.

— Bon sang ! Tu essaies de te tuer ou quoi ? hurla-t-il, assailli d'une peur rétrospective.

Elle avait bel et bien failli se faire piétiner par le cheval. Elle le dévisagea, ses beaux yeux bleus agrandis.

— Mais Charles... la petite fille...

Alors qu'elle s'efforçait de terminer sa phrase, il lui sembla que Charles s'éloignait... se décolorait... Elle entendait encore sa voix, puis elle vit ses lèvres remuer sans distinguer les mots qu'il prononçait. Un voile gris tomba devant ses yeux. Elle prit une expression étonnée, puis glissa à terre comme une poupée de chiffon. Il la retint dans ses bras avant qu'elle s'affale de tout son long sur les pavés. Il avait cru que les sabots du cheval l'avaient seulement effleurée. Peut-être était-ce plus grave. Une femme hurla au milieu de la foule :

— Que se passe-t-il ? Qu'est-ce qu'elle a, la dame ?

— Je ne sais pas, dit-il, bouleversé.

Derrière lui, Geoff pleurait à chaudes larmes. Charles s'efforça de se calmer, afin de rassurer son fils. La panique le gagnait. Il tremblait pour la vie de celle qu'il prenait pour son épouse. La femme dont seul Geoff connaissait la véritable identité.

— Ça va aller, fiston, dit-il de sa voix la plus ferme, en allongeant doucement Olivia sur le trottoir.

Quelqu'un était parti chercher un médecin. La jeune femme restait inerte, les yeux clos. Elle n'avait pas repris connaissance.

— Non, papa, ça n'ira pas. Elle est morte ! s'écria Geoff en sanglotant.

La foule se refermait sur eux. Agenouillé auprès d'Olivia, Charles priait les gens de s'écarter. Un homme fendit la cohue, une mallette à la main. Il était médecin, dit-il.

Ils transportèrent Olivia dans une brasserie toute proche, où ils l'allongèrent sur une banquette. L'examen ne révéla aucune ecchymose, aucune bosse à la tête. En soulevant une paupière, le médecin étudia l'iris. Elle n'avait subi aucune commotion cérébrale, déclara-t-il. Elle s'était simplement évanouie. Il lui frotta les poignets, lui appliqua une poche de glace sur la nuque et sur les tempes. Tout doucement, elle revint à elle. Elle rouvrit les yeux, blanche comme un linge, et demanda ce qui lui était arrivé.

— Tu as secouru une petite fille, et tu as failli te

faire écraser par deux chevaux, l'informa Charles, oscillant entre la peur, le soulagement et la colère. La prochaine fois, tu me feras le plaisir de laisser ces actes d'héroïsme à d'autres, mon amour.

Il lui embrassa la main. Honteux de ses larmes, Geoff s'essuya les yeux du revers de la main.

— Je suis navrée, murmura-t-elle d'une voix faible.

Le médecin rangea son stéthoscope. Il semblait satisfait de son auscultation. Par acquit de conscience il demanda si elle voulait aller à l'hôpital. Elle répondit que non mais, dès qu'elle se releva, la tête lui tourna. Ayant échappé de justesse à un nouvel évanouissement, elle avoua à Charles qu'elle ne se sentait pas bien. Il l'aida alors à se recoucher sur la banquette.

— Si votre femme se repose chez vous, cela va aller, lui assura le médecin. La chaleur, l'émotion l'ont abattue... (Il lui tendit sa carte.) Rappelez-moi ce soir si besoin est.

Il prit congé. Charles partit chercher la voiture, laissant la jeune femme avec Geoff. Le petit garçon posa sur elle un regard tendre.

— Ollie, est-ce que ça va ? murmura-t-il.

— Geoff, non ! répondit-elle, bien qu'ils fussent seuls. Rappelle-toi ta promesse.

— Je sais... J'ai eu si peur... On aurait dit que vous étiez morte...

Des larmes brillèrent dans ses yeux. Olivia lui prit la main.

— Eh bien, je suis vivante... Et je t'interdis de m'appeler Ollie.

Elle lui sourit, et Geoff éclata de rire.

Charles revint. Il la souleva dans ses bras et la porta jusqu'à la voiture, alarmé par sa pâleur. Ce soir-là, elle décida de se passer de dîner. Elle souffrait de nausées.

— J'appelle le médecin ! annonça Charles fermement, après avoir dîné en tête à tête avec Geoff. Je n'aime pas l'air que tu as.

— Merci du compliment, le taquina-t-elle.

Il lui sourit. Elle n'était plus aussi caustique qu'avant mais avait conservé son humour espiègle.

— Tu sais bien ce que je veux dire, soupira-t-il en se laissant tomber sur une chaise. J'ai cru mourir quand ce fichu cheval t'a presque piétinée. Pour l'amour du ciel, qu'est-ce qui t'a pris ?

— La petite fille aurait pu mourir, dit-elle simplement.

— Toi aussi.

— Je vais bien, répondit-elle en l'embrassant doucement sur les lèvres.

Comment le lui dire ? Cela ne ferait que compliquer davantage la situation, mais elle aspirait de toute son âme à ce bonheur. Elle ne renoncerait pas, non, jamais.

— Je vais très bien même, reprit-elle avec douceur.

Il la dévisagea, surpris. Elle avait une manière bien à elle de dire certaines choses.

— Qu'est-ce que cela veut dire ?

— Je ne sais comment tu le prendras...

Peut-être ne se réjouirait-il pas. Par ailleurs, elle savait que sa sœur ne voulait pas d'enfants.

— Mais que se passe-t-il donc ?

Il paraissait inquiet. Elle ne put que secouer la tête en refoulant ses larmes.

— Victoria, murmura-t-il, je t'en prie. Tu peux tout me dire.

Leur amour, parfois, faisait peur à Olivia. Elle n'avait pas droit à ce bonheur volé... Charles n'était pas à elle. Et pourtant elle le chérissait de toutes ses forces.

— Je suis... je suis... Oh ! Charles...

Il la regarda. En repensant à son évanouissement, il comprit soudain.

— Es-tu enceinte ?

Il n'avait pris aucune précaution ces deux derniers mois. Elle ne s'en était jamais plainte. Connaissant ses idées au sujet des enfants, il sentit la panique monter en lui. Sans doute lui en tiendrait-elle rigueur. Cependant, elle n'avait pas l'air furieuse. Elle pleurait.

— Oui, j'attends un bébé.

Ils avaient dû le concevoir le soir de leur anniversaire de mariage. Elle avait déjà vu un médecin, qui avait confirmé ses espérances. Elle était enceinte de deux mois.

— Tu n'es pas fâché ?

— Fâché ? s'exclama-t-il en se demandant comment elle avait pu oublier ses anciennes théories sur la procréation. Pourquoi ? C'était toi qui ne voulais pas entendre parler d'enfants... Et toi ? Es-tu furieuse après moi ?

— Je n'ai jamais été plus heureuse, chuchota-t-elle.

Il l'embrassa, submergé par un merveilleux bien-être.

— Je n'arrive pas à y croire... Quand l'enfant naîtra-t-il ?

— En mars.

Comment Victoria réagirait-elle ? Qu'adviendrait-il du bébé ? A qui appartiendrait-il ? Cette fois-ci, le scandale détruirait toute la famille. Blottie contre Charles, Olivia priait pour que le temps s'arrête... Un jour, elle perdrait tout. Surtout s'ils exigeaient de garder le bébé. Souvent, elle imaginait toutes sortes d'issues terribles, mais pas en ce moment... Elle ne songeait qu'à Charles et au bébé.

Ils annoncèrent la nouvelle à Geoff avant leur retour à New York. Le petit garçon se montra quelque peu surpris mais ne posa aucune question... Tous deux traitaient Olivia comme un bibelot de verre fragile, et cela l'amusait et la ravissait à la fois. Charles avait peur de la toucher mais, à son grand regret, il ne pouvait s'empêcher de lui faire l'amour, aussi sensuellement, aussi passionnément que d'habitude. Selon le médecin de Newport, Olivia ne risquait rien. Jeune, en bonne santé, elle aurait un bébé magnifique, avait-il prédit... à condition de ne pas abuser de certaines choses auxquelles les deux époux n'étaient pas prêts à renoncer.

Dès qu'elle remit les pieds à New York, Olivia se précipita à la résidence de la Cinquième Avenue. Les enveloppes s'accumulaient dans la boîte aux lettres. Assise sur le perron, les mains tremblantes, elle décacheta l'une après l'autre les missives... Victoria se trouvait toujours en France, au même endroit ; elle travaillait dans le même hôpital de campagne. La dernière lettre lui fit l'effet d'un cadeau de la providence. Sa sœur lui manquait et pendant une seconde son cœur se serra à la pensée qu'elle ne la reverrait pas de sitôt. L'instant suivant, elle sut que c'était la meilleure solution pour elle, pour Charles, pour le bébé.

En effet, dans sa lettre, Victoria disait qu'on avait besoin d'elle là-bas, et que malgré quelques complications elle n'avait jamais été plus épanouie. Pour une raison qui lui appartenait, et qu'elle éclaircirait plus tard, elle ne rentrerait pas à la fin de l'été. Pour le moment, sa vie, son bonheur dépendaient de son séjour en France. Elle implorait le pardon de sa sœur... Le cœur d'Olivia battait la chamade tandis qu'elle relisait la lettre. C'était peut-être pour leur bien que le destin les avait séparées. Une fervente prière monta à ses lèvres. Que sa sœur soit saine et sauve, qu'elles se retrouvent un jour, que Victoria lui pardonne sa trahison.

27

L'été à Châlons-sur-Marne s'écoulait, long, implacable. Les combats s'étaient déplacés vers la Champagne sous le commandement du général Pétain. Les gaz avaient dénudé les arbres de leurs feuilles, brûlé les prés. Les soldats, à découvert, n'avaient d'autre solution que de s'enterrer dans les tranchées qu'ils creusaient eux-mêmes. Ils avaient été envoyés en Champagne dans le but de pénétrer les lignes allemandes. Or, les Allemands ayant investi les hauteurs, les Français prêtaient le flanc aux attaques. L'artillerie fonctionna sans discontinuer, nuit et jour, puis l'infanterie ennemie vint à la rescousse et des milliers de garçons arrosèrent abondamment de leur sang le sol qu'ils s'efforçaient de défendre. Tels des soldats de plomb, ils tombaient l'un après l'autre. Leurs corps brisés, disloqués, étaient ramenés à l'arrière, dans des hôpitaux de fortune comme celui où Victoria était affectée. C'était une hécatombe.

A la fin du mois de septembre des pluies torrentielles noyèrent le paysage. Les sauveteurs pataugeaient dans la boue. Les blessés se noyaient dans des mares au milieu de bulles sanglantes. En octobre, l'horreur continuait.

Aussi épuisé que les autres, Edouard attendait tous les soirs Victoria dans ses quartiers réservés. Il habitait l'une des fermes du château, deux pièces qui lui servaient de chambre à coucher et de bureau. C'était là que Victoria le retrouvait après son service. Ils vivaient pratiquement ensemble mais elle avait laissé quelques affaires au baraquement et, de toute façon, ses collègues fermaient les yeux.

— Cette guerre n'en finit pas, soupira Edouard en se penchant pour l'embrasser.

Il était trempé comme une soupe, mais elle avait l'habitude. Leurs vêtements n'avaient pas séché depuis un mois maintenant. La pluie battante tombait inlassablement, l'humidité imprégnait les tentes, suintait des murs et des toits.

— Tu n'en as pas encore assez ? demanda-t-il. Tu ne veux pas retourner chez toi, mon amour ?

Une partie de lui-même la voulait saine et sauve, de l'autre côté de l'Atlantique, loin du massacre. Une autre partie souhaitait qu'elle reste. Il avait trouvé en elle une compagne rare, un joyau précieux qu'il n'avait encore jamais connu. Une femme aussi forte que lui, son égale, son amie, son amante, son associée. Ils formaient un couple parfait.

— Je ne sais plus où c'est, chez moi.

Un sourire fatigué joua un instant sur les lèvres de Victoria. Elle s'affala sur le lit, après seize heures d'hôpital.

— Je croyais que c'était ici, reprit-elle doucement. Avec toi.

Il s'allongea près d'elle, l'embrassa.

— Je le crois aussi... Tu n'as pas encore écrit à ta sœur à notre sujet ?

Ils en avaient discuté à plusieurs reprises. Victoria ne se résolvait pas à l'annoncer à Olivia, de crainte de la choquer. Tous deux étaient mariés, après tout.

— Non, mais je le ferai. De toute façon, elle sait. Elle sait tout ce qui m'arrive.

— Quelle étrange relation ! J'étais très proche de mon frère mais nous étions en même temps très différents.

Ils parlaient des heures ensemble. Edouard appréciait l'esprit incisif de Victoria. Ils évoquaient toutes sortes de sujets : la guerre, la politique, les gens. Ils avaient de nombreux points communs. Il était presque aussi progressiste qu'elle, même s'il pensait que les suffragettes allaient trop loin. Une fois, en plaisantant, il avait déclaré que si Victoria se laissait pousser la moustache ou entamait une grève de la faim pour le droit de vote, il lui botterait les fesses.

— Olivia et moi sommes très différentes aussi, répondit-elle en allumant une cigarette qu'elle prit dans le paquet d'Edouard.

Ils manquaient de tabac et devaient désormais partager leurs maigres réserves.

— Et pourtant, nous sommes comme les deux faces de la même pièce. Parfois, j'ai la sensation d'être la moitié d'une seule et même personne.

— C'est peut-être vrai, sourit-il en se tournant vers elle pour tirer une bouffée de cigarette. Quand aurai-je l'autre moitié ?

— Jamais ! s'exclama-t-elle tandis qu'il éclatait de rire. Tu dois te contenter de moi. Nous sommes adultes maintenant. Nous ne nous ferons plus passer l'une pour l'autre.

— Eh bien, ton mari sera ravi de l'apprendre, dit-il d'un ton malicieux. Le pauvre diable ! Quand tout sera fini, il va bien falloir que tu lui expliques ce qui s'est produit, Victoria. Tu n'as pas le droit de le laisser dans l'ignorance.

Elle acquiesça. Elle avait décidé depuis longtemps de retourner à New York, au bon moment, et de mettre Charles au courant elle-même. Ne serait-ce que par égard pour sa sœur.

— Olivia ne voudra peut-être pas que je le lui dise.

— Cela compliquerait la situation... Tu prétends qu'il n'y a aucun rapport physique entre eux. Permets-moi d'en douter. Si elle te ressemble comme deux gouttes d'eau, je défie quiconque de lui résister pendant plus d'une ou deux semaines... Dieu sait si j'ai essayé de t'ignorer.

— C'est vrai ? Tu as essayé de m'éviter ?

Elle affichait exprès son air méchant, son air de

chatte sauvage. Edouard s'esclaffa. Même les habits informes de la Croix-Rouge n'arrivaient pas à entamer le charme de Victoria.

— Pas un instant, j'en ai bien peur, répondit-il honnêtement. Je ne pourrai jamais te résister, mon amour.

Il le lui prouva peu après.

Plus tard, dans la nuit, il lui apprit la nouvelle. Il devait se rendre en Artois où s'organisait la prochaine offensive franco-britannique. Le commandant anglais sir John French ne s'était pas fait que des amis parmi les poilus. Les soldats français réclamaient un des leurs. Il avait été question de remplacer French par sir Douglas Haig, dont les Français ne voulaient pas non plus. Edouard avait été sollicité pour calmer les esprits.

— Sois prudent, mon chéri, murmura-t-elle d'une voix ensommeillée.

Elle avait quelque chose d'important à lui dire, mais la fatigue avait affaibli sa mémoire. Elle ne se rappelait plus très bien de quoi il s'agissait. Le lendemain, lorsqu'elle se réveilla, il était parti, et elle reprit le chemin de l'hôpital. Elle travaillait sans relâche entre quinze et dix-huit heures par jour. C'est ainsi que se déroulait sa vie désormais.

Les journées à New York s'écoulaient dans le luxe et le calme, bien loin de Châlons-sur-Marne. Octobre, dans toute sa splendeur, habillait les feuillages de fauve. Il faisait une chaleur inhabituelle. Olivia et Charles se laissaient emporter par un tourbillon de mondanités. Réceptions chez les Van Cortlandt, dîners avec des clients du cabinet au Delmonico's, et la soirée annuelle des Astor à la fin du mois.

Olivia était alors enceinte de quatre mois. Cela ne se voyait pas encore, grâce à des robes habilement choisies. Sa taille avait un peu épaissi et son ventre formait une courbe qu'elle aimait à caresser. En contemplant cet adorable tableau de la maternité, Charles croyait revoir Susan lorsqu'elle attendait Geoffrey...

Elle avait alors les mêmes gestes, les mêmes attitudes. Plus âgé, plus averti, ayant payé chèrement le tribut de son amour, Charles veillait farouchement sur Olivia. Il voulait une fille, ce à quoi elle répondait que peu lui importait, pourvu que le bébé soit en bonne santé.

Il l'obligeait à passer des visites médicales régulièrement. Une fois, il avait commis la maladresse de lui rappeler la fausse couche qu'elle avait eue avant leur mariage, la priant de la mentionner au médecin.

— Il n'a pas besoin de le savoir, avait répliqué Olivia, mortifiée.

Il était hors de question d'expliquer à l'homme qu'elle considérait comme son mari qu'elle n'avait jamais eu de fausse couche et vivait dans la crainte qu'il en parle à son médecin.

— Je ne suis pas d'accord, insista Charles. Il faut qu'il sache... Tu avais eu une grave hémorragie. Cela pourrait recommencer. Pis, tu risques de perdre le bébé.

Chaque fois qu'elle se sentait fatiguée, Olivia se reposait. Elle restait allongée sur les conseils de Charles... ce qui n'arrivait pas souvent. Selon son médecin, elle jouissait d'une santé robuste.

Les lettres de Victoria continuaient à arriver à la résidence de la Cinquième Avenue. Malgré les horreurs de la guerre, les lourdes pertes en Champagne et en Artois, Victoria proclamait qu'elle allait bien. Qu'elle avait trouvé le but de sa vie. Un étrange sentiment de paix se glissait dans l'âme d'Olivia chaque fois qu'elle pensait à sa sœur. Celle-ci n'avait pas encore mentionné Edouard mais Olivia ne la sentait pas seule. En fermant les yeux, cherchant à communiquer par l'esprit avec Victoria, Olivia éprouvait une sensation de plénitude, de bien-être, la même que celle qu'elle ressentait en vivant avec Charles et en attendant leur bébé.

Le soir où ils se rendirent chez les Astor, elle mit une robe lavande sous un manteau d'hermine, cadeau de son père. Edward Henderson avait appris avec joie la nouvelle qu'il serait bientôt grand-père. Il en était très fier. Et en même temps très surpris que ce mariage qui avait si mal commencé soit une parfaite réussite. Il fallait être aveugle pour ne pas se rendre compte que les deux époux nageaient dans le bonheur. Son seul chagrin concernait Olivia. Olivia, qui n'était pas revenue à la fin de l'été comme elle l'avait promis. Mais la jeune femme que tout le monde, excepté Geoff, prenait pour Victoria l'avait rassuré. Elle avait eu des nouvelles de sa sœur, qui se portait bien et se recueillait dans un couvent de San Francisco dont elle n'avait pas donné l'adresse... Un jour elle reviendrait... Les enquêteurs avaient baissé les bras à la fin du mois d'août. Ils n'avaient découvert aucune trace, aucune piste, et pour cause ! Edward continuait à se reprocher la disparition de son « aînée ». Il pensait toujours qu'Ollie était secrètement amoureuse de Charles, ce qui expliquait sa fuite, et cela malgré les véhémentes dénégations de celle qu'il croyait être Victoria.

La vie suivait son cours. Le soir de la réception chez les Astor, Olivia resplendissait. Charles resta à son côté, puis rencontra un vieil ami qui l'entraîna vers le buffet. Olivia bavarda un instant avec une connaissance de sa sœur, qui naturellement la prit pour Victoria... Elle ne put réprimer un sourire quand l'autre femme lui rappela gentiment qu'elle lui devait une petite somme d'argent, dette d'une partie de bridge. Et dire que Victoria jurait ses grands dieux qu'elle ne jouait jamais aux cartes ! Elle promit de payer, avant de sortir dans le jardin, où elle admira les rosiers.

— Cigarette ? fit dans son dos une voix qu'elle ne reconnut pas.

Elle se retourna. Toby la regardait.

— Non merci, répondit-elle froidement.

Il était toujours aussi séduisant, bien qu'un peu flétri depuis deux ans qu'elle ne l'avait vu.

— Comment allez-vous ? demanda-t-il en s'approchant d'elle.

Visiblement, il avait bu.

— Très bien, merci.

Elle commença à s'éloigner mais, l'attrapant par le bras, il l'attira en arrière.

— Ne t'en va pas comme ça, Victoria, dit-il avec aplomb. De quoi as-tu peur ?

— Je n'ai pas peur, répondit-elle d'une voix haute et claire, qui le surprit tout autant que l'homme qui les écoutait dans l'ombre de la véranda. Vous me déplaisez, tout simplement.

— Première nouvelle ! Ce n'est pas le souvenir que j'ai gardé, ricana-t-il.

Elle se tourna pour le dévisager, les yeux étincelants.

— Qu'est-ce que vous vous rappelez au juste, monsieur Whitticomb ? Est-ce votre duplicité à mon égard et à l'égard de votre femme qui semble tant vous réjouir ? Ce dont, moi, je me souviens, ce fut votre tentative de séduire une jeune fille innocente, puis de mentir à son père. Les individus de votre espèce devraient être en prison, Toby Whitticomb, pas dans les salons de la meilleure société. Ne vous donnez pas la peine de m'écrire ou de m'envoyer des fleurs. Vous perdriez votre temps. J'ai un mari qui m'aime et que j'aime profondément. Et si vous m'approchez une fois de plus, je ferai en sorte de répandre la rumeur que vous m'avez violée.

— Mais ce n'était pas un viol..., commença-t-il.

Avant qu'il ne termine sa phrase, Charles émergea de l'ombre, le visage éclairé d'un sourire satisfait. Il cherchait Olivia et était sorti sur la véranda au moment où Toby l'avait abordée. Il n'avait pas pu résister à la tentation d'écouter, et il avait apprécié la façon dont elle l'avait éconduit. Chaque parole qu'elle avait prononcée lui avait réchauffé le cœur. On eût dit qu'un vieux spectre s'évanouissait à la lumière de la vérité. Il n'y avait plus de fantômes entre eux, sauf peut-être Susan, qui reposait en paix maintenant.

— On y va, ma chérie ? dit-il en lui offrant son bras.

Ils revinrent dans le salon.

— C'était formidable, jubila Charles. Rappelle-moi

de ne plus jamais me disputer avec toi. J'avais oublié que tu es capable de te servir des mots comme de poignards.

— Comment ? Tu écoutais aux portes ? feignit-elle de s'offusquer.

— Je ne l'ai pas fait exprès. Je l'ai vu te suivre et je suis sorti afin de m'assurer qu'il ne t'importunerait pas.

— Vraiment ? Es-tu sûr que tu n'étais pas jaloux, plutôt ?

Il ne répondit rien, mais un voile incarnat lui colora le front.

— Tu n'as rien à craindre de Toby Whitticomb, affirma-t-elle. C'est une ordure. Il était grand temps que quelqu'un le lui dise.

— Et tu le lui as fort bien dit, je l'avoue.

Il l'embrassa sur la joue tout en l'entraînant vers la piste de danse.

28

Thanksgiving fut étrange cette année-là à Croton. Olivia, soi-disant partie mais toujours parmi eux ; Victoria, soi-disant présente mais véritablement absente ; cette situation ternissait la convivialité traditionnelle de la fête.

Edward récita les grâces dans une atmosphère lourde. Chacun songeait au passé, à ses chers disparus. Seule la naissance prochaine du bébé mettait du baume sur tous ces cœurs blessés. Même Geoff attendait son petit frère ou sa petite sœur avec impatience. Olivia, enceinte de cinq mois, commençait à arborer des rondeurs généreuses sous ses vêtements amples. A partir de janvier, elle ne sortirait plus, sauf pour rendre visite à des amis proches ou pour participer à des dîners privés. Le bébé semblait être gros. Elle espérait qu'elle portait des jumeaux, mais son médecin avait écarté cette hypothèse. Elle s'était confiée à Charles, qui avait levé les yeux au ciel. Il n'était pas prêt à affronter une telle éventualité, dit-il.

— Peut-être la prochaine fois ? avait-il ajouté, les yeux pleins de questions.

La grossesse d'Olivia paraissait facile en comparaison de celle de Susan. Et, malgré ses théories contre l'enfantement, la jeune femme s'était parfaitement adaptée à sa nouvelle situation. Elle ne mentionnait plus sa crainte de mourir en couches comme sa mère. En fait, aucune peur ne jetait d'ombre sur son bonheur. Or, quand Charles lui demanda si elle voudrait d'autres enfants, elle répondit que cela dépendrait de lui. Elle lui laissait le choix, en fait. Chaque chose en son temps..., pensa-t-il. Mais, bizarrement, la perspective d'avoir des jumeaux le perturbait.

Un rude hiver s'abattit sur la France à la fin de l'année 1915. Les belligérants s'enlisaient dans un face-à-face mortel, à l'intérieur de leurs fortifications, prêts à de nouvelles batailles. On acheminait des vivres et des munitions vers le front, des renforts venaient grossir les rangs des combattants dans les tranchées glacées. Les attaques aux gaz se poursuivaient. En novembre, revenu d'Artois à Châlons-sur-Marne, Edouard s'installa de nouveau dans la ferme avec Victoria. Le camp entier voyait leur idylle d'un œil favorable. Les officiers qui habitaient les pièces voisines laissaient la plupart du temps les amoureux seuls, et, un soir, ils leur préparèrent un repas, qui fit rire Victoria aux éclats : un petit oiseau rôti dans l'antique cuisine rustique.

— Ne fais pas la difficile. C'est une caille, déclara Edouard d'un ton optimiste.

— Cela m'étonnerait, répondit Victoria, redoublant d'hilarité en contemplant le « festin », pas plus gros qu'une souris quand les officiers le retirèrent du four. Ta caille ressemble à un moineau.

— Tu n'en sais rien.

Il l'attira dans ses bras, lui prit les lèvres, la pressa contre lui. Il s'était rendu près de Verdun pendant deux jours et elle lui avait manqué. Elle lui manquait dès qu'il n'était plus avec elle. Il ne pouvait pas vivre sans elle. Ils n'évoquaient plus jamais le retour de Victoria aux Etats-Unis, sauf pour avertir Charles qu'elle allait repartir. Ensuite, les deux amants se fixeraient à Paris... Ils n'auraient pas le droit de se marier, bien sûr. En plaisantant, Edouard disait qu'ils choqueraient les gens bien-pensants en vivant dans le péché.

— Peut-être qu'un jour, si la sorcière meurt, je veux

dire la baronne actuelle, je ferai de toi une femme honnête.

— Mais je suis une femme honnête, s'entêtait-elle.

— Ah, vraiment ? Avec ta sœur qui te remplace auprès de ton infortuné mari à New York ? Permets-moi d'en douter.

Ils éclataient d'un rire complice, un rire sans complaisance. Parfois, Victoria avait le bon goût de se montrer embarrassée. Par ailleurs, personne dans le camp ne comprenait pourquoi Edouard l'appelait Victoria, alors que son prénom pour tous les autres était Olivia. Ils conclurent à une plaisanterie d'amoureux et, de toute façon, personne ne posait jamais de questions.

Le soir du fameux « festin », Victoria informa Edouard qu'aux Etats-Unis on fêtait Thanksgiving.

— Oui, je sais. Quand j'étais à Harvard, des amis m'avaient invité à cette occasion, répondit-il, nostalgique. Il y avait une montagne de nourriture, et beaucoup de bons sentiments. J'aimerais bien rencontrer ton père quand nous aurons plus ou moins régularisé notre situation.

— Il t'appréciera, dit-elle en mordant dans une pomme.

C'était le repas de Thanksgiving le plus frugal de sa vie mais peut-être le plus heureux. Elle posa sur Edouard un regard tendre en s'efforçant de bannir sa sœur de ses pensées. Avec lui, elle avait une vie, une intimité. Avec Charles, elle n'avait rien.

— Attends de rencontrer Olivia, sourit-elle.

— J'aurai la frousse de ma vie. L'idée de vous voir côte à côte me terrifie.

Ils se couchèrent peu après. Dans l'obscurité, ils parlèrent de leur enfance, de leurs amis, de leurs rêves... Il évoqua son frère mort qu'il avait aimé suffisamment pour épouser sa fiancée parce qu'elle était enceinte.

Et plus tard, après leur tendre étreinte, alors qu'elle sombrait dans le sommeil, elle sentit les mains d'Edouard sur son estomac. Elle rouvrit les yeux et croisa son regard interrogateur.

— Y a-t-il quelque chose dont nous devrions parler, mademoiselle Henderson ?

— Je ne vois pas ce que tu veux dire, répondit-elle, un mystérieux sourire sur les lèvres.

Il se rapprocha d'elle, l'enlaça par-derrière, noua les mains sur son ventre et la tint étroitement enlacée.

— Petite cachottière ! Pourquoi ne m'as-tu rien dit ?

Il paraissait blessé. Elle se retourna dans ses bras pour lui faire face et l'embrassa doucement sur la bouche.

— Je le sais depuis trois semaines seulement... Et comme je n'étais pas sûre de ce que tu en dirais...

Il l'interrompit d'un rire. Le fruit de leurs amours lui arrondissait déjà le ventre. Elle portait son bébé et pas celui de Charles, il en était certain.

— Combien de temps allais-tu garder secrète l'existence de ce petit *bonhomme** ?

Il était aux anges. Ce serait son premier enfant. Il allait bientôt avoir quarante ans. Malgré les circonstances, la joie le transporta, puis il la dévisagea, inquiet.

— Tu devrais rentrer dans ton pays maintenant, Victoria.

Son cœur se déchirait, mais il la voulait à l'abri.

— Voilà pourquoi je ne t'ai rien dit. Je savais comment tu réagirais. Mais je ne m'en irai pas. Je reste.

— Je dirai à l'état-major que tu te sers d'un passeport volé, déclara-t-il d'une voix moins ferme qu'il ne l'aurait voulu.

— Encore faudra-t-il le prouver. Tu n'as plus qu'à te résigner. Je n'irai nulle part.

— Mais tu ne peux pas faire naître le bébé ici, murmura-t-il, horrifié.

L'Europe n'offrait aucune sécurité, excepté la Suisse. Mais, à l'expression de Victoria, il devina qu'elle n'avait aucune intention de quitter Châlons-sur-Marne. Une partie de l'esprit d'Edouard n'avait pas envie de se disputer avec elle.

— J'aurai ce bébé ici même, décréta-t-elle.

Elle le défiait du regard, plus belle, plus sauvage

que jamais. Elle avait beaucoup minci à cause de ses interminables gardes à l'hôpital. Mais, ces derniers temps, son appétit était féroce.

— Je ne veux pas que tu sois debout quinze heures par jour, dit-il d'un ton sans réplique. J'en parlerai au colonel.

— Tu n'en feras rien, Edouard ! Sinon, je crierai sur tous les toits que tu m'as violée et tu seras traîné devant la cour martiale.

Elle lui décocha un regard satisfait.

— Bon sang, tu es un monstre ! Mais j'ai une meilleure idée... Aimerais-tu devenir mon chauffeur personnel ?

— Ton chauffeur ? Bonne idée ! Je pourrai te conduire partout, tant qu'il me sera possible de me glisser derrière le volant.

— Je demanderai l'autorisation au colonel. Tu te fatigueras moins... Et tu me flanqueras une frousse bleue à ta guise.

Il se plaignait qu'elle conduise trop vite, et elle le traitait de poltron. Enfin quoi ! disait-elle. On est en France. C'est la guerre. Ce à quoi Edouard répondait que ce n'était pas une raison pour se suicider...

Il la sonda du regard.

— Victoria, parles-tu sérieusement ? Veux-tu vraiment rester ici ? Ce sera dur pour toi, tu sais.

Il connaissait sa phobie de l'accouchement. Elle avait déjà eu une mauvaise expérience, rien n'interdisait de penser qu'elle en aurait encore une. De plus, Châlons-sur-Marne n'était pas l'endroit idéal pour mettre un bébé au monde, même sans complications.

— Je veux être ici avec toi, dit-elle doucement. Je ne partirai pas.

Il sut qu'il avait perdu la bataille avant même de combattre. Elle resterait. Rien au monde ne pourrait la faire changer d'avis.

— Est-ce que cela te gêne que nous ne soyons pas mariés ? demanda-t-il.

Elle lui sourit.

— Mais nous le sommes, mariés, *mon chéri**, répondit-elle d'un ton léger... Pas ensemble, certes, mais ce n'est qu'un détail...

— Tu n'as aucune moralité, dit-il en l'embrassant avec fougue. Mais tu es très courageuse, mon cœur.

Cette fois-ci, lorsqu'ils firent l'amour, il sut qu'il n'avait plus à craindre qu'elle conçoive un enfant.

29

Noël, à Croton, fut étonnamment calme, mais néanmoins heureux. Geoff fut ravi de ses cadeaux. Charles
offrit à son fils et à sa femme des présents somptueux.
Le père d'Olivia se montra tout aussi généreux. Visiblement, sa santé se dégradait. Une mauvaise toux le
secouait, plusieurs fois dans l'année il avait souffert
d'un début de pneumonie. Il avait beaucoup vieilli.
Olivia n'était pas sûre que la disparition de sa sœur
n'y fût pas pour quelque chose. En tout cas, Edward
Henderson subissait les assauts de plus en plus fréquents de la maladie, et selon son médecin son cœur
affaibli s'en ressentait. Ils passèrent cependant les fêtes
tranquillement, puis les Dawson retournèrent à New
York après le Nouvel An.

Ils étaient chez eux depuis deux jours quand Bertie
appela Olivia, la priant de revenir. Son père, dit-elle,
était soudain au plus mal. Il avait pris froid une fois de
plus. Il était alité, avec une forte fièvre. Son médecin
craignait que son cœur ne lâche. Bertie avait suggéré
d'envoyer Donovan chercher Olivia, mais Charles
décida de la conduire lui-même. Il l'accompagnait partout à présent. Elle était enceinte de six mois et son
ventre énorme — trop gros pour une femme qui portait
un seul bébé — entravait ses mouvements. Pourtant,
son médecin continuait à affirmer qu'elle n'aurait pas
de jumeaux. Il n'entendait battre qu'un seul cœur, et
Olivia sortait déçue de chaque consultation.

Geoff manqua l'école et tous les trois reprirent le

chemin de Croton. Sitôt arrivée, Olivia monta chez son père. Il semblait avoir pris vingt ans en trois jours. Elle redescendit un instant, afin de parler à Bertie.

— Je ne sais pas ce qui lui arrive, murmura la gouvernante en se tordant les mains.

Son regard se posa alors sur Olivia d'une étrange manière. Mais elle ne dit rien. Elle se moucha et battit en retraite dans sa cuisine. Son maître était entre de bonnes mains maintenant. Il avait au moins l'une de ses filles auprès de lui.

Olivia resta assise à son chevet tout l'après-midi, alors que Charles et Geoff parcouraient le domaine à cheval. Charles avait pris un congé de quelques jours. Il n'avait rien à faire ici à part tenir compagnie à sa femme lorsqu'elle sortait de la chambre du malade. Celle-ci allait et venait, préparait des soupes, des décoctions, des tisanes et autres infusions d'herbes qui, pensait-elle, lui feraient du bien. Bertie assistait à cette sollicitude, incrédule. Elle croyait revoir Olivia et non pas Victoria... Mais c'était impossible. Son imagination lui jouait des tours. La brave femme secouait la tête. Elles n'auraient pas fait une chose pareille, se répétait-elle.

L'état d'Edward Henderson empira le troisième jour. Sa respiration devint laborieuse, un horrible sifflement lui déchirant les poumons. Son médecin souhaitait le faire hospitaliser. Il refusa sèchement. Il voulait mourir chez lui.

— Vous n'allez pas mourir, père, dit Olivia en ravalant ses larmes. Vous êtes juste malade. Dans quelques jours, vous vous sentirez mieux.

Il secoua la tête. La fièvre l'embrasait. Olivia resta à son côté toute la nuit pour lui tenir la main. De temps à autre, elle lui appliquait une compresse glacée sur le front, tendait un verre d'eau vers ses lèvres crayeuses. Elle lui prodiguait tous ces soins de ses mains tendres, aimantes. Elle ne laissait personne l'approcher, pas même Charles.

Le lendemain matin, elle sut que la fin était proche.

413

Le souffle du malade était saccadé. Il suffoquait. Ses yeux devinrent vitreux. Il leva sur elle un regard halluciné. Sa main cireuse harponna l'avant-bras d'Olivia avec une force inattendue.

— Victoria, chuchota-t-il dans un râle, dis à ta sœur de monter. Je veux la voir... maintenant...

L'espace d'une seconde, elle ne sut quoi répondre. Puis, lentement, elle acquiesça de la tête. Elle quitta la pièce, et revint un instant après.

— Olivia, c'est toi ?

Elle fit oui de la tête, le visage ruisselant de larmes.

— Oui, papa, c'est moi. Je suis revenue.

— Où étais-tu ?

— Quelque part, murmura-t-elle en lui prenant la main et en s'asseyant près du lit. (Il ne remarqua même pas sa grossesse.) J'avais besoin de réfléchir. Mais je suis rentrée à la maison maintenant. Je vous aime, père. Je vous aime beaucoup. Il faut que vous guérissiez à présent, affirma-t-elle, s'efforçant de contrôler son émotion.

Il secoua la tête, luttant pour ne pas sombrer dans l'inconscience.

— Non, je pars... Ta mère m'appelle... Le temps est venu...

Après un silence, il posa d'une voix caverneuse la question qui ne cessait de le tourmenter depuis huit mois.

— Est-ce que tu étais fâchée contre moi parce que j'ai marié Victoria à Charles ?

— Non, père. Bien sûr que non.

Elle posa la main sur son front moite et brûlant.

— Mais tu l'aimes, n'est-ce pas ? souffla-t-il.

Elle inclina la tête avec un sourire. Peut-être que dire la vérité le soulagerait de ses remords.

— M'as-tu pardonné de l'avoir obligé à épouser ta sœur, Olivia ?

— Il n'y a rien à pardonner... C'est pourquoi je suis partie. J'ai retrouvé la paix de l'esprit. Je suis heureuse maintenant...

Elle semblait convaincue. Il ferma les paupières, somnola une minute, rouvrit les yeux.

— Je suis ravi que tu sois heureuse, Olivia. Ta mère et moi en sommes enchantés... Nous irons au concert ce soir...

Il délirait. Il passa la journée à osciller entre le sommeil et la veille, croyant que ses deux filles se succédaient à son chevet. A la tombée de la nuit, il semblait à l'agonie.

— Victoria, je m'oppose à ce que tu restes une heure de plus dans cette chambre ! lui dit fermement Charles en la voyant parler à Bertie dans le vestibule.

— Il le faut. Il a besoin de moi, répondit-elle avec une égale fermeté.

Elle remonta presque aussitôt. La fièvre refluait mystérieusement. Le malade ne s'agitait plus. Elle lui reprit la main, s'assit. Une longue attente commença. La conviction qu'il irait mieux le lendemain matin s'empara d'Olivia. Un peu avant l'aube, le sommeil eut raison de ses forces ; pendant qu'elle somnolait, elle vit le visage de Victoria aussi clairement que si elle avait été là... Sa mère lui apparut de l'autre côté du lit. Elle se réveilla en sursaut. Son père reposait, très calme. Elle posa la main sur son front, puis la retira. Il était mort. Il s'était éteint paisiblement pendant la nuit. Il était parti rejoindre sa chère Elizabeth, persuadé d'avoir fait ses adieux à ses deux filles.

Olivia sortit de la chambre en pleurant. Bertie vint l'enlacer. Les deux femmes mêlèrent leurs larmes, puis Olivia retourna auprès de Charles, qui dormait à poings fermés. Elle s'allongea à son côté. Ses pensées voguaient vers sa sœur... Elle se demanda si Victoria avait senti que leur père était parti. Elle regrettait que sa sœur ne fût pas là. Mais, du moins, leur père avait cru lui parler, et c'était l'essentiel.

— Tu vas bien ?

Charles, réveillé, la regardait, alarmé par sa pâleur.

— Papa est mort.

De nouveau, elle se sentait une petite fille, sans lui

et sans Victoria... Une petite fille qui aurait perdu toute sa famille. Et pourtant, il lui restait cet homme qu'elle adorait, Geoffrey et son bébé. Autant de cadeaux empruntés à sa sœur. Charles, ignorant ses affres, l'attira avec douceur dans ses bras.

A deux heures du matin, Victoria se réveilla d'un seul coup, envahie d'une drôle de sensation. Son bébé fut sa première inquiétude mais, en touchant son ventre, elle le sentit qui remuait. C'était donc autre chose. Elle referma les yeux. Sur l'écran de ses paupières closes se dessina l'image d'Olivia. Assise. Mortellement pâle. Silencieuse... Il lui était arrivé quelque chose, mais quoi ?

— Que se passe-t-il ? demanda Edouard en se tournant sur le côté.

Elle lui servait de chauffeur maintenant et ensemble ils parcouraient les routes de campagne défoncées. Elle était enceinte de six mois et demi et il craignait toujours que les secousses ne déclenchent un accouchement prématuré.

— Je ne sais pas, répondit-elle. Il y a quelque chose qui ne va pas.

— Le bébé ? s'alarma-t-il.

Il s'assit dans le lit. Victoria secoua la tête.

— Non, pas le bébé... Je ne sais pas ce que c'est.

Elle avait l'impression de voir Olivia assise près du lit. Ses lèvres remuaient mais elle n'entendait pas ce qu'elle disait.

— Essaie de te rendormir, murmura Edouard.

Dans deux heures, il devait être debout, en train d'étudier un nouveau déploiement des forces armées.

— Tu as dû manger quelque chose qui n'est pas passé, acheva-t-il dans un bâillement.

Il l'enlaça mais elle ne ferma pas l'œil de la nuit. Et, les jours suivants, l'étrange sensation perdura.

Elle ne reçut pas la lettre d'Olivia avant le début de février. Elle sut alors quelle était l'origine de son malaise. Leur père était mort. Au soulagement de savoir sa sœur en bonne santé s'ajoutait la culpabilité de n'avoir pas revu leur père, la tristesse de l'avoir perdu.

— Etrange..., murmura Edouard quand elle le mit au courant.

Il vouait un immense respect au lien qui unissait les sœurs jumelles.

— Je ne peux pas m'imaginer aussi proche de quelqu'un, à part toi, poursuivit-il avec un sourire. Ou... lui, ajouta-t-il en indiquant le ventre rebondi de Victoria.

30

Au premier jour du printemps, Olivia paraissait sur le point d'exploser. Elle descendit pesamment l'escalier et entra dans la cuisine où Charles l'accueillit avec un sourire attendri... Elle était adorable... et énorme ! Ils avaient profité de chaque instant de sa grossesse et s'impatientaient de voir leur bébé venir au monde. Depuis trois semaines, Olivia ressemblait à une montgolfière. Son ventre la précédait comme une sorte de ballon gigantesque et presque indépendant du reste de son corps. Il était si gros, si dur, qu'elle ne sentait plus bouger le bébé, alors qu'un mois plus tôt encore il « sautait avec des patins à roulettes aux pieds et un chapeau sur la tête », disait-elle en riant. Sans aucun doute, c'était un gros bébé. Une secrète inquiétude rongeait Charles, mais il ne soufflait mot, de crainte d'effaroucher sa femme, dont la mère était morte en couches.

— Ne vous moquez pas ! fit-elle semblant de gronder Charles et Geoff, qui pouffaient dans leur coin.

Geoff la trouvait vraiment drôle. Elle était en pleine forme. Quant au bébé, il ne semblait pas pressé de voir le jour. Olivia pensait que l'événement surviendrait dans la semaine. Selon son médecin, on ne pouvait savoir quand viendrait l'heure... Elle avait décidé d'accoucher dans leur petite maison ensoleillée de l'East River. L'hôpital était pour les malades, avait-elle déclaré. Et la grossesse n'était pas une maladie.

— Que vas-tu faire aujourd'hui ? demanda Charles alors qu'elle lui servait une tasse de café.

Bertie, accourue de Croton, occupait la chambre d'amis, mais Olivia insistait pour préparer elle-même le petit déjeuner de son époux. C'était d'ailleurs la seule chose qu'elle arrivait encore à assurer... Le reste relevait de la contorsion acrobatique. Elle ne s'aventurait pas plus loin que leur jardin. Entrer et sortir de la baignoire sans l'aide de Bertie ou de Charles était devenu un exercice contre les lois de la pesanteur. Bertie était venue à New York afin d'assister la parturiente lors de l'enfantement et, en dépit de ses protestations, la présence de la gouvernante procurait à Olivia un sentiment de sécurité.

— Eh bien, répondit-elle à Charles, rien de bien exaltant. Quelques pas dans le jardin... M'asseoir sur une chaise... Eventuellement sur le canapé.

Si elle se couchait, elle ne pourrait plus se relever toute seule.

— Veux-tu un livre ?

— Oui, merci...

Le nouveau recueil de poèmes de H.D., *Seagarden*, venait d'être publié et elle avait hâte de le lire.

— J'aimerais aussi des cornichons, si cela ne t'ennuie pas.

— Je t'en apporterai, dit-il en l'embrassant et en lui tapotant le ventre. Et toi, dis au petit chenapan de m'attendre si jamais l'envie lui prenait d'apparaître.

— Ne sois pas si sûr que c'est un garçon.

Elle craignait de le décevoir, malgré ses affirmations qu'il voulait une fille. Charles se mit à rire.

— Une fille de cette taille nous créerait des problèmes.

Il sortit d'un pas pressé. Aujourd'hui, il avait mille choses à faire. Il avait hâte de rentrer. Dernièrement, il tenait à se trouver près de sa femme, surtout depuis que la délivrance était proche. Il dissimulait de son mieux son angoisse, mais Olivia l'avait devinée. Elle-même était sereine. L'étrange conviction que son accouchement se déroulerait sans problème s'était imposée à elle depuis le début.

Dès que Charles fut parti, Bertie descendit et commença à faire la vaisselle. Olivia monta dans la chambre du bébé, qu'elle commença à nettoyer et à ranger. Bertie réprima un sourire quand elle la vit absorbée par ses tâches. La jeune femme demeura une partie de l'après-midi dans la chambre du bébé, redescendit dans le jardin, revint dans la maison. Les vitres du salon étaient sales, décréta-t-elle. Elle se mit en devoir de les astiquer, en dépit des protestations de Bertie. Plus tard, lorsque Charles rentra, elle était en train de récurer la cuisine avant de préparer le dîner.

— Je ne sais pas ce qu'elle a ! se plaignit Bertie. Elle n'a pas cessé de s'agiter de la journée.

La cuisinière ébaucha un sourire connaisseur.

— Elle est prête, déclara-t-elle.

Bertie hocha la tête. Olivia s'installa sur une chaise pour repriser des chaussettes. Elle débordait d'énergie. De sa vie elle ne s'était sentie aussi bien. Elle dîna avec Charles et Geoff. Quand le petit garçon alla se coucher, ils jouèrent aux cartes. Charles gagna.

— Tu as triché ! l'accusa-t-elle en riant.

Elle se leva et alla dans la cuisine pour boire un verre de lait. Elle était en train de se servir lorsqu'un filet d'eau ruissela le long de ses jambes. Effarée, elle regarda la mare luisante à ses pieds, puis, en posant la bouteille de lait, elle poussa un cri étouffé. Elle aurait voulu attraper la serpillière mais les forces lui manquaient. Charles arriva en courant.

— Victoria ! Que se passe-t-il ?

Elle répondait facilement à ce nom maintenant. Depuis onze mois personne ne l'avait appelée Olivia... Elle regarda Charles, qui l'observait sans comprendre et, soudain, la première contraction la parcourut... Elle s'appuya sur le bras de son mari. C'était plus douloureux qu'elle ne l'avait imaginé.

— Qu'y a-t-il ? demanda-t-il encore.

— J'ai... perdu les eaux..., souffla-t-elle en s'effondrant sur une chaise. Le bébé va naître.

— Maintenant ? dit-il, étonné, comme s'il venait seulement de découvrir qu'elle était au neuvième mois de sa grossesse.

— Peut-être pas tout de suite... Donne-moi quelques minutes...

Une douleur, plus fulgurante, lui coupa alors le souffle. Personne ne l'avait prévenue qu'elle aurait si mal. Elle ne savait rien sur le sujet, hormis ce qu'elle avait vu dans la salle de bains de Croton, lors de la fausse couche de sa sœur deux ans et demi plus tôt. La peur la tétanisa. Elle n'avait pas de mère à qui demander conseil, le médecin lui avait assuré que tout irait bien, elle avait acquis la certitude que la naissance se déroulerait sans incidents. La vraie Victoria aurait été plus réaliste. Olivia ne s'attendait pas à une telle souffrance.

— Montons, proposa Charles tranquillement.

Il l'aida à se relever. Il leur fallut près de dix minutes pour gravir les marches. Il l'aida à se déshabiller dans la salle de bains... Elle avait toutes les peines du monde à bouger. Il la laissa juste le temps de frapper à la porte de Bertie, la priant d'appeler le médecin. Entre-temps, Olivia, haletante, sentait monter en elle les vagues de douleur.

— Ne me quitte pas ! cria-t-elle dès qu'elle vit Charles réapparaître.

Bertie vint à la rescousse. Ensemble, ils l'allongèrent sur le lit. La gouvernante disposa de vieilles serviettes autour de la parturiente. Elle avait une certaine expérience des accouchements. Pas Charles. Susan avait mis Geoff au monde onze ans plus tôt, entourée d'amies et de parentes. Charles était sorti avec son beau-frère. Les deux hommes avaient fait le tour des bars. Ils étaient rentrés ivres et le bébé était là. Or, Olivia ne semblait pas l'entendre de cette oreille. Elle n'avait pas l'intention de le laisser sortir. A chaque contraction, elle lui serrait le bras en s'efforçant d'étouffer ses cris, de peur que Geoff l'entende.

— C'est affreux, expliqua-t-elle au médecin, qui venait d'arriver.

Bertie et lui échangèrent un sourire. Charles, lui, était très inquiet.

— Est-ce que cela prendra longtemps ? s'enquit-il naïvement.

Il avait eu l'impression que Geoff était né en une heure, peut-être deux, mais il était trop saoul alors pour s'en souvenir.

— Probablement toute la nuit, répondit calmement le praticien.

Olivia fondit en larmes.

— Ah... non... ! je n'y arriverai pas..., je veux rentrer à Croton.

Elle pensa à sa sœur. Victoria lui apparut, elle semblait partager ses souffrances... C'était le pire cauchemar de sa vie, hormis le torpillage du *Lusitania*. La douleur brouillait son esprit. Les cris fusaient de sa bouche et elle n'avait plus aucun moyen de les contrôler. Elle aperçut Bertie qui faisait sortir Charles de la pièce. Elle la supplia de le ramener mais la gouvernante secoua la tête.

— Il en serait bouleversé, dit-elle. C'est cela que tu veux ? Qu'il te voie dans cet état ?

— Oui, exactement ! s'écria-t-elle avec frénésie. Je veux qu'il revienne, Bertie.

Bertie fit la sourde oreille. Les vagues bouillantes montaient de plus en plus dans le corps d'Olivia. Elle perdit la notion du temps. Il n'y avait plus rien au monde à part la douleur... Le médecin et Bertie lui avaient replié et écarté les jambes en lui intimant de pousser mais elle ne pouvait pas.

— Je veux Victoria ! dit-elle entre deux sanglots.

Bertie leva vivement le regard. Une autre contraction plus éprouvante encore déchira Olivia.

— Victoria..., murmura-t-elle, Victoria...

Dans le lointain, elle entendait sa sœur qui l'appelait elle aussi.

— Fais attention à ce que tu dis, chuchota Bertie avec tendresse.

Elle serra la main d'Olivia de toutes ses forces en priant pour qu'elle l'ait entendue. Exténuée, Olivia continuait à pousser et pousser encore. La nuit pâlissait, la faible lueur de l'aube stria l'horizon et son calvaire se poursuivit. Bertie titubait de fatigue. Charles avait fait du café pour elle et le médecin. Plus tard, il frappa doucement à la porte. Il voulait savoir comment se portait sa femme.

— Très mal, gémit-elle à leur place. Oh ! Charles...

Ses cris, ses sanglots emplirent de nouveau l'espace. Il se demanda si ses anciennes terreurs n'étaient pas fondées. Peut-être était-elle affligée d'une malformation congénitale. Peut-être l'enfantement s'avérerait-il fatal pour elle comme pour sa mère.

— Oh ! ma chérie, murmura-t-il, affolé.

Le médecin lui suggéra d'attendre au rez-de-chaussée. Il commençait à s'inquiéter, lui aussi, sans toutefois le montrer. De nouveau les douleurs la submergèrent. Elle se remit à pousser. Charles en profita pour rester. Mais, une heure plus tard, rien ne s'était encore produit. C'était sans espoir.

— Je voudrais que vous sortiez, maintenant ! cria le médecin.

Charles le regarda droit dans les yeux.

— Je n'irai nulle part ! hurla-t-il. Elle est ma femme et je reste ici !

Il avait saisi la main d'Olivia et l'exhortait en même temps que les autres à pousser. Malgré la douleur, elle parut reprendre courage. Mais elle eut beau s'efforcer de pousser, le médecin ne constata aucun progrès. Il procéda à un nouvel examen, à la suite duquel il déclara que le bébé se présentait par le siège.

— Je vais devoir le retourner, dit-il.

Un nouveau cri échappa à Olivia, qui fit monter les larmes aux yeux de Charles. Mais, cette fois-ci, très lentement, le bébé se mit à bouger. Il doit être très gros..., se disait Charles. Il regrettait à présent de ne pas l'avoir conduite à l'hôpital. Pendant tous ces mois, le médecin n'avait pas cessé de la rassurer, de prétendre que tout irait pour le mieux.

— Je n'en peux plus, dit-elle pitoyablement.

Un flot de nausée l'assaillit. Elle vomit en pleurant, puis ses longues plaintes reprirent. Charles ne savait plus quoi faire. Il se jura de ne plus jamais lui faire l'amour... Il l'entoura de ses bras et, tandis qu'ils mêlaient leurs larmes, elle poussa de nouveau. Un faible vagissement fit alors écho à ses cris. De l'énorme ballon de son ventre sortit un minuscule bébé. Une petite fille toute rose, parfaitement formée, qui gigotait entre les mains du médecin. Ses parents la regardèrent, étonnés et ravis.

— Elle est si jolie ! murmura Olivia à Bertie, qui tenait le nouveau-né dans ses bras.

— Voilà, ce n'était pas si terrible, dit le médecin.

Le sourire d'Olivia s'effaça, puis se transforma en grimace. La douleur avait repris de plus belle.

— Que se passe-t-il ? s'alarma Charles, tandis que, de nouveau, elle se tordait sur le lit.

— Cela arrive parfois, expliqua le médecin. Des contractions après la délivrance... Elles sont parfois pires.

De nouveaux cris échappaient à Olivia.

— Oh !... non... par pitié...

Son regard trouble se posait sur Charles. Elle se sentait aspirée par un gouffre...

— Je crois que..., commença Bertie, mais le médecin l'interrompit.

— Dans une minute elle expulsera le placenta.

Un flot de sang jaillit. Dans les bras de Charles, Olivia s'était remise à pousser.

— Docteur, est-ce que c'est normal ? demanda Charles d'une voix étranglée.

Soudain, une petite tête apparut entre les jambes d'Olivia, un petit visage aux grands yeux surpris.

— Victoria ! s'exclama Charles, alors qu'elle lui

étreignait la main, les yeux clos. Pousse ! Nous avons un deuxième bébé.

Il riait et pleurait en même temps, tout comme Bertie.

— Quoi ? Oh ! mon Dieu...

Elle poussa plus fort et, peu après, une deuxième petite fille vint, suivie d'un placenta unique. C'étaient de vraies jumelles, comme Victoria et elle. Olivia la regarda, incrédule, leva les yeux sur Charles, puis éclata de rire. Il était dix heures du matin passées.

— Je n'en crois pas mes yeux !

Tous s'esclaffèrent. Olivia se sentait un peu mieux. Le saignement avait presque cessé et elle tenait ses deux bébés dans ses bras. Bertie l'enveloppa de serviettes propres. Elle avait été choquée que Charles assiste à l'accouchement, bien qu'il fût plus utile que le vieux médecin.

— Je t'aime tellement, dit-il.

Il embrassa sa femme et prit les bébés pour les montrer à Geoff, qui les contempla, émerveillé. Les deux petites filles étaient jolies comme des anges et se ressemblaient comme deux gouttes d'eau.

Pendant ce temps, le médecin expliquait que, compte tenu de la position des jumelles, il ne pouvait entendre qu'un seul cœur.

Il posa quelques points de suture à la parturiente. Bertie la baigna, lui rafraîchit le visage. Quand le médecin prit congé et que les deux femmes se retrouvèrent seules, la gouvernante sourit à Olivia.

— Qu'est-ce que tu as fait, petite folle ?

Olivia saisit l'allusion. C'était étonnant que Bertie ne se soit rendu compte de rien jusque-là. Cela faisait presque un an...

— Elle m'a obligée à prendre sa place.

Bertie hocha la tête en riant.

— Et à faire des enfants aussi ?

— Eh bien, non, pas exactement...

Elle eut un rire heureux, après un si long calvaire. Elle avait déjà oublié ses souffrances.

— Où est-elle ? murmura Bertie.

— En Europe.

Avant qu'elle puisse continuer, Charles entra dans la pièce, suivi par Geoff, qui trépignait d'impatience.

— Elles sont tellement mignonnes, tante... euh... Victoria !

Il avait failli se trahir et regarda la jeune femme, paniqué. Olivia lui adressa un doux sourire.

— Ton papa a dit qu'elles sont aussi jolies que toi quand tu es né.

Le petit garçon hocha la tête. Il fit demi-tour et se rua hors de la pièce, afin d'annoncer la bonne nouvelle aux voisins. Les deux époux restèrent seuls. Bertie avait emmené les bébés dans la pièce d'à côté où elle faisait leur première toilette.

— Désolé de t'avoir infligé cette épreuve, dit-il, fier et coupable en même temps.

— Je suis prête à recommencer. Ce n'était pas si difficile.

Il l'embrassa.

— Comment peux-tu dire cela ?

Il se souvenait mieux qu'elle de son supplice.

— Cela valait la peine, dit-elle en lui rendant son baiser.

Elle pensait aux deux petites filles qui avaient vu le jour, et qui se ressemblaient comme elle et sa sœur.

— Je ne suis pas sûr que je survivrai à leurs manigances ! soupira Charles... Ton père disait qu'il vous confondait tout le temps.

— Je t'apprendrai à déjouer tous leurs tours, promit-elle.

De nouveau, leurs lèvres s'unirent.

Bertie revint avec les bébés, qu'elle plaça dans les bras de leur mère. Et, ce faisant, elle ne put s'empêcher de se demander comment Olivia se sortirait d'affaire quand Victoria reviendrait.

Victoria dormait paisiblement à Châlons-sur-Marne

quand elle sentit le premier coup de poignard. Une lame brûlante fouillait ses entrailles. Elle poussa un cri. Le mauvais rêve s'estompait... C'était Olivia que l'on poignardait et pas elle. Les cris, aussi, c'était Olivia qui les poussait. Des plaintes répétées, incessantes. Victoria se boucha les oreilles, puis la douleur la terrassa de nouveau. Elle se tordait sur le lit, impuissante, trempée de sueur, appelant sa sœur. Edouard la secouait, s'efforçant de la réveiller.

— *Ma petite chérie, arrête... Ce n'est qu'un cauchemar**...

Le rêve tenait Victoria entre ses griffes et ne voulait pas la lâcher. Accrochée à Edouard, elle luttait pour respirer et peu à peu elle comprit que leur lit était vraiment trempé, que la douleur était réelle. Le souffle coupé, elle sentit un tiraillement irradier en elle. Une sorte de poids insoutenable l'écrasait.

— Je ne sais pas ce qui m'arrive, murmura-t-elle.

Il alluma la lampe de chevet. Dans la faible lumière, elle lui apparut, blême, couchée dans une mare de sang, les mains sur le ventre.

— *Ça vient maintenant* ?*

Il lui parlait souvent en français quand il n'était qu'à demi réveillé.

Elle opina, terrifiée. Il bondit sur ses jambes, attrapa son pantalon.

— Je vais chercher le médecin.

— Non... non... ne me laisse pas..., l'implora-t-elle.

Elle avait trop mal. Trop peur. Contrairement à Olivia, l'enfantement inspirait à Victoria une vraie terreur.

— Il faut que j'appelle le médecin, dit-il. Je ne sais pas comment t'aider... Je n'ai vu que des juments mettre bas...

— Non, reste ! hurla-t-elle, paralysée par la douleur. Il vient... Je le sens... Edouard, ne t'en va pas...

La peur faisait briller ses yeux d'un éclat sauvage.

— Mon amour, je t'en supplie. Laisse-moi aller chercher quelqu'un qui pourra t'aider. Je reviendrai avec Chouinard, notre meilleur chirurgien, et une infirmière.

— Non ! s'écria-t-elle, et ses doigts se refermèrent autour du poignet d'Edouard comme des tenailles. Je ne veux personne. Je ne veux que toi. J'ai rêvé qu'Olivia allait avoir un bébé.

— C'est la seule chose qu'elle ne puisse pas faire pour toi, mon cœur, dit-il avec un sourire. Et moi non plus... J'aurais bien voulu endurer le supplice à ta place, pourtant.

Il s'agenouilla près du lit et la prit dans ses bras. Elle paraissait à l'agonie... Le travail pouvait durer des heures, et Edouard était résolu à aller chercher de l'aide. Il voulut enfiler sa chemise. Elle le retint.

— Ça vient maintenant, Edouard... Je le sens... Le bébé vient...

La douleur la submergeait, comme la peur. Elle saignait. Il n'y avait personne à la ferme cette nuit-là. Leurs voisins étaient de garde.

— Je reviens tout de suite, essaya-t-il de la raisonner.

Elle se cramponnait à lui de toutes ses forces, avec une frénésie singulière. Il eut peur de la laisser. Il s'assit sur le lit, la tenant enlacée.

Au même moment, à New York, Olivia éprouvait de nouvelles contractions, plus faibles néanmoins. Elle le dit à Charles, qui répondit, avec une grimace comique :

— Ah non, pitié ! Pas de triplés !

Selon Bertie, c'était normal... La douleur reflua, Olivia se mit à somnoler. Elle rêva de sa sœur.

— Edouard !

Avec un cri poignant, Victoria se releva soudain pour se glisser au bord du lit.

— Je dois pousser, dit-elle.

Elle n'avait aucune idée de ce qu'il fallait faire, mais une force incroyable lui dictait sa conduite.

— Accroche-toi à moi, dit-il.

Elle s'exécuta, poussa le poids qui la terrassait, et retomba sur le lit, épuisée. Elle ignorait comment expulser le bébé mais, néanmoins, elle savait qu'il arrivait. Edouard s'agenouilla devant elle, lui écarta les jambes, lui intimant l'ordre d'appuyer ses pieds contre ses épaules. Elle se remit à pousser, haletante, et, au bout d'un moment, une touffe de cheveux blonds apparut.

— Oh ! mon Dieu..., cria-t-il, émerveillé, continue à pousser, Victoria ! Il est là !

Elle recommença, tandis qu'il lui maintenait les jambes. Elle s'arc-boutait, calée contre Edouard, et poussait et poussait encore. Peu après, un petit visage surgit entre ses cuisses, dans un vagissement furieux.

— Victoria !

Ils riaient et pleuraient tandis qu'elle poussait, et, soudain, leur fils jaillit du corps de sa mère en mêlant ses pleurs à ceux de ses parents. Edouard prit le nouveau-né avec précaution et le leva afin que sa mère le voie.

— Oh ! regarde-le, dit-elle, incrédule.

Tout s'était passé si vite, sans difficulté. Le bébé était parfait ; il ressemblait à son père.

— Il est si beau ! Je t'aime, murmura-t-elle.

Elle embrassa Edouard, qui souriait à travers ses larmes. Ils venaient de recevoir une bénédiction. Un cadeau du ciel. Un ange dans ce lieu de misère et de mort.

— C'est la plus belle petite créature que j'aie jamais vue, répondit-il en essuyant ses larmes... En dehors de sa mère, bien sûr. *Je t'aime**, Victoria. Plus que tu ne peux l'imaginer.

Il posa doucement le bébé sur la poitrine de la jeune femme, et alla chercher des draps, des serviettes et un baquet d'eau. De sa vie il n'avait assisté à un spectacle aussi bouleversant. Le petit garçon était né une heure à peine après les premières douleurs.

— Comment allons-nous l'appeler ? demanda-t-il.

Il l' avait baigné, séché, changé, avec l'habileté d'un excellent obstétricien doublé d'une sage-femme expérimentée.

— Tu t'es très bien débrouillé, le remercia-t-elle. Excuse-moi. J'ai paniqué. C'est venu si vite. D'une manière si inattendue...

Son accouchement avait été douloureux mais rapide. Son bébé était gros et pourtant tout s'était passé beaucoup plus facilement qu'elle ne l'avait escompté... Elle craignait une longue délivrance mortelle, semblable à celle de sa propre mère.

— Encore heureux que nous n'ayons pas eu de jumeaux, dit-elle.

— Je n'en aurais pas été mécontent, répondit-il.

Il alluma une cigarette et en offrit une bouffée à Victoria, qui refusa. L'effort l'avait vidée de son énergie, elle se sentait flotter. Son fils avait trouvé son sein et s'était mis à téter. En contemplant ce charmant tableau de la maternité, Edouard eut le cœur serré. Plus que jamais il pensait que Victoria devait retourner dans son pays. Ici, ce n'était pas l'endroit idéal pour un bébé. Il caressa ses longs cheveux noirs, alors qu'elle gisait sur le lit avec leur fils, nue sous une couverture de l'armée.

— Eh bien ? As-tu réfléchi au prénom du futur baron ?

— J'ai pensé à Olivier-Edouard... pour rappeler ma sœur, mon père et toi... Ces prénoms lui vont comme un gant. (Elle eut un sourire.) Il ne manque que Charles, mais il ne m'en voudra pas.

— Il t'en voudra, au contraire. Vas-tu enfin écrire à ce pauvre homme, un jour ?

Après moult discussions, ils avaient décidé qu'une lettre constituait la meilleure solution. Sinon Charles ignorerait à jamais le destin de sa femme et Olivia resterait piégée indéfiniment dans le rôle de sa sœur. Victoria projetait de dévoiler la vérité à sa jumelle. Ce serait un soulagement pour Olivia, même si Charles piquait une colère... Une fois de plus, elle allait laisser sa sœur subir seule les conséquences de leurs actes, mais retourner aux Etats-Unis maintenant était hors de question. Olivia occupait toutes ses pensées. Elle aurait

430

souhaité lui montrer le bébé... et la tenir dans ses bras. Le mal du pays l'assaillit alors, et malgré sa joie d'avoir le petit Olivier, elle pleura sans relâche pendant deux jours.

31

Edouard et Victoria avaient pris l'habitude de laisser le bébé sous la garde de la châtelaine, la comtesse que Victoria avait rencontrée des mois plus tôt, et qui était devenue entre-temps la maîtresse du général. Loin du front, sous la protection des Alliés, la demeure offrait un refuge idéal. Edouard aurait préféré savoir la mère et l'enfant en Suisse. Il avait cependant accepté qu'ils restent auprès de lui tant que Victoria allaiterait son fils. Au bout de quelques semaines, la jeune mère était sur pied. Très vite, elle avait recouvré ses forces. Les infirmières lui rendirent visite, et Olivier devint la mascotte du camp. Tout le monde avait appris sa naissance. Les soldats lui envoyaient des petits cadeaux, de petites sculptures de bois qu'ils fabriquaient à l'aide de leur couteau. Didier tricota pour lui une paire de chaussons. Les infirmiers trouvèrent même un ours en peluche appartenant à la petite amie de l'un d'entre eux. Dans les bras de sa mère, sous le regard attendri de son père, Olivier-Edouard de Bonneville rayonnait. Aux yeux de tous, il incarnait la fleur de la vie au milieu des cendres de la mort.

En juin, Victoria avait retrouvé sa ligne de jeune fille, à la grande satisfaction d'Edouard. Elle avait repris ses fonctions de chauffeur et conduisait de nouveau le véhicule militaire d'Edouard. Matin et soir, elle donnait le sein à son enfant... Le petit Olivier passait de paisibles journées chez la comtesse en attendant que sa mère vienne le nourrir. Il buvait du lait de chèvre quand ses parents tardaient, ou lorsqu'ils repartaient en pleine nuit. Les exigences de la guerre l'emportaient sur la vie de famille. Le général vouait une confiance absolue à Edouard. Il avait même fait de lui son ambassadeur auprès de l'Escadrille américaine, composée de sept volontaires. Edouard avait emmené Victoria avec lui, et les jeunes pilotes avaient été ravis de saluer une compatriote. Deux d'entre eux venaient de New York. Leurs points communs s'arrêtaient là, mais le milieu social comptait peu dans ce pays dévasté.

En juin, tandis que Victoria conduisait Edouard de base en base, Olivia et Charles célébrèrent le baptême des jumelles. Olivia les avait prénommées Elizabeth et Victoria, comme sa mère et sa sœur.

— Victoria ? Comme toi ? s'était étonné Charles.

Mais il avait accepté que la fille porte le nom de la mère... Le second prénom d'Elizabeth était Charlotte, celui de Victoria, Susan.

Geoff était fou de ses deux petites sœurs et Bertie ne savait plus où donner de la tête. Entre le bain, les changes, les lessives, elle ne voyait pas le temps passer. Olivia avait essayé de les allaiter, mais son médecin s'y était opposé. Elle était trop faible, décréta-t-il. Il mit les bébés au biberon de manière que tous puissent les nourrir tour à tour.

En juin, Olivia se sentait de nouveau en pleine santé. Comme si rien ne s'était passé. Tandis qu'ils assistaient au baptême à l'église Saint-Thomas, elle se dit qu'elle avait eu une chance inouïe. Elle s'estimait la femme la plus heureuse de la terre, même si elle avait emprunté sa félicité à sa sœur, même si son existence n'était qu'un leurre. Elle évitait de penser au retour de Victoria et espérait que sa sœur resterait longtemps absente. Rien dans ses lettres ne permettait de conclure qu'elle s'était découvert un profond amour pour Charles. D'un autre côté, elle ne mentionnait jamais aucun autre homme. Olivia avait eu à plusieurs reprises l'impression qu'il y avait quelqu'un dans la vie de Victoria. Mais, là encore, il ne s'agissait que d'une supposition.

La correspondance de sa sœur regorgeait d'anecdotes sur la guerre, les batailles et son travail au camp, dans les limites autorisées par la censure. Entre les lignes, toutefois, transparaissait un bien-être qui rassurait Olivia.

En juin, l'enfer de Verdun s'éternisait. Après la chute du fort de Vaux aux mains des Allemands, Edouard et Victoria s'étaient rendus à une réunion ultrasecrète. Tous les officiers de haut rang y étaient réunis, y compris Churchill, venu représenter son nouveau bataillon. La discussion avait eu pour principal sujet la bataille de Verdun, qui n'en finissait pas. Victoria avait attendu dans la voiture, comme les autres chauffeurs. Enfin, Edouard ouvrit la portière, l'air sombre. Il ne desserra pas les dents au retour, perdu dans des pensées que, pour le moment, il ne désirait pas confier à sa compagne. Il ne prêtait aucune attention à la route... Victoria connaissait le chemin par cœur. Elle avait effectué le trajet des centaines de fois. La montée de lait alourdissait ses seins, elle avait hâte de nourrir son bébé.

— Qu'est-ce que c'est ?

Sorti de ses réflexions, Edouard observait les environs. Ils étaient à mi-chemin du camp. Victoria lui sourit. Il avait l'air épuisé. La guerre prenait une tournure déplaisante pour les Français et les Anglais. La jeune femme souhaitait que les Etats-Unis interviennent, mais le président Wilson résistait encore. Si seulement les Américains voyaient par eux-mêmes la situation, peut-être abandonneraient-ils leur politique de neutralité.

La nuit était tombée. La voiture bondit sur un nid-de-poule, se déporta sur la gauche, faillit heurter un arbre. Victoria redressa juste à temps le volant. Ils étaient tous deux fatigués, à bout de nerfs.

Châlons-sur-Marne n'était pas loin. Ils venaient de traverser Epernay quand Edouard crut une nouvelle fois voir quelque chose... Il demanda à Victoria de ralentir, mais elle répondit que mieux valait accélérer.

— Je t'ai dit de ralentir, Victoria ! Je veux voir ce que c'est.

Il avait aperçu un mouvement suspect dans les buissons. Si les Allemands avaient progressé, il faudrait coûte que coûte prévenir la garnison de Château-Thierry. Victoria freina à contrecœur. C'était du suicide, pensait-elle. Aucune ombre ne bougea cependant derrière les feuillages. Ils redémarrèrent. Le véhicule commençait à prendre de la vitesse quand un chien surgit sur le chemin. Victoria donna un coup de volant pour l'éviter, manqua quitter la route et, en même temps, un étrange sifflement déchira l'air, un son qui fit rejaillir dans son esprit le souvenir du *Lusitania*, une sorte de plainte sourde.

— *Baisse-toi** ! cria Edouard.

Ils se cachèrent ensemble. Victoria continua toutefois à manier le volant. Le véhicule se remit en marche mais elle remarqua une drôle d'expression dans les yeux d'Edouard. Des filets de sang striaient son visage. Elle voulut s'arrêter. Il secoua frénétiquement la tête en lui criant d'avancer. L'impact d'une autre balle se fit entendre sur la carrosserie. Ils étaient tombés dans une embuscade. Des tireurs allemands étaient cachés derrière les arbustes. Elle fonça sur la route poussiéreuse, le pied au plancher. A son côté, Edouard glissait de son siège. Il avait son émetteur, mais ils étaient encore trop loin du camp pour s'en servir. Il s'était mis à cracher du sang. Peu à peu, il sombra dans l'inconscience. Elle le regarda, partagée entre l'envie de l'emmener à l'hôpital du camp et le besoin de s'arrêter afin de lui donner les premiers soins... Elle comprit soudain que ce dilemme était sans fondement. Edouard gisait sur le plancher. Il était facile de deviner qu'il était en train de mourir. Elle freina, puis le souleva dans ses bras pour le rasseoir sur le siège.

— Edouard ! s'écria-t-elle, posant la tête sur sa poitrine.

Elle avait déjà vu mille fois ces visages creux, ces faces exsangues, mais ce n'était jamais quelqu'un qu'elle connaissait... Non, ce n'était pas vrai. Pas lui. Pas aujourd'hui. Pas maintenant. C'était impossible... Elle se mit à hurler son nom et à le secouer pour l'empêcher de perdre conscience, mais la balle lui avait défoncé la moitié de la boîte crânienne. C'était miraculeux qu'il respire encore.

— Edouard ! sanglota-t-elle. Ecoute-moi... Je t'en supplie...

Peut-être les tireurs l'entendaient-ils, mais elle n'en avait cure. Ils étaient trop peu nombreux pour attaquer le camp.

Il ouvrit les paupières, posa sur elle un regard chaviré, et lui serra faiblement la main en souriant.

— *Je t'aime**... toujours avec toi...

Et, soudain, les yeux d'Edouard se figèrent dans une expression de surprise. Il continuait de la regarder sans la voir. Il avait cessé de respirer.

— Edouard, murmura-t-elle, seule dans la nuit. Ne t'en va pas... ne me quitte pas...

Elle le contemplait, horrifiée, folle de douleur, barbouillée de son sang, et ne sentit presque pas la balle qui pénétra dans son dos, sous la nuque. Un autre projectile siffla près de son casque. Elle allongea doucement Edouard sur le siège du passager avant de redémarrer à vive allure... L'hôpital..., pensait-elle... L'hôpital, vite... là-bas il serait sauvé... Les docteurs sauraient le réveiller. Car il dormait... Elle était en état de choc. Il était son capitaine, elle était son chauffeur, son devoir lui dictait de veiller à sa sécurité... Elle entra dans le camp comme une flèche, évita de justesse deux infirmières, s'écrasa contre un arbre... Les deux femmes coururent vers elle et Victoria les regarda intensément.

— Faites quelque chose. Il est blessé.

Il n'était pas nécessaire de s'y prendre à deux fois pour constater que le capitaine de Bonneville était mort. Le sang ruisselait dans le dos de Victoria, colorant sa blouse blanche de rouge vif.

— Vous aussi, dit l'une d'elles avec douceur.

Victoria ne répondit rien. L'obscurité l'avait engloutie. Elles l'attrapèrent au moment où elle tombait en avant sur le volant, le dos trempé de sang.

— Vite, une civière ! cria l'une des infirmières. Brancardiers !

Deux hommes arrivèrent en courant.

— Le capitaine ?

L'infirmière secoua la tête.

— On leur a tiré dessus... Vite, emmenez-la au bloc opératoire. Prévenez Chouinard. Ou Dorsay. N'importe quel chirurgien.

Si la balle avait touché la moelle épinière, elle était en danger.

Les infirmiers l'emportèrent au pas de course vers l'hôpital. Ils revinrent plus lentement pour chercher Edouard, puis pour dégager la voiture accidentée. Peu après, deux soldats déposaient le corps du capitaine à la morgue. Un troisième alla faire un rapport au quartier général.

Il n'y avait pas grand-chose à faire pour Victoria, excepté retirer la balle et attendre. Le risque était que la patiente ne puisse plus remarcher. Si toutefois elle survivait à l'opération. Lors de l'intervention, les chirurgiens mesurèrent les dégâts. Sa vie ne tenait qu'à un fil. Cette nuit-là, à l'hôpital, on ne parlait que d'elle et d'Edouard. Le sergent Morrison vint chercher ses papiers. Elle la connaissait sous le nom d'Olivia Henderson, Américaine de New York. Une adresse figurait sur le registre, ainsi que le nom de sa plus proche parente. Une femme appelée Victoria Dawson. Penny Morrison rédigea le télégramme, les yeux brouillés de larmes.

32

Le landau dans lequel Olivia promenait les jumelles était une antiquité que Bertie avait fait venir de Croton. Sur les ordres de la gouvernante, Donovan l'avait exhumé du grenier et l'avait livré en voiture. En dépit des plaintes de leur mère, les deux bébés semblaient l'apprécier. Du jour au lendemain, la maison s'était transformée en cage à lapins. Les jumelles partageaient la chambre de Bertie. Charles envisageait d'emménager dans la résidence de la Cinquième Avenue. Après le décès d'Edward Henderson, la propriété revenait à Victoria. Olivia avait scrupule à s'y installer avant d'en avoir discuté avec sa sœur. Son héritage à elle se trouvait à Croton. Magnifique manoir, moins pratique toutefois... Et Charles qui n'en savait rien ! Il se demandait ce qui les empêchait de déménager. Tous les soirs, ils entendaient pleurer les bébés, ils n'avaient aucune intimité, Geoffrey était toujours dans leurs jambes, ainsi que son ami, le fils des voisins, sans parler du chien... Le bruit, le va-et-vient incessant mettaient les nerfs de Charles à rude épreuve. Olivia souffrait d'insomnies, se plaignait de douleurs. Pourvu que je ne tombe pas malade ! se disait-elle la nuit, se tournant et se retournant dans son lit.

Ce jour-là, tout en montant les marches du perron avec le landau, elle donna pour la première fois raison à Charles... La résidence Henderson offrait davantage d'espace. Et quand Victoria reviendrait... Eh bien, elle en aurait des choses à lui expliquer !

— Puis-je vous aider ? proposa un homme en la voyant souffler et peiner pour hisser la grosse voiture d'enfant.

Elle leva les yeux sur lui. Il portait un uniforme. Il tenait un télégramme à la main. Elle vit le nom sur l'enveloppe. Son cœur cessa de battre. Depuis des jours, un sombre pressentiment la tourmentait. Elle l'avait mis sur le compte de la fatigue, du manque de sommeil...

— C'est pour moi ? demanda-t-elle d'une voix rauque.

— Vous êtes Victoria Dawson ?

Elle acquiesça.

Il lui tendit l'enveloppe, lui fit signer un accusé de réception, puis l'aida à pousser le landau, tandis que les mains d'Olivia tremblaient. Les bébés dormaient à poings fermés. Dans le vestibule, elle décacheta vite l'enveloppe. Un étau d'acier lui broya le cœur. Les mots sur le papier se noyaient dans un brouillard. C'était une note officielle émanant d'un certain sergent Morrison, affecté à l'armée française.

« Suis au regret de vous informer que votre sœur, Olivia Henderson, a été blessée dans l'exercice de ses fonctions. Stop. Ne peut être transportée. Stop. Etat critique. Stop. Vous tiendrons au courant. Stop. »

C'était signé Penelope Morrison, sergent du 4e régiment français, en charge des volontaires. Victoria ne l'avait jamais mentionnée dans son courrier, mais peu importait. *Blessée... Etat critique...* Olivia fondit en larmes. Elle relut le télégramme comme pour en savoir plus. Oh ! elle l'avait senti. Et elle n'avait pas voulu croire à son intuition. Cette fatigue, ces malaises s'expliquaient clairement à présent.

Elle jeta autour d'elle un regard halluciné. Au même moment, Bertie sortit de la cuisine. A la vue d'Olivia, elle sut qu'il venait de se produire quelque chose d'horrible.

— Qu'y a-t-il ?

La nounou se précipita vers le landau pour s'assurer que les bébés se portaient bien.

— C'est Victoria... Elle est blessée...

— Oh ! mon Dieu ! Que vas-tu dire à Charles ?

Bertie appelait le maître de maison par son prénom en son absence.

— Je ne sais pas...

Machinalement, fébrilement, chacune prit un bébé. Elles montèrent et les allongèrent dans leurs berceaux sans un mot de plus. Geoff gravit les marches quatre à quatre et entra en trombe dans sa chambre. Olivia ne lui dit rien. Elle devait d'abord parler à son père. Mais par où commencer ? Fallait-il révéler toute la vérité ? Une partie ? Et laquelle ? Quoi qu'il en soit, elle se rendrait auprès de sa sœur. Rien au monde ne pourrait l'en empêcher.

Elle l'attendit, arpentant le salon des heures durant, pliant et dépliant le télégramme maudit. Ses mains tremblaient, sa peur se teintait d'angoisse. Dès l'instant où il vit son visage, il s'alarma. Elle était d'une pâleur de cire. Charles se précipita vers elle. Comme Bertie, il eut peur que l'un des bébés soit malade.

— Victoria ! Que se passe-t-il ?

Elle respira profondément. Tout l'après-midi elle avait été la proie d'un épuisant conflit intérieur.

— Ma sœur...

Elle avait pris la décision de dévoiler une partie de la vérité.

— Olivia ? Où est-elle ? Que lui est-il arrivé ?

— Elle est en Europe... Et elle est blessée...

Ce n'était qu'un début. Le pire restait à venir. Elle sut soudain qu'elle n'oserait jamais aller plus loin. Il n'y avait pas moyen d'enjoliver la vérité, ni même de la rendre plus douce. Elle avait peur qu'il demande le divorce... La garde des enfants... Il aurait le droit de la jeter dehors, de la priver de visites... Mais ils n'en étaient pas encore là. Pour le moment, il s'agissait de sa sœur.

Charles se laissa tomber sur un fauteuil, stupéfait.

— En Europe ? Que fait-elle en Europe ?

— Elle... travaillait comme volontaire dans un hôpital de campagne en France. Elle a été blessée.

Elle avait pris place face à lui et le regardait avec terreur. Il lui lança un regard soupçonneux, mais il était encore loin d'imaginer l'étendue de la supercherie.

— Et toi, tu le savais ?

Leur avait-elle menti, à son père et à lui ?

Elle inclina la tête.

— Comment a-t-elle pu faire une chose pareille ? explosa-t-il. Etait-elle là-bas pendant tout ce temps ?

Olivia acquiesça de nouveau, terrorisée par la question à venir. L'homme qu'elle considérait comme son mari ne la quittait pas des yeux. Mais il ne devina pas l'imposture. Comment l'aurait-il pu ? La mystification, soigneusement mise au point, durait depuis treize mois. Elle avait largement dépassé les clauses du premier « marché » conclu entre les deux sœurs.

— Pourquoi n'as-tu rien dit, Victoria ?

Elle répondit sans flancher.

— Elle me l'a interdit... Elle désirait désespérément se vouer à une cause, Charles. La dénoncer n'aurait pas été juste.

— Pas juste ? Etait-ce juste d'abandonner votre pauvre père ? Bon sang, cela l'a tué, t'en rends-tu compte ?

— Nous n'en savons rien, se défendit-elle mollement, les yeux noyés de larmes. Il avait le cœur faible depuis des années.

— Mais la disparition d'Olivia ne lui a pas été bénéfique, j'en suis certain.

— Probablement pas, admit-elle faiblement, se sentant comme une meurtrière.

Elle lui avait fait croire que ses deux filles s'étaient succédé près de son lit d'agonie... Maigre réconfort, en vérité.

— J'aurais compris à la rigueur que toi, tu te jettes dans ce genre d'aventure, au temps où tu t'intéressais à la politique. Mais Olivia... décidément, je ne comprendrai jamais rien aux femmes.

— Et si c'était moi qui étais partie ?

Il eut un sourire.

— Je t'aurais étranglée... Ramenée de force... Traînée par les cheveux... Enfermée dans la cave.

Il redevint sérieux.

— Que comptes-tu faire, maintenant ?

Elle allait probablement s'adresser au consulat français ou à la Croix-Rouge pour obtenir de plus amples renseignements.

— Est-elle gravement blessée ? demanda-t-il.

— D'après le télégramme, elle est dans un état critique.

Elle le regarda alors droit dans les yeux.

— Charles, je vais y aller.

— Aller où ? s'écria-t-il, abasourdi. Il y a une guerre en Europe. Et tu dois t'occuper de trois enfants.

— Elle est ma sœur.

Il devint livide.

— Pire encore, elle est ta jumelle, et je sais ce que cela implique. Chaque fois que tu as mal à la tête, tu penses qu'elle t'envoie un message. Eh bien, je ne marche pas, désolé ! Elle a beau être ta sœur jumelle, je t'interdis d'y aller, est-ce clair ? Tu resteras ici ! Tu ne voleras pas au secours d'une égoïste qui a laissé tomber toute sa famille sous des prétextes fallacieux. Tu n'iras nulle part !

Elle ne l'avait jamais vu aussi furieux. Il s'était redressé, il hurlait. Elle soutint son regard, avec une sorte de détermination froide qu'il ne lui connaissait pas.

— Rien ne peut m'arrêter, Charles. Je prendrai le premier bateau en partance pour la France, que tu le veuilles ou non. Mes enfants sont en sécurité ici. J'irai voir ma sœur.

— J'ai déjà perdu une épouse en mer, gronda-t-il, alors que toute la maisonnée profitait de leur querelle.

Pour l'amour du ciel, Victoria, je n'ai pas envie d'en perdre une deuxième.

Des larmes lui mouillaient les joues, larmes de peur et de colère.

— Je suis navrée, Charles, dit-elle calmement. Mais je vais y aller. Et, si tu es d'accord, je voudrais que tu m'accompagnes.

— Et si nous mourons tous les deux ? Si notre bateau est torpillé ? Qui s'occupera de nos enfants ? Y as-tu songé ?

— Alors reste, dit-elle avec tristesse. Au moins, ils t'auront, toi.

Bientôt, une fois le drame dénoué, ses enfants ne la verraient plus. Charles la jetterait hors de sa maison. Hors de sa vie. Toute la nuit, elle fut hantée par cette prémonition. Elle avait longuement tenu ses deux petites filles dans ses bras, les avait embrassées, dorlotées. Elle aurait peine à les laisser, mais la force invisible qui l'avait toujours habitée l'incitait à se rendre au chevet de Victoria. Son instinct, son intuition exigeaient qu'elle la rejoigne.

Ce soir-là, lorsqu'elle borda Geoff dans son lit, il la dévisagea de ses grands yeux inquiets. Il les avait entendus se quereller.

— C'est Victoria, n'est-ce pas ? murmura-t-il, et elle fit oui de la tête. Est-ce que papa est au courant maintenant ?

— Non, chuchota-t-elle. Ne le lui dis pas. Je vais la voir d'abord. Nous lui parlerons toutes les deux après.

— Est-ce que tu crois qu'elle sera furieuse à cause des bébés ?

Olivia se pencha, l'embrassa sur la joue.

— Mais non ! Elle va les adorer.

Elle s'efforçait de s'exprimer calmement. De ne pas trahir son angoisse.

— Mais tu vas rester, quand elle reviendra ? Tu appartiens à notre famille maintenant, insista-t-il.

Elle lui sourit. Elle espérait seulement que Victoria

reviendrait ; dans cette maison ou ailleurs, cela restait à déterminer.

— C'est pourquoi il faut que j'aille en Europe, Geoffy. Pour m'assurer qu'elle va bien, et organiser son retour.

— Est-ce qu'elle va mourir ? interrogea le petit garçon, effrayé.

— Non ! Bien sûr que non !

Oh ! Seigneur, faites qu'elle ne meure pas, pria-t-elle plus tard, couchée près de Charles. Celui-ci ne souffla mot pendant longtemps. Puis il roula sur le côté et se hissa sur un coude.

— J'ai toujours su que j'avais épousé une tête de mule, dit-il. Si tu tiens vraiment à y aller, j'irai avec toi, Victoria.

Elle hocha la tête, pleine de gratitude. Parcourir un pays dévasté par la guerre sans lui l'emplissait d'une sombre appréhension.

— Et ton travail ? Pourras-tu te libérer ?

— Il le faudra bien. C'est une urgence. Je dirai à mes associés que j'ai une belle-sœur folle à lier, une femme impossible, et que je dois aller les secourir en Europe. Ah, ils vont bien rire !

Il sourit ; il essayait de dédramatiser la situation et Olivia lui en sut gré. Elle se blottit contre lui, l'embrassa... Une ombre passa sur ses traits : une fois en France, elle lui dirait tout. Et elle attendrait son verdict.

— Et si les deux petites, dans la pièce à côté, s'avisent plus tard de me jouer des tours, reprit-il, je préfère les échanger tout de suite contre deux orphelins de sexe différent ou deux petits chiens.

Elle eut un rire forcé. Charles la serra contre lui, effleurant ses cheveux d'un baiser.

Les deux jours suivants s'écoulèrent en préparatifs pour le voyage. Le troisième jour, ils embarquèrent sur l'*Espagne*, un paquebot français en partance pour Bordeaux. C'était le seul navire qui effectuait encore la traversée de l'Atlantique, hormis le *Carpathia*, le bateau qui avait secouru les naufragés du *Titanic* quatre ans plus tôt.

Leur cabine, une petite pièce sans luxe, bien que confortable, donnait sur le pont B. L'équipage observait scrupuleusement le couvre-feu, les passagers se confinaient volontiers dans leurs chambres. Olivia ne pensait plus qu'à sa jumelle. Charles faisait tout pour la réconforter, sans grand résultat à vrai dire.

— Ce n'est pas tout à fait l'*Aquatania*, dit-il un soir en plaisantant. Dieu, quel horrible voyage nous avions fait alors !

— Pourquoi ? demanda-t-elle avec surprise.

Il lui jeta un curieux regard.

— J'ai meilleure mémoire que toi, apparemment. Je peux te l'avouer maintenant, la première année de notre mariage m'a presque achevé. Si la situation ne s'était pas améliorée, je me serais tiré une balle dans la tête ou alors retiré dans un monastère... Du reste, cela ne m'aurait pas changé...

Il faisait allusion à l'abstinence que Victoria avait promise à Olivia... et que celle-ci n'avait pas observée. Encore un poids supplémentaire dans le fardeau de sa culpabilité.

Ils arrivèrent à Bordeaux l'avant-veille de leur deuxième anniversaire de mariage. Le consul local leur procura toutes les informations concernant l'itinéraire jusqu'à Châlons-sur-Marne. Ils louèrent une voiture asthmatique, qui paraissait sur le point de se désagréger. Au dire du consul, une représentante de la Croix-Rouge les attendait à Troyes. Ils feraient le reste du trajet ensemble. Il fallait compter quatorze heures de route, dit-il. En temps normal, c'eût été plus rapide, mais ils devaient contourner les champs de bataille. Il les mit en garde contre les périls qu'ils risquaient de rencontrer sur les routes, leur conseilla de prendre des chemins détournés. Il leur remit des masques à gaz, une trousse de médicaments, de l'eau. Une fois de plus, il leur rappela qu'ils se trouvaient dans une zone dangereuse, après quoi il leur souhaita bonne chance. Olivia, qui avait essayé le masque, avait eu toutes les peines du monde à respirer. Le garde qui le lui avait donné lui avait assuré qu'il lui serait d'une grande utilité s'ils étaient pris dans un nuage toxique... Charles s'était ensuite mis au volant. A mesure qu'ils avançaient vers l'intérieur des terres, les ravages s'étalèrent sous leurs yeux. La guerre avait transformé le paysage en un désert noir. Charles se félicita d'avoir accompagné sa femme.

La représentante de la Croix-Rouge les attendait à l'heure et à l'endroit convenus à Troyes. La vieille guimbarde reprit la route en toussotant. Leur passagère leur indiquait les directions à prendre. Des soldats les arrêtaient à la croisée des chemins, ils durent à plusieurs reprises changer de cap, contourner des zones de combats isolés. Il était minuit passé quand enfin ils atteignirent le camp. Tous les trois tombaient de fatigue. Olivia voulut tout de suite voir sa sœur... Charles s'efforça de la faire patienter jusqu'au lendemain. Peine perdue. Sitôt descendue de voiture, elle demanda à un volontaire où était l'hôpital. Il le lui indiqua d'un geste de la main. Une infirmière en sortait.

— S'il vous plaît, je cherche Olivia Henderson, dit-elle.

On eût dit qu'elle allait se rendre visite à elle-même. Qu'elle était venue de l'autre bout du monde pour faire face à son destin.

Charles la suivit à l'intérieur. L'odeur pestilentielle, le spectacle des blessés gisant sur leurs civières lui coupèrent le souffle. Les cris, les râles fusaient de toutes parts. Il détourna le regard d'un jeune homme amputé d'un bras, d'un autre qui vomissait une bile verdâtre parce qu'il avait été gazé. Olivia avançait au milieu de cet enfer sans s'arrêter. Voilà ce que les yeux de Victoria avaient contemplé pendant un an, se disait-elle. Des doigts s'agrippèrent au bas de sa jupe. Elle se baissa, prit gentiment la main d'un garçon, si jeune qu'il lui rappela Geoff.

— D'où venez-vous ? s'enquit-il avec un accent australien.

Il avait perdu une jambe à Verdun.

— De New York, murmura-t-elle, soucieuse de ne pas déranger les autres, même si personne ne dormait.

Les blessés remuaient inlassablement alentour.

— Et moi de Sydney.

Il sourit, salua Charles, qui lui rendit son salut, les yeux pleins de larmes, puis Olivia se remit à la recherche de sa sœur.

Elle était couchée sur une banquette étroite. Un bandage lui recouvrait la tête et le cou. Au début, Olivia ne la reconnut pas, ne sut même pas que cette forme immobile était une femme. Mais son instinct la conduisit vers elle. L'instant suivant, elle la serrait dans ses bras. Victoria ouvrit les yeux avec un pâle sourire. Très affaiblie, elle était toujours consciente. Elle se montra enchantée de les voir mais n'avait d'yeux que pour Olivia. Enfin réunies, les deux sœurs parlèrent peu. Elles se passaient facilement de mots. Ce ne fut que chuchotements et baisers. Un torrent de sensations, une émotion indicible.

Les larmes ruisselaient sur les joues d'Olivia, tandis que Victoria lui serrait la main... Celle-ci adressa un sourire à Charles, resté en arrière, et parla d'une voix tendue et presque inaudible. Elle souffrait d'une sévère infection de la moelle épinière. Les médecins craignaient pour sa vie. Si l'infection atteignait le cerveau, l'issue serait fatale. Mais si elle survivait, ils avaient bon espoir qu'elle puisse remarcher. D'autres n'avaient pas cette chance. La guerre, cruelle, meurtrière, avait déjà emporté des millions d'âmes.

— Merci d'être venus, murmura-t-elle.

Charles lui toucha la main. Quelque chose dans ses yeux le fit tressaillir. Une expression dure, presque implacable. Et en même temps une sorte de fragilité. Olivia avait changé, se dit-il... Elle avait mûri dans ce camp militaire.

— Je suis content que nous vous ayons retrouvée...

447

Geoff vous envoie son affection. Vous nous avez manqué. Surtout à Victoria.

Victoria fixait sa sœur. Doucement, imperceptiblement, Olivia secoua la tête. Il ne savait toujours pas. Pas même maintenant, alors que sa véritable épouse était à l'agonie... Victoria ferma un instant les paupières. Elle souhaitait rester un moment seule avec sa sœur. Prendre des décisions à propos de Charles. Lui confier son fils au cas où elle mourrait. Le temps pressait... Malheureusement, Olivia ne resta pas longtemps auprès d'elle cette nuit-là. L'infirmière de garde renvoya les visiteurs, qui furent conduits vers des baraquements séparés. Ici, il n'y avait pas de chambres pour les couples... Les deux petites pièces où Victoria et Edouard avaient vécu constituaient l'exception qui confirmait la règle. Le général les avait attribuées à un autre capitaine. Edouard avait été enseveli derrière les collines, parmi les morts anonymes. Son existence sur cette terre était passée inaperçue, broyée par le cours de l'histoire, sauf pour Victoria et pour leur fils. La douleur de l'avoir perdu taraudait sans relâche la jeune femme. Elle ne reprenait conscience que pour penser à Edouard... et à Olivia.

Charles et Olivia se revirent le lendemain matin au mess. Ils avaient mal dormi, et la jeune femme avait hâte de retourner auprès de sa sœur. Charles accepta d'attendre dehors, afin que les deux femmes soient seules un moment. Pendant qu'il faisait les cent pas devant l'hôpital, il engagea la conversation avec des volontaires. Il avait honte à présent que son pays assiste au massacre sans intervenir. Ses interlocuteurs se déclarèrent impressionnés que sa femme et lui eussent traversé l'Atlantique pour voir « Olivia »... Ils lui vouaient une profonde estime, et espéraient qu'elle survivrait.

Olivia prit place près du lit étroit de Victoria, qui lui souriait comme on sourit au ciel bleu après l'orage.

— Tu es là... Je n'arrive pas à le croire... Comment as-tu su ?

Elle avait bien supposé que l'armée préviendrait sa

448

famille. Mais, connaissant les lourdeurs de l'administration, elle n'avait pas imaginé qu'Olivia viendrait aussi vite. Combien de fois ne s'était-elle pas demandé, clouée sur sa couche exiguë, si elle vivrait encore quand sa sœur pénétrerait sous la tente de l'hôpital.

— J'ai reçu un télégramme du sergent Morrison. Je voudrais la remercier.

Le sourire de Victoria s'élargit.

— Cette bonne vieille Penny ! (Elle embrassa les doigts de sa sœur.) Oh ! Seigneur, comme tu m'as manqué, Ollie... J'ai tant de choses à te dire.

Selon les infirmières, son état connaissait une légère amélioration, malgré une épouvantable migraine. Son regard se fixa sur sa jumelle d'un air grave.

— Je ne sais pas comment tu as fait pour tenir le coup.

— J'ai toujours mieux menti que toi, répondit Olivia en lui souriant.

Un rire échappa à Victoria, qui eut l'impression que son crâne allait exploser.

— Tu te vantes ! lança-t-elle en se retenant de rire cette fois, afin de ne pas aviver la douleur lancinante dans ses tempes.

La fatigue lui voilait les yeux. Face à elle, Olivia n'en menait pas large non plus. Elles venaient d'avoir vingt-trois ans mais, pour des raisons différentes, elles se sentaient terriblement vieilles.

— Je suis désolée pour père, murmura Victoria, tâchant de combler le vide qui s'était creusé depuis son départ. J'aurais voulu être là quand ça s'est passé.

— Il a cru que tu étais près de lui, dit Olivia avec un sourire affectueux. Que nous étions près de lui à tour de rôle...

— Douce Olivia, tu es toujours là pour tout le monde... même pour ce pauvre Charles, parce que j'étais trop égoïste pour rester.

— Victoria, j'ai quelque chose à te dire, marmonna Olivia avec maladresse. Les choses ne se sont pas déroulées comme prévu... (Elle marqua une pause, craignant d'essuyer la colère de sa sœur, mais elle était venue pour cela.) Nous avons eu des jumeaux il y a trois mois, acheva-t-elle brusquement.

Stupéfiée par cet audacieux raccourci, Victoria écarquilla les yeux.

— Des... jumeaux..., s'étrangla-t-elle, et Olivia lui fit boire une gorgée d'eau... puis assura l'infirmière de garde que la patiente allait bien. Des jumeaux, dis-tu ?

— Oui, deux petites filles. De vraies jumelles comme nous... Elles sont magnifiques.

Elle regarda sa sœur, qui n'avait pas l'air de vouloir lui arracher les yeux.

— Elizabeth et Victoria, acheva-t-elle. Le nom de mère et le tien.

L'ombre d'un sourire effleura les lèvres blanches de la malade.

— Ça, j'avais compris. Ce que je n'ai pas saisi, c'est comment tu les as eues ! dit-elle, malicieuse. Veux-tu dire que tu m'as volé mon mari ?

Elle souriait, mais Olivia, les yeux baissés, ne s'en aperçut pas.

— Victoria, ne m'en veux pas. Je retournerai à Croton quand tu reviendras. Je disparaîtrai... Je voudrais juste les voir de temps à autre... S'il te plaît...

— Tais-toi ! (Victoria souriait toujours, malgré son mal de tête.) Petite coquine, va ! Je trouve cela tellement amusant ! Olivia, je n'aime pas Charles. Je ne l'ai jamais aimé. Je ne veux pas le récupérer. Il est à toi.

Comme un jouet qu'elles auraient partagé, et qui finissait par échoir à Olivia.

— C'est pourquoi je ne suis pas revenue l'été dernier. Je ne voulais pas. Et je ne pouvais pas... (De nouveau, elle sourit.) Quand est-ce que les choses ont... euh... évolué... entre vous ?

— Après le torpillage du *Lusitania*. Quand j'ai appris que tu étais indemne.

Victoria n'était pas fâchée. Elles étaient de nouveau ensemble. Un bien-être incommensurable se glissait dans le cœur d'Olivia. Sa sœur n'avait pas changé. Elle était la même. Caustique, spirituelle, avec cette sorte d'ironie implacable que Charles avait ressentie la nuit précédente, sans la comprendre.

— Je vois. Tu as fêté l'événement à ta façon ! pouffa Victoria.

Si près de la mort et toujours aussi espiègle...

— Tu es indécente ! fit semblant de s'indigner Olivia, qui ne put s'empêcher de sourire.

— Et toi donc ! Je t'offre une relation chaste avec un homme qui me déteste et qui ne voulait plus coucher avec moi, et que fais-tu ? Tu le séduis ! Car, en fait, c'est toi la grande séductrice de la famille, ma chérie ! Tu mérites de l'épouser. Personnellement, je te plains, bien que vous ayez l'air heureux ensemble. Il a de la chance.

— Moi aussi.

Victoria regarda Olivia. Le visage d'Edouard émergea dans sa mémoire. Elle aussi avait eu son lot de bonheur... Un bonheur éphémère avec l'homme qu'elle aimait et leur bébé.

— Que faisons-nous, maintenant ? demanda-t-elle. Il va falloir tout raconter à Charles.

Olivia blêmit.

— Je sais. Il va me haïr.

— Il surmontera le choc. C'est un homme d'une grande gentillesse. Il commencera par être furieux, puis il réfléchira. Il ne quittera pas la femme de sa vie et ses deux filles... Oh ! à propos... Moi aussi j'ai un aveu à te faire.

— Oui, mon enfant !

Olivia feignit de bénir sa sœur et toutes deux s'esclaffèrent.

— Je t'écoute. Faute avouée est à moitié pardonnée.

Leur connivence avait ressurgi, intacte. Jamais on n'aurait pensé qu'elles avaient été séparées pendant un an.

— J'ai eu un bébé, moi aussi, il y a trois mois. Pas des jumeaux, Dieu merci. Un petit garçon. Il s'appelle

Olivier, dit-elle avec fierté, regrettant de ne pas avoir de photo de lui. Tu devines aisément à qui il doit ce joli prénom.

Contre toute attente, Olivia ne parut pas choquée. Ni même surprise. Inconsciemment, elle le savait. Elle l'avait deviné avant que Victoria ouvre la bouche.

— Ah ! c'est la raison qui t'a empêchée de revenir l'été dernier, murmura-t-elle pensivement.

— Non. Je ne voulais pas revenir. J'ignorais que j'étais enceinte à cette époque. Son père était un homme exceptionnel.

Olivia dut se pencher pour entendre la suite. Sa rencontre avec Edouard. Leur amour. Leurs projets.

Des larmes jaillirent au coin des yeux de Victoria. Elle n'avait jamais rencontré quelqu'un comme lui... Elle lui décrivit l'embuscade, lors de cette nuit fatale... Comment Edouard avait trouvé la mort au détour d'un chemin. Plus rien ne serait comme avant. Sans lui, la vie n'était plus la même. Olivia l'écoutait, muette. Ainsi, deux destins s'étaient croisés à Châlons-sur-Marne. Au milieu des combats sanglants, Victoria avait rencontré le grand amour.

— Où est le bébé ?

— Chez la comtesse, expliqua Victoria.

Mais, depuis quelques jours, celle-ci s'était réfugiée chez sa sœur, à cause des tireurs embusqués qui, peu à peu, infestaient les bois environnants.

— Je voudrais l'envoyer aux Etats-Unis. Je l'ai fait inscrire sur mon passeport... le tien, en fait. Tu n'auras aucune difficulté à voyager avec lui, à condition que Charles ne voie pas d'inconvénient à ce que tu utilises ton ancien passeport.

— Charles devra s'adapter à une foule de choses, quand il saura la vérité, murmura Olivia.

Elle avait peur. Il aurait le droit de la renvoyer, puisqu'ils n'étaient pas mariés. Le droit de s'opposer à ce qu'elle ramène le fils de Victoria en Amérique.

— Et toi ? demanda-t-elle, sûre que sa sœur guérirait maintenant qu'elles s'étaient retrouvées. Quand reviendras-tu ?

Victoria n'avait plus aucune raison de rester en France.

— Peut-être ne rentrerai-je pas, Ollie, dit-elle tristement, en réprimant un frisson.

Sans Edouard, elle ne savait plus où aller. Elle n'avait plus de pays. Plus de maison. Olivia resterait avec Charles. Elle ne se voyait pas s'installant dans la résidence de la Cinquième Avenue, encore moins au Manoir Henderson. Sa place était auprès d'Edouard...

— Ne dis pas des choses comme ça ! s'exclama Olivia.

Pourtant, Victoria ne voulait pas vivre sans Edouard, pas même pour son fils.

— Il a légué à Olivier son château et son hôtel particulier à Paris. Après la naissance de notre petit garçon, il a contacté ses avocats, refait son testament. Sa femme n'aura droit qu'à des broutilles. La loi française protège Olivier. Son père l'a reconnu... Dès que tu rentreras à New York, fais établir un passeport à son nom : Olivier-Edouard de Bonneville.

— Pourquoi ne viendrais-tu pas avec nous ?

— Nous verrons...

Une étrange agitation s'emparait d'elle. Elle se tut, épuisée. Quand Charles apparut, Victoria somnolait. Il repartit avec Olivia. Il avait trouvé à la malade une mine épouvantable mais il se garda bien d'exprimer ses pensées. Ils prirent un café au mess. Lorsqu'ils repassèrent à l'hôpital, elle dormait.

Ils revinrent tard l'après-midi. Elle avait une forte fièvre, leur annonça une aide-soignante, sans autre précision.

— Ne restez pas longtemps.

Victoria avait émis le souhait de voir Charles. Elle voulait lui avouer la vérité. Ce n'était que justice, pensait-elle. Il resta debout au pied du lit. Elle rouvrit les yeux, très pâle, mais étrangement sereine.

— Charles, dit-elle doucement, nous avons quelque chose à vous dire.

Olivia sentit son cœur cogner dans sa poitrine tandis qu'elle attendait, à côté de Charles. Victoria avait toujours été la plus audacieuse.

— Il y a un an, nous avons eu une drôle d'idée, commença-t-elle. Je tiens à préciser que ce n'est pas sa faute. (Du regard, elle désigna Olivia, sans encore prononcer son nom.) Je l'ai forcée à jouer le jeu. C'était pour moi une question de vie ou de mort.

Un frisson bizarre parcourut le dos de Charles, qui lui glaça le sang. De nouveau, il eut la sensation qu'une effrayante familiarité l'unissait à cette femme. Ces yeux-là... cet air froid... et malgré tout l'excitation qu'elle lui inspirait...

— Je ne veux pas savoir !

Il faillit prendre ses jambes à son cou, courir, courir à perdre haleine, tel l'enfant fuyant une punition, mais le regard de Victoria le cloua sur place.

— Il le faut, dit-elle d'une voix distante.

En finir ! Pour le bien de tous ! Il était temps, songea-t-elle.

— Je ne suis pas celle que tu crois, Charles. Le nom qui figure sur mon passeport n'est pas le mien.

Elle le regardait fixement. Soudain, comme à travers un voile qui se déchire, la vérité lui apparut. Bouche bée, il regarda Olivia. Son regard retourna ensuite à sa femme, la vraie, qui gisait sur le lit étriqué de cet hôpital de campagne, à Châlons-sur-Marne. Cette femme n'était pas celle qui avait fait l'amour avec lui pendant un an et qui avait mis au monde ses enfants.

— Est-ce que... tu essaies de me dire...

Il s'interrompit, à bout de souffle.

— Je te dis ce que tu sais déjà et que tu ne veux pas entendre, répondit-elle, très forte, même aux portes de l'au-delà.

Elle le connaissait bien. Malgré son ancien mépris pour lui, elle savait lire dans ses pensées. Elle s'était aperçue de son désarroi lorsqu'il l'avait regardée pour la première fois après un an, et avait décelé ses doutes. D'instinct, Charles avait su laquelle des deux sœurs était la femme qu'il avait épousée, bien qu'il n'ait pas voulu le reconnaître.

Des larmes brûlèrent les yeux d'Olivia, alors que sa jumelle poursuivait laborieusement :

— Nous nous détestions, et tu le sais. Nous nous serions détruits mutuellement si j'étais restée avec toi. C'était un arrangement qui ne nous convenait ni à l'un ni à l'autre... Mais Olivia t'aime, elle. Elle te l'a prouvé pendant un an. Je vois l'amour dans ses yeux... Dans les tiens aussi, Charles... Moi, tu ne m'as jamais aimée...

Elle avait raison ; les mots qu'elle venait de prononcer n'en étaient que plus blessants. Charles retint un cri de fureur. Si elle n'avait pas été aussi malade, il l'aurait frappée. Il se contenta de la fixer, fou de rage. Elle l'avait obligé à regarder en face une réalité qu'il n'osait affronter.

— Comment as-tu osé... Comment avez-vous osé toutes les deux ! dit-il dans un chuchotement, afin de ne pas déranger les blessés qui les entouraient. Vous n'êtes pas des enfants pour jouer à vos maudits jeux... Ces mauvaises plaisanteries dont tu étais si fière... Mais tu étais ma femme, Victoria, tu me devais un peu plus que cette farce sinistre...

Il suffoquait.

— Oui, je te devais beaucoup plus que ce que je t'ai donné. Je ne t'aurais jamais apporté que de la peine. Et toi, tu ne te serais jamais autorisé à m'aimer. Tu avais trop peur... La vie t'a blessé trop cruellement. Mais Olivia saura te rendre heureux. Elle ne te fait pas peur, elle. Si tu avais une once d'honnêteté, tu admettrais que tu l'aimes. Et que tu me détestes.

Elle le poussait exprès dans ses derniers retranchements pour le bien d'Olivia.

— Je vous déteste toutes les deux ! Je ne resterai pas ici une minute de plus à m'entendre dire ce que j'ai fait ou pas fait, qui j'aime et qui je n'aime pas. Je ne me prêterai pas à cette bouffonnerie parce que cela vous arrange. Et je me fiche éperdument que tu sois blessée ou malade. D'ailleurs, vous êtes malades toutes les deux. Détraquées. Vous jouez avec les gens. Eh bien, je ne suis pas un jouet, est-ce clair ?

Sans s'en rendre compte il avait haussé le ton. Il tourna sur ses talons, s'éloigna à grandes enjambées en refoulant ses larmes et sortit à l'air libre comme un enragé.

Olivia pleurait doucement et Victoria lui serrait la main de toutes ses faibles forces.

— Olivia, il te reviendra. Laisse-le se remettre de ses émotions. Il t'aime.

Une fois de plus, elle donnait des signes d'agitation. Une infirmière pria Olivia de s'en aller. Elle embrassa tout doucement la pommette de sa sœur. Toutes deux avaient besoin de repos.

Olivia chercha Charles en vain. Elle fit le tour du camp sans résultat, avant de le découvrir qui arpentait le sol devant le baraquement des hommes. En la voyant, il leva la main comme pour l'empêcher d'avancer.

— Pas un mot ! hurla-t-il, hors de lui. Je ne te connais pas. Tu n'es qu'une étrangère. Aucun être humain digne de ce nom n'aurait agi comme toi. Pas pour un jour, un an ou treize mois, et encore moins pour mettre au monde deux innocentes. C'est indécent ! Tu es aussi immorale que ta sœur. Des désaxées ! Vous auriez dû vous épouser l'une l'autre.

Il tremblait de rage.

— Je suis désolée... Je ne sais quoi te dire... Au début, je l'ai fait pour elle... pour toi et Geoffrey... Je ne voulais pas qu'elle vous quitte. C'est la vérité...

Des sanglots incontrôlables la secouaient. Perdre Charles la tuerait, mais tel était le prix du mensonge.

— Je ne te crois pas, répondit-il froidement. Je ne veux plus entendre parler de ta sœur ni de toi.

— Et puis, je l'ai fait pour moi, poursuivit-elle. Père avait raison.

Elle décida de se jeter à l'eau. Elle n'avait plus rien à perdre.

— Je t'ai aimé dès le premier jour, Charles. Quand père t'a demandé d'épouser Victoria, il ne me restait plus rien. A part une vie entière à son service... C'était la seule façon d'être avec toi... à toi... Je t'aime, Charles, murmura-t-elle, désespérée.

Ulcéré, il détourna le regard.

— Tu mens. Tu m'as dupé. Tu m'as séduit, ridiculisé. Tu ne représentes rien pour moi, rien du tout, ajouta-t-il cruellement. Tu n'es qu'un mensonge ambulant.

— Nos enfants ne sont pas des mensonges, dit-elle doucement, priant pour qu'il lui pardonne.

— Non, lança-t-il avec des larmes dans la voix. Grâce à toi, nous avons fabriqué des bâtards.

Il lui tourna le dos, puis entra dans le baraquement des hommes, où elle ne pouvait le suivre. Accablée, Olivia retourna auprès de sa sœur. Victoria dormait. Une infirmière posa l'index sur ses lèvres, enjoignant l'arrivante au silence. La fièvre n'avait cessé de monter.

Olivia ne revit pas Charles de la journée. Il ne réapparut pas à l'hôpital. Sans doute projetait-il de repartir sans elle. Dans ce cas, elle resterait à Châlons-sur-Marne jusqu'à ce que Victoria soit apte à regagner les Etats-Unis avec son bébé. Olivia somnola sur une chaise près de sa sœur, toute la nuit. Les gémissements des mourants la réveillaient de temps à autre. Alors elle se levait, s'étirait. Certains l'appelaient par son prénom, fait d'autant plus troublant que Victoria était connue au camp comme Olivia.

Charles refit son apparition le lendemain matin. Olivia était partie prendre un café. Victoria était réveillée.

— Belle représentation, hier soir ! Félicitations ! jeta-t-elle, épuisée, mais encore assez sarcastique pour le combattre.

Il ne put s'empêcher de sourire. Décidément, certaines choses ne changent jamais, pensa-t-il. Il voyait bien à présent qu'elle avait raison. Ils n'auraient jamais dû se marier... La nuit porte conseil, il en avait profité pour réfléchir.

— Tu m'as pris de court. Quelle révélation ! répondit-il sur le même ton.

Elle plissa les yeux. Elle n'en croyait pas un mot.

— Cesse donc d'enfouir ta tête dans le sable, Charles. Ne me dis pas que tu n'as rien compris, rien soupçonné. Nous sommes si différentes ! Olivia est toute douceur et amour. Elle sacrifierait sa vie pour toi, même maintenant. Alors que toi et moi, nous nous serions étripés. Nous sommes comme les Français et les Allemands.

Ils échangèrent un sourire.

— Ne me dis donc pas que tu ne t'es rien demandé, que tu ne t'es posé aucune question, reprit-elle. C'est impossible. Mais tu as préféré ne pas savoir.

— Tu as peut-être raison, admit-il à la surprise de Victoria. Oui, sans doute, j'ai choisi de ne rien savoir. C'était plus facile, plus confortable... Et si merveilleux. J'aurais tellement voulu que notre mariage réussisse que, finalement, Olivia était peut-être la réponse.

— Alors ne l'oublie pas. Ne détruis pas tout dans un moment de colère.

Elle se battait bec et ongles pour sa sœur. Comme Olivia l'aurait fait pour elle.

— Vous êtes quand même incroyables ! soupira-t-il, admirant sa force de caractère. Je crois que votre relation restera à jamais une énigme. On dirait deux âmes dans une même personne... Ou deux personnes avec la même âme, je ne sais pas... Personne ne vous comprendra jamais, d'ailleurs.

— Tu as raison. Parfois, je la sens dans mon cœur. Je sais quand elle a besoin de moi.

Comme maintenant. Après les horreurs que Charles lui avait jetées à la figure, Olivia était dans un piètre état.

— Elle dit la même chose.

Peu à peu, les pièces du puzzle trouvaient leur place.

Il se souvint des incidents survenus après le prétendu départ d'Olivia pour la Californie.

— Etais-tu à bord du *Lusitania*, par hasard ?

Elle acquiesça.

— Oui. Je n'ai pas beaucoup de chance avec les voyages en mer.

Charles hocha la tête. Lui non plus, en fin de compte.

— Elle a rêvé qu'elle se noyait. J'ai dû appeler le médecin.

— Il m'a fallu trois jours avant de lui envoyer un télégramme. Un chaos épouvantable régnait à Queenstown. Je ne te raconterai pas le naufrage... C'était pire que tout. Surtout à cause des enfants...

L'image de la femme enceinte qui avait accouché sur le pont avant de tomber dans la mer glacée avec son nouveau-né fulgura dans sa mémoire. Elle ferma les paupières et la vision s'estompa. Charles lui toucha la main... Elle déclinait à vue d'œil.

— Alors, Victoria ? Que veux-tu que je fasse ?

Il était venu faire la paix avec elle. En ce qui le concernait, la guerre entre eux était terminée.

— J'ai un enfant. J'aimerais qu'Ollie le prenne avec elle, dit-elle d'une voix claire.

Des larmes étincelèrent dans ses yeux. Cela faisait quinze jours qu'elle n'avait pas vu son bébé et elle se languissait de lui.

— Comment est-ce arrivé ?

Elle émit un rire à travers ses pleurs, se moquant gentiment de l'homme qui avait été autrefois son mari.

— Comme c'est arrivé à toi et à Ollie. J'aurais voulu voir vos petites filles.

— Tu les verras.

Il lui avait pardonné. Rien n'avait plus d'importance. C'était fini. Il était venu lui dire cela, précisément : qu'il avait effacé le passé de sa mémoire. Et qu'il voulait bien lui accorder le divorce, si elle le lui demandait.

— Je te les présenterai quand tu rentreras à New York, dit-il.

— Non, Charles... Je ne les verrai pas... Je le sais...

Elle n'avait pas peur. Elle était triste, simplement.

— Ne sois pas bête. Nous sommes venus pour te ramener au pays. Toi et ton bébé. Où est son père ? demanda-t-il gentiment.

— Il est mort... le soir où j'ai été blessée.

— Je suis navré. Dépêche-toi de guérir. Ainsi, je t'emmènerai à la maison... Et nous divorcerons.

Il se pencha pour déposer un baiser sur son front. Victoria le regarda d'une manière étrange.

— Tu sais, à ma façon je t'ai aimé. Du moins je le suppose... J'ai même essayé de faire des efforts.

— Moi aussi. Seulement je n'arrivais pas à oublier Susan.

— Allez, file ! Va retrouver ta femme... ou ta belle-sœur...

Elle voulut rire mais la douleur l'en empêcha.

— Au revoir, petite folle ! A plus tard.

Il s'éloigna, envahi d'une sensation bizarre. Ce n'était pas le moment d'avoir des prémonitions, lui aussi, comme Olivia.

Il ne l'aperçut pas au mess. Ni du côté des baraquements réservés aux femmes... Il la chercha partout, tout l'après-midi. Et, tout en marchant, il se rappela qu'aujourd'hui c'était son anniversaire de mariage. Le deuxième. Mais avec qui ? L'absurdité de la situation fit naître un pâle sourire sur ses lèvres. Il retourna à l'hôpital dans la nuit. Olivia somnolait sur une chaise, près de sa sœur endormie. Elles se tenaient par la main, comme deux petites filles enfin apaisées.

— Comment va-t-elle ? demanda-t-il à l'infirmière.

Celle-ci secoua la tête. L'infection gagnait du terrain. Bientôt, le cerveau serait atteint. Il y avait déjà des signes avant-coureurs. Victoria, si cohérente, si intelligente, sombrait de temps à autre dans la confusion. Olivia avait eu l'occasion de le constater un peu plus tôt.

Charles repartit sur la pointe des pieds. A minuit, Olivia appela l'infirmière de garde. Elle éprouvait une sourde douleur dans la poitrine. Victoria avait du mal à respirer.

— Regardez. Elle suffoque.

Pourtant, sa jumelle paraissait profondément endormie.

— Mais non, la rassura l'infirmière. Elle va bien.

Aussi bien que possible dans ces circonstances. Olivia se redressa, puis elle appliqua une compresse froide sur le front brûlant de sa sœur. Les cils de Victoria frémirent. Elle ouvrit les yeux, puis sourit.

— Ça va aller, Ollie. Ne te donne pas tout ce mal. Edouard m'attend.

— Non ! s'écria désespérément Olivia.

La panique flamba soudain en elle. Victoria glissait lentement dans les eaux sombres et profondes de l'inconscience, et personne ne tentait de la maintenir à la surface. Olivia la saisit dans ses bras en pleurant.

— Non ! Tu ne peux pas me faire ça. Ne te laisse pas aller.

— Je suis si fatiguée... articula Victoria d'une voix pâteuse. Laisse-moi partir, Ollie.

— Non ! Je ne veux pas.

Un combat fatal s'engageait contre l'ange de la mort.

— D'accord, d'accord, j'obéis... On va dormir un peu...

Olivia la tint longtemps enlacée. Victoria sombra dans un sommeil paisible... Peu après, elle rouvrit les yeux, sourit à sa sœur. Olivia l'embrassa, et elle lui rendit son baiser. Ses lèvres remuèrent pour formuler les mots « je t'aime ».

— Moi aussi je t'aime, dit Olivia.

Elle posa sa tête sur le même oreiller. Le sommeil la surprit d'un seul coup. Elle rêva qu'elles étaient petites. Elles jouaient dans le parc du manoir de Croton, près de la tombe de leur mère. Leur père les surveillait en riant. Ils étaient si heureux...

Et le matin, lorsque Olivia se réveilla, sa sœur ne vivait plus. Un doux sourire flottait sur ses lèvres, sa main tenait toujours celle de sa jumelle, mais son âme s'était envolée. Olivia avait tenté l'impossible pour la retenir... En vain. Victoria était partie jouer ailleurs...

33

Olivia sortit de l'hôpital. Elle chancelait. C'était le 21 juin 1916 et sa sœur jumelle était morte, sa moitié, la moitié de son âme, la moitié de sa vie. Comment pouvait-elle continuer à respirer sans Victoria ? Cela dépassait son entendement. Lors de leur séparation, pendant un an, elle la savait vivante, quelque part, et espérait qu'elles se reverraient. A présent, l'espoir s'était éteint à jamais. Victoria était partie. C'était fini, terminé. Charles l'avait quittée, elle allait devoir renoncer à ses enfants, et elle avait perdu sa sœur... Elle ne parvenait pas à imaginer pire sort que le sien. Elle se retint pour ne pas supplier Victoria de l'emmener avec elle. Vivre un jour de plus relevait de l'impossible. Mais la voix de sa sœur résonnait dans sa tête. Elle se souvint de sa promesse de s'occuper de son bébé.

Elle entra dans le baraquement qui abritait les bureaux des officiers, demanda qu'on la conduise au château. Un jeune Français se proposa comme chauffeur. Il avait connu Edouard et « Olivia », comme il l'appelait... Il ne savait pas encore que Victoria était morte, et Olivia n'eut pas le cœur de le lui annoncer. Un bref trajet la séparait de sa destination. Elle songea vaguement à prévenir Charles, puis renonça... A quoi bon ? Il lui avait retiré sa confiance, tous ses droits sur lui, même celui de lui parler. Il avait dit qu'elle n'était pour lui qu'une étrangère. Et en ce moment même, il ignorait encore qu'il était veuf pour la seconde fois.

Tandis qu'Olivia s'apprêtait à se rendre au château,

Charles passa à l'hôpital. L'infirmière secoua la tête, montrant du doigt le lit vide, et il déglutit péniblement... Mais, à la réflexion, sa tristesse se dissipa. Victoria n'aspirait qu'à la délivrance, elle appelait la mort de toutes ses forces, afin de rejoindre son bien-aimé. Il eut soudain envie de retrouver Olivia, de la consoler... Olivia, qui l'avait dupé mais qui devait souffrir comme une damnée.

— Avez-vous vu ma femme ? Euh... sa sœur ?

L'infirmière répondit qu'elle était partie après le décès de sa sœur, aux alentours de sept heures du matin. Charles se précipita dehors. Il la chercha au mess. Elle n'y était pas. Il ne la vit nulle part.

Au château, Olivia apprit que la comtesse se trouvait à Toul. Marcel, le jeune chauffeur, accepta de la conduire. C'était à deux heures de route.

Elle demeura étrangement silencieuse pendant le voyage. Une ou deux fois, son compagnon jeta un coup d'œil vers elle. Sa passagère pleurait. Il lui offrit une cigarette, qu'elle refusa, puis elle se tourna vers lui. Il était très jeune, dix-huit ans à peine. Ils échangèrent quelques propos sur la guerre, puis le silence retomba.

Ils trouvèrent facilement l'adresse de la comtesse à Toul. Elle vint elle-même ouvrir la porte de la petite maison, offrit à Olivia sa sympathie lorsqu'elle apprit la mauvaise nouvelle. Ensuite, elle la guida vers la chambre de l'enfant. Olivia regarda le fils de sa sœur. Un chérubin blond, tout fossettes et risettes. Il ne ressemblait pas physiquement à Victoria et pourtant, quelque chose dans son sourire, dans son regard, rappelait sa mère. Olivia prit son neveu dans ses bras. Il se mit à babiller comme s'il savait qu'elle était venue le chercher... Comme s'il la connaissait... La nostalgie submergea alors Olivia. Victoria et ses propres enfants jaillirent dans son esprit.

La comtesse les raccompagna à la voiture. Sa peine de quitter l'enfant était tempérée par le soulagement de le savoir avec sa tante. Elle exhorta Marcel à la prudence. Le front n'était plus qu'une ligne fluctuante, des tireurs ennemis infestaient les bois.

Olivia tenait le bébé dans ses bras quand la voiture redémarra. Le petit Olivier s'était endormi paisiblement lorsque, à mi-chemin, le conducteur remarqua des ombres derrière les troncs calcinés. Il donna un coup de volant, emprunta une route perpendiculaire à vive allure, tandis que les balles rasaient la carrosserie.

— *Merde* * ! Penchez-vous, ordonna-t-il.

Olivia se coucha sur le plancher du véhicule avec l'enfant. Les balles crépitaient de toutes parts, la voiture dégringola un sentier. Marcel écrasa l'accélérateur pour se lancer dans la descente à pleine vitesse. Ils s'engouffrèrent dans une étable vide, près d'une ferme désaffectée. Sans un mot, il indiqua de la main le grenier, et ils gravirent rapidement l'échelle. Olivia portait le bébé. Leurs plans étaient modifiés par la force des choses. Elle s'assit dans la paille en faisant le bilan de la situation. Elle se trouvait dans un village perdu, en compagnie d'un jeune Français armé d'un fusil, et du bébé de sa défunte sœur.

Ils se cachèrent toute la journée. Personne ne se montra. Des patrouilles allemandes fouillaient les environs, mais elles n'approchèrent pas de l'étable. Celle-ci était bâtie dans un champ, à ciel ouvert. Ils ne pouvaient en sortir qu'à la faveur de la nuit. Ils manquaient d'eau et de nourriture.

— Qu'allons-nous faire ? demanda-t-elle nerveusement.

Le bébé geignait. Il avait faim. Olivia n'avait pas le courage de Victoria. Elle n'était pas faite de l'étoffe des héros.

— Nous essaierons de partir à la tombée de la nuit, répondit Marcel.

L'inquiétude se reflétait sur ses traits. Ils se cantonnèrent dans une longue attente silencieuse. Lorsque la nuit vint, les déflagrations des mortiers et le sifflement des balles les cernèrent. Tenter une sortie aurait été pure folie. Olivia priait le ciel pour qu'une attaque aux gaz leur soit épargnée. Dans sa précipitation, elle avait oublié son masque.

— Il faut nourrir le bébé, dit-elle.

Le petit Olivier pleurait à fendre le cœur. Il réclamait sa mère ou la comtesse, et surtout un peu de lait. Olivia ne possédait qu'un seul avantage : le petit la regardait comme s'il la connaissait. Mais, même familier, son visage ne suffisait pas à apaiser ses pleurs.

Il faisait nuit noire lorsqu'ils sortirent de l'étable. Marcel n'osait pas reprendre la voiture. Il suggéra à Olivia de l'attendre sur place pendant qu'il essaierait de rejoindre le camp à pied, à travers champs. Il lui enverrait de l'aide, dit-il, mais il fallait compter plus de deux heures. C'était la solution la plus raisonnable, cependant Olivia, terrorisée, ne voulut rien entendre. Si les Allemands le capturaient, ils reviendraient la chercher. Ils l'abattraient. Ou alors, personne ne la retrouverait, et Olivier et elle mourraient de faim... Ou bien encore, les Allemands la tueraient et épargneraient le bébé. Mais elle n'avait pas le choix. Marcel l'escorta jusqu'à la ferme désertée. Il la laissa là et courut à toutes jambes vers la lisière du bois. Il avait presque atteint les premiers arbres quand une balle lui transperça le dos. Il se figea un instant, puis tomba le visage dans l'herbe. Les tireurs s'éloignèrent sans se donner la peine d'examiner le corps inerte. Il était mort, cela ne faisait aucun doute.

Olivia se laissa glisser le long du mur sur le plancher défoncé, désespérée. Elle était piégée dans une ferme abandonnée, quelque part en France, avec un bébé affamé. De nouveau, ce fut l'attente. L'espoir que des soldats français ou des fermiers viennent la secourir... A moins qu'elle ne prenne la voiture. Mais elle ne s'y risqua pas : elle n'avait pas conduit plus de deux fois, elle ne saurait même pas faire démarrer le moteur.

— Qu'allons-nous devenir ? demanda-t-elle au petit Olivier.

Il avait pleuré puis, en désespoir de cause, il s'était endormi sans avoir bu.

La faim le réveilla à six heures du matin. Des larmes mouillèrent les yeux d'Olivia, tandis que les vagissements furieux résonnaient entre les cloisons délabrées. Elle n'avait rien à lui donner. Elle se sentit fautive, comme si elle avait trahi la confiance de Victoria. Si cela continuait, le bébé souffrirait de déshydratation. Elle pensa un instant marcher jusqu'au camp, avec Olivier dans ses bras. Si les Allemands l'arrêtaient, elle leur expliquerait qu'elle était américaine... Mais ils risquaient de tirer avant de lui poser des questions. Elle ne bougea plus, berçant l'enfant dans l'espoir qu'il se rendorme. Enfin, elle souleva son corsage et lui donna le sein. Elle n'avait pas de lait mais ce geste parut calmer le bébé. Il se mit à téter, et ses pleurs cessèrent.

A quatre heures de l'après-midi, un vrombissement de moteur brisa le silence de la clairière. Olivia regarda par la petite fenêtre à la vitre brisée. Deux camionnettes sillonnaient le champ. Elle reconnut dans l'une le sergent Morrison, avec un chauffeur. Dans l'autre, elle aperçut Charles à la place du passager. L'absence prolongée de Marcel et d'Olivia l'avait rendu fou d'inquiétude. Il avait tant et si bien insisté auprès du sergent qu'un convoi était parti à leur recherche.

— Oh ! merci, mon Dieu ! s'écria-t-elle, reconnaissante.

Elle s'élança en courant dans leur direction. Elle était sauvée. Olivier ne mourrait pas... Charles ne lui adressa pas la parole. Il se contenta de lui jeter un regard noir.

— Tu aurais pu te faire tuer, dit-il finalement d'un ton glacial.

Sa voix, ses mains tremblaient.

L'enfer l'enveloppait de tous côtés. Les révélations inattendues, la mort de Victoria, la guerre, les centaines de blessés alignés sous les tentes, la disparition d'Olivia, piégée dans une ferme abandonnée avec le bébé de sa sœur, étaient plus qu'il ne pouvait supporter.

— Je te demande pardon, répondit-elle.

Elle essaya de résister à la force de la haine de Charles, et haussa le menton comme l'aurait fait sa sœur. Il n'eut pas l'occasion de répondre car le sergent Morrison installa Olivia dans la camionnette avec le bébé, et les deux véhicules regagnèrent rapidement le camp avant le crépuscule. Olivia leur avait raconté la triste fin de Marcel. Ils avaient déjà été mis au courant par un de leurs éclaireurs. Le jeune homme serait inhumé le lendemain avec cinq autres.

— Je suis vraiment désolée, murmura-t-elle à l'intention du sergent Morrison.

Elle déplorait la guerre meurtrière, la mort de Marcel, celle de Victoria, le reniement de Charles, l'expression féroce de son regard chaque fois qu'il se posait sur elle. Jamais il ne lui pardonnerait.

Sitôt arrivée au camp, Olivia se précipita au mess où l'enfant fut nourri, puis passa au bureau des officiers pour étudier les départs de bateaux à partir de Bordeaux. Les obsèques de Victoria avaient été fixées au lendemain, mais l'esprit engourdi d'Olivia n'avait pas encore retenu cette information. Elle marchait, parlait, agissait comme une somnambule.

L'enterrement fut bref. Presque bizarre. Un prêtre bénit la défunte ainsi qu'une douzaine d'autres corps. Elle fut mise en terre dans un cercueil tout simple : quatre planches de sapin, sans nom dessus, sans pierre tombale. Il ne restait plus d'elle qu'une petite croix blanche sur le versant d'une colline en France. Olivia espérait que la tombe d'Edouard n'était pas loin... Elle n'entendait rien, ne ressentait rien. Aujourd'hui, on enterrait une partie d'elle-même, une partie de son cœur, de son âme, de son esprit... Elle regarda le cercueil descendre dans la fosse. Dans ses bras, le petit Olivier dormait. Il avait bu et mangé mais, pour le réconforter, Olivia continuait à lui donner le sein.

Charles regardait la jeune femme qui se tenait droite et figée. Par orgueil, elle ne s'était pas mise à son côté. Ils étaient debout comme deux étrangers pendant que les fossoyeurs jetaient des pelletées de terre sur le bois, au fond du trou. A la fin, Olivia déposa une petite fleur blanche sur la tombe, au milieu de ce champ si éloigné de leur maison, puis s'éloigna d'un pas incertain, le bébé toujours contre elle. Sa respiration se bloquait au fond de sa gorge mais elle avait les yeux secs. C'était comme si elle reposait sous terre. Elle avait perdu tout ce qu'elle aimait en une semaine, même ses enfants. La perte de sa sœur jumelle lui causait une douleur particulièrement vive.

Ils revinrent au camp lentement, en pleurs. Avant que Charles puisse ouvrir la bouche, Olivia disparut à l'intérieur du baraquement des femmes. Elle n'en ressortit pas de toute la matinée. Il attendit, demanda à lui parler, mais un nouveau contingent de volontaires était arrivé la veille, et aucune ne connaissait Olivia ni sa sœur.

Les infirmières avaient pris le bébé, et la jeune femme, allongée sur sa couchette, put verser toutes les larmes de son corps. Elle ne voulait voir personne, pas même Charles, puisqu'il était furieux contre elle. Elle n'avait pas oublié ses injures, ni son regard hostile lorsqu'il l'avait retrouvée à la ferme.

Ils repartirent pour Bordeaux le lendemain à six heures du matin. Avant de s'en aller, Olivia remercia le sergent Morrison et les infirmières. Didier lui serra la main, les yeux remplis de larmes. Il embrassa Olivier, en disant qu'il n'oublierait jamais sa mère. Un groupe de gens agitaient la main lorsqu'ils s'en allèrent, des inconnus, qui avaient rencontré et aimé Victoria.

Ils arrivèrent à Bordeaux tard dans l'après-midi. Ils attendirent dans le salon d'un petit hôtel l'heure de l'embarquement. Leur bateau, l'*Espagne* de nouveau, devait appareiller à minuit. Ils n'avaient qu'un bagage. Olivia avait acheté quelques vêtements pour le bébé. Depuis qu'elle le chérissait à la place de sa sœur, un puissant lien s'était noué entre eux. Trois mois après la naissance de ses propres bébés, alors qu'elle donnait le sein à Olivier, elle finit par avoir une montée de lait. Fils ou neveu, ce petit être était à ses yeux l'ultime cadeau de Victoria. Un cadeau précieux.

— Que vas-tu faire de lui ? demanda Charles dans le salon de leur hôtel.

Ils étaient partis de New York quinze jours plus tôt, une éternité.

— Je l'emmène à Croton avec moi, répondit-elle tranquillement.

— C'est là que tu vas ? s'enquit-il poliment.

Elle hocha la tête.

— Oui, je vais vivre à la campagne.

Elle avait réservé deux cabines sur le bateau. Ils voyageaient comme M. Charles Dawson et Mlle Olivia Henderson. La traversée du retour n'avait rien à voir avec l'aller. Charles ne revit pas Olivia une seule fois à bord. Lui-même gardait ses distances. La jeune femme ne sortait pour ainsi dire jamais de sa cabine. De son côté, Charles pansait ses plaies. Ses pensées se tournaient vers Victoria, le tour qu'elle lui avait joué, son ultime confession.

Il passait le plus clair de son temps seul, perdu dans ses réflexions. Chaque mot de Victoria s'était gravé dans sa mémoire. Elle avait raison sur toute la ligne. Ils avaient fait la paix, juste avant qu'elle entreprenne le long et mystérieux voyage sans retour. Restait Olivia. Il essaya d'imaginer son chagrin. Le coup terrible que le destin lui avait assené en lui ôtant sa sœur jumelle. La douleur qui vous déchire quand on vous arrache la moitié du cœur, la moitié de la chair. Comment Olivia vivrait-elle sans Victoria, c'était difficile à dire. Peut-être ne survivrait-elle pas... Mais aussi quelle folie de se faire passer l'une pour l'autre ! D'obliger Olivia à vivre avec lui comme mari et femme pendant un an, sans rien lui dire. D'après Victoria, il l'avait compris mais n'avait pas voulu l'admettre. Ce n'était pas complètement faux. Combien de fois n'avait-il pas conçu des soupçons qu'il s'était empressé de refouler parce que cela l'arrangeait ! Il se dit que Victoria avait dû promettre à Olivia une vie commune sans relations sexuelles. Mais la gentillesse d'Olivia, sa tendresse, sa douceur avaient vaincu les interdits, ranimé le désir de Charles. Mariés ou pas, il avait éprouvé avec elle des sensations jusqu'alors ignorées. Aucune autre femme ne lui avait procuré autant de plaisir, pas même Susan. Il se rappela la nuit de la naissance de leurs filles... En tenant compte du décalage horaire, Olivier avait vu le jour à deux ou trois heures d'intervalle. Et, une fois de plus, il se perdit en conjectures. Aujourd'hui encore, il percevait les deux femmes comme une entité. Il était difficile de faire la part des choses, de poser des limites, d'appréhender où l'une se terminait et où commençait l'autre. C'était pareil pour tout le reste : confusion entre amour et désir, mensonge et vérité. Les paroles de Victoria résonnaient encore à ses oreilles. Il avait peur de l'aimer. Il ne l'avait jamais aimée... Alors qu'Olivia... c'était différent. Il avait vécu un an avec chacune et à présent il savait laquelle était sa femme et laquelle ne l'était pas.

Le troisième jour de la traversée, il alla frapper à sa porte. Olivia avait choisi la cabine la plus petite. Elle lui avait promis de lui rembourser son billet, et il s'était senti blessé. Le battant s'ouvrit de trois centimètres sur une partie de visage blême. Un œil rougi par les larmes le regardait.

— Puis-je entrer ?

Après une hésitation, la porte s'ouvrit un peu plus.

— Le bébé dort, dit-elle dans le but évident de le décourager.

— Je parlerai à voix basse... J'ai beaucoup de choses à te dire. Voilà des jours que j'y pense... J'ai vu Victoria la veille de sa mort... Nous avons eu une conversation instructive.

— Elle me l'a dit. Il paraît que tu n'étais plus fâché contre elle.

— En effet. Elle avait raison, finalement. J'étais trop stupide pour admettre l'évidence. Elle a toujours été plus intelligente, plus courageuse que moi. J'ai attendu que le bateau coule. Elle l'a quitté juste avant... J'aurais dû en faire autant.

— Ce n'est pas toujours facile...

Olivia s'éclaircit la gorge. En ce qui la concernait, le problème ne se posait pas. Ils n'étaient même pas mariés. Le reste n'était qu'illusion.

— Je voudrais te demander pardon, dit-elle d'une voix blanche. Je n'avais pas le droit de te duper. Je ne sais pas pourquoi j'ai accepté ce projet insensé... Je m'étais dit... C'était ma seule chance d'avoir une vie avec toi. Je suis idiote.

— Pas vraiment, sourit-il, encore sous le choc des dernières révélations. Il n'y avait pas d'autre manière d'être ensemble... Nous avons été heureux, tous les deux...

— Nous avons été ? répéta-t-elle tristement.

— Nous sommes, rectifia-t-il. Nous sommes très heureux ensemble, Olivia. Ce serait stupide de renoncer à ce bonheur. Victoria ne l'aurait pas voulu.

Il n'osait l'approcher. Elle semblait bouleversée, effrayée.

— Mais toi, que veux-tu ? lui demanda-t-elle.

Elle n'arrivait pas à oublier le regard haineux qu'il lui avait lancé devant la ferme. Elle ne l'avait jamais vu aussi furieux... En fait, elle avait confondu colère et peur. De sa vie, Charles n'avait eu aussi peur. Il l'imaginait morte, elle aussi, une balle dans la tête, alors qu'il ne désirait que la voir en vie.

— Olivia, je veux vivre avec toi, dit-il doucement. Nous sommes faits l'un pour l'autre, l'an passé l'a prouvé. Il en était ainsi depuis le début. Je n'ai pas eu la force d'envoyer paître ton vieux père, avec tout le respect que je lui dois, et de demander ta main... Parce que je savais, déjà, que je tomberais facilement amoureux de toi. Et pas de Victoria. Sur ce point, elle a vu juste. J'avais si peur d'aimer à nouveau que je suis tombé dans ses bras, parce qu'elle était sauvage, excitante et... inoffensive. Il n'y avait pas l'ombre d'une chance que je l'aime un jour.

— Tu étais presque aussi fou que nous, dit Olivia avec un sourire, alors que le bébé remuait dans son berceau. Quelle raison bizarre pour se marier, tout de même !

— Alors, nous sommes dignes l'un de l'autre.

Elle hocha la tête timidement et se lança dans une explication tarabiscotée qui arracha un sourire à Charles.

— Tu sais, je n'ai jamais eu l'intention de... tu vois ce que je veux dire... Victoria m'avait juré...

Elle se tut, rouge comme une pivoine.

— Je n'en crois pas un mot. Tu avais toutes les intentions de me séduire. Et tu t'y es fort bien prise.

Il l'attira dans ses bras en priant pour qu'elle veuille bien recommencer. Il s'en voulait terriblement à présent. Il s'était montré trop cruel avec elle, elle lui en tenait très certainement rigueur, et à juste titre... Il se rappela soudain une autre question qui l'avait tourmenté lors de ses promenades solitaires sur le pont.

— Et Geoff ? S'est-il douté de quelque chose ? Il était le seul à pouvoir vous différencier, t'en souviens-tu ?

— Pas au début... J'essayais de me montrer distante, un peu méchante de temps à autre, de manière qu'il ne devine rien... Mais le jour où je me suis blessée à la main à Croton, en juin dernier, il a vu la marque dans ma paume.

— Et il sait... depuis juin dernier ? (Et, comme elle acquiesçait avec une expression d'excuse :) Etonnant !

Il lui prit la main, la retourna. La petite tache, nichée dans sa paume droite, révélait sa véritable identité. Des larmes brûlèrent les yeux de la jeune femme. Cela n'avait plus aucune importance maintenant. Victoria n'était plus. Elles ne s'amuseraient plus aux dépens de leur entourage. Plus personne ne les confondrait.

Elle se détourna, accablée, tête basse.

— Elle me manque tellement..., murmura-t-elle.

— A moi aussi... Parce que c'était un être spécial dans ta vie et qu'elle te rendait heureuse... Ton sourire me manque... et ton amour... notre vie commune... Je regrette les horreurs que je t'ai dites... Je suis désolé d'avoir mal pris votre comédie... (Il fondit en larmes lui aussi.) Je suis désolé que tu l'aies perdue.

Elle demeura dans ses bras, figée, le visage luisant de larmes, puis leva les yeux sur celui qui avait presque été son mari.

— Je t'aimais, Charles... moi aussi je suis désolée.

— Et maintenant ? Pourras-tu m'aimer encore ?

Un sourire se dessina sur les lèvres d'Olivia. C'était une question stupide. Elle l'aimerait jusqu'à la fin des temps.

— Oui, bien sûr. On ne peut pas changer ses sentiments.

— Alors épouse-moi, dit-il d'une voix solennelle.

— N'est-ce pas un peu gênant pour toi ? Les gens trouveront cela bizarre... Et si un nouveau scandale éclatait ?

— Je ne suis pas gêné le moins du monde... Et je crois que le scandale consiste à s'entourer d'enfants illégitimes... Le capitaine de ce navire acceptera certainement de nous marier avant que nous arrivions à New York.

Ils échangèrent un sourire. L'idée de l'épouser sur le bateau et de continuer à vivre avec lui n'était pas pour déplaire à Olivia.

— Eh bien, acceptes-tu ?

— Oui.

— Merci, dit-il, et il l'embrassa. Je vais en parler au commandant de bord.

Le bébé se mit alors à hurler. Olivia regarda son futur mari.

— Tu sais, avec Olivier, nous allons avoir des triplés.

— Sans doute apportera-t-il un peu d'équilibre dans cette famille, répondit-il d'un ton grinçant, tandis qu'elle soulevait le bébé dans ses bras pour lui donner le sein.

Ils se marièrent le lendemain à midi dans la cabine du capitaine. Olivia portait la seule tenue décente que contenait sa valise, une robe verte. Ils avaient acheté le seul bouquet du fleuriste à bord : des œillets blancs. Le capitaine les déclara mari et femme, et Charles embrassa la mariée... Le lendemain, tandis que le navire poursuivait sa route à toute vapeur vers New York, ils envoyèrent à Geoff un télégramme par radio, afin de l'avertir qu'ils arrivaient le vendredi suivant. Ils signèrent « papa et Ollie ».

Ils étaient accoudés au bastingage lorsque l'*Espagne* pénétra lentement dans le port de New York. Sur le quai, Bertie et Geoff, portant chacun un bébé, attendaient... Geoff agita la main en direction de son père, une main que la surprise immobilisa, lorsqu'il aperçut Olivier dans les bras de Charles... Mais ils lui expliqueraient en temps et en heure. Et lorsqu'il serait un peu plus grand, ils lui raconteraient toute l'histoire.

Le navire accostait, et le petit garçon fixait la femme qui se tenait à côté de son père, main dans la main. Yeux plissés, il essayait de reconnaître laquelle des deux jumelles était revenue... Il se tourna pour dire quelque chose à Bertie, puis se mit à sautiller de joie, en faisant de grands signes de la main. Il l'avait reconnue. Elle était revenue à la maison... Il n'avait pas perdu sa chère Ollie... C'était celle-ci qui avait perdu la personne qu'elle aimait le plus au monde, la sœur qui avait été sa confidente, son amie, sa complice... La vie était douce lorsqu'elles étaient ensemble. Avec qui parlerait-elle maintenant ? Avec qui rirait-elle ? Sans Victoria, Olivia vivrait dans un univers différent. Une partie d'elle-même lui manquerait toujours... Et, en même temps, sa sœur jumelle serait là à jamais, dans sa tête, dans son cœur, au tréfonds de son âme. Pour elle, Victoria avait été la personne la plus précieuse, hormis Charles et ses enfants. Elle représentait la face cachée de sa personne, de son esprit... l'autre côté du miroir.

Le combat d'une enfant
contre les démons de son passé

Née dans une riche famille new-yorkaise, la petite Gabriella vit un véritable calvaire. Enfant battue par sa mère qui ne l'a jamais désirée, son cauchemar empire le jour où son père quitte définitivement le foyer familial. Placée dans un couvent, Gabriella réapprend à vivre et à aimer auprès des sœurs quand la rencontre du jeune prêtre Joe Connors vient tout bouleverser.

Il y a toujours un Pocket à découvrir

Amour et biotechnologies : un mariage impossible ?

Depuis qu'elle a rencontré Peter Baker, Stéphanie file le parfait amour avec cet homme superbe et attentionné. Directeur d'une société de biotechnologie, Peter est un peu austère aux yeux des enfants de Stéphanie jusqu'au jour où il vient lui rendre visite vêtu d'un pantalon fluo, d'un tee-shirt à paillettes et chaussé d'une magnifique paire de santiags...

Il y a toujours un Pocket à découvrir

L'éclatante fortune
de la joaillerie Whitfield

À la veille de son soixante-quinzième anniversaire, Sarah, duchesse de Whitfield, se retourne sur sa vie. De l'Amérique à la France, de la guerre à la gloire, des épreuves au bonheur, l'histoire de la fondation d'une grande maison de joaillerie, d'un amour absolu, et d'une famille unie.

Il y a toujours un Pocket à découvrir

Imprimé en France sur Presse Offset par

BRODARD & TAUPIN

GROUPE CPI

7286 – La Flèche (Sarthe), le 31-05-2001
Dépôt légal : juin 2001

POCKET – 12, avenue d'Italie - 75627 Paris cedex 13
Tél. : 01.44.16.05.00